马克思主义发展史

第 二 卷

马克思主义体系的形成及发展

（1848—1875）

总主编 庄福龄 杨瑞森 梁树发 郝立新 张 新

本卷主编 张雷声

人民出版社

中国人民大学科学研究基金项目成果

（批准号：15XNLG03 ）

总　序

　　19 世纪 40 年代，马克思和恩格斯创立了他们的伟大科学学说——马克思主义。马克思主义的产生是人类思想史上的伟大变革。它对自然界、人类社会和人的思维的本质与规律作了科学回答，使社会主义由空想发展为科学，无产阶级革命实践从此有了科学理论的指导。

　　马克思主义自形成以来，在世界历史、人类生活、科学和思想文化的发展中，在指导无产阶级实现自身解放的伟大斗争中，留下了深刻的印记，形成了一部内容极其丰富、壮观，既充满曲折又创新不止的历史画卷。正如习近平总书记所说："一部马克思主义发展史就是马克思、恩格斯以及他们的后继者们不断根据时代、实践、认识发展而发展的历史，是不断吸收人类历史上一切优秀思想文化成果丰富自己的历史。"①

　　马克思主义发展史是马克思主义理论研究的基础。马克思主义发展的经验和规律、关于什么是马克思主义和怎样对待马克思主义的确切答案，就在马克思主义发展的历史中，需要通过对马克思主义发展史的研究获得。

　　一旦我们进入马克思主义发展史研究，就会发现以下事实：

　　第一，无论是两位马克思主义伟大创始人，还是他们的战友、学生和后继者中的严格的马克思主义理论家，无不重视对马克思主义发展史的研究，无不是马克思主义理论和马克思主义发展史修养兼备的理论家。

　　第二，马克思主义发展史作为历史进程中发展着的马克思主义，是马克思主义理论发展史和实践发展史的有机统一。也就是说，完整意义上的马克思主义发展史，既不是单纯的马克思主义理论史，也不是单纯的马克思主义实践

———————————

① 习近平：《在纪念马克思诞辰 200 周年大会上的讲话》，人民出版社 2018 年版，第 9 页。

史。这决定了马克思主义发展史研究和书写的基本方法论原则是理论与实践的统一。

第三，马克思主义发展史的存在形式是具体的和多样的，有实践的也有理论的，有文本性的也有非文本性的。马克思主义创始人和马克思主义理论家们始终在利用一切可能的形式进行他们的马克思主义理论研究、创造、阐释和传播。一部在内容上充分而且准确地反映马克思主义实际发展过程的马克思主义史，必定是对它的尽可能多的存在形式研究的结果。

第四，以马克思和恩格斯的战友、学生为主体的早期的马克思主义研究，其主要形式和成就正是马克思主义发展史研究。具体表现为：

（1）多种版本的马克思主义创始人传记问世。马克思主义创始人、其他马克思主义经典作家和无产阶级革命领袖的传记，是马克思主义发展史的存在形式之一，因而也是它的研究形式之一。它是在关于马克思主义创始人、其他马克思主义经典作家和无产阶级革命领袖的生平、事业、思想、著作的生成、演变与发展的历史记忆和追述中展示马克思主义形成与发展的过程。恩格斯是马克思传记的第一位作者。他的《卡尔·马克思》和其他未出版的马克思传记作品，在详尽介绍马克思作为伟大无产阶级革命家和理论家如何为无产阶级和全人类的解放而斗争一生的同时，阐述了以唯物史观、剩余价值学说为标志的他的理论、思想形成与发展过程。《弗里德里希·恩格斯》是列宁在 1895 年恩格斯逝世一个月后写的一篇悼文，它向读者介绍了恩格斯的生平、活动，特别是他实现哲学和政治转变的过程。《卡尔·马克思》是 1914 年列宁应邀为《格拉纳特百科词典》撰写的一个词条，在这里他提出马克思主义"是马克思的观点和学说的体系"[①]命题，强调了马克思主义的整体性；把阶级斗争和无产阶级使命的理论纳入"新的世界观"范畴，凸显马克思主义哲学的实践性；阐明无产阶级斗争策略是马克思主义理论体系中不可忽视的内容，凸显马克思主义的现实性。

（2）初步提出马克思主义发展规律问题。当考茨基还是一位马克思主义者的时候，他发表了一篇题为《马克思主义的三次危机》的文章，以纪念马克思逝世 20 周年。在这篇文章中，他用 19 世纪中叶以来欧洲发生的"三个事件"的命运——1848 年欧洲革命的失败、1871 年巴黎公社的失败和 19 世纪末修正

---

① 《列宁选集》第 2 卷，人民出版社 2012 年版，第 418 页。

主义的出现——说明所谓马克思主义"危机"的发生。在他看来,"危机"虽然不是马克思主义发展中的积极现象,但是也不必把它看作威胁到马克思主义命运的现象。它只是表现了马克思主义发展的曲折性。他认为,在上述每一事件发生的前后,马克思主义其实都经历过一个由高潮到危机、再由危机到高潮的过程,并且在危机被克服之后,马克思主义"总是赢得了新的基地"①。这种关于马克思主义"高潮—危机—高潮"的周期性变化、发展的认识,表明考茨基已经有了关于马克思主义发展规律的意识。同时期德国另一位著名马克思主义理论家罗莎·卢森堡善于在马克思主义发展的历史经验中理解马克思主义发展规律。在《马克思主义的停滞和进步》一文中,她通过对造成马克思主义发展中"停滞"现象的原因的分析而阐明了实质说来是马克思主义理论与实践的关系的独特见解。她认为,一定时期和一定地区的马克思主义发展中的"停滞",原因往往不在于马克思的理论落后于工人阶级的"现阶段斗争",而在于"现阶段斗争"以及"作为实际斗争政党的我们"的行为落后于马克思的理论。她说:"如果我们现在因此而觉察出运动中存在理论停滞状况,这并不是由于我们赖以生存的马克思理论无力向前发展或是它本身已经'过时',相反,是由于我们已经把现阶段斗争必须的思想武器从马克思的武库取来却又不充分运用;这并不是由于我们在实际斗争中'超越'了马克思,相反,是由于马克思在科学创造中事先已经超越了作为实际斗争政党的我们;这并不是由于马克思不再能满足我们的需要,而是由于我们的需要还没有达到运用马克思思想的程度。"②这就是说,在理论与实践的关系上,虽然一般说来实践是主要的决定的方面,理论来源于实践,接受实践的检验。但就 19 世纪末 20 世纪初这一时期的马克思主义发展来说,在卢森堡看来,则是实践落后于理论,落后于马克思的"科学创造"。卢森堡的这个观点在马克思主义理论家中引起了争议。曾是德国共产党理论家的卡尔·柯尔施在题为《关于"马克思主义和哲学"问题的现状(1930 年)》中谈到"马克思的马克思主义理论同后来工人阶级运动的表现形式的关系"问题时,对卢森堡的这个观点提出了批评,认为它"头足倒置地改变了理论对实践的关系"③,并把它"变为一种体系",然后再用这个体

---

① [德]卡·考茨基:《马克思主义的三次危机》,载《国际共运史研究资料》第 3 辑,人民出版社 1981 年版,第 238 页。
② 《卢森堡文选》上卷,人民出版社 1984 年版,第 476 页。
③ [德]卡尔·柯尔施:《马克思主义和哲学》,重庆出版社 1989 年版,第 67 页注⑪。

系解释马克思主义"停滞"的原因。他说,马克思主义"不是一种能够神话般地预见将来一个长时期里工人运动的未来发展的理论。因而不能说随后的无产阶级的实际进步,实际上落在了它自己的理论后面,或者它只能逐渐充实由理论给它规定的构架"①。列宁是把马克思主义发展史研究推向新的高度的马克思主义理论家。《马克思主义和修正主义》、《论马克思主义历史发展中的几个特点》、《马克思学说的历史命运》等是关于马克思主义发展史问题的著名篇章,它们从不同方面阐述了马克思主义发展规律。在《马克思主义和修正主义》中,列宁根据马克思主义发展的经验,得出马克思主义"在其生命的途程中每走一步都得经过战斗"②的结论。在《论马克思主义历史发展中的几个特点》中,列宁提出在"具体的社会政治形势改变了,迫切的直接行动的任务也有了极大的改变"的情况下,"马克思主义这一活的学说的各个不同方面也就不能不分别提到首要地位"。③

(3)阐述了马克思主义发展阶段思想。在《马克思主义的三次危机》中,考茨基关于马克思主义在危机与高潮交替中运行与发展的认识实际包含了马克思主义发展阶段思想。他是把马克思主义发展的高潮时期的起点理解为马克思主义发展新阶段的起点。他认为,马克思主义发展的第一个时期是 1848 年革命失败以前;第二个时期的开端是新高潮在 60 年代初到来的时候,止于 1871年巴黎公社的失败;第三个时期是"1874 年德国社会民主党在选举中赢得了辉煌的胜利"和 1875 年在抵抗普鲁士政府对它的迫害中"敌对的弟兄们"联合起来的时候,止于 19 世纪末由于修正主义的产生导致的马克思主义的"第三次危机"。考茨基指出,在马克思逝世 20 周年的时候,马克思主义正处于这次危机的结尾,意味着马克思主义的一个新的发展时期的到来。列宁总是"从世界各国的革命经验和革命思想的总和中"④理解马克思主义的形成和发展,理解马克思主义发展的阶段性。在《马克思学说的历史命运》中,他按照世界历史的"三个主要时期"的划分,即从 1848 年革命到巴黎公社(1871 年),从巴黎公社到俄国革命(1905 年),从这次俄国革命至 1913 年撰写该文时,阐述马克思主义在每一时期的发展状况,并从中得出总的结论:"自马克思主

---

① [德] 卡尔·柯尔施:《马克思主义和哲学》,重庆出版社 1989 年版,第 67 页。
② 《列宁选集》第 2 卷,人民出版社 2012 年版,第 1 页。
③ 《列宁选集》第 2 卷,人民出版社 2012 年版,第 279 页。
④ 《列宁全集》第 27 卷,人民出版社 2017 年版,第 15 页。

义出现以后，世界历史的这三大时期中的每一个时期，都使它获得了新的证明和新的胜利。"①

（4）提出正确对待马克思主义的问题。马克思主义发展的经验表明，正确认识马克思主义和正确对待马克思主义是实现马克思主义对于实践的正确指导和在实践中获得发展的两个密切联系的基本原则。就其对于实践的指导和马克思主义的自身发展来说，它们具有同等重要的意义。在马克思主义经典著作研读和马克思主义理论学习中，我们会发现马克思主义经典作家对于正确对待马克思主义问题的强调，较之如何认识马克思主义问题来得更多更为迫切。马克思主义发展史的这一现象其实是有来自现实生活的根据的。首先，它是问题本身与具体的无产阶级实践的关联。这个关联就是如何正确对待马克思主义的问题往往是在具体的实践中提出的，是实践中的问题。在这个意义上，我们说，怎样对待马克思主义的问题，直接地是一个理论与实践的关系问题。其次，它是马克思主义在发展中发生曲折的主要原因。这个原因往往不在于关于马克思主义的认识，而在于对待马克思主义的方式、态度。前面曾经提到的卢森堡关于马克思主义发展中"停滞"问题的分析，"停滞"的原因在卢森堡看来，就是德国共产党人对待马克思主义的方式与态度不正确。列宁关于正确对待马克思主义的思想则更为充分、鲜明。他认为马克思主义者从马克思的理论中"只是借用了宝贵的方法"②；强调"在分析任何一个社会问题时，马克思主义理论的绝对要求，就是要把问题提到一定的历史范围之内"③；主张要保卫马克思主义，使之"不被歪曲，并使之继续发展"④。

俄国十月社会主义革命胜利以后，世界范围的马克思主义发展史研究形势发生了根本性变化，特别表现在研究领域、主题的广泛拓展，研究的科学性和系统性的极大提升，研究中心有了强大的社会主义制度的支撑。这里首先应该提到的是俄国马克思主义科学研究中心的建立。这个中心的基础是于 1918 年成立的俄国社会主义学院，特别是它所属的成立于 1919 年的马克思主义理论、历史和实践研究室，在该室基础上 1921 年 1 月成立了马克思恩格斯研究院。该院在列宁的支持和协助下开始了马克思和恩格斯的遗著、遗稿和专用藏

---

① 《列宁选集》第 2 卷，人民出版社 2012 年版，第 308 页。
② 《列宁全集》第 1 卷，人民出版社 2013 年版，第 166 页。
③ 《列宁全集》第 25 卷，人民出版社 2017 年版，第 232 页。
④ 《列宁全集》第 6 卷，人民出版社 2013 年版，第 251 页。

书的搜集、出版,并开展了主题明确的马克思主义发展史研究。此后苏联红色
教授学院、斯维尔德洛夫共产主义大学、莫斯科大学和苏维埃共和国其他城市
的大学和研究机构也都开展了马克思主义发展史的研究和教学。至第二次世界
大战前,苏联在马克思主义发展史研究方面值得提到的主要成就有:马克思和
恩格斯的大量著作、文献的发现和系统发表,特别是《马克思恩格斯全集》、
《列宁全集》、马克思诞辰和逝世周年纪念文集的出版,以及俄共(布)中央主
办的理论刊物《在马克思主义旗帜下》的创刊、马克思恩格斯研究院机关刊物
《马克思恩格斯文库》和《马克思主义年鉴》这两个"马克思学"文献的发表。
马克思主义经典著作和纪念性书刊和文献的出版,标志着俄国马克思主义从普
及到科学研究的过渡;马克思主义发展的列宁主义阶段的提出与共识;马克思
主义与其之前优秀思想成果的关系问题的提出和科学阐释,包括马克思的哲学
先驱者黑格尔、费尔巴哈和空想社会主义代表人物的著作的出版和研究;关于
《西欧哲学史》的讨论使马克思主义哲学的起源和马克思哲学变革的实质问题
成为苏联哲学界和理论界注意的中心;"三大重要手稿"(《黑格尔法哲学批判》、
《1844 年经济学哲学手稿》、《德意志意识形态》)得到集中而深入的研究;马
克思主义政治经济学思想的形成与发展、《资本论》创作史研究,以及恩格斯
经济学思想研究得到重视;继卢那察尔斯基、梁赞诺夫、阿多拉茨基、波格罗
夫斯基、德波林之后,亚历山大罗夫、伊利切夫、康斯坦丁诺夫、米丁、尤金
等一批新的马克思主义理论家成长起来,马克思主义史的学者队伍不断形成;
《马克思主义形成与发展史略》、《马克思主义哲学的形成(19 世纪 30 年代中
期至 1848 年)》等著作出版。

　　法国著名马克思主义研究者奥古斯特·科尔纽从 20 世纪 50 年代初开始
撰写的多卷本的《马克思恩格斯传》,其实是一部马克思和恩格斯思想史著
作,特别是马克思主义形成史著作。50 年代以后,一批综合性的马克思主义
发展史研究著作陆续出版,如 A.G. 迈耶的《共产党宣言以来的马克思主义》
(1954)、R.N.C. 亨特的《马克思主义的过去和现在》(1963)、B.D. 沃尔夫的
《马克思主义学说百年历程》(1971)、S. 阿维内里的《马克思主义的不同流派》
(1978)。

　　这里,我们特别要提到国外马克思主义发展史研究的几部著作。第一部是
南斯拉夫著名马克思主义哲学家普雷德腊格·弗兰尼茨基的《马克思主义史》,
该书先后出了四版。第一版于 1961 年问世,第二版于 1970 年出版,1975 年

发行的第三版是第二版的重印，1977 年出了第四版。1963 年我国三联书店曾分上下卷出版了该书中文版。1986 年和 1988 年根据该书 1977 年版人民出版社先后出版了中文版第一、二卷，1992 年出版了中文版第三卷。弗兰尼茨基的《马克思主义史》（三卷本）是国外较早出版的论述马克思主义发展史的多卷本著作，曾被译成多国文字，在我国和世界其他国家的理论界产生过较大影响。

第二部是英国肯特大学政治学教授、国际著名马克思主义研究者戴维·麦克莱伦的《马克思以后的马克思主义》。该书于 1979 年由伦敦和巴辛斯托克麦克米兰出版公司出版。1980 年和 1998 年先后出了第二、三版。1984 年该书根据 1979 年版译成中文，1986 年由中国社会科学出版社出版。著名马克思主义哲学家、马克思主义哲学史家黄枬森教授写了《〈马克思以后的马克思主义〉一书评介》，载于该书。黄枬森教授指出该书有三个特点：它所涉及的范围十分广泛，几乎包括了马克思主义哲学、政治经济学和科学社会主义在马克思逝世后近百年来在世界各国的传播和发展；它用比较客观的态度提供了丰富的思想材料，对作者显然不同意的观点也能如实地进行介绍；它不仅提供了马克思主义发展史的丰富材料，而且提供了进一步研究的线索。2008 年中国人民大学出版社出版了该书第三版。

第三部是英国著名马克思主义史学家埃里克·霍布斯鲍姆的《如何改变世界——马克思和马克思主义的传奇》。该书收录了霍布斯鲍姆 1956—2009 年间在马克思主义发展史领域所写的部分作品，它们"实质上是对马克思（和不可分开的恩格斯）思想发展及其后世影响的研究"[①]。全书分两个部分，共 16 章。第一部分是"马克思和恩格斯"，从"今日的马克思"谈起，涉及"马克思、恩格斯与马克思之前的社会主义"、"马克思、恩格斯与政治"等专题，然后是"论"马克思和恩格斯的几部代表性著作文章，但这个论述已经不限于对著作内容、结构和知识点的介绍，而涉及更广泛的内容，特别是它们在国际共产主义运动史和马克思主义发展史上的影响、它们的文献学意义等。第二部分是"马克思主义"。从每一章的标题可以看出，其主题是马克思主义发展史各个时期的重要问题。所以，严格来说，它不是一部我们印象中的系统的马克

---

① [英] 埃里克·霍布斯鲍姆：《如何改变世界——马克思和马克思主义的传奇》，中央编译出版社 2014 年版，"前言"第 1 页。

思主义发展史著作，而是关于马克思主义发展史重要问题的研究性著作。但是，这并不影响它的实际的系统性，因为作者讨论的问题所在时期是连贯的。霍布斯鲍姆还乐观地谈到21世纪马克思主义前景，指出："经济自由主义和政治自由主义，无论是单独还是结合起来，都不可能为21世纪的种种问题提供解决的方案。现在又是应该认真地对待马克思的时候了。"① 从占有材料的规范性、问题分析的透彻与精到、见解的鲜明与深刻来看，这是一部难得的马克思主义发展史著作。

第四部是莱泽克·科拉科夫斯基的三卷本的《马克思主义的主要流派》。这是一部大部头的马克思主义发展史著作，也是一部颇有争议的著作。该书第一卷写于1968年，第二卷和第三卷分别写于1976年和1978年。全书在英国出版于1978年。莱泽克·科拉科夫斯基1927年10月23日出生于波兰，曾担任华沙大学哲学系教授、系主任，系"东欧新马克思主义"代表人物。1968年被解除华沙大学教职后，先后去了德国、加拿大、美国，最后定居英国，在牛津大学任教。《马克思主义的主要流派》的结构特征是，除个别章节是理论专题外，其他均按人物排列。这些人物都是重要的马克思主义发展史人物，在科拉科夫斯基看来，他们还是某一马克思主义流派的代表。这些人在政治上和理论上当然有其个性，并具有较大影响力，但其中有的硬被说成某一马克思主义流派的代表，或者为其硬要搞出一个所谓马克思主义流派，实属牵强，表明他关于马克思主义流派的划分具有很大的随意性。作为"东欧新马克思主义"代表人物，他的观点与"西方马克思主义"的人本主义流派和西方"马克思学"的观点基本一致，但对于同样坚持人道主义立场的某些"西方马克思主义"人物，如马尔库塞、萨特等，他还是进行了严厉批评，原因很大程度不在于其理论观点，而在于他们与苏联的关系。科拉科夫斯基对社会主义国家的马克思主义和经济、政治体制的认识有很大片面性，许多观点是错误的。但该书在马克思主义发展史研究方面还是提供了丰富的资料，也使我们能够更广泛地了解国外马克思主义发展史研究的动态。

1978—1982年，意大利埃伊纳乌迪（Einaudi）出版社出版了一部多卷本的《马克思主义史》，霍布斯鲍姆称其是一项"最雄心勃勃的马克思主义史计

① ［英］埃里克·霍布斯鲍姆：《如何改变世界——马克思和马克思主义的传奇》，中央编译出版社2014年版，第385页。

划"。他是该书的联合策划者和联合主编，并参加了第一卷的写作。该书没有中文版。

总的来说，我国的马克思主义发展史研究起步较晚。1964年6月，原高等教育部根据中共中央决定批准中国人民大学成立马列主义发展史研究所，标志着我国系统的马克思主义发展史研究的开始。建所之初，马列主义发展史研究所的干部和教师以饱满的热情积极投入到马克思主义发展史资料的搜集、翻译和整理工作中。由于"十年动乱"和中国人民大学解散，还没有进入实际过程的马克思主义发展史研究不得不停步。实际的系统的马克思主义发展史研究是在1978年中国人民大学复校后马列主义发展史研究所由外校迁回后开始的。70年代末至整个80年代，马列主义发展史研究所在不太长的时间内发表了一批在学术界有较大影响的研究成果。先后有马列主义发展史研究所组编的《马克思恩格斯思想史》和《列宁思想史》出版；有在国内最早开启的马克思早期思想研究著作《马克思早期思想研究》和《〈资本论〉创作史》的出版，特别是在《马克思主义哲学史纲要》和《科学社会主义史纲》编写基础上，完成并出版了国内第一部综合性的马克思主义发展史著作《马克思主义发展史》，有《马克思主义与当代辞典》的编写和出版。20世纪90年代是研究所的高产期，仅在前半期就有《被肢解的马克思》、《新视野：〈资本论〉哲学新探》、《毛泽东哲学思想史》（三卷本）、《马克思主义经济思想史》、《〈资本论〉方法论研究》、《马克思"不惑之年"的思考》、《恩格斯与现时代》、《第二国际若干人物的思想研究》、《20世纪马克思主义史——从十月革命到中共十四大》、《马克思主义哲学史辞典》和几部马克思主义经典作家传记的出版。这些著作的出版为90年代初启动的四卷本《马克思主义史》的编写做了理论上的准备。四卷本的《马克思主义史》由中国人民大学马列主义发展史研究所组织编写，庄福龄教授主编，人民出版社1995年、1996年出版。这是由国内学者编写的第一部较大部头的马克思主义发展史著作，出版后获中宣部"五个一工程"奖和国家图书奖提名奖。

《马克思主义史》（四卷本）的出版距今已近30年，其间经历了世纪交替，马克思主义逐渐从苏联东欧社会主义制度解体造成的冲击和困境中走出并重新活跃起来，马克思主义研究在更广范围内和更深层次上展开并取得重要成果。一方面对马克思主义理论和马克思主义发展史有了新的认识；另一方面积累了马克思主义创新发展的丰富经验，尤其是马克思主义中国化时代化的经验，从而凸显编写一部反映马克思主义发展最新理论成果、内容更加充实、更高质量的马克思主义发展史著作的必要性。参加十卷本《马克思主义发展史》编写者们对完成这一任务的意义有自觉的意识：

第一，它是适应 21 世纪变化了的世界历史形势和这一形势下无产阶级认识世界和改变世界的伟大实践，特别是当代中国特色社会主义实践需要的。马克思主义的创新发展是在对客观历史形势的正确反映和根据这种反映对世界的积极改造中实现的，是在马克思主义基本原理同各国实际的结合中实现的。马克思主义发展史著作对这个过程的研究、书写，特别是对它的经验和规律的揭示，将为我们正确认识和面对新世纪客观形势的变化，并根据这种变化确定我们的实践主题、发展道路、发展战略提供启示。

第二，它是发展当代中国马克思主义、二十一世纪马克思主义的需要。一般地说，马克思主义发展史的研究对象是历史上的和世界性的马克思主义发展过程，是马克思主义发展的基本经验和规律。但是，从马克思主义的实践的和理论的发展目的出发，这种研究方法又必须是面对现实和面向未来的，因此是"大历史"的，是历史主义与现实主义的统一。而从这一原则和视野出发，我们的马克思主义发展史的研究和书写，一是要特别关注"我们自己正在做的事情"，从理论方面讲，就是要特别关注中国马克思主义的发展，关注马克思主义中国化时代化的历史进程；二是要关注马克思主义的当下发展状况和未来发展趋势。就研究者身在 21 世纪的现实来说，就是要研究二十一世纪马克思主义。关于"二十一世纪马克思主义"这个命题，我们还是要从总体上认识，即要看到它所表征的总的精神是面向马克思主义的未来发展。它既表明二十一世纪马克思主义主体对未来马克思主义发展、马克思主义命运信心满满，又表征对未来马克思主义发展提出更高要求，即它是能够回答新的时代之问的马克思主义发展新境界。

第三，它是对中国人民大学优良传统的继承和发扬。中国人民大学是中国共产党创办的第一所新型正规大学，有着用马克思主义指导办学的传统和经验。这个传统和经验，首先是坚持政治性与学理性的统一。坚持这个统一，既表现在办学方针，教育和教学的指导思想和根本方法上，也表现在科学研究所应坚持的根本方向、目标和方法上。对于马克思主义研究来说，就是为无产阶级革命、社会主义建设和改革的实践服务。这是我们从事马克思主义教育与研究的宗旨。这个宗旨在马列主义发展史研究所成立时就明确了。

1964 年前后，中央强调系统的马克思主义发展史研究，其直接原因在于当时国际政治形势的变化、国际的和社会主义阵营内部的意识形态斗争。中央批准成立中国人民大学马列主义发展史研究所的直接意图就是为了适应这一需要。对此，马列主义发展史研究所的干部和教师的认识是十分明确的。其次是始终坚持用马克思主义指导学校全面工作，把马克思主义贯彻教书育人的全过程，积极打造和夯实马克思主义教学与研究高地，为推进马克思主义中国化时代化进程贡献力量。这个传统是用中国人民大学师生的具体行动铸成的。中国人民大学为国家输送的马克思主义理论人才、为其他高校和教育单位输送的马克思主义理论教育人才、为高校马克思主义理论教学编写的教材、出版的各类马克思主义理论著作，特别是不同版本的马克思主义发展史著作，发挥了极其重要的作用。继四卷本的《马克思主义史》之后，我们今天编写十卷本的《马克思主义发展史》，既是对中国人民大学传统的继承和发扬，也是作为"人大人"的我们这一代马克思主义理论教育者和研究者的责任。

第四，它是适应马克思主义理论学科发展的需要。马克思主义理论学科有七个二级学科，马克思主义发展史是其中之一。相较于其他六个学科的发展现状，马克思主义发展史学科相对薄弱，这与马克思主义中国化研究和国外马克思主义研究从马克思主义发展史的结构中独立出来有关。原来的学科内容变窄了，但研究难度增加了（特别是马克思、恩格斯和列宁著作的研究难度）；马克思主义中国化研究和国外马克思主义研究这两门离我们时间和空间较近的学科从传统的马克思主义发展史体系中划分出来，使之具有的现实性受到一定程度的影响，降低了学科对学生的吸引力。但是，主要原因在于在马克思主义理论学科建立前国内学界缺乏对马克思主义发展史的研究，以致于在马克思主义理论学科建立后，出现许多学校开不出马克思主义发展史课程，甚至在其学校的马克思主义理论学科中排除马克思主义发展史学科的局面。马克思主义理论学科的专家们没有不说马克思主义发展史学科重要的，但真正从事这一学科研究的学者则相对较少。我们希望《马克思主义发展史》（十卷本）的编写能够对这一学科的发展起到推动作用。

根据 20 余年来我们的作者们关于马克思主义发展史研究成果与研究经验的积累，根据中国人民大学现有研究力量，我们认为完成这一编写任务的条件已经成熟。首先是四卷本《马克思主义史》的主编庄福龄教授提议，然后是学校和学院两级领导的支持和学院广大教师的积极响应，2014 年元月正式启动了十卷本《马克思主义发展史》的编写。

经讨论，我们对《马克思主义发展史》（十卷本）的编写主旨取得共识：在客观准确地反映和阐述马克思主义形成与发展的全过程的基础上，特别着眼于对马克思主义发展的新主题的发掘、新材料的吸收、新观点新思想的阐发和新经验的总结，反映和吸收国内和国际马克思主义发展的最新成果，为时代、为人民、为我们的伟大事业贡献一部高质量的马克思主义发展史著作。

为此，我们对《马克思主义发展史》（十卷本）编写提出以下具体要求：

第一，强化马克思主义形成史研究。在对马克思主义形成过程的研究中，实现对尽可能丰富的马克思主义来源的深刻认识，在将马克思主义的产生放到整个欧洲文化乃至人类文化传统中认识时，注意区分马克思主义的来源与对马克思主义的产生发生影响的文化因素，强化对马克思主义形成中马克思和恩格斯与同时代思想家的关系的研究，着力揭示特定历史条件下新思潮产生和思想变革的规律。为实现这一要求，第一卷的编写在深化对马克思主义的"三个来源"的研究的同时，增加了马克思和恩格斯同时代人鲍威尔、赫斯、卢格、施蒂纳、契希考夫斯基和科本等对他们早期思想发生影响的内容。

第二，坚持以无产阶级革命和社会主义建设与改革的重大实践为主导线索。坚持以问题为中心，贯彻理论与实践、历史与现实相统一的原则。要注意认识和总结中国特色社会主义建设和改革开放过程中取得的马克思主义理论创新成果，特别是新时代中国特色社会主义建设实践中取得的马克思主义理论创新最新成果，还要善于从各个历史时期取得的马克思主义理论创新成果中认识和总结马克思主义发展的经验和规律。习近平总书记在党的二十大报告中指出："坚持和发展马克思主义，必须同中国具体实际相结合。我们坚持以马克思主义为指导，是要运用其科学的世界观和方法论解决中国的问题，而不是要背诵和重复其具体结论和词句，更不能把马克思主义当成一成不变的教条。我们必须坚持解放思想、实事求是、与时俱进、求真务实，一切从实际出发，着眼解决新时代改革开放和社会主义现代化建设的实际问题，不断回答中国之问、世界之问、人民之问、时代之问，作出符合中国实际和时代要求的正确回答，得出符合客观规律的科学认识，形成与时俱进的理论成果，更好指导中国实践。"①习近平总书记在这里提出的坚持和发展马克思主义的根本的方法论原则，也是指导我们从事马克思主义发展史研究的根本的方法论原则，只有坚持这个原则，我们才能写出一部反映马克思主义发展真实过程，适应无产阶级革命和社会主义建设与改革实践要求，适应不断开辟当代中国马克思主义、二十一世纪马克思主义新境界要求的马克思主义发展史。

第三，根据俄国十月社会主义革命胜利后马克思主义发展主题的转换，着重研究社会主义建设和改革的理论及其发展历程，高度重视和阐发中国特色社会主义理论体系的形成与发展对于马克思主义发展的意义，特别是习近平新时代中国特色社会主义思想对马克思主义发展的重大意义。习近平新时代中国特色社会主义思想是马克思主义中国化时代化的最新理论成果。为此，第十卷用主要篇幅充分阐释了习近平新时代中国特色社会主义思想形成、发展过程及其对马克思主义发展的重大贡献。

第四，着眼于国内外马克思主义研究最新成果的发现与研究，尤其是关于马克思主义基础理论、马克思主义文本文献、当代资本主义、当代社会主义、新科技革命、世界发展趋势、当代社会思潮等问题上的研究成果。本来的和完整意义的马克思主义发展史研究是关于马克思主义的过去、现在和未来发展的研究。21世纪以来的马克思主义实践和理论发展自然应该进入我们的研究视野，并成为理解总体的马克思主义发展史的坐标。

第五，立足于马克思主义整体发展的研究，但不忽略对马克思主义的各个组成部分、各个学科发展的研究。马克思主义主要由它的哲学、政治经济学和科学社会主义三大部分构成，马克思主义发展史研究和书写给予其较多关注是应该的，但是不能由此而忽略马克思主义多学科发展事实。例如，第二卷注意揭示"马克思主义的全面拓展过程"，在关注马克思和恩格斯的自然观和科学观形成与发展的同时，也考察了他们在伦理观、宗教观、美学和文艺观、军事理论等方面的发展。第六卷在系统考察马克思主义在哲学、政治经济学方面的发展的同时，还考察了马克思主义在文艺学、史学方面的发展。

第六，在着重认识与阐释马克思主义在革命、建设和改革的实践中发展的

① 习近平：《高举中国特色社会主义伟大旗帜　为全面建设社会主义现代化国家而团结奋斗——在中国共产党第二十次全国代表大会上的报告》，人民出版社2022年版，第17—18页。

同时，也对专业性的马克思主义理论研究成果给予必要关注。注意总结不同类型的主体的马克思主义创新经验，注意从不同形式的马克思主义文本中认识马克思主义的新发展。例如，根据包括本卷作者在内的学界最新研究成果，第三卷增加了马克思和恩格斯关于科学技术的社会性质和社会功能、从自然运动向社会运动过渡的理论内容。

第七，关注当代世界马克思主义思潮，在总体的马克思主义发展历史进程中认识国外马克思主义。为此，第七、八、九卷对各国共产党和进步组织、国外各马克思主义研究流派、世界社会主义运动的马克思主义研究等进行了深入考察。要求对它们要有分析、有鉴别，既不能采取一概排斥的态度，也不能搞全盘照搬。

第八，不回避马克思主义研究中的理论难题，敢于以鲜明的态度在重大理论问题上发声。检视在重大问题上的传统认识，善于结合新的实际作出新的判断。既注意总结正确认识马克思主义的经验，也注意总结正确对待马克思主义的经验。着力分清哪些是必须长期坚持的马克思主义基本原理，哪些是需要结合新的实际加以丰富发展的理论判断，哪些是必须破除的对马克思主义的教条式的理解，哪些是必须澄清的附加在马克思主义名下的错误观点。为此，第五卷特别设置了"马克思主义基本原理、本质特征和历史命运的科学阐述"一章，系统阐释列宁的马克思主义观，展示列宁科学认识和对待马克思主义的经验。

本书的卷次划分遵循实践逻辑、历史逻辑和理论逻辑的统一。这个统一特别表现为马克思主义在无产阶级革命和社会主义运动实践中实现发展的若干重要阶段之间的关系。因此，每一卷次标示的时间阶段实质说来不是自然时间，而是历史时间，表征马克思主义发展的一定的阶段性。

阶段的划分是相对的，并且是分层次的。有大阶段，也有大阶段包含的小阶段、次级阶段。马克思主义发展史的大阶段是马克思和恩格斯对马克思主义的创立与发展、列宁主义的形成与发展、以中国马克思主义为标志的当代马克思主义发展。它们分别包含若干小阶段。比如，第一个大阶段包括马克思主义的创立、马克思主义的丰富与系统化、马克思和恩格斯晚年对马克思主义的深化三个小阶段。这三个阶段构成本书的第一至三卷。第二国际马克思主义（1889—1914年）是马克思和恩格斯创立的原初马克思主义与列宁主义之间的过渡。虽然这一时期马克思主义缺乏突出发展，但是由于这个时期的人物、思潮和流派之间的复杂关系以及马克思主义多向演变与发展的可能而凸显其对于马克思主义发展史的特殊意义。基于此，马克思主义在这一时期的发展与演变被设置为独立的一卷（第四卷）。马克思主义发展的列宁主义阶段以俄国十月社会主义革命胜利为界划分为两个阶段，时间段分别为：19世纪末—1917年、1917—1945年。前一阶段是列宁主义的形成及其在十月革命前的发展，后一阶段是列宁主义在十月革命胜利后的发展。这个阶段的内容包括列宁晚年关于社会主义发展道路的探索、苏联社会主义模式的形成。这两个阶段还分别包括马克思主义在中国的初期、早期传播和马克思主义中国化的第一个伟大理论成果——毛泽东思想的形成。这就是本书第五、六卷的内容。第七、九、十卷的内容是马克思主义在第二次世界大战后的发展。它们的时间段分别是：1945—1978年、1978—21世纪初、1989年以来。每一卷所包含的内容都是在相应时间段内马克思主义的发展状况，其中主要是苏联和东欧各国对社会主义的探索、中国共产党人和马克思主义者对中国社会主义发展道路的探索，特别是改革开放以来邓小平理论、"三个代表"重要思想、科学发展观和习近平新时代中国特色社会主义思想的形成与发展。为了体现马克思主义发展的连续性，第九卷在着重阐述邓小平理论形成发展过程外，用适当篇幅阐述了苏东剧变过程中及之后非资本主义国家马克思主义的曲折发展和理论反思，时间延续到21世纪初。为了完整地和集中地阐释马克思主义中国化时代化最新理论成果，第十卷聚焦中国特色社会主义理论体系的跨世纪发展，对当代中国马克思主义、二十一世纪马克思主义做了重点阐释。马克思主义在非社会主义国家的研究情况比较复杂，时间跨度比较长，为方便读者阅读和了解社会主义国家之外的非社会主义国家的马克思主义研究和发展状况，安排第八卷为1923年以来"马克思主义在非社会主义国家的传播与发展"专卷。

"实践没有止境，理论创新也没有止境。"[1] 理论创新没有止境，马克思主义发展史研究就不能停滞不前。十卷本《马克思主义发展史》的出版，不是我们的马克思主义发展史研究的结束，而是新的研究的起点。我们需要根据马克思主义在新的时期新的实践中的发展把马克思主义发展史研究继续下去。

---

[1] 习近平：《高举中国特色社会主义伟大旗帜　为全面建设社会主义现代化国家而团结奋斗——在中国共产党第二十次全国代表大会上的报告》，人民出版社2022年版，第18页。

　　《马克思主义发展史》（十卷本）的作者们对编写工作提出了很高要求，力求为推动二十一世纪马克思主义发展、开辟马克思主义中国化时代化新境界，奉献一部能够经得起时间考验的马克思主义发展史著作。但是，由于我们的水平有限，马克思主义发展史的有些方面和问题还未完全掌握和深入研究，呈现在广大读者面前的这份研究成果是否能够承担起它应承担的这样一个使命，是否能够为广大读者满意，我们心怀忐忑。我们愿意听到读者的批评意见。

本书总主编

2023 年 9 月 15 日

（梁树发执笔）

目　录

Contents

Chapter Seven: The Main Contribution of Engels to the Establishment of Marxist Economics ·· 271

卷 首 语

　　本卷的主题为"马克思主义体系的形成及发展"。这是对马克思主义在 19 世纪中期的发展过程所做的历史回顾，既反映了马克思恩格斯形成并不断发展自己思想的历程，也反映了马克思恩格斯同时代的马克思主义者丰富和发展马克思主义的历程。在马克思主义形成和发展过程中，马克思恩格斯实现了人类思想史上的伟大革命，从众多思想流派中脱颖而出，成为同资产阶级思想根本对立的唯一科学的理论体系。马克思主义是一门继承与发展、弘扬与创新的科学，它既批判地吸收了人类思想史上已有的优秀成果，也回答了人类先进思想已经提出的种种问题，并在经受各种新的挑战中不断创新和发展。我们只有从历史、理论和现实的结合上，研究马克思恩格斯关于马克思主义体系的形成及发展，才能真正把握马克思主义的科学内涵、理论体系和精神实质，真正凸显马克思主义的科学原理和科学精神的历史发展及当代意义。

　　马克思主义形成于资本主义经济和社会的发展处于历史转折关头的时代。19 世纪中期，各主要资本主义国家经历了各种形式的资产阶级革命，相继完成了各自的产业革命。产业革命在带来了社会生产力巨大变化的同时，社会生产方式也发生了深刻变化，生产力和生产关系的矛盾日益加剧。在生产的社会化和生产资料私人占有这一资本主义基本矛盾的作用下，以生产的相对过剩为特征的经济危机大约每隔 10 年周期地爆发一次。尽管当时资本主义还处在它的上升时期，但是，资本主义生产关系却已开始从生产力发展的推动力量转为生产力发展的桎梏。产业革命也引起了社会关系，特别是阶级关系的新变化，在创造出一个工业资本家阶级的同时，也创造出一个在人数上远远超过前者的产业工人阶级。产业革命在不断地刺激资本财富的积累、强化资本的力量的同时，也在不断地扩大工人贫困的积累、聚合工人阶级的反抗力量。产业革命把无产阶级作为一种独立的政治力量推上历史舞台。资产阶级和无产阶级的矛盾不可避免地上升为社会的主要矛盾。19世纪30—40年代欧洲爆发的一系列工人运动，揭开了由无产阶级领导的社会革命的序幕。

对人类文明的优秀文化成果的吸收和批判是马克思主义形成和发展的重要前提。众所周知，马克思主义的创立，一方面是对人类社会经济形态特别是对资本主义经济形态进行科学分析的结果，另一方面也是批判地继承前人思想的结果。这正如列宁所指出的："马克思主义这一革命无产阶级的思想体系赢得了世界历史性的意义，是因为它并没有抛弃资产阶级时代最宝贵的成就，相反却吸收和改造了两千多年来人类思想和文化发展中一切有价值的东西。"[①] 产生于18世纪末至19世纪初的德国古典哲学，以其主要成就对马克思主义的形成和发展产生了重要影响。产生于17世纪中叶、完成于19世纪初的资产阶级古典政治经济学，是马克思主义的主要来源。空想社会主义理论是马克思恩格斯思想形成和发展的基础。历史和时代呼唤着新的理论的产生。

唯物史观、剩余价值理论、科学社会主义的结合是马克思主义形成和发展的重要标志。1843年，马克思在步入政治经济学研究时，首先搞清楚了国家与市民社会之间的关系，这是他能够创立唯物史观的关键。《1844年经济学哲学手稿》作为马克思的第一部经济学著作，是他对唯物史观的最初理论探索，体现了马克思把哲学研究同政治经济学研究结合起来的特征。从《1844年经济学哲学手稿》的写作到《哲学的贫困》的完成，是马克思从否定劳动价值论到赞同劳动价值论的过程，其间经历了马克思与恩格斯共同完成的著作《神圣家族》和《德意志意识形态》。如果说1844年9—11月完成的《神圣家族》对唯物史观的阐述还受到费尔巴哈人本主义的影响，唯物史观还处于形成的前夜，那么，在1846年5月完成的《德意志意识形态》中，马克思恩格斯就已通过对费尔巴哈的全面批判和清算，系统地阐述了历史唯物主义的基本原理，并运用这些原理对国家的阶级性质、社会的意识形态性质、共产主义的历史必然性作了分析。可以认为，《德意志意识形态》中关于唯物史观的论点，使马克思恩格斯的研究有了新的视野，唯物史观成为政治经济学深入研究的基础。

在1847年上半年马克思写成的《哲学的贫困》和1847年12月完成的《雇

---

① 《列宁专题文集　论马克思主义》，人民出版社2009年版，第296—297页。

佣劳动与资本》，以及 1848 年 8 月马克思和恩格斯共同完成的《共产党宣言》中，唯物史观得到了充分的阐述和发挥。《哲学的贫困》是马克思在劳动价值论上态度发生转变的标志。在《哲学的贫困》中，马克思把唯物史观运用于对政治经济学的研究，强调了经济范畴的抽象性、客观性、历史性，第一次公开了自己对劳动价值论的基本立场。不仅如此，马克思也明确地提出了劳动时间决定价值的观点。通过《哲学的贫困》，马克思已经实现了劳动价值论与唯物史观的结合。《雇佣劳动与资本》和《共产党宣言》是马克思恩格斯直接运用唯物史观来分析资本主义生产方式的著作。《雇佣劳动与资本》对资本主义社会经济关系本质的剖析、对资本主义剥削秘密的揭露、对劳动和劳动力的区分、对工资本质的揭示等，不仅体现了劳动价值论的运用，而且也是剩余价值理论确立的基础。《共产党宣言》关于资产阶级历史地位、无产阶级历史使命、阶级斗争和无产阶级专政、"两个必然"等的论述更是贯穿和渗透着唯物史观的思想。

在《政治经济学批判（1857—1858 年手稿）》的"资本"章中，马克思关于剩余价值范畴的首次提出和对剩余价值来源、生产、实现等问题的初步探索，一方面为之后马克思关于剩余价值理论的研究奠定了基础，另一方面也标志着马克思主义政治经济学的基本形成，标志着唯物史观与政治经济学理论的结合。这一探讨使马克思对他和恩格斯共同创立的唯物史观有了更加深刻而丰富的发展。所以，在《政治经济学批判。第一分册》的"序言"中，马克思通过阐述自己研究政治经济学的过程，对唯物史观作了精辟的概括："人们在自己生活的社会生产中发生一定的、必然的、不以他们的意志为转移的关系，即同他们的物质生产力的一定发展阶段相适合的生产关系。这些生产关系的总和构成社会的经济结构，即有法律的和政治的上层建筑竖立其上并有一定的社会意识形式与之相适应的现实基础。物质生活的生产方式制约着整个社会生活、政治生活和精神生活的过程。不是人们的意识决定人们的存在，相反，是人们的社会存在决定人们的意识。"① 应该说，唯物史观与政治经济学在马克思的这一精辟阐述中达到了高度统一。

在《政治经济学批判（1861—1863 年手稿）》中，马克思首次对绝对剩余价值和相对剩余价值之间的内在联系作了考察，还引入了超额剩余价值的概念

---

① 《马克思恩格斯文集》第 2 卷，人民出版社 2009 年版，第 591 页。

来分析问题。在阐明剩余价值生产的两种基本形式的基础上，提出了劳动从属于资本的两种基本形式的理论。与此同时，马克思第一次对剩余价值到利润、利润到平均利润的"两种转化"过程作了系统的探讨。所有这些分析使剩余价值理论更加丰满，从而以剩余价值理论的形成证明了唯物史观的科学性，进一步完善了唯物史观。马克思的宏伟巨著《资本论》是唯物史观、剩余价值理论、科学社会主义相结合的典范。《资本论》运用唯物史观分析剩余价值理论，不仅丰富了唯物史观，而且为科学社会主义理论的形成奠定了基础。在《政治经济学批判（1863—1865年手稿）》中，马克思对资本主义直接生产过程的性质、资本形式、劳动对资本的从属关系，以及资本的流通过程如资本流通、流通时间、生产时间、资本周转等问题进行了详尽的分析，建立起了《资本论》三卷的结构体系。在《资本论》中，马克思对剩余价值的产生、生产及生产过程、剩余价值实现和分配等问题的探讨，不仅运用了唯物史观的方法论如唯物辩证法、抽象法、抽象上升到具体的方法等，揭示了资本主义生产方式的本质，而且也以对资本主义经济矛盾运动的分析，以对资本主义生产力与生产关系的研究，丰富了唯物史观的内容，论证了唯物史观的科学性，使唯物史观在资本主义的经济现实中得到了逻辑展开。正如列宁所说："自从《资本论》问世以来，唯物主义历史观已经不是假设，而是科学地证明了的原理。"① 因此，研究马克思主义的形成和发展，必须将唯物史观的创立与剩余价值理论的阐释、科学社会主义的形成结合起来。

---

① 《列宁专题文集　论辩证唯物主义和历史唯物主义》，人民出版社2009年版，第163页。

第一章　1848 年革命及其经验总结

1848 年，《共产党宣言》刚刚问世，欧洲大陆就爆发了一场规模浩大的革命运动。革命风暴席卷了法国、德国、奥地利、匈牙利、意大利等国，有力打击了欧洲各国的封建专制制度，为资本主义发展扫清了道路。马克思恩格斯密切关注着革命形势的发展，直接指导和参加了德国革命和法国革命，他们科学总结了这些革命的经验教训，把无产阶级革命、无产阶级专政和民族解放运动等理论推向了一个新的发展阶段。

第一节　1848 年革命及对革命性质和意义的总结

19 世纪中期，欧洲资本主义与封建主义之间、压迫民族与被压迫民族之间的矛盾日趋尖锐，席卷全欧的农业灾害和经济危机加速了革命的到来。马克思恩格斯积极投身于革命实践，并在革命失败后认真总结经验教训，发展了马克思主义关于无产阶级革命的理论。

一、1848 年革命的爆发及进程

1848 年欧洲革命的爆发是欧洲各国政治、经济、社会矛盾激化的结果。在法国，七月革命的胜利结束了波旁王朝的反动统治，为资本主义发展开辟了道路。机器在纺织业中得到了广泛使用，冶金、采矿、交通运输等行业也有了一定程度的发展。然而，由于国家政权掌握在以银行家、铁路大王、大矿山主等为代表的金融贵族手中，只实行有利于本集团的对内对外政策，致使广大劳动人民依然生活在水深火热之中。同时，由于七月王朝的统治还危及工业资产阶级、小资产阶级，乃至一些大资产阶级等集团的利益，以致最终形成了阶级立场和政治主张各不相同的派别和集团暂时团结起来共同反对七月王朝的局面。及至 1847 年，七月王朝面临的政治经济形势已相当严峻。而 1845 年和 1846 年发生的马铃薯病虫害和农业歉收，以及 1847 年从英国开始的经济危机，进一步加剧了七月王朝的危机。1847 年法国财政赤字达到预算总额的 25%，工厂纷纷倒闭，大量工人失业，粮价急剧上涨，群众革命情绪不断高涨。资产阶级也掀起了宴会运动，反对基佐政府的统治。从 1847 年 9 月到 10 月，全国参加宴会运动的人数达 1.7 万人。"这里的工人比过去任何时候都更加深深地感到必须进行革命，而且是远比第一次更为彻底、更为激烈的革命。……一旦人民和政府之间的冲突成为不可避免，他们会立刻出现在大街和广场上，挖断马路，把公共马车、运货的和载客的马车都放倒横在街上，把每一条通路堵死，把每一条小巷变成一座堡垒，并且从巴士底广场突破一切障碍直向土伊勒里宫前进。到那时，恐怕出席改革宴会的那些大人先生们大部分都要躲在自己家中最黑暗的角落里，或者像枯树叶一样在人民的狂风暴雨中四散飘落"①，七月王朝已处于风雨飘摇之中。在德国，封建专制统治、国家四分五裂，是1815 年建立的德意志联邦的主要特征。34 个邦和 4 个自由市都是各自拥有主权的国家，它们虽然结成了持久联邦，但却没有中央政府，也没有统一的军队和司法机关。在封建贵族控制着国家机器，享有经济、政治特权的前提下，德国资本主义在工业和农业中都有了一定程度的发展。但与英国和法国相比，德国资本主义的发展依然较为落后。工业区少而分散，国家的分裂也严重阻碍着

---

① 《马克思恩格斯全集》第 4 卷，人民出版社 1958 年版，第 401—402 页。

统一市场的形成。1846年全德现代工厂工人不超过70万，即使到了1849年，关税同盟各国还有约70%的人口住在农村，农业产值占工农业国民总产值的70%。尽管如此，资产阶级力量的壮大还是再度推动了争取德国民族统一斗争的发展。在追求德国"统一与自由"的斗争中，一部分资产阶级和小资产阶级提出了反对封建专制统治、改善贫困阶级状况等要求，工人阶级作为独立的政治力量登上了历史舞台。不仅如此，德国的民族矛盾也十分尖锐。在德意志联邦中处于重要地位的奥地利哈布斯堡王朝为了维护其反动统治，竭力利用民族间的矛盾挑起民族纠纷，使各民族经常处于敌对和均势状态。为了维护自身利益，各民族的反抗情绪日益强烈，要求民族独立的呼声日益高涨。在国内矛盾本来就日益尖锐的形势下，蔓延欧洲的农业歉收和经济危机，加速把德国推到了革命的前夜。"即使没有法国二月革命的促进，这次革命也是一定要爆发的。"①意大利、罗马尼亚、捷克和波兰等国家也都面临着和法国、德国类似的问题，一场波澜壮阔的革命风暴的爆发已经不可避免。

1848年1月，意大利西西里岛首府巴勒摩人民的起义，揭开了欧洲1848年革命的序幕。革命运动迅速席卷了整个西西里岛，并蔓延至大陆。斐迪南二世被迫作出让步，批准成立有资产阶级自由派参加的新内阁。意大利人民的起义激发了法国人民的革命热情，2月22日，巴黎工人和人民群众举行大规模的示威游行，他们唱着《马赛曲》，高呼"革命万岁"、"打倒基佐"等口号向波旁王宫推进。政府调来国民自卫军进行镇压，游行示威群众修筑起街垒进行抵抗。2月23日，参加街垒战斗的工人越来越多，战斗规模越来越大。由于受到人民群众革命精神的感染，一些国民自卫军转变了立场，站到了起义者方面。迫于形势转变的压力，国王路易·菲利浦作出让步，宣布罢免内阁总理基佐。这个装点门面的举措受到了众多具有改良主义思想的资产阶级的欢迎，他们认为起义的目的已经达到，号召人民群众停止行动，但人民群众却坚持继续进行斗争。2月24日，奉命镇压起义的队伍与人民群众发生了更猛烈的战斗，工人和革命群众很快占领了兵营、广场、哨所等主要据点，并向杜伊勒里宫发起了进攻。路易·菲利浦仓皇逃出巴黎，流亡到英国。巴黎二月革命推翻了奥尔良王朝，取得了胜利。在资产阶级共和派的要求下，临时政府于2月24日晚宣布成立。在临时政府的11名委员中，绝大多数是资产阶级的代表，工人

---

① 《马克思恩格斯选集》第1卷，人民出版社2012年版，第583页。

阶级只有 2 名代表，即路易·勃朗和阿尔伯。临时政府的资产阶级性质表露无遗，二月革命的胜利果实被资产阶级所窃取。

巴黎二月革命的胜利，加速了各国革命运动的爆发。临近法国的德国南部率先行动起来，2 月底 3 月初，巴登公国的各个城市举行游行示威，人民群众提出了实行普选、保护劳动、消灭劳资之间的不和谐等要求。与此同时，巴伐利亚、汉诺威、萨克森等其他各邦的城市也都先后爆发了革命运动。许多地方的农民革命也如火如荼地开展起来，他们捣毁地主的城堡，要求地主放弃他们的特权，拒绝向地主履行各种封建义务。柏林作为德国的政治、经济中心，其革命运动的爆发有着更为特殊的意义。3 月 13 日至 16 日，柏林的工人、市民举行集会，并与政府军警展开战斗。3 月 17 日，人民群众再次集会，决定继续举行示威游行，提出了把军队撤出柏林、组织市民武装、实行出版自由、尽快召开联合议会等要求。3 月 18 日，威廉四世签署了取消书刊检查制度，尽快召开联合议会的命令。但这并没有获得人民的认可，他们在王宫广场筑起街垒，以对付政府的武力镇压。经过再次的激烈战斗，威廉四世不得不把军队从所有街道和广场撤走。3 月 21 日，威廉四世提出了要担负起解决德国统一任务的问题。3 月 29 日，他又任命资产阶级自由派领袖康普浩森组阁。由于新内阁对于觉醒了的人民群众非常恐惧，于是同封建势力相勾结，力图利用旧的国家机器来恢复秩序。这表明德国的三月革命只是改组了政治上层，而没有触动旧官僚制度、旧军队、旧检察机关和旧法官等这些德国社会的全部基础。

在法国革命消息的鼓舞下，奥地利人民群众的革命热情也迅速高涨。维也纳格劳尼茨机械厂的工人率先组织集会，号召推翻封建专制制度。大学生也建立起"争取自由斗争同盟"，提出了实行出版和言论自由、实行宗教信仰自由等要求。3 月 13 日，维也纳的工人、学生举行集会，他们高呼"自由"、"宪法"、"打倒政府"、"打倒梅特涅"等口号，要求议会同封建制度进行坚决斗争。政府派出军队进行镇压，维也纳的人民群众进行了坚决抵抗，并迫使梅特涅辞职，流亡到英国。3 月 14 日至 15 日，人民群众继续把革命推向深入。政府被迫宣布皇帝同意颁布宪法，决定将在 7 月召开议会讨论宪法，并建立起由贵族、大工业家、商人和资产阶级知识分子组成的市政机关。随着维也纳三月革命运动的发展，奥地利其他地区也先后掀起了革命运动，汇聚成一股反对奥地利专制制度的洪流。

巴黎二月革命的影响还蔓延到匈牙利、罗马尼亚、波兰、捷克等国，广大人民群众同本国的封建统治者进行了坚决斗争，迫使政府接受了扩大选举权、采取措施解决人民生活贫困等有利于人民的要求。1848年欧洲各国革命的具体形式虽然各不相同，但大都取得了初步的胜利。然而，由于各国新建立的政权几乎都由不同阶级和派别的人员组成，而且都具有明显的资产阶级性质，这决定了其政策的出发点只能是维护资产阶级利益。对此，马克思在分析法国二月革命后成立的临时政府性质时深刻指出，"在二月街垒战中产生出来的临时政府，按其构成成分必然反映出分享胜利果实的各个不同的党派。它只能是各个不同阶级间妥协的产物，这些阶级曾共同努力推翻了七月王朝，但他们的利益是互相敌对的。"①罗杰·普赖斯也在谈及1848年欧洲革命时指出，"这在每一个受革命影响的国家中造成了这样一种情形，即各个不同群体都觉得可以提出要求并使他们的切身利益得到承认。……因此，紧跟着革命之后，会出现比在真正的革命事件本身发生期间更广泛的混乱，尽管这些抗议运动，由于缺乏正式的组织和方案，通常会自行停止。其结果就是，新上台的自由主义政府部门经常被迫采用现有的国家机器来恢复秩序。"②

　　各国在革命后建立起来的新政府不能满足革命中的同盟者，特别是无产阶级和广大劳动人民分享胜利果实要求的状况，以及新政府希望就此结束革命的企图，引起了无产阶级和人民群众的强烈不满，各国工人运动和农民骚动此起彼伏，接连不断。在法国，临时政府在革命群众的强大压力下不得不宣布实行共和制度，于2月25日成立了法兰西共和国。但临时政府的重要职位都被资产阶级所窃取，这个共和国只能是资产阶级的共和国，只不过是旧资产阶级社会的一件新制舞衣，不可能改善无产阶级和广大劳动人民的政治地位和困难处境。为了改变无产阶级被奴役的处境，法国人民群众行动起来，不断举行罢工和示威。6月22日巴黎工人举行了大规模武装起义，他们高举"全部企业社会化"、"打倒人剥削人的制度！"等旗帜，提出了解散制宪会议、给予人民自己起草宪法的权利、保证劳动权等要求。激烈的巷战持续了4天，最后在临时政府的残酷镇压下失败。巴黎六月起义是无产阶级同资产阶级间的第一次交锋，是为了保存或消灭资产阶级制度而进行的战斗，它揭穿了资产阶级共和国

① 《马克思恩格斯选集》第1卷，人民出版社2012年版，第451页。
② ［英］罗杰·普赖斯：《1848年欧洲革命》，郭侃俊译，北京大学出版社2014年版，第54—55页。

的虚伪本质，使无产阶级在革命中得到了锻炼。1848年12月，路易·波拿巴当选为法国总统，并于1851年12月发动政变成立了军事独裁政权，法国的反革命过程就此达到了高潮。在奥地利，三月革命的胜利虽然迫使奥地利进行了政府机构改组，但改组后的政府并没有兑现取消书报检查、实行出版自由，以及采取措施解决工人贫困等承诺，反而陆续颁布了新宪法、选举法等政策措施，剥夺了劳动人民的选举权，加重了对农民的控制和剥削。巴黎六月起义失败后，奥地利的反动派开始转入进攻，资产阶级内部也出现了分歧，一部分资产阶级力量转入了反革命阵营。8月23日，国民自卫军镇压了示威游行的工人群众，进一步巩固了大资产阶级与贵族的反革命联合。维也纳十月革命失败后，奥地利政府立即取消了三月革命的一切民主成果，成立了由资产阶级和贵族地主代表组成的新内阁。1849年3月4日颁布的新宪法关于奥地利帝国的全部权力由皇帝和大臣掌握等规定，完全剥夺了广大劳动人民的选举权以及各民族地区的自治权，完全取消了三月革命的成果，标志着封建专制制度在奥地利的全面复辟。德国、意大利、波兰、罗马尼亚等国的革命斗争，也先后在本国反动势力和国际反动势力的联合镇压下以失败而告终。

二、马克思恩格斯的革命实践

1848年欧洲革命是在无产阶级与资产阶级间的对抗日益增长，马克思主义已经产生的情况下发展起来的。"马克思和恩格斯参加1848—1849年的群众革命斗争的时期，是他们一生活动中最令人瞩目的中心点。"① 从革命爆发之日起，马克思恩格斯就积极参加到革命斗争中来，在实践中检验他们创立的理论。革命失败后，他们通过总结和概括这次革命运动的经验教训，丰富和发展了他们关于无产阶级革命、无产阶级专政等一系列问题的认识。

1848年欧洲革命爆发时，马克思恩格斯正居住在比利时的首都布鲁塞尔。听到革命爆发的消息，马克思恩格斯并未感到惊讶，因为他们早就预测到了革命即将发生。恩格斯在其撰写的一系列文章中提出，"那末，资产者大人先生们，勇敢地继续你们的战斗吧！现在我们需要你们，我们在某些地方甚至需要

---

① 《列宁专题文集 论马克思主义》，人民出版社2009年版，第140页。

你们的统治。你们应该替我们扫清前进道路上的中世纪残余和君主专制。你们应该消灭宗法制，实行中央集权，把比较贫穷的阶级变成真正的无产者——我们的新战士。你们应该通过你们的工厂和商业联系为我们建立解放无产阶级所需要的物质基础。为了奖励这一点，你们可以获得短期政权。你们可以支配法律，作威作福。你们可以在王宫中欢宴，娶艳丽的公主为妻，可是别忘了，'刽子手就站在门前'。"①

鉴于欧洲革命的发展局势，在伦敦的"共产主义者同盟"中央委员会决定将同盟的领导机关迁往布鲁塞尔。但在此时，比利时政府似乎预感到了革命对自身的威胁，开始对政治流亡者和比利时的民主派人士进行压制和迫害，许多共产主义者同盟成员和革命者被比利时反动当局拘捕，马克思也被驱逐出境，前往巴黎。到达巴黎后，马克思根据共产主义者同盟的全权委托，立即着手成立了共产主义者同盟新的中央委员会，以便领导欧洲各国即将爆发的革命。马克思被选为中央委员会主席，沙佩尔被任命为书记。恩格斯也在缺席的情况下被选为中央委员会委员，并在马克思的建议下来到了巴黎。

法国二月革命的胜利给各国在巴黎的革命流亡者以极大的鼓舞，但在同时，一种躁动的情绪也在他们中间蔓延，德国、波兰、比利时、西班牙等国的流亡者纷纷想组织"革命义勇军"去解放自己的祖国。德意志民主协会领导人海尔维格和伯恩施太德在这种狂潮中起着带头作用，他们在马克思到达巴黎之前成立了德国军团，宣传鼓动军团开回德国支援革命。革命后成立的法国资产阶级临时政府也十分"支持"这种做法，但实际上却是想通过这种办法让这些流亡者赶快离开法国。马克思坚决反对这样的冒险行动，反对用外来武力强制建立一个德意志共和国。他们指出，这是把革命当作儿戏的玩弄革命的做法，只会葬送革命力量，工人们应秘密地一个一个地回国从事组织和宣传工作，发动群众。为了更加有力地反对民主协会的错误行为，马克思恩格斯在巴黎成立了德国工人俱乐部，向德国工人流亡者宣传无产阶级正确的斗争策略，劝说海尔维格等人立即停止错误行动。马克思恩格斯的宣传使一部分人退出了义勇军，但仍有一部分人参加了海尔维格的义勇军，结果刚进入巴登境内就落入了普鲁士政府的圈套，几乎全军覆没。

德国三月革命爆发后，马克思恩格斯对革命取得的重大成就感到欢欣鼓

舞，但在同时，他们也清楚地意识到三月革命后德国的新形势，即资产阶级自由派同保皇派勾结起来共同对抗以无产阶级为代表的进步势力。为了更加有效地向革命群众，首先是向有觉悟的工人阶级提供指导，把革命继续进行下去，马克思恩格斯遵循《共产党宣言》的策略原则，在 3 月底拟定了共产主义者同盟在德国革命中的行动纲领，即《共产党在德国的要求》，并经共产主义者同盟中央委员会审阅后正式印刷出版。该文件一共有 17 项条款，第一项条款明确规定了德国革命的任务和道路，即"全德国宣布成为统一的、不可分割的共和国"。为了实现这一目标，马克思恩格斯在文件中提出了保障人民的民主权利；建立代议制国会；实行普选制；议员拥有薪金，以便工人代表能够参加议会；建立人民的武装力量；实行政教分离和普及国民教育；把矿山、矿井、银行和交通运输工具收归国有；组织大规模农业生产；建立国家工厂等具体要求，号召保障德国无产阶级、小资产阶级和小农的利益，必须尽力争取实现上述各项措施，认为只有实现了这些措施，一直受少数人剥削，并且今后还有可能受少数人压迫的德国千百万人民，才能争得自己的权利和作为一切财富的生产者所应有的政权。《共产党在德国的要求》是马克思恩格斯把《共产党宣言》中的一般原理具体运用于德国的第一个范例。它明确了德国无产阶级应该为建立一个统一的民主的德意志共和国而斗争，但是又决不能把民主革命当作自己的最终目的，而是应该在民主革命中积极创造条件以便把它转变成为无产阶级的社会主义革命，资产阶级民主革命的胜利只是无产阶级革命的序幕。

为了直接参加、指导德国革命，马克思恩格斯于 4 月初离开巴黎返回德国。1848 年 4 月 11 日，他们来到了莱茵河畔的科隆，共产主义者同盟中央委员会的其他成员也相继到达这里，科隆成为马克思恩格斯从事革命活动的中心。为了巩固同盟的各个地方支部，并在同盟的支持下建立一个无产阶级政党以领导德国革命，马克思恩格斯派出沙佩尔、沃尔弗等同盟成员奔赴各地进行革命宣传和组织活动。然而，由于此时德国工人阶级还未认识到自己的阶级利益和历史使命，并不理解建立一个独立的工人政党的必要性，加之德国革命斗争的发展很不平衡，同盟中央很难对各地的革命运动进行指导，德国革命面临着夭折的危险。鉴于复杂多变的革命形势，马克思恩格斯决定创办一份报纸，以便传达同盟制定的路线和策略，加强各地区革命运动的联系，并逐渐地把这场革命转变为社会主义革命。1848 年 6 月 1 日，《新莱茵报》创刊号在欧洲革命的暴风雨之中诞生。《新莱茵报》深刻揭露了德国三月革命后国民议会中大资产阶级代表的叛卖行为，抨击了资产阶级和普鲁士政府欺骗农民的勾当，驳斥了小资产阶级关于革命似乎已经完成的论调，热情讴歌和支持了各国革命运动，教育并号召德国广大人民必须继续战斗，将革命进行到底。作为《新莱茵报》的组织者和领导者，马克思恩格斯除了负责报纸的出版、发行等事务外，还亲自为报纸撰写文章，一些重要的社论也出自他们之手。《新莱茵报》的揭露性、批判性和鼓动性的文章激怒了反动当局，在法庭审判多次失败后，马克思恩格斯以及《新莱茵报》的其他编辑遭到了普鲁士政府的驱逐和指控，《新莱茵报》被迫停刊。1849 年 5 月 19 日，《新莱茵报》用红色油墨印出了自己的终刊号。在这最后一期上，马克思写道，"试问，难道只是在'最近几号''新莱茵报'里我们才认为必须明显地以社会共和的精神发表言论吗？难道你们没有读过我们关于六月革命的文章，难道六月革命的灵魂不就是我们报纸的灵魂吗？那末你们干吗要玩弄虚伪的词句，制造荒唐的借口呢？……看吧，在东方，由各民族的战士组成的革命军已经同以俄国军队为代表的、联合起来的旧欧洲相对峙，而巴黎已经出现了'红色共和国'日益逼近的征兆！"① 恩格斯也在晚年回忆这一段历史的时候宣告，"我们不得不交出自己的堡垒，但我们退却时携带着自己的枪支和行装，奏着军乐，高举着印成红色的最后一号报纸的飘扬旗帜。"②

马克思恩格斯在通过报纸进行革命宣传、鼓动的同时，还直接参与群众民主运动，以团结最大多数的民主、进步人士。鉴于德国三月革命后的政治形势，马克思恩格斯认为，《新莱茵报》只有联合民主派和其他一切社会阶层，才能结成最广泛的革命同盟，把资产阶级民主革命进行到底。但在同时，他们又强调，《新莱茵报》要始终代表无产阶级的根本利益，保持政治上的独立性和远大的政治眼光。为此，马克思恩格斯积极参加并领导了德国民主协会的各项工作。1848 年 6 月，有近百个民主团体代表参加的大会在法兰克福举行，会议决定建立一个全国性的民主主义组织。在马克思等人的敦促下，科隆的三个民主组织——民主协会、工人联合会、工人与业主联合会组成了一个联合中央委员会，并被确认为莱茵地区和威斯特伐利亚的区委员会。8 月，联合中央委员会在科隆举行会议，马克思以这个组织思想领袖的身份出席了大会。参加

---

① 《马克思恩格斯全集》第 6 卷，人民出版社 1961 年版，第 602—603 页。
② 《马克思恩格斯全集》第 21 卷，人民出版社 1965 年版，第 25 页。

了这次会议的卡尔·叔尔茨在多年后的回忆中这样描述了马克思，"那时他才三十岁，但他已经是公认的社会主义派的领袖了。……他很引人注意。人们谈到他的专长时，说他是一位杰出的学者；他在政治经济学方面的发现和理论，我知道的很少，因此我幻想着要把这位卓越人物的每一句话都牢记在心里。"①

为了推动德国革命运动在正确的道路上前进，马克思恩格斯还同德国工人运动中的"左"右倾路线进行了斗争。安得列阿斯·哥特沙克是共产主义者同盟科隆支部的委员，组织和领导着人数众多的科隆工人联合会。作为一个"真正的社会主义者"，哥特沙克不能正确认识当时德国革命的形势，不了解无产阶级在民主革命中的任务，他呼吁工人联合会的成员抵制科隆民主派的革命斗争，号召在德国建立工人的共和国，认为工人参加民主运动是"机会主义"，否认和农民结成联盟的必要性。马克思恩格斯对哥特沙克进行了耐心中肯的批评教育，并通过坚持向工人阶级宣传共产主义者同盟的正确方针政策，引导革命沿着正确的方向发展。但哥特沙克最终还是退出了同盟，堕落为无产阶级的反对派。柏林工人中央委员会和"工人兄弟会"的主席斯蒂凡·波尔恩则是右倾路线的代表人物，他认为资产阶级民主革命是资产阶级的事情，工人阶级没有必要同资产阶级争夺革命的领导权。波尔恩还把注意力集中于经济斗争，将社会革命简单地归结为工作日的长短和工资问题，并认为这些问题可以通过和企业主协商得到解决。波尔恩的改良主义路线妨碍了工人阶级的团结和政治觉悟的提高，在工人阶级中造成了恶劣影响。对此，马克思恩格斯予以了严厉批判，认为他们特别致力于组织罢工，组织工会和生产合作社，却忘记了首要任务是通过政治上的胜利先取得一块唯一能够持久地实现这些的领土，以至当反动势力的胜利迫使这个兄弟会的首脑们感到必须直接参加革命斗争的时候，原先集合在他们周围的乌合之众就自然而然地离开了他们。

在德国三月革命后的革命斗争中，恩格斯还发挥了自己的军事才干，积极投身于武装斗争。德国三月革命后，全德国民议会经过旷日持久的争论才通过了一部具有明显妥协性和保守色彩的宪法。但普鲁士各邦反动势力宣布它是"革命的文件"，并下令解散通过宪法的议会。为了保卫宪法，一些资产阶级革命派和小资产阶级民主派发起了保护宪法的运动，并进而发展成为一场声势浩

---

① 苏共中央马克思列宁主义研究院编：《回忆马克思恩格斯》，胡尧等译，人民出版社1957年版，第315页。

大的武装起义，德国西南部的萨克森、莱茵省、威斯特伐利亚、普法尔茨等地都卷入了起义的火焰中。马克思恩格斯全力支持这场运动，并通过《新莱茵报》给予理论指导，使运动具有自觉的目的。恩格斯更是在爱北斐特起义爆发后拿起枪杆，从科隆赶往爱北斐特，开展了组建工兵连、检查和构筑街垒、拟定新的防卫部署计划等一系列活动。《新莱茵报》停刊后，马克思恩格斯到达起义者占领的巴登地区，他们会晤了巴登委员会的领导者，并劝说他们把起义迅速扩展到法兰克福，但却遭到了以布伦坦诺为首的巴登委员会的拒绝。其后，马克思去了巴黎，恩格斯作为维利希的副官参加了巴登起义。"他参加过三次战役，所有在战火中见过他的人，很久以后都还在谈论他那种非凡的镇静和漠视一切危险的气魄。"① 恩格斯也一直把1848年的战斗看作自己一生中值得骄傲的经历，1883年4月，他在致奥古斯特·倍倍尔的信中写道："我已六十三岁，本身的工作多极了"，"当然，要是像1848年或1849年那样的时代再次到来，一旦需要，我会重新骑马上阵。"②

1848—1849年的德国革命失败后，马克思恩格斯先后流亡到伦敦。在那里，他们改组了共产主义者同盟及其中央委员会，参与了德意志工人教育协会创立的德国流亡者救济委员会的各项工作，着手创办了《新莱茵报。政治经济评论》杂志，以积聚分散的革命力量。为了总结刚刚结束的革命斗争的经验教训，制定新的理论和策略原则，马克思恩格斯撰写了《1848年至1850年的法兰西阶级斗争》、《德国维护帝国宪法的运动》、《共产主义者同盟中央委员会告同盟书》、《德国农民战争》、《德国的革命和反革命》、《路易·波拿巴的雾月十八日》等著作，揭露了无产阶级敌人的阶级本质，批判了他们的腐朽思想和反革命手法，系统阐述了无产阶级革命、无产阶级专政和民族解放运动的理论，丰富和发展了马克思主义。

三、对革命性质、任务及意义的分析

在《1848年至1850年的法兰西阶级斗争》、《德国维护帝国宪法的运动》

---

① ［法］保尔·拉法格等：《回忆马克思恩格斯》，马集译，人民出版社1973年版，第162页。
② 《马克思恩格斯全集》第36卷，人民出版社1975年版，第19、20页。

等著作中，马克思恩格斯对欧洲革命进行了全面分析，阐明了1848年革命是在欧洲资本主义发展到一定程度这一阶段上发生的革命，其目标在于完成过去资产阶级革命没有完成的工作，为欧洲各国资本主义进一步发展扫清道路，具有资产阶级革命的性质。列宁在《论尤尼乌斯的小册子》中也对这场革命作出了同样的判断，他说，"1793年和1848年，无论在法国、德国或整个欧洲，客观上提上日程的都是资产阶级民主革命。同这种客观的历史情况相适应的，是'真正民族的'纲领，即当时民主派的民族的资产阶级纲领，在1793年，资产阶级和平民中最革命的分子曾经实行过这种纲领；而在1848年，马克思也代表整个先进的民主派宣布过这种纲领。当时在客观上同封建王朝战争相对抗的是革命民主战争、民族解放战争。"①

在对法国革命的分析中，马克思指出，在七月事变中，工人争得了资产阶级君主国，但掌握统治权的既不是工人阶级，也不是法国资产阶级，而是资产阶级中的一个集团，即由银行家、交易所大王和铁路大王、煤铁矿和森林的所有者以及与他们相勾结的那部分大土地所有者形成的金融贵族。真正的工业资产阶级是正式反对派中的一部分，所有各个阶层的小资产阶级，以及农民阶级，都完全被排斥于政权之外。反对金融贵族集团统治的斗争将各个不同阶级联合在一起，由此决定了在二月街垒战中产生出来的临时政府，按其构成成分必然是分享胜利果实的各个不同党派的反映。马克思认为，二月共和国首先应该是使资产阶级的统治成为更加全面的统治，让一切有产阶级都跟金融贵族同等获得参加政权的机会，而无产阶级所获得的只是为本身革命解放作斗争的基地，并不是这种解放本身。对于德国而言，它与法国已经完全消灭了封建制度，具有集中在大城市，特别是集中在首都的强大富裕的资产阶级的情况完全不同，革命前的德国封建贵族人数很多，仍然保有很大一部分旧时的特权，封建制度在除了莱茵河西岸以外的任何地方都没有完全被消灭。德国的资产阶级由于人数少，而且不集中，没有能够获得政治统治权。占据国民的大部分是城市里的小手工业者小商人阶级和工人，以及乡村中的农民。其中小手工业者小商人阶级的观点是极端动摇的，他们或者是依附于封建或君主专制政府，或者追随于资产阶级；大部分雇佣工人并不是受雇于现代的工业巨头，而是受雇于小手工业者，这使得他们普遍缺乏现代思想；农民中的大农和中农同城市中的

---

① 《列宁选集》第2卷，人民出版社2012年版，第699页。

资产阶级结成联盟，而小自由农、封建佃农和农业工人则从来不怎么关心政治。同时，德国分解为36个大大小小的邦，它们没有共同的利益，更谈不上统一的目的和行动。力量日益增强的德国资产阶级要求推翻半封建半官僚的君主专制制度，发展资本主义，谋求实现国家的统一。相比之下，波兰、捷克、匈牙利等国则把推翻本国封建统治和外国民族压迫，实现民族的独立和统一作为首要任务。恩格斯分析指出，由于历史原因，在1848年革命前夕，所有同旧波兰共和国接壤的地带和捷克语系国家，在波希米亚和莫拉维亚，德意志人和斯拉夫人混居杂处。1848年革命立即唤醒一切被压迫民族起来要求实现独立和自己管理自己事务的权利。所以很自然的，波兰人也立即要求恢复他们以1772年以前旧波兰共和国的疆界为界的国家，捷克人、匈牙利人也力图推翻哈布斯堡王朝以及本国封建贵族的剥削与压迫，争得民族的独立和解放。综合1848年欧洲革命的情况来看，各国革命的原因和具体任务虽然各不相同，但总体上来看是要消灭封建制度或其残余，摆脱民族压迫，建立起统一的民族国家，为资本主义进一步发展扫清道路。

　　1848年革命属于资产阶级性质的革命，但又不是开辟资产阶级时代的资产阶级革命，而是有着自己的特点。早在1848年革命之前，西欧许多大国就通过革命确立起了资本主义生产方式。可以说从1640年英国革命开始，欧洲主要国家的革命都具有资产阶级性质。但在那个时期，无产阶级还处于发展的早期阶段，没有成为一种独立的政治力量，他们和那些不属于资产阶级的城市居民阶层一样，还没有与资产阶级不同的任何单独的利益。但到1848年革命爆发时，产业革命在英国、法国已近完成，在德国也已经开始，资本主义经济关系绝对统治着这几个国家，并在欧洲其他各国获得了长足发展。在这个资本主义发展的较高阶段上，工人反对资本家的斗争已经提到了首位。但在同时，当时工人阶级还没有足够的组织性和自觉性，没有一个能够领导它进行斗争的政党，在资本主义内部也还不具备向社会主义过渡的前提；等等。[①] 这决定了1848年革命必然是具有自己特殊性质的资产阶级革命。这恰如马克思所分析的那样，"具有发展了的现代形式、处于关键地位的反资本斗争，即工业雇佣工人反对工业资产者的斗争，在法国只是局部现象。在二月事变之后，这种斗

---

① 参见〔苏〕奥则尔曼：《马克思和恩格斯对1848年革命经验的总结》，汤侠声译，上海人民出版社1957年版。

争更不能成为革命的全国性内容，因为在当时，反对次一等的资本剥削方式的斗争，即农民反对高利贷和反对抵押制的斗争，小资产者反对大商人、银行家和工厂主的斗争，也就是反对破产的斗争，还隐蔽在反对金融贵族的普遍起义之中。所以，无怪乎巴黎无产阶级力图在资产阶级利益旁边实现自己的利益，而不是把自己的利益提出来当做社会本身的革命利益；无怪乎它在三色旗面前降下了红旗。"[①]

马克思恩格斯对1848年革命性质的剖析，以及列宁关于1848年革命是资产阶级民主革命的提法，清晰表达了他对1848年革命性质的认识。然而，在如何准确表述1848年革命性质的问题上，依然有着不同的认识。有观点纠结于1848年革命究竟是属于资产阶级革命还是资产阶级民主革命的提法，提出为了彻底弄清这个问题，必须首先从理论上解决"是什么决定事物性质"的问题。该观点依据辩证唯物主义关于事物性质主要由取得支配地位的矛盾的主要方面所决定的原理，认为在1848年前的法国诸阶级矛盾中，与封建势力勾结的金融贵族跟以工业资产阶级为首的广大人民间的矛盾是居于支配地位的矛盾，这决定了1848年法国革命从根本上来说属于资产阶级革命。该观点进一步提出，上述结论有些粗略，因为法国二月革命还有自己的特殊性，它应该是人民的革命。因为在这次革命中，人民群众提出了关于改变国家体制、建立民主共和国甚至于"社会共和国"的一系列要求，给这次革命打上了自己的烙印。因此，"精确地说，这次革命的性质应该属于资产阶级民主革命即人民革命。"就资产阶级革命与资产阶级民主革命的关系而言，二者并不矛盾，前者包括后者，后者是前者的特殊阶段和特殊类型。还有的观点在强调革命的民主性质的同时，突出革命的民族性质，提出争取民族独立和解放是1848年革命的普遍动力，"民族问题并不亚于民主问题，它更为普遍和尖锐，是制约欧洲革命全局和全部发展进程的一个主要问题，是1848年欧洲革命的根本特征。"[②]因此，1848年革命属于资产阶级民主、民族革命。不同观点的交锋和探讨，为更为清晰地揭示1848年革命的特点和性质奠定了基础。

正是在对1848年革命特点和性质剖析中，马克思恩格斯科学论述了人民群众在资产阶级革命中的地位和作用，提出了无产阶级不断革命的理论观点，

---

① 《马克思恩格斯选集》第1卷，人民出版社2012年版，第455页。
② 韩承文主编：《1848年欧洲革命史》，河南大学出版社1995年版，第653页。

首次明确表述了工农联盟的思想。马克思恩格斯认为，革命是对抗性社会条件下社会创造活动的最高形式，它打破了死水一潭的旧秩序，使革命成为社会进步和政治进步的强大动力。任何地方发生革命震动，总是有一种社会要求为其背景，其原因不应该从几个领袖的偶然动机、优点、缺点、错误或变节中寻找，不是少数几个人活动的结果。对于1848年革命而言，它也不是那种单纯由歉收、饥荒、政府"疏忽"等偶然因素所引发的结果，而是广大人民的要求和需要的自发的不可遏制的表现，是广大人民的运动。这场革命虽然属于资产阶级革命，但远不限于一个剥削阶级反对另外一个剥削阶级的斗争，绝不等于说只有资产阶级才能解决资产阶级革命的一切任务。它不是剥削的"上层分子"的活动，不是议会活动的结果，而是与一切社会革命一样，都是被剥削的"下层分子"进行的，只有广大人民群众积极参与斗争才能保证把资产阶级革命进行到底。在奥地利，不仅维也纳的工人、大学生、小资产阶级、资产阶级等联合发动的三月革命迫使政府宣布皇帝同意颁布宪法、改组维也纳的市政机关，而且在十月革命中同捷克、匈牙利等国工人、大学生联合起来进一步沉重打击了奥地利的反动统治。在法国，七月王朝在工业资产阶级、工人阶级、小资产阶级和农民的反抗中覆亡，农民和小资产阶级对资产阶级共和派统治的不满促使路易·波拿巴爬上了共和国总统的宝座，而工人阶级的六月起义把1848年推向了最高峰，更加鲜明地体现出革命的人民性。历史事实证明，没有广大人民的浴血奋战就没有1848年欧洲革命的历史。

　　马克思恩格斯关注广大人民在革命中的地位和作用，但在同时也敏锐地意识到，"不同阶级的这种联合，虽然在某种程度上向来是一切革命的必要条件，却不能持久，一切革命的命运都是如此。在战胜共同的敌人之后，战胜者之间就要分成不同的营垒，彼此兵戎相见。"① 在1848年革命中，资产阶级自由派、小资产阶级、工人阶级和农民曾经联合起来反对封建贵族的剥削和压迫，但在革命胜利后却又成为新的不同阵营的力量。正是这种迅速而狂热的阶级对立的发展，造成各种力量之间复杂而又矛盾的相互关系，进而推动着革命不断向前发展。在《1848年至1850年的法兰西阶级斗争》和《共产主义者同盟中央委员会告同盟书》中，马克思恩格斯深化了他们之前已经初步形成的"不断革命"的思想，第一次明确地提出了"不断革命"的概念，并把它作为无产阶级的战

---

① 《马克思恩格斯选集》第1卷，人民出版社2012年版，第595页。

斗口号。

　　早在 18 世纪的法国大革命时代，"不断革命"的理论和实践就已经出现。在研究法国大革命史，紧密结合法国、德国革命实践的基础上，马克思恩格斯逐步提出了关于不断革命的认识。在《〈黑格尔法哲学批判〉导言》中，马克思探讨了德国革命的进程及其前景问题，提出了在德国"纯政治革命"（即资产阶级革命）不可能实现的观点，认为德国现实决定了未来可能发生的德国革命的第一步便是普遍的解放、人类的解放，那种毫不触犯大厦支柱的革命只是乌托邦式的梦想。《神圣家族》在论及拿破仑失败的原因时使用了"不断革命"的概念，认为"他用不断的战争来代替不断的革命，从而实施了恐怖主义"[①]。如果说在上述著作中"不断革命"一词表示的是资产阶级革命发展的上升路线，即资产阶级革命内部为了达到最大限度的民主改造而进行的革命斗争的发展。那么在《共产党宣言》中，"不断革命"一词已经成为过渡到社会主义革命意思了。[②]《共产党宣言》论述的"不断革命"不仅涉及经济基础、上层建筑，乃至生产工具，而且已经提出资产阶级革命只能是社会主义革命的直接序幕，要求无产阶级首先推翻资产阶级的统治，然后采取一系列措施作为消灭私有财产的过渡及至最终消灭资本主义。《1848 年至 1850 年的法兰西阶级斗争》在评析 1848 年革命时期围绕"继续革命"提出的各种观点，总结革命经验教训的基础上进一步提出，"这种社会主义就是宣布不断革命，就是无产阶级的阶级专政，这种专政是达到消灭一切阶级差别，达到消灭这些差别所由产生的一切生产关系，达到消灭和这些生产关系相适应的一切社会关系，达到改变由这些社会关系产生出来的一切观念的必然的过渡阶段。"[③]《共产主义者同盟中央委员会告同盟书》对"不断革命"作了更为经典的论述，提出"我们的利益和我们的任务却是要不断革命，直到把一切大大小小的有产阶级的统治全都消灭，直到无产阶级夺得国家政权，直到无产者的联合不仅在一个国家内，而且在世界一切举足轻重的国家内都发展到使这些国家的无产者之间的竞争停止，至少是发展到使那些有决定意义的生产力集中到了无产者手中"[④]。这些论述体

---

① 《马克思恩格斯文集》第 1 卷，人民出版社 2009 年版，第 325 页。

② 参见 [苏] 奥则尔曼：《马克思和恩格斯对 1848 年革命经验的总结》，汤侠声译，上海人民出版社 1957 年版，第 42—43 页。

③ 《马克思恩格斯选集》第 1 卷，人民出版社 2012 年版，第 532 页。

④ 《马克思恩格斯选集》第 1 卷，人民出版社 2012 年版，第 557 页。

现着马克思恩格斯对"不断革命"更加深刻的认识。

第一，"不断革命"成为无产阶级的战斗口号。1848 年革命充分暴露了资产阶级和小资产阶级的动摇、背叛。在法国、德国的革命斗争中，构筑街垒和流血牺牲的都是工人阶级，六月起义更是无产阶级革命的第一次伟大尝试。相比之下，资产阶级并不要求彻底废除封建制度，反而在夺得国家政权后就迫害和镇压工人。小资产阶级也不过是希望实行一些民主要求以便赶快结束革命，成为空论社会主义的信徒。正是针对这种情况，马克思恩格斯提出，二月革命和三月革命只有在作为长期革命运动的起点，而不是长期革命运动终点的情况下才具有真正革命的意义。在这个革命运动中，人民在自己的斗争过程中不断发展起来，各个政党越来越明显地自成一家，直到它们同各个大阶级即资产阶级、小资产阶级和无产阶级完全相吻合为止，而无产阶级则在一系列战斗中相继夺得各个阵地。"不断革命"成为无产阶级的战斗口号，无产阶级的"不断革命"被当作直接实践的任务提上了日程。

第二，把"不断革命"与无产阶级专政联系在一起。1848 年革命使马克思恩格斯认识到，无产阶级要求得解放就必须推翻资产阶级，建立工人阶级专政，为此采取的方法是支持"不断革命"。无产阶级既要首先打倒本国的资产阶级，夺取政权，并利用自己的政治统治一步一步地把革命进行到底，直到无产阶级专政消亡，又要热情支持和尽力推进各国无产阶级革命，直到在全世界实现共产主义为止。无产阶级专政和"不断革命"既紧密相连，又不能混为一谈。"不断革命"以实现无产阶级专政为目的，而无产阶级专政则是消灭一切阶级达到无阶级社会的必然过渡。

第三，"不断革命"必须具备一定的前提条件。在马克思恩格斯那里，"不断革命"是有条件的，整个人类历史并不是由一个紧接一个的革命构成。早在《〈黑格尔法哲学批判〉导言》中，马克思在分析德国革命问题时就提出了诸如"革命需要被动因素，需要物质基础"、"彻底的革命只能是彻底需要的革命"等观点。在《共产主义者同盟中央委员会告同盟书》中，马克思恩格斯提出了无产阶级及共产主义者同盟在即将爆发的起义中和起义后要立刻建立起独立和武装的工人组织，创造各种尽量使暂时不可避免的资产阶级民主党统治感到困难和丧失威信的条件；工人党必须尽量有组织地、尽量一致地和尽量独立地行动起来；应该认清自己的阶级利益，尽快地采取自己独立政党的立场等观点。1848 年革命失败后，马克思恩格斯曾一度认为革命高潮会很快来临，但资本主义发展的新态势使他们改变了看法，并提出了在资本主义经济普遍繁荣的情况下已经"谈不到什么真正的革命"的新认识。对此，恩格斯在 1885 年回忆共产主义者同盟的历史时写道，"然而这个组织能起什么样的作用，则主要取决于革命新高涨的前景能否实现。而这一点在 1850 年期间越来越不大可能，甚至完全不可能了。……只有在现代生产力和资产阶级生产方式这两个要素互相矛盾的时候，这种革命才有可能。"①

第四，在建立和领导工农联盟中不断把革命推向前进。在对如何把民主革命引向彻底胜利的思考中，马克思恩格斯提出，无产阶级能不能把农民争取到自己的一边来，是具有决定意义的根本问题。巴黎工人六月起义失败的重要原因之一就是无产阶级失去了农民的支持。因此，在革命进程把站在无产阶级与资产阶级之间的国民大众即农民和小资产者发动起来反对资产阶级制度以前，在革命进程迫使他们承认无产阶级是自己的先锋队而靠拢它以前，法国的工人们是不能前进一步，不能丝毫触动资产阶级制度的。对于德国而言，其全部问题也同样将取决于是否有可能由某种再版的农民战争来支持无产阶级革命。马克思恩格斯不仅指出了工农联盟的重要性，而且分析了建立工农联盟的可能性。1848 年革命前，曾经作为保证法国农村居民解放和富裕的条件——小块土地所有制——已经变成了让广大农民受奴役和贫穷化的法律，农民的破产成为不可避免的趋势，农民和资产阶级的矛盾日益尖锐化。农民和工业无产阶级同时遭受一个剥削者即资本的剥削的现实成为无产阶级和农民结成联盟的基础。"只有资本的瓦解，才能使农民地位提高；只有反资本主义的无产阶级的政府，才能结束农民经济上的贫困和社会地位的低落。"②根本利益的一致性决定了农民是无产阶级的天然同盟者，无产阶级在一切农民国度中的独唱如果得不到农民的合作，不可避免地要变成孤鸿哀鸣。但在同时，农民阶级性质和自身构成又决定了无产阶级必须在工农联盟中居于领导地位。马克思恩格斯认为，农民阶级是一个具有两重性的阶级，作为劳动者，他们有革命的一面，作为小私有者，他们又有保守的一面。与此同时，农民阶级本身又由"富裕的农民"、"小自由农"、"封建佃农"、"农业工人"等不同的部分组成。伴随革命形势的发展，农民阶级的各个组成部分会一个跟着一个参加到革命中来。然而，

---

① 《马克思恩格斯选集》第 4 卷，人民出版社 2012 年版，第 213 页。
② 《马克思恩格斯选集》第 1 卷，人民出版社 2012 年版，第 526 页。

利益的差别、居住的分散等原因导致他们极难达到大多数意见的一致。因此，在联合的反革命资产阶级面前，小资产阶级和农民阶级中一切已经革命化的成分，自然必定要与革命利益的主要代表者，即与革命无产阶级联合起来，必定会把负有推翻资产阶级制度使命的城市无产阶级看作自己的天然同盟者和领导者。

1848年欧洲革命虽然失败了，但却有着深远的历史意义。马克思指出，"在这些失败中灭亡的并不是革命，而是革命前的传统的残余，是那些尚未发展到尖锐阶级对立地步的社会关系的产物，即革命党在二月革命以前没有摆脱的一些人物、幻想、观念和方案。"[1] 恩格斯也提出了同样的认识，"顽强奋战后的失败是和轻易获得的胜利具有同样的革命意义的。"[2] 具体来看，1848年革命沉重打击了封建专制制度，使资产阶级在政治和经济领域都占领了新的阵地，为资本主义进一步发展扫清了障碍。尽管在革命失败后，欧洲各国反动统治者暴力剥夺了人民群众革命的部分果实，试图完全恢复专制统治，但已无力阻挡日益发展的资本主义生产关系。同时，革命的战火教育了广大人民群众和各革命阶级，使他们逐步从过时的纲领和不切实际的幻想中解放出来，为推动革命进程的深入发展奠定了基础。尤其重要的是，六月革命作为第一次侵害了资产阶级秩序的斗争，它向人们揭示了无产阶级和资产阶级之间不可调和的矛盾，最终证明了只有无产阶级具有社会主义本性，才能肩负起历史所赋予的重任，宣告了蒲鲁东无政府主义、小资产阶级社会主义等各种学说的破产。

第二节　无产阶级专政理论的提出及分析

无产阶级专政理论是马克思主义的精髓，是无产阶级改造旧世界建设新世界的强大思想武器。"革命专政学说的历史尤其是无产阶级专政学说的历史，

---

① 《马克思恩格斯选集》第1卷，人民出版社2012年版，第445页。
② 《马克思恩格斯选集》第1卷，人民出版社2012年版，第634页。

同革命社会主义的历史特别是马克思主义的历史是吻合的。"[①]在马克思恩格斯最初的理论探索中，就包含着工人阶级用暴力革命手段夺取政权的思想。《德意志意识形态》、《哲学的贫困》、《共产党宣言》等对无产阶级专政理论作了初步论述。1848 年欧洲革命为马克思主义提供了丰富生动的现实材料，在《路易·波拿巴的雾月十八日》等著作中，马克思恩格斯对无产阶级革命必须打碎资产阶级国家机器等观点作出了更为详细的阐述，使无产阶级专政理论发展到一个新阶段。

一、无产阶级专政理论的提出

无产阶级专政理论不是什么人的主观臆造，也不是在工人运动中自发地产生的，而是马克思恩格斯参加革命实践、总结国际无产阶级革命经验的产物。在 17、18 世纪的资产阶级革命进程中，资产阶级和其他各个阶级联合起来为推翻封建制度而斗争。虽然资产阶级代表着革命运动的前进方向，无产阶级还没有成为一支独立的政治力量，但革命实践中已经闪耀着社会主义的曙光，托马斯·闵采尔、温斯坦莱、巴贝夫等先后提出了他们关于未来社会的主张。及至 19 世纪初叶，资本主义社会的各种弊端日益暴露出来，圣西门、傅立叶、欧文等提出了要消灭阶级对立，建立由理性主宰的天国的思想。尽管由于这些先进分子不了解阶级斗争是历史发展的动力，从而注定了他们的斗争必然会由于脱离现实而归于失败，但他们的思想依然给工人阶级的反抗斗争带来了巨大影响。进入 19 世纪三四十年代，伴随着大工业的发展，资产阶级和无产阶级都逐步壮大起来，两个阶级之间的斗争日趋明显和尖锐。工人阶级争取自身利益的斗争打破了资产阶级发财致富的美梦，为了维护本阶级的利益，资产阶级动用国家政权来压制工人阶级，而工人阶级也把国家政权作为自己进攻的目标。法国里昂工人的起义标志着法国无产阶级作为一个独立的政治力量登上了历史舞台，表明工人们已经自觉地意识到要进行无产阶级革命。英国宪章主义者宣称要用一切手段来实施他们的宪章，甚至不惜采取革命手段，把工人运动提高到政治运动的水平。在英法两国工人运动的影响下，德国工人也组织起

---

① 《列宁全集》第 39 卷，人民出版社 1986 年版，第 367 页。

来，并发动了西里西亚起义。起义者毫不含糊地、尖锐地、直截了当地、威风凛凛地厉声宣布反对私有制社会，从而在起义一开始就恰好做到了法国和英国工人在起义结束时才做到的事，那就是意识到无产阶级的本质，意识到了自己与资产阶级的根本的利害冲突。先驱者的理论和工人运动实践为马克思恩格斯无产阶级专政理论的形成奠定了基础。对此，列宁曾经指出，"当时许多有才能的或无才能的人，正直的或不正直的人，都醉心于争取政治自由的斗争，醉心于反对皇帝、警察和神父的专横暴戾的斗争，而看不见资产阶级利益同无产阶级利益的对立。他们根本没有想到工人能成为独立的社会力量。……几乎当时所有的社会主义者和工人阶级的朋友，都认为无产阶级只是一个脓疮，他们怀着恐惧的心情看着这个脓疮如何随着工业的发展而扩大。……与这种害怕无产阶级发展的普遍心理相反，马克思和恩格斯把自己的全部希望寄托在无产阶级的不断增长上。无产者人数愈多，他们这一革命阶级的力量也就愈大，社会主义的实现也就愈是接近，愈有可能。"①

无产阶级作为独立的政治力量登上历史舞台后，迫切需要科学的理论予以指导，这个任务是由马克思恩格斯来完成的。马克思在柏林读书期间就站在革命民主主义立场上，力图把哲学同广大群众的革命活动联系起来，使哲学服从于反对当时德国专制制度的需要。在《莱茵报》工作期间，马克思写了一系列充满战斗精神的文章，对德国的阶级结构、普鲁士国家的作用等问题进行了阐释，公开地为政治上和社会上备受压迫的贫苦群众的利益进行辩护，并把注意力从纯粹研究政治转向研究社会经济关系，试图去探究国家政权的物质基础。1842年10月，马克思在《关于林木盗窃法的辩论》一文中严厉抨击了普鲁士政府的林木盗窃法，揭示了统治阶级的物质利益和国家法律之间的关系。在《摩塞尔记者的辩护》中，马克思再次对封建制度和普鲁士国家进行了无情的揭露和批判，认为造成摩塞尔河农民贫困的根本原因，就在于普鲁士的封建生产关系和专制制度。在这里，马克思虽然反对用当事人即掌权者的意志来解释一切，但在哲学上还没有完全摆脱黑格尔的影响，在批判普鲁士的反动国家时，仍旧采用黑格尔关于国家是理性、自由、道德的体现的观点。直到经过克罗茨纳赫时期对英国、法国、德国等历史的研读，以及对黑格尔政治哲学的反思和批判，马克思才真正实现了与黑格尔的唯心主义观点彻底决裂。这也正如

---

① 《列宁专题文集　论马克思主义》，人民出版社2009年版，第52页。

马克思自己说的那样，"为了解决使我苦恼的疑问，我写的第一部著作是对黑格尔法哲学的批判性的分析。"①

《黑格尔法哲学批判》通过分析王权、行政权、立法权，以及君主主权和人民主权的矛盾，特别市民社会与国家的关系问题，初步阐述了唯物主义的国家观。针对黑格尔极力美化君主立宪制的观点，马克思还提出了要建立一种能够真正表现人民的意志的"新的国家制度"的观点，并认为总要经过真正的革命才能实现这个目标。马克思对黑格尔国家观的批判指出了经济基础决定国家这个原理，为全面创立唯物主义历史观奠定了基础。恩格斯在谈到马克思对黑格尔法哲学批判对其国家观形成所具有的意义时也作出了这样的评价，"马克思从黑格尔的法哲学出发，得出这样一种见解：要获得理解人类历史发展过程的锁钥，不应当到被黑格尔描绘成'大厦之顶'的国家中去寻找，而应当到黑格尔所那样蔑视的'市民社会'中去寻找。"②

马克思在《黑格尔法哲学批判》中提出了市民社会决定国家的观点，表明了他在探求共产主义问题上的新方向，而《论犹太人问题》、《〈黑格尔法哲学批判〉导言》则把这个理论观点进一步深化，"主张'对现存的一切进行无情的批判'，尤其是'武器的批判'；他诉诸群众，诉诸无产阶级。"③ 在《论犹太人问题》中，马克思通过批判鲍威尔关于宗教和政治的关系以及犹太人解放等问题上的错误观点，阐明了政治解放和人类解放的关系，表达了彻底改造社会，进行社会主义革命的思想，但对如何实现人类解放并没有给出明确的答案，这个任务是由《〈黑格尔法哲学批判〉导言》完成的。马克思在这篇文章中指出，理解历史发展的锁钥，不是什么"批判精神"，而是黑格尔所轻视的人民群众。无产阶级若不从其他一切社会领域解放出来并同时解放其他一切社会领域，就不能解放自己。"德国人的解放就是人的解放。这个解放的头脑是哲学，它的心脏是无产阶级。"④无产阶级的历史使命就是进行彻底革命，实现全人类的解放的思想第一次明确地表述出来。

相较于马克思，恩格斯是在英国工业中心曼彻斯特认识无产阶级的。在那里，恩格斯异常清晰地观察到，迄今为止在历史著作中根本不起作用或者只起

---

① 《马克思恩格斯全集》第13卷，人民出版社1962年版，第8页。
② 《马克思恩格斯全集》第16卷，人民出版社1964年版，第409页。
③ 《列宁选集》第2卷，人民出版社2012年版，第415页。
④ 《马克思恩格斯选集》第1卷，人民出版社2012年版，第16页。

极小作用的经济事实，至少在现代世界中是一个决定性的历史力量；这些经济事实形成了现代阶级对立所由产生的基础；这些阶级对立，在它们因大工业而得到充分发展的国家里，因而特别是在英国，又是政党形成的基础，党派斗争的基础，因而也是全部政治历史的基础。这些思想在这个时期恩格斯撰写的一系列文章中清晰地体现出来。在《国内危机》、《英国状况——评托马斯·卡莱尔的〈过去和现在〉》中，恩格斯分析了英国的社会矛盾和无产阶级的地位，提出工人阶级已经成为英国最强大的一个阶级，只有工人、英国的贱民、穷人，才是真正值得尊敬的人，才是将来拯救英国的力量。基于对合法革命理论与实践的剖析，恩格斯指出，只有通过暴力消灭现有的反常关系，才能改善无产者的物质状况，用和平方式进行革命是不可能的。《国民经济学批判大纲》通过对资本主义政治经济学的批判，论证了消灭私有制、进行社会主义革命的不可避免性，提出"我们要用消灭私有制、消灭竞争和利益对立的办法来消灭这种人类堕落"，① 从而把政治经济学和社会主义学说结合在一起。《英国工人阶级状况》则集中体现着这一时期恩格斯对无产阶级的认识。通过对英国工人阶级状况的分析，恩格斯指出，无产阶级可以走的路只有两条，或者饿死，或者革命。因此，无产阶级革命是不可避免的。恩格斯认为，宪章运动是工人阶级斗争成熟的一个标志，因为工人阶级已经开始由反对个别资本家的分散的经济斗争，转变为在宪章主义旗帜下整个工人阶级反对资产阶级的政治斗争。由于整个资产阶级及其政党用他们的财产和他们掌握的国家政权所能提供的一切手段来维护自己的利益，绝不可能把政权让给工人阶级，因此，无产阶级唯一可能的出路就是暴力革命。"工人阶级的政治运动必然会使工人认识到，除了社会主义，他们没有别的出路。另一方面，社会主义只有成为工人阶级的政治斗争的目标时，才会成为一种力量。这就是恩格斯论英国工人阶级状况一书的基本思想。"②

《德法年鉴》时期，马克思恩格斯首先合写了《神圣家族》，通过揭露、批判鲍威尔兄弟关于英雄和群氓的唯心史观，阐明了人民群众创造历史这个历史唯物主义的基本观点，并特别强调了无产阶级的革命作用。为了进一步推动无产阶级革命运动的发展，马克思恩格斯又合著了《德意志意识形态》，第一次

① 《马克思恩格斯选集》第 1 卷，人民出版社 2012 年版，第 43 页。
② 《列宁选集》第 1 卷，人民出版社 2012 年版，第 92 页。

系统地论述了唯物史观，提出了阶级斗争和革命是社会历史发展的动力的观点。马克思恩格斯提出，生产力的总和决定着社会状况，生产关系也影响着生产力的发展。国家是经济上占统治地位的阶级的工具，资产阶级正是利用国家政权压迫无产阶级。无产阶级要夺取政权，就要进行革命斗争，但无产阶级革命又不同于以往的一切革命。以往的一切革命都是用一种剥削形式来代替另一种剥削形式，无产阶级革命是要消灭一切剥削，消灭任何阶级的统治以及这些阶级本身，建立共产主义社会。至此，马克思主义关于无产阶级专政的学说初具雏形，马克思主义作为无产阶级解放斗争的武器跃然于世。

二、无产阶级专政理论的论证

在《共产党宣言》中，马克思恩格斯阐述了关于共产主义革命的历史必然性、无产阶级暴力革命、建立无产阶级政权的重要性，以及无产阶级政党是共产主义革命胜利保证等问题的认识，对无产阶级专政理论作出了系统的论证。

第一，论证了共产主义革命的历史必然性。马克思恩格斯指出，一切所有制关系都经历了经常的历史更替、经常的历史变更，都是生产关系不断适应生产力性质和状况的结果，资本主义生产方式取代封建制度也不例外。资产阶级在历史上曾经起过非常革命的作用，然而，生产力与生产关系的矛盾运动并没有随着资本主义生产关系的建立而终结。资产阶级除非对生产工具，从而对生产关系，从而对全部社会关系不断地进行革命，否则就不能生存下去。资本主义周期性的经济危机证明，资产阶级的关系已经太狭窄了，再容纳不了它本身所造成的财富，共产主义代替资本主义成为生产力发展的客观要求。

第二，阐述了无产阶级暴力革命的思想。在无产阶级怎样实现历史使命的思考中，马克思恩格斯鲜明提出了"无产阶级用暴力推翻资产阶级而建立自己的统治"的观点。马克思恩格斯指出，自原始社会解体以来一切社会的历史都是阶级斗争的历史，每一次斗争的结局是整个社会受到革命改造或者斗争的各阶级同归于尽。在资本主义条件下，无产阶级在同资产阶级的斗争中得到了锻炼，提高了觉悟，认识到只有炸毁构成官方社会的整个上层，才能解放自己。正是在这个意义上，马克思恩格斯提出，"在叙述无产阶级发展的最一般的阶段的时候，我们循序探讨了现存社会内部或多或少隐蔽着的国内战争，直到这个战争爆发为公开的革命，无产阶级用暴力推翻资产阶级而建立自己的统治。"①

第三，阐述了建立无产阶级政权的重要性。马克思恩格斯认为，现代的国家政权不过是管理整个资产阶级的共同事务的委员会，是资产阶级压迫无产者和劳动群众的工具。对于共产党人来说，其最近目的就是使无产阶级形成为阶级，推翻资产阶级的统治，由无产阶级夺取政权。马克思恩格斯提出，无产阶级上升为统治阶级，争得民主后，要通过采取征收高额累进税、废除继承权、没收一切流亡分子和叛乱分子的财产等措施，夺取经济上的胜利，为实现共产主义准备物质条件。当这些任务完成以后，公共权力就失去政治性质，原来意义上的政治权力，即一个阶级用以压迫另一个阶级的有组织的暴力也就消亡了。

第四，阐述了无产阶级政党是共产主义革命胜利保证的思想。马克思恩格斯指出，无产阶级组织成为政党是无产阶级反对资产阶级斗争的需要。共产党是众多工人政党中的一个，但它比其他工人政党更先进，它始终坚持无产阶级的国际主义，始终代表整个运动的利益，因而在实践方面表现为各国工人政党中最坚决的、始终起推动作用的部分，在理论方面表现为比其余的无产阶级群众更加了解无产阶级运动的条件、进程和一般结果，从而能够制定正确的革命路线、方针和政策，不断引导革命走向胜利。马克思恩格斯认为，共产党人为工人阶级的最近的目的和利益而斗争，但是他们在当前的运动中同时代表运动的未来，共产党人必须要把当前斗争同实现无产阶级解放斗争的最终目标结合起来，必须把原则的坚定性与策略的灵活性结合起来。共产党人到处都支持一切反对现存的社会制度和政治制度的革命运动，到处都努力争取全世界民主政党之间的团结和协调，"但是并不因此放弃对那些从革命的传统中承袭下来的空谈和幻想采取批判态度的权利。"②

马克思恩格斯提出并制定的无产阶级革命运动原则，预示着无产阶级革命新时代的到来，而历史也为此作出了最好的注脚。诚然，马克思恩格斯在这里还没有使用"无产阶级专政"这个术语，但马克思主义无产阶级专政学说已经初具雏形。

---

① 《马克思恩格斯选集》第 1 卷，人民出版社 2012 年版，第 412 页。
② 《马克思恩格斯选集》第 1 卷，人民出版社 2012 年版，第 434 页。

三、无产阶级专政理论的初步发展

1848 年年初,《共产党宣言》刚刚问世,一场波澜壮阔的革命风暴就席卷了欧洲大陆。这次革命不仅验证了马克思恩格斯在《共产党宣言》中提出的无产阶级专政理论,而且为进一步发展这些思想提供了丰富的材料。革命失败后,马克思恩格斯撰写了《1848 年至 1850 年的法兰西阶级斗争》、《共产主义者同盟中央委员会告同盟书》等一系列著作,第一次运用了"无产阶级专政"的概念,第一次提出了无产阶级革命必须打碎旧的国家机器的论断,创立了无产阶级专政思想。

"无产阶级专政"的概念是马克思恩格斯通过革命实践提出的战斗口号,集中表达了工人阶级的政治要求和经济要求。法国二月革命后,巴黎无产阶级很正当地认为自己是二月革命中的胜利者,并提出了胜利者的高傲要求,但在实际上他们对于怎样实现没有剥削和压迫的共和国还不十分清楚。无论是资产阶级社会主义、小资产阶级社会主义,还是革命社会主义都吸引着一些革命群众。然而,"六月失败"清晰地揭示出资产阶级共和国无非表示的是一个阶级对其他阶级实行无限制的专制统治,证明了那种要在资产阶级共和国范围内稍微改善一下工人阶级和广大劳动人民处境的做法只不过是一种空想。"于是,原先无产阶级想要强迫二月共和国予以满足的那些要求,那些形式上浮夸而实质上琐碎的、甚至还带有资产阶级性质的要求,就由一个大胆的革命战斗口号取而代之,这个口号就是:推翻资产阶级!工人阶级专政!"[①]

马克思认为,使用"无产阶级专政"这个概念,才能正确地反映出无产阶级国家的实质。他在《1848 年至 1850 年的法兰西阶级斗争》中提出,"这种专政是达到消灭一切阶级差别,达到消灭这些差别所由产生的一切生产关系,达到消灭和这些生产关系相适应的一切社会关系,达到改变由这些社会关系产生出来的一切观念的必然的过渡阶段。"[②] 这不仅清晰揭示了无产阶级革命的社会主义本质,把无产阶级革命社会主义与形形色色的资产阶级社会主义、小资产阶级社会主义区别开来,指出它们的根本不同之点就在于是否承认无产阶级

---

① 《马克思恩格斯选集》第 1 卷,人民出版社 2012 年版,第 469 页。
② 《马克思恩格斯选集》第 1 卷,人民出版社 2012 年版,第 532 页。

的阶级专政和"不断革命"，而且体现着马克思是通过对 1848 年革命经验教训的总结，深化了《共产党宣言》中关于"无产阶级上升为统治阶级"、"无产阶级的政治统治"等概念的认识，并用"无产阶级专政"这个概念把其内涵更加具体、更加确切地表达出来。

马克思还阐述了对无产阶级专政的过渡性的认识，他认为无产阶级专政的建立只是革命的开端，而不是革命的终结。针对以吕宁、海因岑等为代表的一些人把无产阶级专政和消灭阶级对立起来，否认阶级斗争，提出革命运动的目的在于消灭阶级差别等观点，马克思予以批驳。1852 年 3 月，他在写给魏德迈的信中再次对无产阶级专政问题作出了阐述，提出在阶级或阶级斗争问题上，"资产阶级历史编纂学家就已经叙述过阶级斗争的历史发展，资产阶级经济学家也已经对各个阶级作过经济上的分析。我所加上的新内容就是证明了下列几点：（1）阶级的存在仅仅同生产发展的一定历史阶段相联系；（2）阶级斗争必然导致无产阶级专政；（3）这个专政不过是达到消灭一切阶级和进入无阶级社会的过渡。"① 在这里，马克思把无产阶级专政同生产发展、阶级斗争以及人类社会发展的必然趋势联系在一起，更为清晰地勾勒出无产阶级专政产生、发展和消亡的整个过程。

在提出和运用"无产阶级专政"概念的同时，马克思恩格斯还深化了如何对待资产阶级国家机器问题的认识。《共产党宣言》曾经提出，无产阶级在革命进程中应夺取政权并确立自己的政治统治，但这时国家问题还提得非常抽象，只用了最一般的概念和说法，还没有提出从历史发展的观点来看怎样以无产阶级国家代替资产阶级国家的问题。到总结 1848 年革命经验教训时，马克思恩格斯对国家问题的认识向前迈进了一大步。列宁在这个问题上的评价是，"问题提得具体了，并且作出了非常准确、明确、实际而具体的结论：过去一切革命都是使国家机器更加完备，而这个机器是必须打碎，必须摧毁的"，并强调"这个结论是马克思主义国家学说中主要的基本的东西"②。1871 年 4 月，在巴黎公社的酣战中，马克思在写给库格曼的信中提请人们注意他关于摧毁国家机器的思想，"如果你查阅一下我的《雾月十八日》的最后一章，你就会看到，我认为法国革命的下一次尝试不应该再像以前那样把官僚军事机器从一些人的

---

① 《马克思恩格斯选集》第 4 卷，人民出版社 2012 年版，第 426 页。
② 《列宁选集》第 3 卷，人民出版社 2012 年版，第 133—134 页。

手里转到另一些人的手里，而应该把它打碎，这正是大陆上任何一次真正的人民革命的先决条件。这也正是我们英勇的巴黎党内同志们的尝试"①。

无产阶级革命必须打碎旧的国家机器的论断，不是马克思恩格斯的逻辑推论，而是总结德国，尤其是法国革命经验教训得出的科学结论。《〈新莱茵报〉审判案》在分析德国三月革命失败的原因时提出，它"只是改组了政治上层，而没有触动它的全部基础：旧官僚制度、旧军队、旧检察机关和那些从生到死终身为专制制度服务的旧法官。"②然而，由于三月革命不过是欧洲革命在一个落后国家里的微弱回音，远远落后于自己所处的时代，因而其研究对象并不是典型的资本主义国家形式。相比之下，法国是形式上最纯粹的资产阶级国家，在1848年的革命期间集中展现了整个资本主义世界所固有的、普遍的发展过程。研究法国阶级斗争的历史和现状，更具有普遍的指导意义。法国资产阶级国家机器产生于君主专制时代，是现代社会反对封建的工具。作为封建领主地方特权的对立物，它有力地破坏了一切地方的、区域性的、城市的和各省的特殊权力，也在发展中央集权的进程中扩大了政府权力的容量、属性和帮手的数目。对于拿破仑建立的中央集权的管理机构，正统王朝和七月王朝并没有增添什么东西，只不过是扩大了各部门的分工。二月革命和六月起义后，法国建立起资产阶级共和派专政的政权。然而，由于镇压无产阶级和民主运动，资产阶级共和派失去了广大群众的支持，加之主张恢复君主政体的正统派和奥尔良派在法国大资产阶级中占据多数，致使法国政权最终被以农民代表身份出现的路易·波拿巴所攫取，资产阶级的国家机器以前所未有的规模加强起来。法国资产阶级国家机器演变的历史过程表明，"一切变革都是使这个机器更加完备，而不是把它摧毁。那些相继争夺统治权的政党，都把这个庞大国家建筑物的夺得视为胜利者的主要战利品"③。

马克思认为，资产阶级国家机器的一切因素都是为资产阶级剥削和压迫劳动人民服务的，即使是推翻了君主制后建立起来的共和国，也只不过是旧资产阶级社会的一条新制舞衣。行政权力集中于官僚机构和军事机构是法国资产阶级国家机器的重要特征。依靠庞大的官僚机构和军事机构，资产阶级国家机器

---

① 《马克思恩格斯选集》第4卷，人民出版社2012年版，第493页。
② 《马克思恩格斯全集》第6卷，人民出版社1961年版，第278页。
③ 《马克思恩格斯选集》第1卷，人民出版社2012年版，第761页。

俨如密网一般缠住法国社会全身并阻塞其一切毛孔。它借助于非常的中央集权而无处不在，无所不知，并且极其敏捷、极其灵活；它管制、控制、指挥、监视和监护着市民社会，从它那些最广大的生活表现到最微不足道的行动，从它的最一般的生存形式到个人的私生活止。由于一切资产阶级革命都是千方百计地完备、巩固这些官僚和军事机构，从而不断收紧套在无产阶级头上的枷锁，因此，无产阶级革命决不能像资产阶级革命那样把官僚、军事机构从一些人手里转到另一些人手里，而是必须集中一切破坏力量彻底打碎旧的国家机器。

在论证无产阶级革命必须彻底打碎旧的国家机器的必然性的同时，马克思分析了彻底打碎资产阶级国家机器的现实可能性，指出资产阶级国家机器的集中和强化使得"摧毁"和"打碎"的任务不可避免地被提上了日程。马克思指出，在专制君主制时代，在第一次革命时期，在拿破仑统治时期，官僚不过是为资产阶级的阶级统治进行准备的手段。在复辟时期，在路易·菲利浦统治时期，在议会制共和国时期，官僚虽力求达到个人专制，但它终究是统治阶级的工具。只是在路易·波拿巴统治时期，国家才似乎成了完全独立的东西，大大巩固和加强了自己的地位。"然而革命是彻底的。它还处在通过涤罪所的历程中。它在有条不紊地完成自己的事业。1851年12月2日以前，它已经完成了前一半准备工作，现在它在完成另一半。它先使议会权力臻于完备，为的是能够推翻这个权力。现在，当它已达到这一步时，它就来使行政权臻于完备，使行政权以其最纯粹的形式表现出来，使之孤立，使之成为和自己对立的唯一的对象，以便集中自己的一切破坏力量来反对行政权。而当革命完成自己这后一半准备工作的时候，欧洲就会从座位上跳起来欢呼：掘得好，老田鼠！"①

在总结1848年革命的经验教训时，马克思恩格斯还对打碎资产阶级国家机器后无产阶级国家所采取的形式问题进行了探讨。《1848年至1850年的法兰西阶级斗争》论述了关于建立无产阶级与农民的同盟的"红色共和国"的思想，提出只有资本的瓦解，才能使农民地位提高，只有反资本主义的无产阶级的政府，才能结束他们经济上的贫困和社会地位的低落局面，认为"立宪共和国是农民的剥削者联合实行的专政；社会民主主义的红色共和国是农民的同盟者的专政。"②《路易·波拿巴的雾月十八日》又围绕着"共和国"问题进行了探讨，

① 《马克思恩格斯选集》第1卷，人民出版社2012年版，第759—760页。
② 《马克思恩格斯选集》第1卷，人民出版社2012年版，第526页。

提出了在那些阶级划分比较发达、具有现代生产条件、具有那通过百年来的工作而使一切传统观念都融化于其中的精神意识的旧文明国家里，共和国一般只是资产阶级社会的革命改造的政治形式，而不是资产阶级社会存在的保守形式等观点。但总的来看，由于历史发展尚未提供解决这个问题所需的材料，马克思恩格斯还不能对这个问题提供具体的答案。

第三节　民族解放运动的理论和策略

　　1848 年革命唤醒了欧洲被压迫民族，要求摆脱民族压迫、结束民族分裂、实现民族独立与解放的民族运动风起云涌。这不仅验证了马克思恩格斯在《共产党宣言》等著作中提出的民族思想，而且为进一步发展他们的民族思想提供了丰富的材料。马克思恩格斯热情支持被压迫民族的正义斗争，他们撰写了《布拉格起义》、《民主的泛斯拉夫主义》、《德国的革命和反革命》、《匈牙利的斗争》等著作，科学分析了匈牙利、罗马尼亚、波兰等国的民族运动情况，阐述了民族运动发生的历史渊源和社会根源，区分了不同性质的民族运动，揭示了被压迫民族解放运动实质，形成了比较系统的民族解放运动的理论。

一、被压迫民族解放运动实质的揭示

　　马克思恩格斯认为，民族是一个历史范畴，有其产生、发展和消亡的规律。民族问题既包括民族自身的发展，也包括民族之间，民族与阶级、国家之间等方面的关系，民族问题的解决与社会革命问题紧密结合在一起。在《德意志意识形态》中，马克思恩格斯提出，物质劳动和精神劳动的最大的一次分工，就是城市和乡村的分离。城乡之间的对立是随着野蛮向文明的过渡，部落制度向国家的过渡，地方局限性向民族的过渡而开始的，他们认为各民族之间的相互关系取决于每一个民族的生产力、分工和内部交往的发展程度，生产力水平

愈发达，生产范围和交往范围愈扩大，各民族的原始闭关自守状态消灭得愈彻底。到了共产主义社会，"单个人才能摆脱种种民族局限和地域局限而同整个世界的生产（也同精神的生产）发生实际联系，才能获得利用全球的这种全面生产（人们的创造）的能力。"① 在《共产党宣言》中，马克思恩格斯更为清晰地揭示了民族发展的客观规律，指出社会历史随着生产力的发展由原始社会、奴隶社会、封建社会、资本主义社会、社会主义社会和共产主义社会而发展下来，民族也就随之由原始民族、奴隶制民族、封建制民族、资产阶级民族、社会主义民族发展下来。资产阶级按照自己的形象为自己创造出一个世界，客观上促进了各民族的交往和落后民族的社会变革。原来各自独立的、几乎只是由联盟关系联系起来的，各有其不同利益、不同法律、不同政府、不同税则的各个地区，已经结合成为一个拥有统一的政府、统一的法制、统一的民族阶级利益、统一的关税的民族，民族的片面性与狭隘性日益成为不可能。但这种进步作用是相对的、暂时的，它并没有消灭对落后民族的压迫和剥削。马克思恩格斯认为，民族之间的矛盾、对立和斗争主要是由于阶级矛盾造成的，只有消灭了阶级对阶级的剥削和压迫，才能消灭民族对民族的剥削和压迫。为此，必须要使无产阶级上升为民族的领导阶级，通过阶级斗争和无产阶级革命推翻资本主义，建设社会主义和共产主义。"因为现存的所有制关系是一些国家剥削另一些国家的条件；消灭现存的所有制关系只符合工人阶级的利益。也只有工人阶级有办法做到这一点。无产阶级对资产阶级的胜利也就是对民族冲突和工业冲突的胜利，这些冲突在目前使各国互相敌视。因此，无产阶级对资产阶级的胜利同时就是一切被压迫民族获得解放的信号。"②

　　1848 年欧洲革命中，基于对波兰、德国、意大利等国革命民族运动的发展，马克思恩格斯进一步阐述了对民族问题与阶级问题、社会革命问题关系的认识，他们指出，"自古以来，一切统治者及其外交家玩弄手腕和进行活动的目的可以归结为一点：为了延长专制政权的寿命，唆使各民族互相残杀，利用一个民族压迫另一个民族。"③ 在对德国历史的追溯中，恩格斯指出，就以近 70年来看，德国曾经为了英国的黄金而派它的雇佣兵去帮助英国人镇压争取独立

---

① 《马克思恩格斯选集》第 1 卷，人民出版社 2012 年版，第 169 页。
② 《马克思恩格斯选集》第 1 卷，人民出版社 2012 年版，第 313—314 页。
③ 《马克思恩格斯全集》第 5 卷，人民出版社 1958 年版，第 177 页。

的北美洲人；第一次法国革命爆发的时候，德国人又受别人唆使，像一群疯狗似的去咬法国人；当荷兰人在近两个世纪中好容易想要结束奥伦治王朝的昏庸统治，把国家变为共和国的时候，德国人又充当了戕害自由的刽子手；瑞士也可以说出不少关于它的邻居德国人的罪状，匈牙利要想很快地从奥地利和德意志帝国朝廷给它造成的灾难中恢复过来是很困难的；等等。但当德国的名字遭到普遍的憎恨时，德国各立宪派和自由派的政府却拍手称快。它们把波兰人和捷克人的运动镇压下去了。它们到处重新挑起旧日的民族仇恨，这种仇恨直到今天还使德意志人、波兰人和意大利人彼此间不能有任何谅解和共同行动。它们使人民习惯于内战和军队镇压的场面。奥地利的哈布斯堡王朝也总是利用各民族间的矛盾，使其版图内居住着的日耳曼人、捷克人、斯洛伐克人、斯洛文尼亚人、喀尔巴阡乌克兰人等各民族中的每一个民族都受到所有其他处于同样境地的民族的牵制，以维护其"稳定的秩序"。在梅特涅统治时期，他利用每一个民族的贵族和其他各民族的农民的帮助，把各该民族的资产阶级和农民置于自己统治之下；同时他又利用各民族的贵族对各该民族的资产阶级和农民的恐惧心理，把各民族的贵族置于自己的统治之下。1846 年 2 月，当克拉科夫的起义者暂时取得胜利，同时在加里西亚爆发农民起义时，奥地利统治者就是利用了被压迫的乌克兰农民对波兰小贵族的仇视，在一些地方成功地驱使起义的农民去反对波兰的起义队伍。克拉科夫起义被镇压下去后，加里西亚的农民运动也被残酷地镇压下去了，是"梅特涅利用染上了宗教狂热病和民族狂热病的卢西族农民，把为了农民利益而掀起的波兰民主运动镇压下去了。"[1] 奥地利的统治者还利用斯拉夫人去镇压、奴役意大利民族和匈牙利民族，但对他们的酬谢是又重新将其抛了回去，使他们回到了梅特涅棍棒制度的统治下，曾大肆吹嘘的要给予他们的"自由"而今代之以刺刀。"奥地利帝国长寿的秘密正是包含在这种地方性的利己主义里面，这种利己主义使每个民族陶醉于幻觉之中，以为牺牲其他民族的独立就可以为自己争得自由。"[2]

在运用阶级分析方法揭露德国、奥地利等国的统治阶级通过民族压迫和剥削来维护其统治伎俩的进程中，马克思恩格斯阐述了任何民族的自由都是与其他民族的自由相结合的思想。在关于波兰问题的思考中，恩格斯明确提出，任

---

[1]　《马克思恩格斯全集》第 6 卷，人民出版社 1961 年版，第 196 页。
[2]　《马克思恩格斯全集》第 10 卷，人民出版社 1962 年版，第 215 页。

何民族当它还在压迫别的民族时，不能成为自由的民族，他认为不把波兰从德国人的压迫下解放出来，德国就不可能获得解放。《论波兰问题》、《法兰克福关于波兰问题的辩论》通过明确克拉科夫起义的资产阶级民主革命性质，进一步提出波兰问题已由过去的民族问题变成各国人民的问题，已由过去的同情对象变成与一切民主主义者有切身关系的问题，强调"只要我们还在帮助压迫波兰，只要我们还把波兰的一部分拴在德国身上，我们自己就仍然要受俄国和俄国政策的束缚，我们在国内就不能彻底摆脱宗法封建的专制政体。建立民主的波兰是建立民主德国的首要条件。"① 对1848年革命中德国民族革命形势的分析，使马克思恩格斯的上述思想更加清晰。德国资产阶级力图结束封建分裂状态，建立一个统一的资产阶级国家，但是德国资产阶级却又奴役着波兰人、斯拉夫人等其他民族。为此，马克思恩格斯提出，革命的德国应改变其民族政策和对外政策，抛弃自己过去的一切，特别是对于邻国的人民的奴役，否则德国人民也不会获得自由。同时，由于沙俄是奥普封建王朝的支柱，因此只有摧毁俄、奥、普三国"神圣同盟"，对俄进行一场包括恢复波兰的战争，才能实现德国的独立和统一。因为俄罗斯政府也像压迫波兰人一样地压迫着德国，"无论是解放德国，无论是解放波兰，其首要条件是根本改变德国目前的政治状况，推翻普鲁士和奥地利，把俄罗斯逐出德涅斯特尔河和德维纳河之外。"②

　　针对1848年革命中欧洲反动势力联合绞杀民族革命运动的现实，马克思恩格斯阐述了被压迫民族只有同世界各国无产阶级联合起来才能获得解放的思想。因为工人阶级就其本性来说是国际主义的，当工人阶级取得政治统治地位，一切引起民族不和的借口就会消灭。早在《共产党宣言》和《论波兰问题》中，马克思恩格斯就把波兰民族的解放同西方国际无产阶级的胜利联系起来，提出了"应该在英国解放波兰，而不是在波兰解放波兰"、"波兰解放的信号应由英国发生"的观点，号召应当以各民族的工人兄弟联盟来对抗各民族的资产阶级兄弟联盟，认为无产阶级对资产阶级的胜利也就是克服了一切民族间和工业中的冲突，同时就是一切被压迫民族获得解放的信号。然而，由于种种原因，英国的无产阶级革命未能获得成功，以英国革命来拯救波兰民族的设想

---

① 《马克思恩格斯全集》第5卷，人民出版社1958年版，第391页。
② 《马克思恩格斯全集》第4卷，人民出版社1958年版，第540—541页。

未能实现。在总结 1848 年革命的经验教训，特别是研究了波兰的历史之后，马克思恩格斯阐述了波兰的民族解放斗争有可能在对先进国家的无产阶级革命起促进作用的思想，提出 1846 年克拉科夫起义第一个在欧洲扛起了社会革命的旗帜，给整个欧洲作出了光辉的榜样，认为波兰的独立和欧洲的自由互为条件，没有波兰的独立，欧洲的自由就不能确定。这些论述进一步突出了波兰民族解放运动在欧洲革命中的地位和作用，揭示了被压迫民族解放运动和世界无产阶级革命间的关系。

二、不同性质民族运动的区分

19 世纪中叶，欧洲资本主义已经有了很大程度的发展，但一些国家中的封建专制统治仍然有着很大的势力，封建主义和资本主义、无产阶级和资产阶级以及被压迫民族与压迫民族间的矛盾交织在一起。1848 年革命时，除法国外，欧洲大陆所有国家革命的目的都是既满足自由要求又满足民族要求。但由于各国具体情况的差异，波兰、匈牙利、意大利、爱尔兰等地的民族运动，同捷克、南斯拉夫的民族运动形成了鲜明的对照。依据各个国家民族运动的具体表现，马克思恩格斯站在无产阶级立场上，运用历史唯物主义的观点把当时的民族、民族运动，区分为革命的民族与反革命的民族、革命的民族运动与反革命的民族运动，进一步发展了马克思主义的民族思想。

在《匈牙利的斗争》中，恩格斯提出，1848 年革命使得居住于奥地利的德国人、马扎尔人、捷克人、波兰人等各民族互相间都发生了冲突，同时，在这些民族的每一个民族内部，各个不同阶级之间也进行着斗争。"但是，在这种混乱局面中很快就有了头绪。斗争者分成了两大阵营：德国人、波兰人和马扎尔人站在革命方面，其他民族，即除了波兰人以外的一切斯拉夫人、罗马尼亚人和特兰西瓦尼亚地区的萨克森人，则站在反革命方面。"[1]德国、波兰、意大利、匈牙利的民族运动是革命的民族运动，而捷克和南斯拉夫人的民族运动则属于反革命的民族运动。对待沙俄、对待本国封建专制制度的态度，是马克思恩格斯区分两种民族运动的重要标志。

---

[1] 《马克思恩格斯全集》第 6 卷，人民出版社 1961 年版，第 197 页。

马克思恩格斯认为，凡是反对沙俄的民族和民族运动就是革命的民族和革命的民族运动，反之，则是反革命的民族和反革命的民族运动，是反对欧洲文明发展进程和力图使世界历史开倒车的反历史运动。沙俄历来反对革命和革命的民族运动，是欧洲反动势力的堡垒。1815 年维也纳会议后，沙俄、奥地利、普鲁士三国在巴黎结成"神圣同盟"，镇压一切革命势力和革命运动。其中，又以沙俄作为反动势力的首领，成为恩格斯所谓的革命的唯一真正可怕的敌人。反对"神圣同盟"，尤其是反对沙俄成为 1848 年革命运动中各被压迫民族的首要任务。当时，沙俄是德国封建王室的支柱，为了维护欧洲的均势和其在欧洲的利益，极力反对德国的统一和独立；哈布斯堡王朝的统治使匈牙利的政治、经济、军事和文化完全依从奥地利；意大利在梅特涅的压迫下辗转呻吟；波兰也在俄、普、奥的分治下艰难发展，从俄、普、奥统治的羁绊下挣脱出来，成为意大利、波兰人民斗争的重要目标。马克思恩格斯坚决支持德国、意大利、匈牙利、波兰等国的民族解放运动，特别是对波兰的民族解放运动给予了高度的赞扬。恩格斯提出，"在奥地利各个大小民族中，只有三个民族是进步的代表者，它们积极地影响历史，并且现在还保持着生命力，这就是德国人、波兰人、马扎尔人。因此，他们现在是革命的。"[1] 他认为波兰人表现了高度的政治认识和真正的革命精神，因为作为一个斯拉夫民族，波兰人能把自由看得比斯拉夫的民族特征更珍贵，仅仅这一点就足以证明它的生命力，从而保证它是有前途的。对于南方斯拉夫人、特兰西瓦尼亚的萨克森人和罗马尼亚人，及其在 1848 年为恢复自己的民族独立而展开的斗争，马克思恩格斯则把它们定位于反革命的代表和反革命的民族运动，因为它们为了一个独立民族的幻影而交出了革命事业，站在俄国霸权主义一边，充当了沙俄和奥布斯堡王朝镇压德国和匈牙利革命的帮凶。对此，恩格斯指出："当法国人、德国人、意大利人、波兰人和马扎尔人举起革命旗帜的时候，斯拉夫人却像一个人一样全都站到反革命的旗帜下面了。走在前面的是很久以来一直对马扎尔人坚持其反革命的分离主义打算的南方斯拉夫人，其次是捷克人，他们后面是武装起来的、准备在决定关头投入战斗的俄国人。"[2] 这些人是人民事业的叛徒，是所有革命的民族心目中的罪人。

---

① 《马克思恩格斯全集》第 6 卷，人民出版社 1961 年版，第 197 页。
② 《马克思恩格斯全集》第 6 卷，人民出版社 1961 年版，第 336 页。

　　在区分民族和民族运动是革命的还是反革命的性质时，马克思恩格斯还特别注重它们对待本民族内部封建反动势力的态度，认为凡是反对国内封建反动势力，把社会推向前进的民族和民族运动就是革命的民族和民族运动，凡是力图维护封建专制制度，抵制先进的生产方式，甚至把社会拉向倒退的民族和民族运动就是反革命的民族和民族运动。1848 年革命爆发时，德国、意大利、匈牙利、捷克等国家的资本主义虽然都已经有了不同程度的发展，但还没有完全摆脱封建制度的控制和国家割据局面。摧毁封建专制制度，促进资本主义发展，实现国家独立和统一，是这些国家民族运动的重要任务。马克思恩格斯认为，意大利民族运动是民族解放、国家统一和资产阶级民主革命的紧密结合，因为意大利的大工业还处于襁褓之中，资产阶级的毅力还没有受到它和有觉悟的现代无产阶级之间的对立的破坏，而且由于意大利的分割状态仅仅是由于外来的奥地利的统治才存在下来，君主们又是在这种统治下把暴政推行到登峰造极的地步，所以，占有土地的大贵族和城市人民群众都站在资产阶级这一争取民族独立的先锋战士的一边。"为了使意大利不致因君主制而灭亡，首先就必须使意大利的君主制灭亡。"① 在匈牙利资本主义萌芽发展的进程中，无产阶级人数较少且不够成熟，资产阶级、小资产阶级以及中小贵族地主阶级中的激进派要求挣脱封建制度的束缚，发展资本主义，甚至在大贵族地主阶级中也有一部分人赞成实行部分资产阶级改革。在具有自由主义思想的知识分子引导下，争取独立、自由，反对封建制度的革命运动风起云涌。相比之下，南方斯拉夫人、捷克人不仅试图在哈布斯堡王朝君主领导下来解决民族问题，极力维护和巩固落后的封建专制制度，甚至采用历史复古主义，主张恢复奴隶制末期的公社制。对此，恩格斯指出，捷克人、克伦地亚人、达尔马戚亚人等，都力图利用 1848 年的普遍混乱恢复他们在公元 800 年时的政治状况。过去一千年的历史应该已经告诉他们，这样开倒车是不行的。因为这是一个荒唐的、反历史的运动，"其目的无非是要使文明的西方屈服于野蛮的东方，城市屈服于乡村，商业、工业和文化屈服于斯拉夫农奴的原始农业。但在这种荒唐的理论之后，还站着俄罗斯帝国这一可怕的现实……在中欧，人所共知，俄罗斯的政策是用种种阴谋手段支持新式的泛斯拉夫主义体系，这个体系的发明最适合于它的目的。"②

---

① 《马克思恩格斯全集》第 6 卷，人民出版社 1961 年版，第 464 页。
② 《马克思恩格斯选集》第 1 卷，人民出版社 2012 年版，第 610—611 页。

　　基于对两种民族运动性质的科学分析，马克思恩格斯提出了对待两种民族运动的不同策略。他们坚决支持革命的民族运动，提出只要这个民族运动站在革命一边，不管代表革命的是法国人还是中国人，都要坚决给予支持，并给这些民族运动以理论指导。针对德国的社会状况，马克思恩格斯提出德国的民族运动必须推翻封建制度，将全德国建立为一个统一的、不可分割的共和国。他们坚决支持1848年捷克人民的革命斗争，在《布拉格起义》《起义的民主性质》等文章中揭露哈布斯堡王朝对捷克人民的残酷镇压，肯定布拉格起义的民族民主革命性质，表达了对捷克人民争取民族独立的同情和支持。他们在声援意大利民族解放斗争的一项声明中提出，要捍卫意大利争取独立的事业，要和奥地利在意大利以及在德国和波兰的专制统治誓死做斗争。马克思恩格斯还号召欧洲各国人民群众抛开狭隘的民族主义，团结起来掀起一场反对一切剥削阶级和压迫民族的斗争。他们认为，泛斯拉夫主义只不过是"有教养的阶层"、城市和大学、乐队和官吏的人为的产物，打着泛斯拉夫主义旗帜的沙俄是东欧各被压迫民族和所有欧洲人民最凶恶的敌人，参加泛斯拉夫民族运动的广大群众则是上当受骗的。解决欧洲阶级矛盾、民族矛盾唯一可能的方法是支持大陆上的运动，同俄国政府殊死决战。对于反革命的民族运动，马克思恩格斯则毫不留情地予以反对。针对南方斯拉夫人和捷克人充当"俄国的鞭子"，为俄国利益服务的行为，恩格斯提出，要"对出卖革命的斯拉夫民族'无情地进行殊死的斗争'，进行歼灭战，实行无情的恐怖主义——而这样做不是为了德国的利益，而是为了革命的利益。"[①]

　　后来，列宁在《关于自决问题的争论总结》中提出，"马克思和恩格斯当时把在欧洲充当'俄国前哨'的'一整批反动民族'同德意志人、波兰人、马扎尔人等'革命民族'直接地明确地区分开来。这是事实。当时指出这个事实，无疑是正确的，因为在1848年各革命民族为自由奋斗，自由的主要敌人是沙皇政府，而捷克人等确实是反动民族，是沙皇政府的前哨"[②]，他认为马克思恩格斯反对前者而拥护后者的策略是对的，而且把它创造性地运用到殖民地人民的独立解放运动中，阐述了关于支持一切国家特别是殖民地和附属国的民主运动和革命运动等观点，在新的历史条件下发展了这个理论。

[①]　《马克思恩格斯全集》第6卷，人民出版社1961年版，第342页。
[②]　《列宁全集》第28卷，人民出版社2017年版，第37页。

三、民族解放斗争道路的阐发

在科学认识德国、意大利、波兰、匈牙利等国民族解放运动以及国内国外形势的基础上，马克思恩格斯总结出了一系列带有普遍性的关于民族运动的理论，阐述了关于民族解放斗争道路的认识。

马克思恩格斯认为，彻底的民族民主革命是实现国家统一、民族独立的必由之路。1848 年革命爆发时，德国是由分裂的 34 个联邦和 4 个自由市组成的松散联盟，同时又是一个既受着沙俄压迫又参与对波兰的民族压迫的国家。意大利民族在维也纳会议后被分割为 8 个联邦，处于国内的封建专制和国外的民族压迫的双重剥削之下。匈牙利也是处在奥地利哈布斯堡王朝和本国大贵族、地主残酷压迫和剥削下的多民族国家。针对这种状况，马克思恩格斯坚决主张以革命的方式来反抗民族压迫，夺取政治权利，实现国家统一、民族独立。《共产党在德国的要求》不仅明确提出德国革命的首要任务是把全德建成为一个统一的、不可分割的共和国，而且提出了无偿地废除一切压在农民头上的封建义务、国家掌握一切运输工具等一系列从资产阶级民主革命向社会主义革命过渡的革命措施，号召德国人民起来彻底推翻封建制度，推翻地主、官僚和军阀的统治。针对小资产阶级关于把德国变成瑞士式的联邦共和国的主张，恩格斯提出，"每一次力图把德国改造成联邦国家所引起的混乱都明显地证明了，任何这样的计划都是注定要失败的，都是不切实际的和愚蠢的，因为德国的文明已经很发达，除了统一的、不可分割的、民主的和社会的德意志共和国这种形式，它不能接受任何其他形式的统治。"[1] 对于意大利而言，马克思恩格斯同样强调彻底的民族民主革命的重要性，提出力求恢复统一是政治运动的第一步，因为没有民族统一，民族生存只不过是一个幻影。针对那种试图通过利用路易·波拿巴来解放意大利的主张，马克思恩格斯认为这不过是要保持意大利的分裂状态和反革命制度，并巩固路易·波拿巴在欧洲霸权地位的阴谋。他们主张只有掀起一场自下而上的全民运动，推翻对外妥协对内镇压革命的意大利封建政府，才能建立真正独立、统一的意大利。"改革或者改良是不可能实现的，唯一的办法是彻底推翻这个政府，假如不是驻有瑞士、法国和奥地利的军队，这个办法也许早

---

[1] 《马克思恩格斯全集》第 44 卷，人民出版社 1982 年版，第 30 页。

就采用了，而且尽管有这些重大的障碍，这种行动还是随时可能采取的。"①

马克思恩格斯认为，民族革命不能寄希望于上层阶级，而应采取群众起义、发动人民战争，这是弱小民族实现革命胜利的一条必由之路。恩格斯在《皮蒙特军队的失败》中提出，皮蒙特军队遭到失败的重要原因在于皮蒙特人一开始就犯了一个大错误，他们只用正规军来抵抗奥军，只想用最一般的、资产阶级式的、规规矩矩的战争来反对外族的侵略和压迫，认为"一个想争取自身独立的民族，不应该仅限于用一般的作战方法。群众起义，革命战争，到处组织游击队——这才是小民族制胜大民族，不够强大的军队抵抗比较强大和组织良好的军队的唯一方法。"②恩格斯认为，假如在诺瓦拉和维吉瓦诺会战的失败后立即开始真正的革命战争、人民战争，把意大利残存的一部分军队立刻宣称为全民起义的核心，意大利人就会取得胜利。但由于采取人民战争必须以革命的恐怖为前提，因此封建君主决不敢发动全民起义，也就注定了要遭到失败的命运。相比之下，匈牙利为被压迫的弱小民族树立了以革命暴力对抗强大压迫民族的典范。马克思恩格斯盛赞了匈牙利的革命运动，提出"长时期以来，我们第一次见到了真正的革命性质，第一次看见了一个敢于代表本族人民接受敌人的挑战而进行殊死斗争的人——路德维希·科苏特。……群众性的起义，全国都来制造武器，发行纸币，迅速镇压一切阻碍革命运动的人，不断革命——总而言之，在被科苏特所武装、组织和鼓舞的匈牙利，我们重新看到了光荣的1793年的一切基本特征。"③通过人民战争实现被压迫弱小民族解放的思想，是马克思恩格斯军事思想的体现，也是实践检验为正确的一条方法，历史也为他们的这个思想作出了最好的注脚。

马克思恩格斯特别注重民族团结在民族解放运动中的作用，认为革命要获得胜利就必须把各民族团结和联合起来，实行真正的民族平等和民族团结政策。匈牙利是一个多民族国家，以马扎尔族为主，还包括匈牙利、罗马尼亚、斯洛伐克、德国、塞尔维亚、霍尔瓦特、鲁廷等诸多民族，如何处理各民族间的关系直接关系着革命的成败。佩斯三月革命胜利后，遍及全国的群众运动蓬勃兴起。特兰尼西亚、克罗地亚等地区的广大人民举行了声势浩大的示威游

---

① 《马克思恩格斯全集》第 13 卷，人民出版社 1962 年版，第 178 页。
② 《马克思恩格斯全集》第 6 卷，人民出版社 1961 年版，第 461 页。
③ 《马克思恩格斯全集》第 6 卷，人民出版社 1961 年版，第 193—194 页。

行，绝大多数的塞尔维亚人也欢迎和支持三月革命。然而，革命胜利后的政府却没能处理好民族问题。1848年法令提出的成立匈牙利责任内阁、废除劳役制、什一税等措施，使匈牙利的社会关系发生了根本性变化，但也存在着无力解决民族问题的致命缺陷。当政府拒绝了霍尔瓦特、塞尔维亚、罗马尼亚和斯洛伐克等少数民族实现自己的民族权利，甚至实现不同程度的区域自治的要求时，他们拿起了武器进行反抗。哈布斯堡王朝趁机拉拢各反抗的少数民族，煽动民族间的仇恨，结果使得旨在反对奥地利的民族运动变成了反对匈牙利革命的反革命运动。面对1849年夏天的革命危机，尽管路德维希·科苏特意识到了联合少数民族共同抵抗的重要性，发出了如果不集中力量祖国就没有希望的呼声，但为时已晚。没有处理好民族间的关系问题，成为匈牙利乃至1848年欧洲革命失败的一个重要教训。

马克思恩格斯还多次提醒各国的革命者要密切无产阶级和农民的联系，认为意大利、波兰、匈牙利等国民族革命的成败"要依无产阶级革命的成败而定，……只要工人还是奴隶，匈牙利人、波兰人或意大利人都不会获得自由！"①当时欧洲各国无产阶级的人数虽然不多，但却代表着整个民族的真正的和被正确理解的利益，因为它尽量加速革命的进程，而这个革命对于文明欧洲的任何一个旧社会都已成为历史的必然，没有这个革命，文明欧洲的任何一个旧社会都休想较安稳较正常地继续发展它的力量。而那些上层阶级，哪怕是最初怀有革命热情的国内豪绅、贵族、军官这样的有产阶级，在革命涉及其自身利益时，他们就一定会成为革命的倒戈者。为此，马克思恩格斯要求欧洲各国革命者要努力把无产阶级的领导作用和民族解放运动联系起来。他们热情讴歌了无产阶级在意大利革命中的作用，提出米兰起义是值得钦佩的，它是少数无产者的一次英勇的行动，其主要意义就在于它是整个欧洲大陆革命危机逼近的信号。同时，他们批判了埃斯特哈济之流的马扎尔的豪绅显贵，指出正是马扎尔军队中的"贵族"军官们从斗争开始直到今天每日每时都在出卖民族的事业。对于马克思恩格斯的这种认识，列宁有过这样的评价，"民族问题和'工人问题'比较起来，只有从属的意义，这在马克思看来是无可置疑的。但是他的理论同忽视民族运动的观点却有天壤之别。"②

---

① 《马克思恩格斯选集》第1卷，人民出版社2012年版，第470页。
② 《列宁全集》第25卷，人民出版社2017年版，第265页。

四、无产阶级革命斗争同盟军理论的形成

马克思恩格斯认为，民族运动并不是一个独立存在的问题，而是社会革命问题的一个组成部分，民族问题只有和无产阶级革命相联系并在无产阶级革命的基础上才能得到解决。早在马克思恩格斯向唯物主义和共产主义转变的时期，他们就在当时所撰写的《论犹太人问题》和《〈黑格尔法哲学批判〉导言》中把民族问题的解决和无产阶级革命联系在一起，提出犹太人的解放只有在政治解放的基础上，继续进行社会主义革命，推翻那些使人成为受屈辱、被奴役、被遗弃和被蔑视的东西的一切关系，才能获得彻底的解放，认为犹太人的解放，就其终极意义来说，就是人类从犹太中解放出来。《英国工人阶级状况》第一次阐述了爱尔兰人民争取民族独立反抗英国殖民统治的斗争，必须与英国无产阶级反对本国资产阶级的斗争结合起来的观点，形成了爱尔兰民族解放要分两步走的思想，提出爱尔兰人民前进的第一步就是争取民族独立，第二步要进行国内的革命，反对国内的剥削阶级和剥削制度，消灭私有制。及至《共产党宣言》，马克思恩格斯更为系统、全面地论述了民族问题和阶级问题、革命问题的关系，阐述了在阶级社会中民族问题从属于阶级问题的思想，认为民族压迫和剥削的根本原因是私有制，而只有工人阶级才能消灭私有制，从而消灭民族压迫和剥削，提出了全世界无产者和被压迫民族联合起来的口号，要求无产阶级的政党必须克服民族狭隘性，把反对本国本民族资产阶级的斗争同反对各国各民族资产阶级的斗争结合起来。1848年革命时期，马克思恩格斯结合欧洲各国革命运动实践，进一步阐述了被压迫民族运动和欧洲民主革命之间存在的密切的联系和相互影响，明确提出了被压迫民族解放斗争是欧洲革命的最好同盟军的理论观点。

1848年革命时期，英国、法国的资本主义已经有了很大发展，封建制度受到相当大的破坏。但德国、波兰、意大利、匈牙利等国却仍处于民族分裂和大国奴役的状态，资本主义发展缓慢。"1848年的革命，立即唤醒一切被压迫民族起来要求独立和自己管理自己事务的权利。"[①] 长期遭受俄、普、奥等国统治和剥削的波兰、意大利、匈牙利、捷克等国为了实现民族独立、国

---

① 《马克思恩格斯选集》第1卷，人民出版社2012年版，第607页。

家统一，反对本国封建势力，促进资本主义的发展，掀起了声势浩大的民族运动。既要求社会革命，又要求民族革命，把民主革命和民族革命结合在一起，成为 1848 年革命的主要内容。正是在这种意义上，马克思恩格斯在分析波兰问题时提出，面临着对外反对以沙皇为首的民族压迫和对内反对封建专制制度的任务，波兰既要进行民族革命，又要进行民主革命。他们认为 1846年的克拉科夫起义是第一次宣布社会主义要求的政治革命，它把民族问题与民主问题以及被压迫阶级的解放看作一回事，而无产阶级对资产阶级的胜利同时就是一切被压迫民族获得解放的信号。马克思恩格斯提出，克拉科夫起义给整个欧洲作出了光辉榜样，"虽然这次革命暂时被雇佣凶手的血手所镇压，但是现在它在瑞士及意大利又以极大的声势风起云涌。在爱尔兰，证实了这一革命原则是正确的。"[1] 这样一来，马克思恩格斯就把民族问题与欧洲革命和无产阶级革命问题联系起来，为波兰乃至欧洲各国民族革命的进一步发展指明了方向。

相较于 1848 年波兰的民族革命运动，1848 年匈牙利的民族革命运动为马克思恩格斯关于被压迫民族运动与无产阶级革命关系理论提供了更加丰富的资料。马克思恩格斯将匈牙利革命称为"伟大东欧革命战争"，他们认为在1848 年革命中，匈牙利革命是"一个被占优势的反革命包围的民族敢于用革命的激情来对抗怯懦的反革命的狂暴，用红色恐怖来对抗白色恐怖，这还是第一次。"[2] 马克思恩格斯指出，匈牙利宣布独立的行为，使匈牙利战争很快就失去了它最初所具有的民族性质，具有了真正全欧的性质。因为只有这样，匈牙利与波兰、与德国成立的联盟才能固定下来。而如果匈牙利独立、波兰复兴、德意志奥地利成为德国的革命中心、伦巴第和意大利取得独立这些计划得以实现，那么整个东欧国家的体系就会完全瓦解：奥地利会消失，普鲁士会被融化，而俄国会被排挤到亚洲边界。但也正因为匈牙利革命可能产生如此大的影响，"神圣同盟"竭尽全力来堵塞这场革命的道路，从而使匈牙利战争成了欧洲战争。马克思恩格斯认为，这场战争的进程不仅影响着德国，而且也影响着法国和英国。他们满怀激情地预计，"'法国工人阶级的革命起义，世界大战——这就是 1849 年的前景。'看吧，在东方，由各民族的战士组成的革命军

---

① 《马克思恩格斯全集》第 4 卷，人民出版社 1958 年版，第 537 页。
② 《马克思恩格斯全集》第 6 卷，人民出版社 1961 年版，第 193 页。

已经同以俄国军队为代表的、联合起来的旧欧洲相对峙"①。恩格斯关于民族革命运动和各国人民革命斗争相互影响的思想，为科学社会主义提供了一个重要原则。在 19 世纪 50 年代后，马克思恩格斯基于对东方殖民地、半殖民地民族革命运动的考察，进一步发展了民族解放运动是"我们最好的同盟军"的思想。

---

① 《马克思恩格斯全集》第 6 卷，人民出版社 1961 年版，第 603 页。

第二章 马克思对政治经济学的"重新研究"

离开《莱茵报》之后，马克思在巴黎正式开始其政治经济学研究，1848年革命的爆发中断了这一研究。1849年，马克思来到伦敦，依托大英博物馆丰富的文献资料和英国资本主义发展的生动实践，他开始了对政治经济学的"重新研究"，包括24个笔记本的《伦敦笔记》就是这个时期的记录和见证。《伦敦笔记》的内容非常丰富，对经济思想史和经济事实的研究是其主体，同时涉及农业问题、资本主义以前的历史、科学技术问题、文化史、印度问题等诸多内容。《伦敦笔记》时期是马克思思想发展的重要阶段，这一笔记展现了马克思从事科学研究的过程，是马克思主义发展史上需要重视的重要文献。

第一节 从《巴黎手稿》到《伦敦笔记》

《巴黎手稿》是马克思开始进行政治经济学研究后的第一个理论成果，从《巴黎手稿》到《伦敦笔记》发生了两个值得关注的变化，一是研究地点从巴黎转移到了伦敦，二是唯物史观在这一过程中形成。这些变化决定了《伦敦笔记》相较于《巴黎手稿》在研究重点上的区别和在理论成熟程度的进步。

一、研究政治经济学的开端

1841 年 4 月马克思以题为《德谟克利特的自然哲学和伊壁鸠鲁的自然哲学的差别》的论文获耶拿大学博士学位，随后开始为资产阶级反对普鲁士专制政府的左派创办的报纸《莱茵报》撰稿，同年 10 月担任该报主编。

马克思研究政治经济学的"最初动因"就是在《莱茵报》工作期间遇到的"要对所谓物质利益发表意见的难事"①。这主要是指以下两起事件，一是要对莱茵省议会关于林木盗窃法的辩论做出报道和评论。19 世纪 40 年代，莱茵省的小农、短工和城市居民由于贫困和破产去采集和砍伐林木，按照传统这是他们的"习惯权利"，但林木所有者却将其视为"盗窃"，普鲁士政府为维护林木所有者的权利准备制定新的法律，采取严厉措施对这种行为予以惩治。在莱茵省议会就林木盗窃法草案展开的辩论中，各阶层代表均倾向于加重处罚以给林木所有者更多好处。二是《莱茵报》驻摩泽尔记者彼·约·科布伦茨匿名发表了两篇报道该地区农民贫困状况并谴责政府漠视态度的文章，受到了莱茵省总督冯·沙培尔的责难，他指责文章歪曲事实、诽谤政府，并要求作者就一系列问题做出答复。由于作者此后不敢大胆论证其观点来反驳冯·沙培尔，于是马克思决定承担起这项任务，并借此机会揭露普鲁士社会政治制度的弊病。这两起事件看似是关于法律和政治的问题，但实际是有其深刻的社会经济根源的，通过对这两个具体事件的调查研究，马克思深入了解到底层贫苦群众的现实处境，他对贫苦群众抱以极大的同情，并站在他们一边维护其物质利益。在《关于林木盗窃法的辩论》和《摩泽尔记者的辩护》两篇文章中，马克思主要从政治和道德角度指出了作为人民整体利益代表的国家和法却站在人民的对立面，只为有产阶级利益服务，在分析驳斥具体事件和观点的过程中实现对整个社会政治制度的批判。恩格斯在其晚年曾提到"我曾不止一次地听马克思说过，正是他对林木盗窃法和摩泽尔河沿岸地区农民状况的研究，推动他由纯政治转向经济关系，并从而走向社会主义"②。通过这些事件，马克思的理论视野开始扩展到经济领域，他认识到自己在这方面的知识十分有限，从而推动其对社会经

---

① 《马克思恩格斯文集》第 2 卷，人民出版社 2009 年版，第 588 页。
② 《马克思恩格斯文集》第 10 卷，人民出版社 2009 年版，第 701 页。

济关系进行深入研究。

对当时各种共产主义思潮的评析和对共产主义的深入探究也是推动马克思进行经济学研究的因素之一。1842 年 10 月奥格斯堡《总汇报》发表该报主编古·科尔布的文章《共产主义者的学说》，以《莱茵报》刊登《柏林的家庭住宅》以及报道讨论了社会主义和共产主义问题的斯特拉斯堡会议为由，指责《莱茵报》是"普鲁士的共产主义者"，是"一位向共产主义虚幻地卖弄风情和柏拉图式地频送秋波的人物"。为此，马克思写了《共产主义和奥格斯堡〈总汇报〉》一文予以回应，这是马克思第一次公开表明自己对共产主义的态度。他首先承认共产主义作为一种实践运动的客观存在性，指出它是"具有欧洲性的重要意义"的问题，"今天一无所有的阶级要求占有中等阶级的一部分财产"是"曼彻斯特、巴黎和里昂大街上有目共睹的事实"。但马克思"不承认现有形式的共产主义思想具有理论上的现实性"，"更不会期望在实际上去实现它"。他指出，《莱茵报》将对现有的共产主义思想进行认真的批判，并且"只有在长期持续的、深入的研究之后才能加以批判"，因为"构成真正危险的并不是共产主义思想的实际试验，而是它的理论阐述"①。与此同时，马克思也承认他以往的研究不容许其对这些思潮本身妄加评论，因此，对共产主义思想进行深入研究并探寻其社会经济基础成为马克思下一步理论研究的重要方向。

在马克思的主持下，《莱茵报》的革命民主主义倾向日益明显，社会影响力日益增大，普鲁士政府深感报纸对其统治的威胁，内阁于 1843 年 1 月通过决议，决定从 4 月 1 日起查封该报，在此之前则对其实行严格的审查制度。由于《莱茵报》的发行人认为把报纸的态度放温和些就可能挽救其被封禁的结局，马克思遂于 3 月 17 日声明退出编辑部，从而得以从社会舞台退回书房，去探索使其苦恼的问题的答案。这一探索的第一个成果就是对黑格尔法哲学的批判性分析，形成了《黑格尔法哲学批判》这一著作，它的导言曾发表在 1844 年出版的《德法年鉴》上。马克思利用在《莱茵报》工作时期获得的关于法、国家和等级的新看法以及受到的费尔巴哈思想的启发，对当时颇受关注的黑格尔的国家观进行了彻底的清算，得出了"决不是国家制约和决定市民社会，而是市民社会制约和决定国家"②的结论，并认识到"对市民社会的解剖应该到政

---

① 《马克思恩格斯全集》第 1 卷，人民出版社 1995 年版，第 295 页。
② 《马克思恩格斯文集》第 4 卷，人民出版社 2009 年版，第 232 页。

治经济学中去寻求"①。他指出对宗教这个彼岸世界的批判结束之后，就是对此岸世界，即法和政治的批判，但是"批判的武器当然不能代替武器的批判，物质力量只能用物质力量来摧毁"，对德国来说，彻底的革命不是不触动整个制度基础的政治革命，而是全人类的解放。德国解放的实际可能性存在于无产阶级解放自己、同时解放全人类的斗争中，并阐明了无产阶级与哲学的关系问题，指出"哲学把无产阶级当做自己的物质武器，同样，无产阶级也把哲学当做自己的精神武器"②。尽管此时马克思并未完全摆脱黑格尔哲学的影响，仍然会抽象地谈论人和人的本质，但他已经初步建立起历史唯物主义的思想基础，找到了实现人类解放的现实力量，并强调了理论指导对革命实践的重要作用，这可以视为马克思萌生为无产阶级创立政治经济学的想法的开端。

1844 年 8 月恩格斯从曼彻斯特返回德国途中在巴黎与马克思相见，从此开始了他们的学术合作和伟大友谊。恩格斯先于马克思从事政治经济学研究，他的《国民经济学批判大纲》是马克思主义政治经济学的第一篇文献，被马克思称为"批判经济学范畴的天才大纲"。同恩格斯的交往以及恩格斯研究政治经济学的影响也是促使马克思进行政治经济学研究的重要因素。正如列宁后来写道，"同恩格斯的交往显然促使马克思下决心去研究政治经济学，而马克思的著作使这门科学发生了真正的革命。"③ 在《国民经济学批判大纲》中，恩格斯肯定了经济学所取得的进步，认为它"阐述了私有制的各种规律"④，同时也犀利地指出了经济学的资产阶级立场，他认为 18 世纪以来虽然经济学领域也发生了革命，但它只前进了半步，因为它从来也没想去过问"私有制的合理性"这一经济学的前提问题，这就决定了经济学的"伪善、前后不一贯和不道德"⑤。他批判了国民经济学的国民财富、价值、价格、劳动、资本、地租、竞争、垄断这些重要范畴并阐明了自己的观点。例如，恩格斯在批判分析萨伊的效用价值论和李嘉图的生产费用决定价值的基础上，认为物品的价值包含两个因素，强行将其分开是徒劳的，提出"价值是生产费用对效用的关系"⑥。马

---

① 《马克思恩格斯文集》第 2 卷，人民出版社 2009 年版，第 591 页。
② 《马克思恩格斯文集》第 1 卷，人民出版社 2009 年版，第 17 页。
③ 《列宁专题文集 论马克思主义》，人民出版社 2009 年版，第 56 页。
④ 《马克思恩格斯全集》第 3 卷，人民出版社 2002 年版，第 446 页。
⑤ 《马克思恩格斯全集》第 3 卷，人民出版社 2002 年版，第 444 页。
⑥ 《马克思恩格斯全集》第 3 卷，人民出版社 2002 年版，第 451 页。

克思研究政治经济学的初期曾详细研读过《国民经济学批判大纲》，并将恩格斯关于价值、地租、资本、利润、工资的基本观点做了摘录笔记，他在《巴黎手稿》中对资产阶级经济理论的评论受到了恩格斯观点的深刻影响。

1844 年春，马克思在巴黎开始系统地研究政治经济学，《巴黎手稿》反映了马克思这一时期研究经济学的过程和初步成果。《巴黎手稿》包括《巴黎笔记》和《1844 年经济学哲学手稿》两部分。包括九个笔记本的《巴黎笔记》写于 1843 年 10 月至 1845 年 1 月，它包括历史哲学、经济学、社会主义和共产主义文献三部分内容，其中，对经济学的研究居于中心地位。马克思对让·巴·萨伊、亚当·斯密、大卫·李嘉图、詹姆斯·穆勒、约·雷·麦克库洛赫、吉约姆·普雷沃、安·路·克·德斯杜特·德·特拉西、弗·李斯特、比·布阿吉尔贝尔、欧仁·毕莱的著作做了摘录，并在一些摘录后面加上了自己的评论和注释。

在《巴黎笔记》中，马克思通过摘录和研究发现了资产阶级经济学以私有财产为全部理论的前提，但却没有说明这一前提的反历史性观点和为资产阶级辩护的阶级性质。他指出，正是资产阶级经济学的以上立场和观点使其不可能正确解决经济学的根本问题，从而在理论上陷入绝境。马克思针对李嘉图主义者写道："国民经济学的卑鄙在于，在被私有财产敌对分开的利益的前提下研究问题，却似乎利益并没有分开，财产仍然是公共的。从而它证明，我消费掉一切，你生产出一切，这对整个社会来说消费和生产处于正常状况"①。

《巴黎手稿》中马克思在经济学上取得的进步可以通过三个方面体现出来。一是从单纯地摘录笔记到在摘录后添加自己的评论和观点，并且评论的篇幅越来越大，内容越来越丰富。例如在对詹姆斯·穆勒的《政治经济学原理》一书所做摘要之后，马克思的评论扩展为两段内容丰富的独立论述，阐明了对分工、交换、货币、信贷等经济范畴的见解。二是由于不懂英文，马克思起初阅读的英国经济学家的著作都是法译本，摘录也是法文，但在写作《1844 年经济学哲学手稿》时，他将大部分的摘录引文翻译成德文，体现了他对援引材料的理解达到了新的高度。第三方面，也是最重要的方面，是马克思对一些经济范畴和理论的认识进一步加深。首先就是价值理论。在《巴黎笔记》有关经济学的摘录中，马克思将很大的注意力放在价值范畴上。他发现，价值问题是资

---

① 《马克思主义研究资料》第 3 卷，中央编译出版社 2014 年版，第 9 页。

产阶级经济学的中心问题，他们在分析资产阶级社会的各种经济现象和政治经济学范畴时总是一再回到价值问题上。他们研究价值以什么为基础，价值量由什么决定，以及保证和调节以价值规律为基础的商品交换的机制是怎样的。不同的经济学家对这些问题的看法是不同的。马克思开始读到萨伊、斯卡尔培克和斯密的著作时只是摘录他们的观点，并未加以评论和比较。在摘录李嘉图的著作后，马克思评论道"李嘉图在价值规定中只抓住生产费用，萨伊只抓住效用（有用性）。在萨伊那里，竞争代表生产费用"。马克思同时将恩格斯在《国民经济学批判大纲》中对资产阶级经济学关于价值问题的不同观点的比较进行了摘录，他接受了恩格斯关于竞争在资本主义社会机制中居于决定作用的思想，从而得出了与恩格斯一致的结论：全面否定李嘉图的劳动价值论。他们认为在私有制和竞争条件下，价值完全是一种虚构，只有受竞争支配的市场价格才是实际的。在《巴黎手稿》同时期的著作《神圣家族》中，马克思对劳动价值论的态度开始从否定向肯定过渡，逐渐向劳动价值论"接近"①。马克思先是提到"最初，价值看起来确定得很合理：它是由物品的生产费用和物品的社会效用来确定的。后来却发现，价值纯粹是偶然确定的，它无论和生产费用或者和社会效用都没有任何关系"②，从而对劳动价值论和效用价值论都予以否定。在此之后，他承认了劳动时间对商品价值的决定意义，指出"生产某个物品所必须花费的劳动时间属于这个物品的生产费用，某个物品的生产费用也就是它值多少，即它能卖多少钱（如果撇开竞争的影响）"③。并且强调生产某件物品的劳动时间是决定该物品"重要性"的本质因素，指出"在直接的物质生产领域中，某物品是否应当生产的问题即物品的价值问题的解决，本质上取决于生产该物品所需要的劳动时间"④。从中可以看到，马克思此时已经开始理解价值在竞争中的现象形态与在生产过程中的本质规定之间的区别，初步理顺了价格现象与价值本质的关系。

事实上，在《巴黎笔记》中也可以清楚地看出，随着研究的深入，马克思正在逐渐放弃对劳动价值论的完全否定。他在对麦克库洛赫的《论政治经济学的起源、发展、特殊对象和重要性》的摘要之后，做出评论："在现今

---

① 《列宁全集》第 55 卷，人民出版社 2017 年版，第 13 页。

② 《马克思恩格斯全集》第 2 卷，人民出版社 1957 年版，第 39 页。

③ 《马克思恩格斯全集》第 2 卷，人民出版社 1957 年版，第 61 页。

④ 《马克思恩格斯全集》第 2 卷，人民出版社 1957 年版，第 62 页。

的（社会）状况中，理性规律只有通过把现今关系的特殊性质抽象掉才能保持，或者说，规律只是以抽象的形式统治的"。在对穆勒著作的评论中，马克思已不再指责李嘉图及其学派把抽象解释为现实，而是指责他们把现实看作某种抽象的、偶然的、非本质的东西，指出他们说出抽象的规律，却没有看到规律的变化或不断扬弃，而抽象规律正是通过变化和不断扬弃才得以实现的。从这些评论中可以看出，马克思当时已经承认作为抽象物的价值规律的合理性。

其次是异化劳动理论。在《1844 年经济学哲学手稿》中马克思借用德国古典哲学的异化概念，并赋予其新的内涵，以此来说明资产阶级与无产阶级的矛盾对立，揭示资本主义生产关系的本质。他从资本主义的经济事实出发，论证了人同自己的劳动产品、自己的生命活动、自己的类本质的异化以及前三个方面的异化所导致的人同人的异化，并指出工人的这种异化不过是工人阶级同资产阶级之间的对立的反映，整个人类的奴役制就包含在工人对生产的关系中。马克思指责资产阶级经济学以私有财产这一事实为出发点却没有对这个事实予以说明。他通过对异化劳动的分析，做出了自己的解释，指出私有财产一方面是外化劳动的产物，另一方面又是劳动借以外化的手段，同时他认为国民经济学的一切范畴，如买卖、竞争、资本、货币，都可以借助异化劳动和私有财产这两个概念来阐明。

最后是对政治经济学理论体系的第一次设想。在《1844 年经济学哲学手稿》的序言中，马克思提出"我打算用不同的、独立的小册子来相继批判法、道德、政治等等，最后再以一本专门的著作来说明整体的联系、各部分的联系，并对这一切材料的思辨加工进行批判"。① 这是马克思对其理论体系作出的最初设想。与此同时，他开始《政治和政治经济学批判》的写作。虽然这部著作最终没有完成和出版，但是此后马克思一直没有放弃他写作政治经济学著作的计划。

对政治经济学的第一次研究使马克思积累了一定的材料基础，具备了初步的理论基础，也开始形成自己的理论观点，这些宝贵的积累为马克思第二阶段的研究奠定了基础。

---

① 《马克思恩格斯文集》第 1 卷，人民出版社 2009 年版，第 111 页。

二、"重新研究"政治经济学的原因

马克思主义的理论大厦从来都不是没有实践基础的海市蜃楼，它的建立既包含着对前代理论成果的批判继承，更受力于解决现实问题的迫切需要的推动，也要经受住无产阶级革命运动的实践检验。马克思和恩格斯从一开始就认识到，他们不能"把新的科学成就写成厚厚的书，只向'学术'界吐露"①，而是要深入到政治运动中去，与无产阶级建立广泛的联系，科学地论证自己的观点，最大限度地争取无产阶级来拥护科学社会主义的理论和信念。为此，他们在比利时建立德意志工人协会，创办机关刊物，并与布鲁塞尔的民主派、法国的民主派和英国的宪章派保持密切的联系。此后，他们还在正义者同盟的邀请下加入该组织，帮助其起草宣言，实现改组，《共产党宣言》就是马克思和恩格斯为改组后的共产主义者同盟起草的纲领。《共产党宣言》既是马克思主义理论诞生的标志，同时也是国际共产主义运动的第一个纲领性文献。可见，马克思主义是在理论与实践的结合中产生的，它也只有在理论与实践的结合中才能进一步发展并焕发生机与活力。

1848 年，面对席卷欧洲的革命风暴，马克思和恩格斯积极投身其中，先是受命在巴黎组织共产主义者同盟新的中央委员会，发表新的宣言，实现欧洲大陆上同盟的改组。随后在德国流亡者中宣传真正有利于推动德国革命的方法，并组织几百名德国工人回到祖国参加革命运动。马克思和恩格斯也回到莱茵省克服重重困难创办《新莱茵报》，该报以其无产阶级立场对欧洲革命产生了广泛影响。1849 年 5 月，由于《新莱茵报》的"危险"倾向，政府向马克思下达驱逐令。5 月 19 日出完《新莱茵报》最后一期之后，马克思辗转到达巴黎。7 月，法国政府下令马克思迁往热病流行的摩尔比安沼泽地，于是，马克思被迫于 9 月移居英国伦敦。在此期间，由于参加革命运动，马克思中断了"退回书房"后开始的政治经济学研究。直到马克思在伦敦安顿下来才开始"重新"研究政治经济学。

波及全欧洲的 1848 年革命最终由于反动势力的镇压而失败，欧洲的无产阶级革命运动陷入低潮。马克思恩格斯认为，当革命处于低潮时，他们的任务

---

① 《马克思恩格斯文集》第 4 卷，人民出版社 2009 年版，第 233 页。

主要是为不久之后即将到来的革命奠定组织基础和提供理论准备。为此，马克思一到伦敦就立即从多方面展开工作。

一是重建共产主义者同盟领导机关，加强无产阶级的组织建设，为之后的革命准备阶级力量。1849年至1850年，除在革命中牺牲的人员外，共产主义同盟的老盟员大都在伦敦聚集，如威廉·沃尔弗、沙佩尔等，马克思与这些老盟员一起重建了共产主义同盟中央委员会，也有一些新成员到来，如奥古斯特·维利希、康拉德·施拉姆、威廉·皮佩尔、李卜克内西等。为了重建同盟，马克思和恩格斯共同起草了《中央委员会告共产主义者同盟书》，指明无产阶级在新的革命中对待小资产阶级民主派的正确态度。此外，马克思还先后加入了伦敦德意志工人教育协会和伦敦德国流亡者救济委员会，为寓居伦敦的德国流亡者提供无私的帮助。然而由于流亡者之间在阶级立场和革命策略上的分歧，同盟陷入日益严重的派别斗争并不可避免地走向分裂。在这一过程中，马克思恩格斯坚持在政治斗争中宣传阐述自己以唯物主义为基础的理论观点，与维利希—沙佩尔集团进行了坚决的斗争，为打击工人阶级中的革命冒进主义和自发势力做出了巨大努力。

二是总结1848年革命的前因后果和复杂过程，对革命实践进行理论提升，为之后的革命提供经验借鉴。马克思认为，"目前这个表面平静的时期，正应当利用来剖析前一革命时期，说明正在进行斗争的各政党的性质，以及决定这些政党生存和斗争的社会关系。"[1] 马克思到达伦敦后立即投入《新莱茵报。政治经济评论》的出版筹备工作中，招募股东、约谈出版商、寻找撰稿人，在1850年1月出版的第一期上就发表了《1848年的六月失败》，即《1848年至1850年的法兰西阶级斗争》的第一部分，详尽分析了法国革命爆发前法国的社会经济状况和法国革命的经验教训。

三是加紧进行经济学研究，探寻资本主义经济运动的规律，为之后的革命准备理论基础。经济领域的研究首先是从对当时欧洲资本主义社会经济现实的分析开始的。《新莱茵报。政治经济评论》的主要任务就是"更广泛地研究各种事件"，"详细地科学地研究作为整个政治运动的基础的经济关系"[2]。在该杂志上发表的《国际述评》系列文章就是马克思和恩格斯研究政治和经济现实并

---

[1] 《马克思恩格斯全集》第7卷，人民出版社1959年版，第3页。

[2] 《马克思恩格斯全集》第7卷，人民出版社1959年版，第3页。

阐释二者之间深刻联系的优秀成果。在二月份的评论中，他们分析了世界范围内的政治形势，包括普鲁士国内资产阶级议会与国王妥协的实质，"神圣同盟"对欧洲革命的一致围剿和基于各自利益的不同考虑，美国经济的迅速发展及其对欧洲政治的影响，鸦片战争后中国的社会危机和社会主义思潮的传播。[①] 在四月份的评论中，他们分析了欧洲的经济形势，阐述了危机与革命的关系。他们认为，各个领域的生产过剩和狂热的投机会导致英国的商业危机很快爆发，并且商业危机会前所未有地与农业危机一同爆发。欧洲大陆上的动荡会加速英国经济危机的到来，而英国的危机又会使大陆的革命具有更鲜明的社会主义性质。欧洲大陆上出现的暂时的商业旺季和印度商业暂时的活跃都无法改变危机的进程，具有决定意义的美国市场又完全处于收缩状态，因此危机将会发展得比以前更快，大陆上的政治事件也不可遏制地要爆发。[②] 在十一月份的评论中，马克思和恩格斯通过对经济周期的实证研究发展了其经济危机理论，阐明了革命的社会经济基础。他们认为，1843—1845 年的工业繁荣是 1837—1842年连年工业萧条的必然结果，依照前面的工业周期来推算，1847 年危机结束后的新的繁荣大概会持续到 1852 年，随后危机就会到来。在危机爆发的机制上，他们指出，繁荣很快就会产生投机，投机常常发生在生产过剩已经非常严重的时期，它是生产过剩的暂时出路，却又会加速危机的来临和加强危机的力量。危机本身会首先爆发在投机领域中，而后才波及到生产领域。因此，表面上看似乎投机是工业解体的原因，而实际上，投机不过是工业领域生产过剩的反映。[③] 马克思恩格斯对金融危机进行了研究。他们指出，铁路投机和谷物投机还导致信用系统遭到破坏，金融市场完全瓦解。在金融危机中，尽管期票贴现率不断提高，但是银行的准备金仍然下降到较低水平，金融市场收缩引起的恐慌又造成商业上的破产。他们分析了金银从银行外流的三个主要原因，一是商品价格上涨，流通中需要的货币量增加，二是铁路方面的大量投资，三是远超实际需要的大量商品输入。破产从商业领域开始，随后蔓延到银行，危机发展到顶点。马克思恩格斯分析了经济危机在世界范围内的扩展。英国是资产阶级世界的造物主，最初的过程始终是发生在英国，资产阶级社会经常反复经历

---

①　参见《马克思恩格斯全集》第 7 卷，人民出版社 1959 年版，第 254—268 页。

②　参见《马克思恩格斯全集》第 7 卷，人民出版社 1959 年版，第 343—346 页。

③　参见《马克思恩格斯全集》第 7 卷，人民出版社 1959 年版，第 492 页。

的周期的各个阶段，在大陆上是以第二次和第三次的形式出现的。在危机与革命的关系上，他们进一步阐明在"普遍繁荣的情况下，即在资产阶级社会的生产力正以在资产阶级范围内一般可能的速度蓬勃发展的时候，还谈不到什么真正的革命。只有在现代生产力和资本主义生产方式这两个要素互相发生矛盾的时候，这种革命才有可能。"①这一历史唯物主义的认识也是马克思和恩格斯与共产主义同盟中的革命冒险主义决裂的依据。他们指出，"一切想阻止资本主义发展的反动企图都会像民主主义者们的一切道义上的愤懑和热情的宣言一样，必然会被这个基础碰得粉碎"②，但他们对革命的必然性也是深信不疑的，认为"新的革命只有在新的危机之后才有可能。但是新的革命的来临像新的危机的来临一样是不可避免的"③。由于德国反动政府的迫害和资金短缺，《新莱茵报．政治经济评论》于1850年11月底出版了第五、六期的合刊后停刊。

在系统研究经济史的同时，马克思重新着手早在1844年春就打算进行的批判资产阶级政治经济学的写作工作。正如马克思后来回顾时写道："1848年和1849年《新莱茵报》的出版以及随后发生的一些事变，打断了我的经济研究工作，到1850年我才能在伦敦重新进行这一工作"④。巴黎开始的研究工作为之后的经济学研究准备了基础性材料，并在理论上取得了初步成果，它既是马克思经济学研究的初始阶段，也是历史唯物主义创立的时期，这一过程生动体现了两者在发展中的相互促进和交互建构。伦敦的经济学研究由于时代的进步、地点的转移以及马克思自身思想的发展具有它的必然性和新的特点。

首先，资本主义发展的新变化客观上促进了马克思"再从头开始，批判地仔细钻研新的材料"。19世纪是资本主义生产关系在欧洲逐步确立，资本主义经济飞速发展的时期，经过近十年的发展，资本主义又发生了许多新的变化，随着亚洲殖民地的开辟，美洲和澳洲的大量移民和进一步开发，资本主义在世界范围内的资源配置和资本积累不断催生出新的繁荣，资本主义似乎进入了新的发展阶段。马克思在研究经济史和分析社会经济现实的过程中深刻认识到这种变化。他特别指出加利福尼亚和澳大利亚金矿的发现对资本主义发展的重要意义。他直言，"加利福尼亚金矿的发现，其意义超过了二月革命"，"这一发

---

① 《马克思恩格斯全集》第7卷，人民出版社1959年版，第513—514页。
② 《马克思恩格斯全集》第7卷，人民出版社1959年版，第514页。
③ 《马克思恩格斯全集》第7卷，人民出版社1959年版，第514页。
④ 《马克思恩格斯文集》第2卷，人民出版社2009年版，第593页。

现所带来的成果甚至将会比美洲大陆的发现所带来的要大得多"①，因为它促进了美洲、亚洲和澳洲的开发，使原来荒无人迹的地方变成人口密集、贸易便利、工业发达的区域。它推动世界交通线的改变，巴拿马运河的修建使世界交通枢纽和世界贸易中心从大西洋沿岸向太平洋沿岸转移。由此带来的将会是世界经济和政治格局的巨大变革。

其次，无产阶级革命运动的发展需要属于自己的理论武器。1848 年革命通过实践证明了马克思和恩格斯关于资本主义社会发展规律、无产阶级的地位和历史使命的理论的正确性。同时宣告了小资产阶级改良主义、空想社会主义、"真正的社会主义"等错误思潮的彻底破产。正如列宁在《马克思学说的历史命运》一文中所讲的，"1848 年革命给了马克思以前的一切喧嚣一时、五花八门的社会主义形式以致命的打击。各国的革命使社会各阶级在行动中显露出自己的面目。共和派资产阶级在 1848 年 6 月的那些日子里枪杀工人，最终证明只有无产阶级具有社会主义本性。"②这次革命既深深教育了无产阶级，清理了错误思潮的影响，也坚定了马克思和恩格斯为无产阶级创立政治经济学的宏伟目标。马克思恩格斯在总结革命的经验教训时曾指出，无产阶级缺乏正确的理论指导，没有被彻底动员起来投入革命斗争中去，没有实现行动的统一和广泛的联合是革命失败的重要因素。

再次，马克思自身思想的发展和理论体系的构建要求继续进行经济学研究。1848 年革命之前，马克思和恩格斯就实现了世界观的转变，创立了历史唯物主义，并以此为基础在经济学上取得了初步成果。《共产党宣言》也对马克思主义进行了第一次全面系统的阐述。然而，直到这时，对资本主义社会经济规律和人类社会发展规律的阐述还主要是通过历史唯物主义的方法来实现的，缺乏对资本主义经济现实、人类社会发展历史以及相关理论史的深入研究，马克思清楚地知道，要建立科学的社会主义理论，经济学的支撑是必不可少的。马克思从在巴黎研究经济学时期就开始了构建政治经济学理论体系的尝试，继续对资产阶级经济学的批判研究也是第一阶段研究工作的继续。

最后，英国作为当时资本主义最发达的国家为马克思的经济学研究提供

---

① 《马克思恩格斯全集》第 7 卷，人民出版社 1959 年版，第 262 页。
② 《列宁专题文集　论马克思主义》，人民出版社 2009 年版，第 62 页。

了实证研究的便利条件和理论研究的丰富资料。当法国、德国、比利时纷纷驱逐马克思时，英国为马克思提供了一个相对安全稳定的立足点。"在英国，马克思从来不曾因为他的革命宣传活动而受到迫害，虽然这种活动在不小的程度上是反对英吉利国家的"①。伦敦是当时世界上最发达的资本主义国家的首都，也是世界贸易和大殖民帝国的中心，在这里与最发达的资本主义的实践进行直接接触，对于马克思的经济学研究无疑是巨大的便利条件。英国建立起相对健全的调查研究体系，产生了许多客观可靠的调研报告，涉及社会生活的各个方面，这在当时是绝无仅有的，马克思恩格斯充分利用了这些珍贵资料。同时，1759 年对外开放的大英博物馆的图书馆藏书在 1850 年达到 43.5 万卷，包括一切知识领域，其中关于政治经济学、经济政策和技术书籍的收藏是世界上最丰富的，这里可以为马克思的政治经济学批判提供最丰富的文献资料。

三、《伦敦笔记》的写作

1850 年 6 月，马克思得到允许，可以凭读书证在大英博物馆的图书馆阅览室里写作，这在当时是需要经过介绍和特别的批准手续才能获得的特权。1850 年 9 月起，马克思在这里开始了他政治经济学研究的新阶段，成为整年最充分利用这项权利的使用者之一。从 1850 年 9 月到 1853 年 6 月，马克思在这里以一种绝无仅有的紧张程度进行工作，做摘录、写笔记。他在给约瑟夫·魏德迈的信中说"从早晨九点到晚上七点，我通常是在英国博物馆里"，接着，他又在家里继续工作，经常是直到深夜。

这段时期的研究工作表现在马克思所作的 24 个笔记本上，我们称为《1850—1853 年伦敦笔记》（下文简称《伦敦笔记》）。马克思自己为这 24 个笔记本编上了 I—XXIV 的号码，以此表明纷繁复杂的内容之间的联系性，这些笔记共有 1250 多页，布满了密密麻麻的异常小的、有时是很难辨认的马克思的笔迹。这些笔记大部分被保留下来，现在收藏在阿姆斯特丹国际社会史研究所。第一次忠实于原文地全部发表这些笔记本是《马克思恩格斯全集》新国际

---

① ［德］弗·梅林：《马克思传》，人民出版社 1965 年版，第 285 页。

版第四部分第 7 至 11 卷，第 1 至 6 笔记本收载于第 7 卷（1983），第 7 至 10 笔记本收载于第 8 卷（1986），第 11 至 14 笔记本收载于第 9 卷（1991）。剩余的 10 个笔记本目前还未发表。

24 个笔记本的主要研究对象是政治经济学，其目的是写作一部政治经济学著作，此外还有涉及范围极广的其他问题的笔记。这表明马克思不是从狭隘的意义上理解政治经济学，而是在广义上研究它，并且从时间的延伸和空间的延展上去探究它。虽然在笔记中我们可以看到马克思自我批判地克服之前一些错误认识和之后理论突破的萌芽显现，但是 1850 年至 1853 年这个时期的研究的主要特点还是在于：充分地占有材料，探寻它们之间的内在联系，为之后的理论发现准备材料基础。因此，《伦敦笔记》的主要内容是摘录笔记，同时带有大量评注和部分未完成的手稿，在形式上，并没有严格的章节划分和逻辑顺序。通过对笔记的内容和写作时间的梳理，大致可以将《伦敦笔记》的写作划分为四个阶段。

第一阶段是 1850 年 9、10 月间至 1851 年 3 月，马克思写了第 1 至 6 笔记本和第 7 笔记本的一部分，集中研究了货币、信用和危机问题，包括关于货币和信用事业的摘录，关于危机的理论、历史和实践，以及收集的相应的事实材料。第二阶段是 1851 年 4 月至 5 月上旬，马克思写了第 7 笔记本的后半部分至第 10 笔记本的内容，这一阶段系统概括政治经济学，重新研究了资产阶级古典政治经济学代表学者们的著作，揭示了资产阶级经济学破产的原因。第 8 笔记本中李嘉图的《政治经济学和赋税原理》的摘录笔记[①]包含了马克思的大量评注，是这一时期研究的最高潮。第三阶段是 1851 年 5 月中旬至 6 月中旬，马克思完成了第 11 至第 13 笔记本。这一阶段进一步研究了雇佣劳动和资本的全面关系，马克思收集了大量关于所谓原始积累过程的实际材料；有关使工人阶级在工会中以及在争取法律规定的正常工作日、争取提高工资和改善劳动条件的斗争中组织起来的事实材料；有关工人的居住条件，童工和工人阶级的教育以及济贫法等的事实材料，这些材料对 50 年代末纯粹形态剩余价值的发现具有重要意义。第四阶段是 1851 年 10、11 月至 1853 年秋，马克思完成了第 14 至第 24 笔记本。第 14 笔记本研究资本主义以前的各种生产方式，包括古罗马社会、中世纪封建社会、殖民地和拉丁美洲各国、印加人的历史、亚

---

① 参见《马克思恩格斯全集》第 44 卷，人民出版社 1982 年版，第 71—153 页。

细亚生产方式、印度的情况、非洲的奴隶贸易等。第15笔记本研究自然科学、技术、工艺史和发明史。第16笔记本是马克思对前几个笔记本关于资本与劳动矛盾的补充。第17、18笔记本研究欧洲资本主义以前的历史，包括古代史、中世纪史、社会史、建筑和城市建设史、风俗史、文学史、法学、教会史、经济史等。第19、20笔记本包括文化通史、妇女史，马克思试图总结整个人类社会的发展史。第21至第23笔记本主要研究亚洲国家，包括印度尼西亚、中国、伊朗和缅甸，特别是印度。详细摘录了英国在印度经营殖民地的历史，还包括古印度史、现代印度史、印度的社会、殖民化的历史、土地问题、租税制度、英国对印度的统治情况，等等。其中第22笔记本主要对亚洲土地所有制关系进行研究。

《伦敦笔记》中包含三个重要的手稿。一是大约与第7笔记本同时期写作的《金银条块。完成的货币体系》。1851年初，马克思希望在短时间内结束他的研究，以便开始写作他计划中的经济学著作，为此，他把在巴黎、布鲁塞尔、曼彻斯特的摘录笔记以及《伦敦笔记》前六个笔记本中有关货币理论的摘录进行了重新整理和加工，挑选重要的部分将其按照作者和著作的顺序集中概括在一个手稿笔记中，包括了80多名作者关于货币的本质和社会作用问题，关于国际贸易、世界市场和银行制度问题的论述，大约4个印张，标题为《金银条块。完成的货币体系》。这个手稿中包含了关于货币理论的许多或长或短的评论，从它的摘录和评注中可以看出马克思货币理论不断精确和完善的进步过程，它为50年代末货币理论的决定性突破准备了条件，因而作为独立的理论文献在马克思货币理论史上具有重要价值。二是第7笔记本中的《反思》手稿[①]。该手稿写于对货币、信用、危机问题的理论、历史和实践做了充分研究和大量摘录之后，是马克思为自己理清问题而作的简短的理论概括，其中不仅包含了商品和货币拜物教理论的重要萌芽，而且还有试图在再生产理论的基础上阐释货币、信用和危机的关系的最初尝试，具有重要的理论价值。三是《货币、信用、危机》。手稿包括了对32位作者的著作的引文摘录，即吉尔伯特、桑顿、布莱克、加拉坦、图克、托伦斯、哈伯德、约·斯·穆勒、富拉顿、艾什巴尔顿、配第、劳、洛克、休谟、米塞尔登、布阿吉尔贝尔等人，大约四个印张。该手稿主要研究了金属货币和货币符号流通的相关问题以及票据

---

① 参见《马克思恩格斯全集》第44卷，人民出版社1982年版，第154—163页。

流通的规律，关于危机的材料要少得多，而且没有包含马克思自己有关危机的任何论点。

《伦敦笔记》是马克思为其政治经济学著作所做的直接理论准备。马克思在研究政治经济学初期就对其政治经济学的理论体系作出了初步设想。大约在1844年初，他就开始撰写《政治和政治经济学批判》一书，《1844年经济学哲学手稿》是保存下来仅有的一部分。后来，由于对青年黑格尔派的批判而写作论战性著作《神圣家族》而中断，直到1844年12月才重新开始。

在伦敦重新研究政治经济学以后，马克思继续其写作政治经济学著作的计划。1849年12月，马克思在说明对当时革命形势的估计时曾提到"我几乎不怀疑，还没有来得及出三期或许两期月刊，世界大火就燃烧起来，而《政治经济学》连写完草稿的机会也没有了"①。在1851年1月29日和2月13日，恩格斯写给马克思的信中，都提到为了揭示资产阶级经济学的理论错误和同流传在无产阶级中的错误思潮作斗争，马克思有必要尽快完成其政治经济学著作。1851年4月2日，马克思在给恩格斯的信中讲述了自己的研究情况："我已经干了不少，再有大约五个星期我就可以把这整个的经济学的玩意儿干完。搞完这个以后，我将在家里研究经济学，而在博物馆里搞别的科学。……实际上，这门科学从亚·斯密和大·李嘉图时代起就没有什么进展，虽然在个别的常常是极其精巧的研究方面作了不少事情。"②得到这个消息的恩格斯非常激动，他在回信中写道："你终于把政治经济学搞完了，我很高兴。这个事情确实拖了很久，而只要你那里有一本你认为是重要的书还没有看，你是不会动笔去写的"③。然而，马克思并未如期完成预想的计划。1851年11月，马克思到曼彻斯特时又同恩格斯讨论了自己经济学著作的结构，认为应该分三卷，分别讲述政治经济学批判、政治经济学史和社会主义者批判。事实上，直到1857年正式动笔写作之前，马克思一直在继续研究他认为是重要的历史、文化、科学技术、殖民地等问题。

马克思的勤奋刻苦和对研究工作的严谨态度在写作《伦敦笔记》期间充分展现出来。马克思对其研究工作的专注性通过其身边的朋友的印象可见一

① 《马克思恩格斯全集》第27卷，人民出版社1972年版，第538页。
② 《马克思恩格斯全集》第27卷，人民出版社1972年版，第246页。
③ 《马克思恩格斯全集》第27卷，人民出版社1972年版，第252页。

斑，李卜克内西在回忆马克思时也提到"藏书不计其数的英国博物馆宏伟的阅览室落成了，马克思每天都坐在那里，他也强迫我们去。学习！学习！这是至高无上的义务，他常常向我们这样大声疾呼，而且这种义务早已体现在他的模范行动中，体现在他所表现的始终不懈的工作精神中"[①]。威廉·皮佩尔曾告诉恩格斯："马克思过着非常孤寂的生活，他仅有的朋友就是约翰·斯图亚特·穆勒和劳埃德。谁要是到他那里去，那他不是用客套话来应酬，而是跟你谈经济学范畴的问题"[②]。而与此同时，马克思也经受着各种杂事和贫困对其本就繁重的研究工作的干扰。他在给魏德迈的信中曾提到自己的研究和生活情况，"我正在研究的材料多得要命，虽然竭尽一切力量，还是不能在六至八个星期之内结束这一工作。而且常常有各种各样实际干扰，这是在贫困条件下过日子所不可避免的"[③]。他在写给恩格斯的信中也讲到他的家庭在生活上难以想象的贫困状况，"我的妻子于3月28日分娩。分娩是顺利的，不过她现在病得厉害，与其说是体质上的原因，不如说物质上的原因多些。再者，我家里现在简直是一文钱没有，但欠小商人、肉铺老板、面包铺老板等等的账却越来越多"[④]。为了家庭的生计，马克思从1852年底开始为《纽约每日论坛报》撰写评论文章，每周大约获得4英镑的稿费以勉强补贴家用。在这里不得不提到恩格斯对马克思的无私帮助。为了给马克思一家提供物质上的援助，1850年11月恩格斯就从伦敦迁居曼彻斯特进入欧门——恩格斯公司从事他并不喜欢的商业，直到20年后才重新回到伦敦。从马克思和恩格斯的通信中我们可以看到，恩格斯频繁地向马克思邮寄从一英镑到上百英镑的汇票的信息。为了为无产阶级保留最伟大的思想家，恩格斯在很大程度上牺牲了自己的研究才能来支持马克思，为马克思提供一些经济学上的咨询，在马克思掌握英文还不太熟练的时候为其翻译文章和资料，代替他给《纽约每日论坛报》撰写文章。马克思一旦获得理论上的新进展也会第一时间写信告诉恩格斯，希望听取他的意见。恩格斯在物质上和精神上的强大支持是马克思经济学研究得以持续下来的重要因素。

---

① 《我景仰的人——回忆马克思恩格斯》，人民出版社1982年版，第64—65页。
② 《马克思恩格斯全集》第27卷，人民出版社1972年版，第188页。
③ 《马克思恩格斯全集》第27卷，人民出版社1972年版，第582页。
④ 《马克思恩格斯全集》第27卷，人民出版社1972年版，第244页。

第二节　关于经济学原理和思想史的研究

《伦敦笔记》在经济学上取得的重要进展主要表现在三个方面：一是认识了货币的本质和职能，揭示了货币流通规律，奠定了信用和危机理论的初步基础；二是从否定劳动价值论到肯定劳动价值论，在质和量上分析价值并初步揭示了价值规律；三是批判地分析李嘉图理论体系的两个矛盾，揭示古典政治经济学理论破产的原因。

一、对货币、信用和危机问题的阐释

马克思在《资本论》第三卷中曾写道："自 1830 年以来，值得提到的经济学文献主要是论述货币、信用和危机的。"[①]马克思在伦敦重新研究经济学时首先对关于货币、信用和危机问题的著作和材料展开摘录和评述，取得了重要的理论成果。

《伦敦笔记》前 7 个笔记本的主题是关于货币、信用和危机的问题。马克思在这个时期的研究综合了前期的研究成果，摘录了更多资产阶级经济学家的著作，增加了对资本主义经济实践的考察，在理论与实践的双向检验中实现了其经济理论的新跨越。

首先引起马克思关注的是"通货原理派"和"银行理论派"围绕货币和信用问题的激烈争论，这两个派别的理论观点为马克思提供了很多思想启发。《伦敦笔记》前 3 个笔记本中包含了马克思对这两个学派之间论战的著作和其他材料的详细摘录。"通货原理"在理论上是以货币数量论为基础的，它是英国 1844 年皮尔银行法的理论依据，但是这个法律在实践中遭到了失败，当危机到来时，它的政策结果不是危机的缓解，而是危机的加剧。因此，"通货原理"

---

① 《马克思恩格斯文集》第 7 卷，人民出版社 2009 年版，第 558 页。

遭到了"银行理论派"的激烈批判。货币数量理论由来已久，它起源于大卫·休谟，在李嘉图那里得到了系统、明确的表述。"通货原理派"的主要代表人物有威廉·克莱、赛米尔·琼斯·劳埃德、莫里逊、诺曼、罗伯特·托伦斯等，他们以李嘉图的货币数量论为基础，从理论上论证了1844年皮尔银行法的合理性，并为之辩护。李嘉图货币理论的主要问题在于，一是对劳动价值理论贯彻不彻底，产生了相互矛盾的理论观点。一边确定货币与其他商品的价值一样是由物化在其中的社会必要劳动决定的，另一边却被货币流通中的表面现象所迷惑，认为商品的价格（价值）由流通中的货币量所决定。二是没有区分货币的多种不同职能，因此无法理解货币在国内流通和国际流通中的区别，也无法理解贵金属流通与银行券流通的差别。"通货原理"只认识到货币的流通手段职能，认为当金流出国外时，就表示流通中的货币量过多，必须限制银行券的发行。其结果就是，当经济危机爆发时，在最需要货币和信用的时候，银行反而限制银行券的发行，从而导致危机更加尖锐化。马克思在1859年《政治经济学批判。第一分册》中对"通货原理"概括评价时指出，"这个经济气象学派所依据的真正的理论前提，实际上不过是以为李嘉图已经发现了纯粹金属流通规律这一信条。留给他们去做的，是使信用券或银行券流通也从属于这个规律。"①

"银行理论派"从经济事实出发对"通货理论"展开了激烈的批判，其代表人物包括图克、富拉顿、威尔逊、艾利生、吉尔巴特等。马克思在摘录"银行理论"代表人物的著作的过程中，逐渐形成了自己关于货币理论的正确观点。图克在他的《1839—1847年的价格和流通状况的历史》中详细研究了货币量和价格运动的历史，发现了李嘉图货币数量理论与经济事实之间的矛盾，得出了"货币的量取决于价格的提高，价格的提高不取决于货币的量"的结论，马克思对此表示认同。此外，马克思还在图克那里注意到了作为流通手段的货币和作为支付手段的货币的本质差别，指出"货币的两种职能，（1）充当交换的工具和（2）是将来付款契约的对象。固定一个标准作为最后的标准是最本质的事。"②正是因为对货币职能的这种区分，图克认识到了作为流通手段的纸币和作为信用货币的银行券的不同。马克思记录到"图克的主要差别在于，政府发行的有价证券'付出'后就'不可能再回到它的发行者手中'，而'银行

---

① 《马克思恩格斯全集》第31卷，人民出版社1998年版，第577页。
② 《马克思恩格斯全集》国际版新版第四部分第7卷，柏林迪茨出版社1983年版，第70页。

券仅仅是借出,所以可以再回到它的发行者手中'。……银行券发行的任何过剩成了不可能的事情……回流是调节国内通货的重大原则。"①正是基于这种认识,"银行理论"认为,银行无权发行超出流通的信用需要的银行券,因为,每一张多余银行券都会自动流回到发行的银行。在对富拉顿的摘录中,马克思记录了货币作为贮藏手段和世界货币的重要职能。"贮藏货币构成所有的其重要性至今……仍不怎么受人赏识的国家的通货经济学的一部分……当矿产品生产过剩时,贮藏货币吸收它的剩余部分,当需要使用时,贮藏货币又把这一部分吐出来;供给的波动完全不会影响流通中的那部分硬币,只有这一部分影响价格,但是被贮藏的只有这一部分。"②关于货币作为世界货币的职能,马克思接受了以下观点:贵金属在国际交往中的运动绝不能归结为各国相互之间的货币流通关系,货币在国际交往中实际上执行的是支付手段的职能,金输出的原因主要是平衡国际支付差额。

马克思还研究摘录了"银行理论"关于汇率运动的观点。马克思根据"银行理论"将汇率看作货币金属在世界市场上的晴雨表。他在摘录富拉顿时开始研究名义汇率和实际汇率的差别,随后在威廉·布莱克那里认识到国际货币运动不过是国际商品交换的派生现象,名义汇率不会产生一般产品的输入或输出的变化,国际货币运动也不会影响金银条块的输出或输入。对汇率的研究使马克思认识到李嘉图货币理论的缺陷,李嘉图把无论是国内还是国外货币都看作纯粹的交换手段的观点必然导致其货币理论的失败。

"银行理论"包含了许多理论的闪光点,但是货币理论并没有在这个派别那里获得持续发展,由于其资产阶级立场,他们只是在量上作分析而不顾质的基础,他们区分了货币的职能,但却把作为社会历史范畴的货币看作历史上不变的范畴,从而没有把货币的职能看作货币的具有内在联系的形式差别。他们混淆了货币和资本,将资本简单地看作生息的货币,而不是看作资本主义社会基本的生产关系。根据"银行理论"的观点,危机中并不缺乏通货,而是缺乏资本。在经济实践上,他们与"通货原理"一样,都导致了失败的结果。马克思认识到,必须把作为货币的货币和作为资本的货币的具体形式加以区别。他在之后的《反思》手稿中对此作了进一步阐述。

① 《马克思恩格斯全集》国际版新版第四部分第7卷,柏林迪茨出版社1983年版,第44页。
② 《马克思恩格斯全集》国际版新版第四部分第7卷,柏林迪茨出版社1983年版,第44页。

在深入认识货币的本质和职能的基础上，马克思对李嘉图的货币数量论进行了态度鲜明的批判，并阐述了自己在这一问题上的基本观点。

马克思在 1851 年 2 月 3 日写给恩格斯的信中，将自己在货币理论上的最初发现告诉了恩格斯，他概括了李嘉图到"通货原理"的货币数量理论的主要观点，然后表明了自己的不同意见，在原理层面上阐述了自己在这个问题上的见解，"我断定，除了在实践中永远不会出现但理论上完全可以设想的极其特殊的情况之外，即使在实行纯金属流通的情况下，金属货币的数量和它的增减，也同贵金属的流进或流出，同贸易的顺差或逆差，同汇率的有利或不利，没有任何关系。……这个问题是重要的。第一，这样一来，从根本上推翻了整个的流通理论。第二，这证明，信用制度固然是危机的条件之一，但是危机的过程所以和货币流通有关系，那只是因为国家政权疯狂地干预调节货币流通的工作，从而更加加深了当前的危机，就像 1847 年的情况那样。"① 在信的结尾，马克思特别写道："请早日回信"，表达了他期望恩格斯对其理论发现尽快做出回应。恩格斯在回信中说"问题本身是完全正确的"，充分肯定了马克思的观点。

在第 4 笔记本中，马克思重新摘录了李嘉图的《政治经济学和赋税原理》的货币理论部分，对李嘉图的货币数量理论进行了批判。马克思摘录了李嘉图关于货币数量和价值的观点："对货币的需求完全是由货币的价值决定的，而货币的价值又是由它的数量决定的"，随后，他评论道："这是非常混乱的一章。李嘉图认为，黄金的生产费用只有在黄金的数量因此而增加或减少时才能产生影响，而这种影响只有很晚才会表现出来。另一方面，按照这种说法，流通中的货币量有多少是完全无关紧要的，因为流通的是许多价值低的金属还是少量价值高的金属，这是无关紧要的。但是，难道说同时进行的买和卖的增加不需要更多的流通手段吗？"② 可见，这时马克思对李嘉图的货币数量论已经持明确的否定态度。马克思还摘录了李嘉图关于利息率变动的观点："利息率归根到底总是由利润率决定的。但是它也会发生种种暂时的变动。商品的价格随着货币的数量和价值的变动而变动"。对此马克思评论道："李嘉图为了考察利息率，他在这里如往常一样，首先是让货币量［的变动］直接影响商品的［价

---

① 《马克思恩格斯全集》第 27 卷，人民出版社 1972 年版，第 193 页。
② 《马克思恩格斯全集》第 44 卷，人民出版社 1982 年版，第 81—82 页。

格],其实借贷市场是由完全不同的其他情况决定的"①,明确指出了李嘉图理论观点的问题所在。

在《金银条块。完成的货币体系》中,马克思在摘录整理资产阶级经济学家的观点的同时,在评论中进一步阐述了自己的货币理论。在摘录了亚当·斯密关于商品交换和货币产生的论述后,马克思写道:"金和银,即作为每个生产部门的一般产品的货币,同这些部门的特殊产品分离开。但是在这里,金和银还只是一般等价物的形式,一般抵押品的形式,因为它本身是商品,从而具有内在价值"②。在这里,马克思已经明确了货币的"一般等价物性质",并且强调了它与其他商品的差别。马克思这时对货币本质的理解与《资本论》中"货币是充当一般等价物的特殊商品"的定义已经非常接近了。马克思还阐述了货币作为价值尺度和流通手段的职能,说明了金和银本身并不具有货币的属性,只是在一定的社会关系下才表现为货币,同时指出了货币在执行交换手段的过程中就蕴含了买和卖的分离,从而为危机奠定了基础。"应当指出:(1)商业的通用手段。一种商品,例如金和银,在这里应是商业的通用手段的称号,工具。但是商业的通用手段作为主体,它还不具有独立于每一种实际产品的表现。金是货币。但充当货币是金的一种属性。货币本身并不具有独立于一定的自然产品的存在。(2)金和银在自己的货币属性上在这里表现为媒介物。交换行为分解为互相独立的买和卖的行为。需求和供给。因此,货币的必然结果就是这两种行为的分离,这两种行为虽然最终必须互相平衡,但是每一个既定时刻,这两种行为都可能不一致、不均衡。因此,货币就为危机奠定了基础。(3)虽然在这里商品同商品的直接物物交换消失了,但仍有一种物物交换形式,因为金和银具有同商品一样的自然价格,商品的交换是以金银作媒介的。只不过不是一次物物交换,而是两次。只要未铸的金银条块同商品相交换,金银就还表现为纯粹的抵押品;在已铸的贵金属上也还保存着原始的物物交换,只是更高阶段上的物物交换。在两种其他物的交换之间仍旧还有实际的交换价值介入"③。在摘录了詹姆斯·穆勒"货币的价值等于它们交换某种商品的比例,或等于用来交换一定量其他商品的那个商品量"之后,马克思评论道:"认为

① 《马克思恩格斯全集》第44卷,人民出版社1982年版,第82页。
② 《马克思恩格斯研究》1989年第1辑,人民出版社1989年版,第2页。
③ 《马克思恩格斯研究》1989年第1辑,人民出版社1989年版,第3页。

在商品量不变的前提下，如果货币量增加或减少为十倍，商品的价值必然增加或减少为十倍，这是不对的。只有当全部货币数量乘以每一货币单位平均在一年中所实现的平均购买数所得的积增加或减少时，货币的增加或减少才开始表现出来。流通运动不是取决于货币数量，而是取决于其他情况，取决于一日内进行的交易的数量，取决于流通手段、信贷、人口等等"①。可以看到，马克思这时已经非常接近于对货币流通规律作出正确表述。

总体来看，马克思在这一时期对资产阶级经济学家的货币理论做了更加深入的研究，在批判货币数量论的基础上逐渐形成了其关于货币的本质、货币的职能、货币的流通规律等问题的正确认识，从马克思评论的篇幅越来越大，内容更具针对性上可以看到其理论取得巨大进步背后的具体过程。

马克思在信用理论上取得的成果主要反映在《伦敦笔记》前7个笔记本以及《金银条块。完成的货币体系》和《反思》两个手稿中，这一时期的研究为《资本论》第三卷中的信用理论奠定了重要基础，其中的诸多引文都能够在《伦敦笔记》中找到。《伦敦笔记》中所反映的马克思在信用理论上所取得的成果主要包括以下几个方面。

信用的基本形式是商业信用和银行信用。商业信用的一个重要工具是汇票。汇票也用作流通手段和支付手段，起着"商业货币"的作用。汇票同时也由银行出卖，由银行提供贴现信用，商业信用被银行信用所取代。银行信用的重要形式还包括承兑汇票、抵押贷款和以抵押品尤其是以生息有价证券作抵押的放款、以提单和其他商品所有权证书作抵押的放款。

由于信用制度的存在，货币流通发生了重大变化。信用对货币的流通速度和库存的支付准备金产生了重大影响。"流通速度的重要调节手段是信用"，"在银行设立之前，执行流通手段的职能所需要的资本额，任何时候都比实际的商品流通所需要的数额大"。通过信用，金属货币也被信用货币所取代。信用货币除了汇票，还有主要通过汇票贴现而被投入流通的银行券和通过提供账面信用而形成的账面货币，银行总是通过账面货币来把它们贬值了的货币再贷出去，以此创造出虚构的存款。这些虚构的存款作为单纯的账面项目有可能进行非现金的支付往来。信用货币或流通信贷也是对货币或其他具有较高流通基本能力的信用货币形式，以及对国家纸币的一种索取权。但是，在支付信用货币

①《马克思恩格斯研究》1989年第1辑，人民出版社1989年版，第19页。

时总会出现相互的债权关系,在很大程度上它们能够相互抵销,这样,一种货币就不必换成另一种货币。

随着信用而产生的信用货币必须同国家强制流通的纸币区别开来。由于信用货币的发行方式,信用货币的创造基本上遵循流通的需要。随着信贷关系的解体,它又从流通渠道流出,并且不能像国家纸币那样过度发行。因此,对银行券的价值稳定性来说,银行券的发行必须与一定的金储备额发生联系并从法律上保证其能兑换为铸币,但不应忽视的是银行券具有信用货币的性质和由此决定的回流。因此,作为银行券的与名义相符的货币金属代表资格的追加保证,只要从法律上保证兑换成金银条块就够了。

随着信用的发展,货币作为贮藏手段的职能发展了。作为贮藏货币,货币不仅是流通手段的储备金,而且对国内和国外到期的支付来说是必不可少的。在具有发达信用制度的国家,贮藏货币同时是存款和银行兑换券的保证金。随着这些不同职能的发展,国家的储备金越来越集中到主要的银行,并减少到最低额。随着资本主义生产方式的日益国际化,国际信用的作用也提高了。国际信用首先是世界贸易的重要中介。同时,随着作为商业信用工具的汇票也产生了信用货币,它在很大程度上也作为国际支付手段代替了金和银。以当地货币单位计算的外汇价格就是汇兑率。汇兑率首先取决于不同国家货币单位的纯金和纯银含量,以及这两种金属之间的比价。对于汇兑率围绕这一外汇评价变动来说,具有决定作用的是支付差额,以及与之有关的诸如贸易差额、资本输出与输入、处于政治义务的国际间的国家收支等因素。汇兑率非常依赖于外贸,同时又反作用于外贸。此外,汇兑率受不同国家的利息高低、投机活动、危机和政治事件的影响。

信用对资本主义生产方式具有重要意义。信用会引起资本转让和资本运动①,推动利润率的平均化②。同时,也会造成资本的集中、对他人财产的支配和投机活动。"工厂主、商人等等,都大大超过他们的资本来进行交易","一个人,只要他有这种名声,即被公认为拥有充足的资本可以经营他的正常的营业,并且在同业中又享有良好的信用,如果他对他所经营的货物的行情看涨持

---

① 参见《马克思恩格斯全集》国际版新版第四部分第 8 卷,柏林迪茨出版社 1986 年版,第 471—472 页。

② 参见《马克思恩格斯全集》国际版新版第四部分第 8 卷,柏林迪茨出版社 1986 年版,第 361—362 页。

有乐观的估计，而在投机开始和进行中又一切顺利，那么，他就可以按照一个比他的资本大得多的规模来购买"①。公共信用是对国民收入和财产实行再分配以利于资产阶级集团的一个重要工具。国债和公债使资产阶级能从国家那里获得更多有利可图的订单，并作为借贷资本家领取利息，而这些利息是建立在向广大居民征税的基础上的。

资本主义制度下为收到的贷款所支付的利息是利润的一部分。利息率的高低首先由利润率来调节，同时利息率又同货币和借贷资本的供求存在相互影响关系："高利息起因于三种情况：对借贷的需求极大；能满足这种需求的财富很少；产生于贸易的利润极大"②。此外，利息同资本输出、汇兑率、贵金属的国际输入和输出、有价证券的价格和银行储备金的保证等互相影响。所有这些影响的范围大小又取决于周期性发展，尤其是取决于经济危机。

信用与危机之间存在着各种各样的关系。信用不仅促使生产扩大和完善，而且同时也促使生产过剩、订货过多和投机活动。此外，信用还导致货币危机和信用危机。在危机时期，资本家对自己支付能力的信心减少了，信贷也减少了。流通的信用的某些形式不再被看做社会财富的代表或者只是在很有限的范围内才被看做这样的代表，它们失去了流通能力和兑换为现金的可能性。信贷紧缩减慢了货币流通的速度，导致货币短缺。与此相联系，中央银行的银行券也被储藏起来，这些银行券仍有流通能力，因为它们有整个国家的信用作后盾。此外，银行为了遵循储蓄规则，保证自己的支付能力，也为了在危机时期发财致富，它以限制贷款的办法来大幅提高利息，这也加剧了货币危机。信用是社会财富的一种形式。信用和信用货币引起商品交换，使得私人生产者耗费的劳动有可能被承认为社会劳动。然而，危机动摇了信用，由于危机，金和银又明确地表现为资产阶级社会中社会财富的绝对代表。因此，资产阶级经济学家也主张在危机时期要作出巨大牺牲来保卫作为信用制度核心的中央银行的金储藏。

马克思对经济危机问题的研究也是从理论和实践两方面入手的。一方面，马克思批判资产阶级和小资产阶级从货币制度上解释危机，企图通过建立新的货币制度来消除危机的观点，在逐步形成正确的货币理论和价值理论的基础上

---

① 《马克思恩格斯文集》第 7 卷，人民出版社 2009 年版，第 497 页。

② 《马克思恩格斯全集》国际版新版第四部分第 7 卷，柏林迪茨出版社 1983 年版，第 498 页。

探索自己的经济危机理论。另一方面,马克思对资本主义经济的历史和现实进行考察和比对,从经验层面进行理论提升,逐步丰富自己的经济危机理论。

在《伦敦笔记》中,马克思对经济危机的正面阐述并不多,主要集中在《反思》手稿中。在这个手稿中,马克思试图通过社会再生产图示来探索危机发生的机制。他吸收了亚当·斯密的观点,将全部贸易分为两个大类,一类是实业家和实业家之间的贸易,另一类是实业家和消费者之间的贸易,前者是资本的转移,后者是收入和资本的交换。马克思发现,前人已经对贸易的这两个类别做了区分,但是缺乏对这两种贸易和两种货币之间联系的关注。而事实是"实业家和实业家之间的交换必然受实业家和消费者之间的交换的限制","所有的危机事实上都表明,实业家和消费者之间的贸易,总是超出实业家和消费者之间的贸易为它所设定的界限。经济学家们证明不可能发生生产过剩,至少是不可能发生普遍生产过剩的一切论断……只涉及实业家和实业家之间的贸易"①。进一步分析这种界限会发现更深层次的问题。首先,实业家和实业家之间的贸易的界限不仅受到本国实业家和消费者之间的贸易的界限,它还会受到世界市场上实业家和消费者之间的贸易的限制。其次,因为工人阶级构成消费者的最大部分,所以随着世界市场上工人阶级收入的减少,生产过剩会随之出现,有产阶级日益奢侈是这种过剩的抵消因素,但这并不是绝对的。再次,实业家和实业家之间的贸易大部分造成实业家和消费者之间的贸易。危机总是最先发生在实业家和消费者之间的贸易中。最后,生产过剩不只归因于生产的不合比例,而且也归因于资本家阶级和工人阶级之间的关系。由此可见,马克思不仅从两类贸易的关系的角度分析了经济危机产生的原因,而且认识到经济危机发生的根源在于资本主义的生产关系。此外,马克思对两种不同的贸易形式中的货币之间的密切联系和相互影响作了分析。工业资本家以外的社会各阶级超过日常消费的货币余额是银行存款的主要来源,而这些存款又成为商业货币的主要基础。换言之,贸易界内部的整个货币运动是建立在大部分不从事贸易的居民的存款基础上的。当信用缺乏时,这些存款就会被从贸易中抽走。同时,当第一类贸易需要进行而银行却不再将货币借给实业家时,消费者自己手中的流通手段也随收入的减少而减少了,从而,缺乏货币的怨言就从贸易界扩展到消费界。

---

① 《马克思恩格斯全集》第 44 卷,人民出版社 1982 年版,第 154 页。

危机时缺乏的是流通手段，而不是资本。因为流通的速度这时减慢了，大量以前不需要现金的交易，现在也需要了。而商品，即资本的问题在于它不能兑现了，具体表现为商品不再能兑换为黄金和银行券，票据也不能贴现，但它是现实存在的。那种企图通过改变货币制度来消除危机的观点是错误的。马克思再次说明了货币制度中本身包含着商品和货币分离的可能性和现实性，同时由于资本和货币的一致性，资本不能实现其价值，这一状况已经随着整个生产组织的存在而存在了。马克思指出，"他们保留产品同产品的可交换性之间的分离，因为他们保留价值和私人交换。但是他们想好好地安排这种分离的符号，好让这种符号表示同一"[1]。

在这部手稿中，马克思还揭示了货币制度中蕴含的、在贸易中表现出来的资本主义的生产关系和阶级关系。消费者和实业家之间的贸易表现的实际是收入和资本的交换，其中表现出总和的阶级关系，包括雇佣工人阶级、土地所有者阶级、工业和非工业资本家阶级，也表现出资本主义的生产关系，它使资本和收入分开，使财富具有资本的性质。由于货币制度的存在，质的阶级差别消失在量的差别中，消失在购买者拥有的货币的多少中，就自由买卖而言，仿佛每个人都是平等的，而不论这种收入的来源。因此，"货币制度和缺乏货币制度时比较起来，和货币以前的社会发展阶段比较起来，其前提是更高的发展阶段和更大的阶级划分和分离"[2]。

二、对价值理论的探讨

对于价值理论的发展来说，《伦敦笔记》处于研究的初始阶段，这一时期马克思的主要任务在于积累材料和自己弄清楚问题，笔记中没有对价值理论的专门论述，它们分散在对资产阶级经济学家著作的大量摘录中，并与货币、危机、社会再生产等问题交织在一起。马克思在《伦敦笔记》中并没有制定出自己完整的价值理论，他在批判研究诸多资产阶级经济学家关于价值的理论和观点时逐渐形成了其在这一方面的基本观点，发展了价值理论的某些要素，价值

---

[1] 《马克思恩格斯全集》第 44 卷，人民出版社 1982 年版，第 159 页。
[2] 《马克思恩格斯全集》第 44 卷，人民出版社 1982 年版，第 161 页。

理论的真正完成还要在明确了劳动的二重性和价值形式的历史发展之后才能实现。

《伦敦笔记》中关于价值理论的内容主要是在第 1—10 个笔记本中，包括前 7 个笔记本中对关于货币和货币流通的理论和经验材料的摘录和《反思》手稿，第 8 笔记本中对大卫·李嘉图《政治经济学和赋税原理》的摘录，第 9、10 笔记本中对李嘉图之后的资产阶级经济学代表人物，特别是罗·托伦斯、德·昆西、罗·马尔萨斯、赛·贝利等人的摘录笔记。

19 世纪 40 年代，随着对经济学研究的不断深入，马克思对劳动价值论的态度实现了从否定到肯定的转变，在《哲学的贫困》中马克思在对比李嘉图"劳动时间确定价值"的观点和蒲鲁东"构成价值"的观点时明确肯定前者而否定后者，他指出："李嘉图的价值论是对现代经济生活的科学解释"①。但是，李嘉图一方面认为"金银像一切其他商品一样，它们所具有的价值，只是与生产它们并把它们投入市场所必要的劳动量相适应"，另一方面却指出，"确定货币价值的不是实物所包含的劳动时间，而只是供求规律"②。马克思这时并没有认识到李嘉图的货币数量理论的实质，在承认劳动价值理论的同时也认可了货币数量论。

制定正确的价值理论必然要克服货币数量论，因此，批判货币数量论就成为马克思货币理论发展中的重要阶段。马克思在研究资产阶级经济学货币理论的过程中，逐渐认识到"困难不在于了解货币是商品，而在于了解商品怎样、为什么、通过什么成为货币"③。马克思分析了货币与商品之间矛盾的相互关系，在批判资产阶级经济学关于货币和货币流通的理论的基础上得出了如下结论：货币是从商品中分离出来的特殊商品，货币是表现商品价值的必要形式，货币本身是有价值的。由此实现了从货币向价值的过渡。在这一研究过程中马克思意识到进一步研究资产阶级经济学著作中价值理论的必要性。

在第 8 笔记本中马克思对大卫·李嘉图的《政治经济学和赋税原理》的摘录和评注相对集中地反映出这一时期其在价值理论上取得的进展。

马克思批判李嘉图忽视资本主义生产关系的本质，只在概念上分清价值与

---

① 《马克思恩格斯全集》第 4 卷，人民出版社 1958 年版，第 93 页。
② 《马克思恩格斯全集》第 4 卷，人民出版社 1958 年版，第 125 页。
③ 《马克思恩格斯文集》第 5 卷，人民出版社 2009 年版，第 112 页。

财富的区别，而不能从本质上揭示资本主义生产的实质。他指出了交换价值与使用价值之间的矛盾，这是他在认识价值两重性上的重要步骤。马克思指出了"资产阶级的财富和资产阶级全部生产的直接目的是交换价值，而不是满足需要"①，要增加交换价值就必须增加产品生产，因而就必须提高生产力，但是，随着生产力的提高，产品的交换价值就会相应降低，加倍的产量只有这个产量的从前一半具有的价值。由此可见，商品生产的增长从来不是资产阶级生产的目的，价值生产的增长才是它的目的。生产力和商品生产的增长实际是违背资产阶级生产的目的而进行的。"价值增长在自己的运动中扬弃自己，转变为产品的增长，这种价值增长所产生的矛盾，是一切危机等等的基础。资产阶级的生产就是经常在这样的矛盾中打转的。"②在这里，马克思实际上将商品视为交换价值和使用价值的矛盾统一。在初步理解商品二因素的基础上，马克思加深了对资本双重性质的理解。他批判李嘉图把资本和构成资本的材料混为一谈，指出"资本总是重新供生产利用的价值总和"，"是为了去生产价值的"，而"财富只是资本的材料"③。与此同时，马克思指出了资本价值增长和财富增加的不同步性，只要产品数量增加，社会财富就会相应增长，但价值却不一定按相同比例增长，甚至根本不会增长。马克思认为，要使价值增加就要增加劳动数量、提高资本的生产力（即提高资本有机构成比例——引者注），除此之外，还必须"按比例地增加劳动的使用方式"④，也就是说，要在某一生产部门推动更多的工人，就要在与该部门相关的其他部门引起相应的劳动，即生产更多的产品就要相应地创造更大的与之相匹配的市场，只有这样才能使多生产的产品的价值得以在市场交换中实现。理解商品的二因素和区分资本的双重属性为发现劳动的二重性以及最终解释剩余价值的来源奠定了重要基础。

正是在以上分析的基础上，马克思指出了李嘉图理论的困境，"在李嘉图那里，始终不能理解，价值以及资本怎么会增加，而同时又不像地租的情况那样，一人的所得就是他人的所失"⑤。由此马克思开始其对剩余价值来源的探索历程。

马克思首先指明了李嘉图相对于斯密和萨伊在劳动价值论上的进一步发

---

① 《马克思恩格斯全集》第 44 卷，人民出版社 1982 年版，第 109 页。
② 《马克思恩格斯全集》第 44 卷，人民出版社 1982 年版，第 110 页。
③ 《马克思恩格斯全集》第 44 卷，人民出版社 1982 年版，第 111 页。
④ 《马克思恩格斯全集》第 44 卷，人民出版社 1982 年版，第 112 页。
⑤ 《马克思恩格斯全集》第 44 卷，人民出版社 1982 年版，第 111 页。

展。斯密和萨伊把"劳动的某种一定产品"看作价值的调节者，而李嘉图却把"劳动、活动，即生产本身"、"创造的行为"当作价值的调节者。李嘉图认为，商品的价值既不是由谷物，也不是由工资，更不是由货币来决定的，商品的价值只是由生产商品的劳动来决定的。马克思由此发现了劳动价格，即工资与劳动所创造的价值的区别，指出"[实际价格] ① 不取决于任何商品，而取决于生产商品的活动。因此，也不取决于得到报酬的劳动，而取决于生产的劳动，不取决于本身是商品的劳动，而取决于创造商品的劳动"②。这实际上是对劳动力商品和作为生产过程的劳动的区分，是对劳动力商品的价值和使用价值的区分，尽管此时"劳动力"的概念还没有被制定出来，但这种思想已经基本形成，这在劳动价值论的发展历史上是极其重要的一步，它使马克思在这一阶段初步形成将生产过程理解为劳动过程和价值创造的过程的印象，从而为剩余价值理论形成奠定重要基础。

马克思在批判李嘉图关于价值规律的观点时阐述了他自己的价值规律理论。影响价格变动的因素是复杂多样的，李嘉图承认这些因素的影响作用，但他认为在论述支配自然价格、自然工资和自然利润这些现象的规律时，可以"完全不去考虑这些暂时的影响"，这些偶然的原因与规律完全无关。所以，李嘉图在制定其价值规律理论时把他认为是偶然的因素都抽象掉了。马克思反对这种做法，他指出，在实际过程中，"不论是他称为偶然的运动但却是稳定的和现实的东西，还是它的规律，即平均关系，两者都是本质的东西"③。因此，马克思认为价值规律应该在理论上反映现实的价格波动，价值规律本身就应该包括价格的波动的情况并分析影响波动的因素，它的意义在于在波动中找出它的平均水平。这体现了马克思与李嘉图在价值理论上的不同，也可以从中看到马克思与李嘉图在建构理论模型时在方法论上的差异。在确定了价值规律的内容之后，马克思说明了其对生产的重要影响。他指出，自然价格与市场价格④的斗争与李嘉图的简单的平均化毫无关系。市场价格围绕自然价格上下波动，

---

① 马克思沿用李嘉图的概念。在李嘉图那里，实际价格是商品能据以生产的价格。

② 《马克思恩格斯全集》第44卷，人民出版社1982年版，第115—116页。

③ 《马克思恩格斯全集》第44卷，人民出版社1982年版，第108页。

④ 马克思沿用了李嘉图的术语。李嘉图认为"由生产上所需劳动时间决定的各种商品的相应数量，即为交换某一商品需要支付的数量，就是该商品的自然价格。""市场价格是商品能据以出售的价格"，"市场价格偶然地和暂时地背离自然价格"。

以此调节资本在各个生产部门之间的分配。马克思既看到了劳动时间决定价格，也注意到了供求对价格的重要影响，他明确指出，"由劳动时间决定价格正是在供求范围内实现的，因为供求范围决定着各不同资本在不同生产部门之间分配的比例"，同时他也讲道："供给和需求是由生产本身决定的"①，决定所生产的商品量的"不是它们的生产费用"，"而是它们的市场价格"②。由此说明，在价值规律的基础上，生产和需求的相互作用，同时表明，商品价值由劳动量所决定，但其实现归根结底还要通过交换来完成，在资本主义生产关系下，不能实现的价值就不会被生产出来，价值规律就是通过这样的过程调节资本主义生产的。资产阶级经济学把资本主义生产和"生产一般"混为一谈，把简单商品生产条件下价值规律的作用搬到资本主义关系中去的做法是错误的。李嘉图认为资本家的利润不是由某个企业生产的商品价值决定的，而是由投入资本的数额决定的，这显然背离了价值规律，他通过简单平均化的理论根本无法解释上述关系。在马克思看来，规律的职能恰恰在于通过残酷的竞争使市场价格和自然价格相适应。

三、对李嘉图学派解体原因的分析

在研究过程的第二阶段，由于希望尽快开始计划中的经济学著作的写作，马克思又重新研究了资产阶级经济学家的著作，包括"建立了资产阶级经济学整个体系的第一个不列颠人"詹姆斯·斯图亚特、"工场手工业时期集大成的经济学家"亚当·斯密以及资产阶级"古典经济学的完成者"大卫·李嘉图等人的著作，系统概括其中的理论观点。在这一过程中，马克思发现了人们对李嘉图著作中的两个矛盾所作的批判，后来他把这两个矛盾说成是李嘉图学派解体的主要原因。这两个矛盾即：1. 雇佣劳动和资本之间的交换怎么能够在不违反李嘉图本人的前提即劳动价值论的情况下进行；2. 价值和生产价格的相互关系是怎样的。在《剩余价值理论》中，马克思更加准确明了地对这两个矛盾进行了概括，将其称为李嘉图体系的两个困难，第一个困难是资本和劳动的交换

---

① 《马克思恩格斯全集》第 44 卷，人民出版社 1982 年版，第 113 页。
② 《马克思恩格斯全集》第 44 卷，人民出版社 1982 年版，第 114 页。

如何同"价值规律"相符合，第二个困难是等量资本，无论它们的有机构成如何，都提供相等的利润，或者说，提供一般利润率，即价值如何转化为费用价格。① 这两个矛盾的解决为马克思的理论达到崭新的科学水平创造了重要前提。但是要实现矛盾的解决还需要经过很长路程，对问题的认识的不断提高是马克思在这一时期的主要成果。

在第 9 和第 10 笔记本中，马克思对他后来在《剩余价值理论》中认为能说明李嘉图学派解体的那些人的著作做了摘录。其中既包括李嘉图的反对者马尔萨斯、查默斯、托伦斯和凯里，也包括将李嘉图庸俗化的追随者托马斯·德·昆西和麦克库洛赫，还包括从李嘉图著作中得出有利于工人阶级的结论，但未能真正从理论上超过李嘉图的经济学家，如托马斯·霍吉斯金和皮尔西·莱文斯顿，又包括在局部领域中取得了超过李嘉图科学成果的那些经济学家，如约翰·巴顿、乔治·拉姆塞和理查·琼斯。

李嘉图没有阐明资本和雇佣劳动之间的不平等交换，因此始终是以在资本家和工人之间分配的结果为研究前提，而不去考察导致这一结果的中介过程——交换，而且他没有看到同资本交换的是劳动的能力而不是劳动。马尔萨斯的主要贡献就在于他强调了资本和雇佣劳动之间的不平等交换。但是他又错误地把商品的价值和商品作为资本的价值增殖等同起来。进而言之，当商品与商品交换时，它们之间是等价物相交换，商品换得的物化劳动量与它自身包含的物化劳动量是相等的。当商品作为资本与劳动相交换时，它所换得的劳动量总是比它自身包含的劳动量要大。马尔萨斯将商品的这两种不同性质的交换混淆了，他从交换领域中寻找利润的来源，认为利润是由交换中的购买者以高于商品价值的物化劳动量换得商品而得来的，而事实是，在生产过程中，资本家以低于工人的商品的价值购买了工人的商品。马尔萨斯把商品之间的交换变成资本与雇佣劳动之间的交换来解决李嘉图理论的第一个困难。他不能理解商品中包含的劳动总量和商品中包含的有酬劳动量之间的差额，因此他不可避免地回到让渡利润的庸俗观点。按照马尔萨斯的理论，在整个社会范围内，除了工人以外，还必须有其他购买者以超过商品价值的物化劳动进行购买，并且这些人不是卖者，即不属于资本家范围，这样才能使资本家实现其利润。因此，马尔萨斯找到了地主、年金领取者、领干薪者、牧师等以及家仆和侍从加入购买

---

① 参见《马克思恩格斯全集》第 26 卷 Ⅲ，人民出版社 1974 年版，第 192 页。

者的行列，并主张尽可能多地增加非生产阶级，他进而鼓吹"经常的消费过度"和"寄生者占有尽可能多的年产品"是生产的条件。

马尔萨斯抓住李嘉图将价值与费用价格相混淆的观点来反对李嘉图，但仅限于将问题表述出来，并没有真正解决问题。他认为商品的价值等于商品中包含的预付资本加利润，从而陷入循环论证的泥潭。他根本不理解李嘉图的理论基础，也不能理解利润可以不通过价值附加额而通过别的办法获得，他把李嘉图分析中与其科学基础相矛盾的部分重新包装硬说成与现实相符合的规律。

托伦斯也是从李嘉图发现的关于价值规律与构成不同的资本具有相同的利润这个矛盾出发的，他确定了资本之间的差别是等量资本推动不等量的活劳动，并且对此作了明确的表述。但是，他并没有着手解决这个矛盾，只是将这个矛盾解释为价值规律在这里发生了突变。

托伦斯一方面认可商品的价值由劳动量决定，另一方面却又认为，只有花费在商品生产上的"积累劳动量"才能决定商品的价值，由此陷入混乱的庸俗化之中。因为当把商品作为资本来考察时，商品的价值是由物化在商品中的劳动决定的，当把商品作为商品来考察时，它的价值则由积累在它的生产条件中的价值决定。他试图用资本的价值决定商品的价值去说明问题，但实际上陷入了循环论证。

李嘉图将费用价格与价值相混淆，托伦斯一般地提出了什么是生产费用的问题，这是他的功绩。他从资本家方面来理解生产费用，认为生产费用就是资本家的预付。马克思指出，实际上资本家为生产商品所花费的东西与商品本身所包含的东西是完全不同的，商品的价值大于预付资本的价值，利润由此而产生。因此，利润不是产生于商品高于其价值出卖，而是商品高于资本家所支付的预付资本的价值出卖。

麦克库洛赫打着彻底发展李嘉图理论的旗号，实际上却将李嘉图理论庸俗化，他抛弃了李嘉图学说的科学基础，企图将李嘉图的理论和李嘉图反对者的理论进行调和，他在一切方面为资本主义社会的现状辩护。马克思将麦克库洛赫称为使李嘉图理论体系解体的"最可悲的样板"[1]。

李嘉图把实际价值和交换价值（相对价值）做了区分，指出实际价值是从生产商品所必需的劳动来看的商品，交换价值是各种商品的不同比例，即一种

---

[1] 《马克思恩格斯全集》第 26 卷 Ⅲ，人民出版社 1974 年版，第 182 页。

商品的价值可以用花费同样多劳动时间的另一种商品的使用价值量来表现。商品的相对价值是其实际价值的表现。李嘉图从一开始就指出，商品价值决定于商品中包含的劳动时间和商品价值决定于商品可以买到的劳动量，这两者是根本不同的。由此，他就把商品包含的劳动量同商品支配的劳动量区别开来，并且从商品的相对价值中排除了商品同劳动的交换。因为一种商品同另一种商品相交换是等量劳动相交换，商品同劳动相交换则是不等量劳动之间的交换。李嘉图看到了商品同劳动相交换最终生产出多余的商品这一情况与价值规律的矛盾，但是他没有或者说无法完成从理论上讲通这种情况与价值规律的关系，他把这种情况称为价值规律的例外。

麦克库洛赫继承了李嘉图对实际价值和交换价值的区分，但是他受马尔萨斯对交换价值规定的影响——马尔萨斯认为交换价值是商品支配的雇佣劳动量——将相对价值规定为"商品换得的劳动或其他任何商品的量"，这实际上是对李嘉图和马尔萨斯的一种调和。并且他认为，无论是商品同商品相交换，还是商品同劳动相交换，这种交换比例都是商品的相对价值，都是实际价值的表现。换言之，在通常情况下，商品同劳动相交换时所交换到的也是与商品所包含的劳动量相等的雇佣劳动量。工人以工资形式得到的物化劳动与他在交换时以直接形式还给资本家的劳动是等量的。可见，麦克库洛赫并不理解李嘉图所指出的那个例外，对于这个矛盾，他只是说，交换价值在市场的通常状况下等于实际价值，但"事实上"总是大于实际价值，因为利润就建立在这个余额上。为了解释在等价交换的基础上利润如何产生的问题，麦克库洛赫假定其一开始承认的资本家同工人之间的交换不是交换，而是借贷，即其中一方贷出，另一方借入，在取得商品之后再付还。如果资本家取回的劳动不比他在工资上预付的多，他就是贷款而没有利息。马克思指出这种提法本身就是错误的。在这里，麦克库洛赫只是从量上来理解交换两极的商品的同一性，却忽视了它们实际上是不同的使用价值。资本家用来支付工资的商品与他作为劳动成果取回的商品是不同的使用价值，他预付的和取回的东西是不同的。当意识到交换的两极是不同的使用价值时，他就必须考虑这种交换的主观意愿，于是，麦克库洛赫求助于动机，他用资本家有赚取利润的动机来解释利润的产生。按照这种思路再向前一步就是，为了实现这个目的，资本家必须取得比他付出的更多的物化劳动，从而必须贱买贵卖，于是又回到了"让渡利润"那里。

总之，面对价值规律与利润来源的矛盾，麦克库洛赫要么就否认价值规律的存在，指出"在商品同劳动相交换时，不存在价值规律，存在的是它的对立面，否则就无法解释利润"①，要么就强行将二者进行调和，指出"价值规律在这个场合就是利润"②。麦克库洛赫既抛弃了李嘉图对交换价值的正确认识，又无法解释利润的来源，在他这里，李嘉图的整个理论瓦解了。

对于李嘉图理论的第二个困难，麦克库洛赫的解决方法是把劳动的概念扩展到自然过程。他把商品作为使用价值所经历的各种操作，把它们作为使用价值在生产中提供的各种服务称为劳动。一切进入生产过程的商品之所以增加价值，是因为不但它们本身的价值被保存下来了，而且它们依靠自身的"劳动"创造了新价值。就这样，商品在生产过程中取得了同工人一样的地位，它们除了自身的价值之外，还要领取工资，这个大于其自身价值的部分就作为利润为资本家所占有。麦克库洛赫就是这样，通过抹杀劳动者与生产资料在生产过程中的差别，来解释为什么在资本有机构成不同的情况下，等量资本提供相等利润的。实质上，这种观点与萨伊的"资本的生产性服务"、"土地的生产性服务"是一致的。麦克库洛赫在同萨伊论战时曾反对过这种观点，他指出这种"生产性服务"实际上是作为使用价值的物在生产过程中表现出来的属性。但当他把"劳动"这个名称赋予"生产性服务"时，情况就完全变了。李嘉图始终是反对这种说法的，他强调指出劳动是人的，而且是社会规定的人的活动，是价值的唯一源泉。他与其他经济学家的不同之处就在于，他始终一贯地把商品的价值看作仅仅是社会规定的劳动的体现。可见，商品所以具有价值，只是因为它是人的劳动的产物和表现，而不是因为它本身是物的特征和作用。麦克库洛赫错误地规定了劳动这个最基础的概念，企图将李嘉图和与其相反的理论观点进行折中主义的调和，从而动摇了整个李嘉图体系的基础。

托马斯·德·昆西试图反驳一切对李嘉图的攻击，他指出了李嘉图观点与前人观点的不同之处。马克思认为昆西是知道问题所在的，因为他总结"政治经济学的一切困难可以归结为：什么是交换价值的基础"③，但是昆西并没有解决真正的困难。马克思指出，困难不是由价值规定产生的，而是由于李嘉图在这个基础上所作的说明不充分，由于他强制地和直接地使比较具体的关系去适应

① 《马克思恩格斯全集》第 26 卷 III，人民出版社 1974 年版，第 190 页。
② 《马克思恩格斯全集》第 26 卷 III，人民出版社 1974 年版，第 191 页
③ 《马克思恩格斯全集》第 26 卷 III，人民出版社 1974 年版，第 132 页。

简单的价值关系产生的。昆西全面保留了李嘉图理论的内容和形式，虽没有将其庸俗化，但也没有做出实质性的进展，还为无原则的折中主义打开了大门。

霍吉斯金和莱文斯顿都看到了资本主义生产关系下资本和劳动的矛盾方面，认为劳动是价值的唯一源泉和使用价值的积极创造者，工人阶级的劳动支撑起有闲阶级的生活状态，他们自身却陷入日益贫困的境地，工人的劳动与他们的贫困是一致的。因此他们得出结论"资本不过是对工人的诈骗。劳动才是一切"①。他们出于对工人阶级遭受不公正待遇的同情，要求消灭这种对立和压迫。但是，一方面他们没有从经济理论上完成对劳动与资本的对立关系的论证，没有超出李嘉图的理论范围，另一方面他们也不能理解工人阶级的历史使命，没有提出现实的改变路径。此外，他们在对资本主义的历史意义的认识上也是片面的，他们把资本主义发展的对抗形式同资本主义发展的内容本身混淆起来，由此否定资本主义发展生产力的积极成果。

琼斯在地租问题上取得的最大进步就是他的历史观点。马克思指出，琼斯论地租的著作"是詹姆斯·斯图亚特爵士以来一切英国经济学家所没有的，这就是：对各种生产方式的历史区别有了一些理解"②。他研究了地租形式的历史变化，从最原始的徭役劳动到现代的租地农场主，他发现地租的一定形式，也就是土地所有权的一定形式是与劳动和劳动条件的一定形式相适应的。他证明了，李嘉图等资产阶级经济学家看作是土地所有权的永恒形式的东西，其实是其资产阶级形式。马克思认为拉姆塞的主要功绩在于"他事实上区分了不变资本和可变资本"③，这对马克思探索剩余价值的真正来源具有重要的启示意义，但是他的错误在于"他把这种从直接生产过程得出的资本的划分与从流通中产生的区别等同起来"④。马克思注意到了巴顿对人口理论的贡献。巴顿否定绝对的人口规律，提出每一时代都有其特殊的人口规律。随着机器生产的发展，固定资本的增长快于流动资本的增长，他从中得出重要结论，认为雇佣工人的就业状况相对来说会越来越坏。

总而言之，李嘉图之后的资产阶级经济学发生了分化，他们对李嘉图的理论体系持赞成和反对两种态度。事实上，无论是李嘉图的追随者还是他的反对

---

① 《马克思恩格斯全集》第 26 卷 III，人民出版社 1974 年版，第 285 页。
② 《马克思恩格斯全集》第 26 卷 III，人民出版社 1974 年版，第 439 页。
③ 《马克思恩格斯全集》第 26 卷 III，人民出版社 1974 年版，第 360 页。
④ 《马克思恩格斯全集》第 26 卷 III，人民出版社 1974 年版，第 361 页。

者都没有达到李嘉图的理论高度，没有完全理解李嘉图体系的科学基础。他们或许在某些方面发现了李嘉图理论的矛盾和问题，但仅限于明确了这些问题，从来也没有真正解决这些问题。在李嘉图理论体系遭到反对派的批判和被继承者庸俗化的过程中，我们可以看到资产阶级经济学已经无法在李嘉图的基础上再前进一步了，它走向了停滞和倒退，向经济学理论的科学高峰攀登的任务必须由新的力量来完成。历史证明，具有科学世界观和政治立场的马克思最终完成了历史赋予他的这一光荣使命。

第三节　关于资本主义生产方式的拓展研究

从 1851 年 8 月开始，马克思的研究进入了一个新的阶段，这一阶段的研究成果体现在《伦敦笔记》的第 14 至第 24 笔记本中。这些摘录笔记中，除了第 16 笔记本包含了一部分对政治经济学的补充研究之外，其余笔记则主要是对资本主义生产关系的拓展研究，包括对前资本主义生产方式、殖民主义、技术和技术学史、文学史、语言史、文化风俗、一般文化史、妇女史的研究。马克思对这些问题的研究不是孤立的，身处 19 世纪中叶资本主义生产关系已经成熟的欧洲，他力图历史地、全球视野地理解和研究资本主义。在马克思的视野中，资本主义的研究不仅包括其现有状态的研究，也包括它产生发展的全过程。对前资本主义生产方式的研究也构成马克思继续发展历史唯物主义的重要基础。

一、对亚细亚生产方式的分析

《伦敦笔记》中有关亚细亚生产方式的摘录主要集中在第 14 笔记本和第 21 至第 23 笔记本。在第 14 笔记本中马克思研究了殖民主义、自由竞争资本主义的理论与实践以及前资本主义的生产方式，包括古罗马和西班牙的封建制度、波斯史和印加史。这些摘录以及第 17 笔记本中对欧洲封建制度的研究和第 21 至第 23 笔记本中对印度问题的研究对马克思在 1859 年阐述社会经济形态演进的过程具有重要意义。在《〈政治经济学批判〉序言》中，马克思明确表述了"大体说来，亚细亚的、古希腊罗马的、封建的和现代资产阶级的生产方式可以看做是经济的社会形态演进的几个时代"[①]。马克思对亚细亚生产方式的研究主要包括亚细亚土地所有权的归属、通过古印度农村公社对亚细亚生产方式特征的考察以及亚细亚生产方式的解体。

马克思致力于考察亚洲国家的一个动因是为了研究《伦敦笔记》第 9 笔记本所摘录的理查·琼斯的两本著作。琼斯在他的《政治经济学绪论》中提出这样的论点：在亚洲，剩余产品的分配，特别是非生产阶级对剩余产品的占有，导致社会发展的停滞。[②] 马克思在其越过资本关系分析而进行的调查研究之中提到过这个论点。对亚洲社会的研究是马克思深入探究资本主义生产关系的历史来由的必然要求，也是考察欧洲和亚洲在近代的不同发展路径的需要。

在第 14 笔记本中，马克思摘录了海·路·赫伦的《关于古老世界最主要民族的政治、交通和贸易的思想》一书[③]。这部著作包含了各个不同社会形态的民族地区的大量经济政治方面的资料，马克思摘录了第一部分中的"亚洲各民族"，他尤其注意到赫伦关于"单一的亚洲历史"的评论。赫伦认为，军事上组织严密的游牧民族武装穿越亚洲大陆并征服其他民族，由此产生庞大的王国，但这些王国却是寿命短暂的，赫伦把这些民族的政治组织称为世袭的专制主义，并明确肯定"国王 = 土地和人的所有者"。这部著作对刚刚开始研究亚洲社会的马克思具有重要的启发。

在第 22 笔记本中，马克思集中研究摘录了关于亚细亚土地所有制的问题。首先是关于亚洲土地所有权的归属问题。早在第 9 笔记本中，马克思就摘录了琼斯的《论财富的分配和税收的源泉》一书，在这部著作中，琼斯认为，在亚洲，君主是土地的所有者。在第 22 笔记本中，马克思又摘录了弗朗西斯·贝尔尼埃的《大莫卧儿帝国游记》和托马斯·斯坦福·莱弗尔斯的《爪哇史》，这两部著作都表明了与琼斯相同的观点，认为君主是土地的所有者。其中爪哇

[①] 《马克思恩格斯文集》第 2 卷，人民出版社 2009 年版，第 592 页。

[②] 参见《马克思恩格斯全集》国际版新版第四部分第 8 卷，柏林迪茨出版社 1986 年版，第 563—564 页。

[③] 参见《马克思恩格斯全集》国际版新版第四部分第 9 卷，柏林迪茨出版社 1991 年版，第 365—371、454—460 页。

人认为，土地属于政府，但政府就是君主的代名词。马克思在 1853 年写给恩格斯的信中，在说明亚洲社会发展的停滞状态时，引用了一份议会报告，生动地描述了村社严密的等级和分工，这种系统化的制度牢固而有序，马克思认为"很难想象亚洲的专制制度和停滞状态有比这更坚实的基础"。在印度的西北部和爪哇的巴厘岛都完整地保存着这种村社，马克思引用了莱弗尔斯《爪哇史》中的观点，认为"在这个可以获得相当可观的地租的国家中，全部土地的绝对所有者是君主"，"伊斯兰教徒似乎首先从原则上确定了在整个亚洲不存在土地私有制"①。罗伯特·佩顿在《亚洲君主制的原则》中认为，在亚洲，土地只属于"公众"，因为亚洲帝国实行的是君主政体形式，所以君主就是唯一的占有者。他把亚洲帝国的萧条归因于缺少与王室对立的大土地所有者。在《1857—1858 年经济学手稿》中，马克思认为，在大多数亚细亚的基本形式中，村社作为小的共同体，有表现为更高的所有者或唯一的所有者的总合的统一体凌驾于其上，实际的公社只不过表现为世袭的占有者，每一个单个的人事实上失去了财产或者说只是间接拥有财产，因为这种财产是由作为许多共同体之父的专制君主所体现的统一总体，通过公社赐予他的。不论是土地还是剩余产品都是属于这个最高统一体的。他同时指出，人类素朴天真地把土地看作共同体的财产，实际上土地是共同体得以存在的基础。土地所有权与村社的关系不是后者决定前者，而是相反。②

其次是关于亚洲农村公社的具体制度和运行的情况。莱弗尔斯在《爪哇史》中对公社的运行状态进行了描述。一个农民公社在一块土地上生活，他们用自己的收获赡养许多手工业者和官员，例如，记账员、挑水夫、铁匠、木匠、教书先生等。这些人为了农村公社的需要而制作劳动资料或承担管理职能。威尔克斯调查了不同国家的官员的名称，从另一个方面展示了公社的制度和运行情况。坎贝尔在《现代印度》中证明了在印度的各个地区都存在着农村公社，并对农村公社的两种不同的主要形式进行了分类，一种是由一个居民首领管理的简单农村公社，另一种是由他选出的委员会领导的民主农村公社。这些直观的描述为马克思深入了解亚洲农村公社的具体情况提供了丰富的材料。

最后是关于亚洲农村公社的发展趋势的研究。马克思在坎贝尔的著作中发

---

① 《马克思恩格斯文集》第 10 卷，人民出版社 2009 年版，第 118 页。
② 参见《马克思恩格斯全集》第 30 卷，人民出版社 1995 年版，第 466—467 页。

现了一些印度公社的经济基础发生变动的表现和推动因素。例如，坎贝尔指出，不列颠人在印度发现了各种对土地占有的要求。除了简单的和民主的农村公社之外，村柴明达尔、区柴明达尔、札吉达尔和"纳贡国的首领"都对土地提出要求。这些占有要求表明原始所有制关系的解体。由于旧的税收官的进一步独立，这些要求就具有了向土地私人占有转变的倾向。另一方面，当农民为了提高农业生产力，在自己耕种的那一小块土地上打了井之后，原本定期交换土地的惯例就不再被执行，这也在实践上推动了土地私有化的趋势。但是，正如坎贝尔指出的那样，只是在不列颠人推行新的土地税收制度之后，生产者才真正同他们的生产资料分离。1793 年在孟加拉国推行的柴明达尔制度使大莫卧儿帝国从前的税收官柴明达尔成为其税区的绝对所有者。他们有权向农民征收地租。而柴明达尔必须拿出地租的一大部分作为缴纳给不列颠当局的固定款项。如果不缴纳这笔款项，柴明达尔的征税区就要被卖掉。结果是，印度农民受到残酷的剥削和压迫，还经常被从他们的小块土地上赶走。1813 年在首府马德拉斯推行的莱特瓦尔制度也有相似的结果。在这里，以前的大莫卧儿帝国政府的收税官不在了，农民的地租直接缴纳给不列颠殖民当局，按规定，地租应占收成的 32%—45%。农民还必须从他们剩下的钱中缴纳其他税，因而越来越穷。许多人都因为无法筹措到必不可少的地租而不能继续耕种土地。这个过程生动地展现了资本是如何摧毁和同化原始的所有制关系的。马克思在 1853 年为《纽约每日论坛报》写的文章中揭示了这两种制度的性质和影响。他指出，"柴明达尔制度和莱特瓦尔制度是英国人用命令实现的两个性质相反的土地革命"，"这两种制度都是贻害无穷的，都包含着极大的内在矛盾，都不是为了土地耕种者的利益，也不是为了土地占有者的利益，而是为了从土地上征税的政府的利益"[1]。马克思后来在《1857—1858 年经济学手稿》中也指出，在东方的形式中，如果不是由于纯粹外界的影响，公社的解体几乎是不可能的，其原因有二，一是公社的单个成员对公社从来不处于可能会使他丧失他同公社的联系的那种自由的关系之中，二是由于公社中工业和农业的结合，城市（乡村）和土地的结合。[2] 同时，马克思也认为，农村公社是劳动者和劳动条件之间的原始统一的主要形式之一，它不适合社会劳动和生产力的发展，以农

---

① 《马克思恩格斯全集》第 12 卷，人民出版社 1998 年版，第 241 页。
② 参见《马克思恩格斯全集》第 30 卷，人民出版社 1995 年版，第 487 页。

村公社为经济基础的国家作为一个整体要为社会发展的相对停滞负责，公社的解体，即劳动者与土地的分离和手工业与农业的分离是必然要完成的。

此外，马克思还摘录了关于亚洲村社的农业发展特点的内容。约翰·查普曼在《印度的棉花和贸易》中强调了人工灌溉在印度农业中的重要意义，他举例说明在高止山脉附近灌溉的土地要比面积相同而不灌溉的土地多纳两倍的税，多用9—11倍的人，多得11—14倍的利益。查普曼还叙述了生产力的发展与农业产量增长之间的联系，这一事实证明了"土地收益递减规律"的不合理性，对马克思地租理论的发展具有促进意义。马克思也从罗伯特·佩顿的《亚洲君主制的原则》一书中通过农业兴衰的历史经验，看到了作为土地所有者的专制君主为了维持农业的发展也不能不合实际地收取高额地租。这也是农村公社和整个国家体制得以正常运行的基础。

马克思对亚细亚生产方式的研究在这一时期还处于收集整理材料的阶段，尽管如此，这些摘录还是在资本主义的产生条件和世界扩张以及社会经济形态历史发展等问题上给予马克思很多思想启发，对这些问题的进一步分析为马克思在50年代末实现理论跨越打下了坚实的基础。

二、对资本主义形成历史的研究

马克思把政治经济学理解为历史科学，研究资本主义生产方式时必然要将前资本主义生产方式纳入视野范围，对早期阶级社会和封建社会的研究是马克思探究资本主义生产关系产生发展过程的必要步骤。《伦敦笔记》对封建制度的研究主要集中在第14和第17笔记本中，其中第14笔记本包括对古代罗马、西班牙的封建制度的研究以及对波斯人、阿兹台克人和印加人的历史的研究。第17笔记本主要研究中欧和西欧的前资本主义社会，特别是封建社会。

在第14笔记本中，马克思摘录了胡安·泽姆佩尔的《论西班牙君主国的兴衰原因》，这一著作提供了西班牙封建制度从产生到衰亡的全过程的可靠的原始资料。[①]马克思特别注意的是西班牙封建制度的兴盛时期和它衰败的过程。

---

① 参见《马克思恩格斯全集》国际版新版第四部分第9卷，柏林迪茨出版社1991年版，第527—541页。

这部著作全面地展示了西班牙封建制度是如何发展到顶峰的以及资本主义的萌芽是如何形成的。12世纪以来，城市资产阶级的蓬勃发展带来了贸易的扩大。由于金是货币的材料并可以做首饰，对它的需求与日俱增。这是扩大世界市场，导致地理大发现的重要动力。然而，与西欧其他国家不同，从非洲掠夺来的流向西班牙的资金并没有成为原始积累的源泉。它们的绝大部分留在贵族手里并被挥霍掉了，城市里的资本主义生产并不景气。泽姆佩尔对西班牙天主教会的统治地位做了大量陈述，他认为，天主教会对日益扩大的寄生性消费负有重要责任。早在16世纪，西班牙的资产阶级生产还没发展时，封建主义就明显地出现了开始衰亡的迹象。马克思在《革命的西班牙》中曾写到西班牙封建制度的腐朽情况，"在西班牙则恰恰相反，贵族政治虽趋于衰落，却保持着自己的最恶劣的特权，城市虽已丧失自己的中世纪的权力，却没有得到现代城市所具有的重要意义。"[1] 虽然资本主义的发展在西班牙遭到了严重阻碍，经历了曲折反复，但最终还是在历史车轮的推动下实现了生产关系的进步。西班牙在从封建制度向资本主义过渡的历史阶段表现出与欧洲其他国家相比的特殊性，通过对西班牙的研究，马克思积累了关于封建社会和资本主义原始积累的丰富史料。

马克思摘录了威·希·普雷斯科特的《征服墨西哥的历史》[2] 和《征服秘鲁的历史》[3]。这两部著作提供了说明早期阶级社会的特点的珍贵资料，代表了当时研究这一主题的最高水平。马克思摘录的重点不是关于征服的历史，而是西班牙人在征服这些国家时遇到的当地民族的社会发展水平，包括政治和生产方面的情况、经济关系、地理环境、阶级关系、宗教、文化等。这些摘录使马克思形成了对早期阶级社会的初步印象。例如，阿兹台克人建立的国家拥有一个由各阶级和阶层组成的人口结构。其中，统治阶级在管理部门、军事和神职人员中占据了一切统治地位，它以活劳动和物化劳动的形式来掠取生产出来的剩余产品，如捐税、贡金或者劳务。主要生产者是自由农民，他们生活在按区域组织的邻里村社中，这些村社集体向国家负有捐税和劳务的义务，同时也具有

---

① 《马克思恩格斯全集》第13卷，人民出版社1998年版，第510页。

② 参见《马克思恩格斯全集》国际版新版第四部分第9卷，柏林迪茨出版社1991年版，第403—415页。

③ 参见《马克思恩格斯全集》国际版新版第四部分第9卷，柏林迪茨出版社1991年版，第416—434页。

对土地的特殊所有权和特殊使用权，贵族则具有对村社或村社生产出来的剩余产品的不同形式的支配权。印加人的国家处在一个类似的发展阶段。除了他们每年从村社得到的具有使用权的那部分土地以外，农民生产者还共同为太阳、最高的神以及国王耕种村社 2/3 的土地。从而，统治阶级保证了对生产出的剩余产品的支配权，他们将这些剩余产品用于宗教和军事目的，供统治阶级和官吏机构消费。除此之外，一部分剩余产品还要用于供应那些农业生产以外的，为国家提供生产能力或服兵役的劳动力。

在第 17 笔记本中马克思研究了欧洲的中世纪时代，对卡尔·迪特里希·休耳曼的著作的摘录是这一时期研究的主要表现，休耳曼著作的摘录大约占整个笔记本的 2/3 篇幅，可见马克思对他的重视。休耳曼是德国的历史学家和经济史著作家，他曾在大学中讲授中世纪的历史。在第 17 笔记本中，马克思共摘录了休耳曼的四部著作，即《中世纪城市》、《德国等级起源史》、《德国诸侯等级起源史》、《德国中世纪金融史》。

马克思在《德国等级起源史》这一著作的摘录中研究了国家宪法的形成、原始社会状况的变革和由此产生的德国中世纪的社会基本关系的变化。马克思的研究主要集中在三个方面。一是封建土地所有制的形成和封建土地所有制受封建宪法的法律保护。"宫廷同它的附属物不可分割，以及家庭的全部财产，是地产法和遗产法作为基础的准则。"二是社会等级划分和市民阶层的组成。整个社会从高到低依次分为高级僧侣、高级贵族、低级贵族、农民阶层和市民阶层四个等级。市民阶层由自由的土地所有者和自由手工业者组成，土地所有者除了耕作以外，还从事商品和货币贸易、金银制品手艺、纺织、航海、饮食业等，自由手工业者则居住在很小的一块城市土地上，为了获取报酬而劳动。三是行会和同业公会的组织，以及它们的起源和作为资本主义生产关系的萌芽的意义。

通过《德国诸侯等级起源史》一书，马克思研究了上述摘录中的同类问题。在摘录的最后，马克思对这部著作的观点做了如下概括，"根据这一著作的研究结果，我国大多数诸侯家中的家庭财产是统治的历史基础和法律基础。王室的'田庄'是家庭财产和帝国封地的混合物，封地因久已失效而成为财产。"在这里，马克思研究了德国封建制度的经济基础及其历史变迁。

《德国中世纪金融史》研究了到 13 世纪末为止的财政制度的历史。德国到这一时期形成了许多极不相同的地方性财政制度。马克思首先着重研究了休耳曼关于劳动人民负担的"官方贡赋"的论述。中世纪的赋税名称大多数被混合使用，没有严格区分，由于土地所有制的关系，所有的贡赋都以土地税的形式存在，提供给君主的赋税，如人头税、关税、法庭税、非暴力的勒索都被加进地租之中。马克思同时研究了这些贡赋对劳动人民的影响，指出额外的贡赋加重了臣民们的负担，从而可能导致人民起义、移民或针对国家官员的暴力行为。其次，马克思研究了休耳曼关于诸如刑罚和治安等法庭租税形式的货币报酬的论述。最后，马克思研究了德国贸易的发展，进而对各种关税进行了考察。他摘录了8至13世纪关税的各种形式，并研究了休耳曼有关这一时期输入和输出的论述。

上述著作为马克思提供了许多关于中世纪经济发展状况的详细资料，在有关土地所有制和封建赋税形成问题上尤其如此。有关贸易和手工业的发展状况及其组织形式的论述为马克思提供了有关生产关系的历史发展的大量经验材料。

通过对《中世纪城市》的摘录，马克思对发达的封建时代有了广泛的认识。中世纪的特点是封建主在物质上和精神上对劳动人民的统治，这一时期既是黑暗的和压迫的，同时也存在着自由城市的发展，马克思在《资本论》中把这些自由城市称为"中世纪的顶点"①。马克思研究了中世纪城市的形成。在10、11世纪，封建化过程已经结束，生产力的发展使手工业不可避免地从农业中分离出来，手工业的独立化带动社会分工和贸易进一步发展，城市的形成和城乡分离为商品经济的发展奠定了基础。马克思还注意到了促进城市发展的其他因素，比如十字军东征就对中世纪城市的形成起了推动作用，因为十字军远征导致在遥远的港口出现了商人居住区，产生了贸易评议会，推动了贸易国际法的制定。手工业和贸易的发展为新经济关系的发展提供了各种动力，如果将二者相比较，马克思认为手工业为资本主义关系发展提供的动力要比贸易更大，因为消费归根结底是由生产决定的。随着新的经济关系的逐渐形成，在政治上同旧的封建关系的斗争开始出现，手工业者和商人开始起来反对教会和贵族，凭借经济实力上的优势，新力量最终战胜了旧势力，正如马克思形象地指出的"富裕的商业城市用黄金这一武器战胜了罗马"。马克思研究了手工业的形成对农业的反作用，例如在英国，人口的不断增长和纺织业的发展使耕地转变为牧

---

① 《马克思恩格斯文集》第5卷，人民出版社2009年版，第823页。

场。在城市形成的同时，手工业者行会也作为小商品生产的合作形式形成了。马克思研究了行会对技术发展、劳动熟练技巧的完善、生产经验的积累和生产纪律所产生的进步作用。同时指出，14 世纪以前，行会一直具有这种进步作用，但随着生产力的发展，它成为资本主义发展中的障碍，因为它想保留小生产。在研究行会的同时，马克思也了解了商人的组织形式：同业公会，并指出同业公会的产生是因为贸易争执中需要有经验的仲裁人。除此之外，马克思还研究了休耳曼关于货币问题的一些论述。货币的兑换在中世纪已广泛流行，当商人周游外国市场时，为了用现金支付，他们带上未经铸造的纯金或纯银。回来的时候，他们也把得到的当地铸币换成未经铸造的金银。因此，兑换业务成为有利可图的、非常流行的行业。马克思从这些论述中看到了国际贸易对货币经营业的推动作用，看到了金银充当世界货币的职能形式，了解到了货币票据的产生，认识到了兑换业务的历史性。在研究货币的同时，马克思也了解了中世纪的利息和高利贷。在中世纪，任何一个国家都没有一般的利息率，因为教会颁布了收息禁令，对牧师有严格规定，法庭对于借贷也很少给予保障，因此，利息率会更高。又由于货币流通量少，大多数支付又必须使用现金，票据业还不发达，所以利息相差悬殊，关于高利贷的概念差别也很大。[1] 马克思还研究了中世纪的税收和赋税立法，看到了资产阶级与封建势力在议会上的激烈斗争，获得了有关直接税和间接税起源的历史证据。

这些研究一方面为马克思研究资本主义生产关系的产生发展提供了事实材料和理论基础，另一方面也为马克思社会形态理论的发展和历史唯物主义的进一步制定奠定了基础。政治经济学科学理论体系的建立就是在理论与方法的优势结合中实现的。

三、对殖民问题的探讨

殖民地和附属国是资本主义制度的必然产物，研究殖民地问题也是发展无产阶级革命理论的重要内容。早在 19 世纪 40 年代马克思就在其研究中涉及了这个问题。在《巴黎笔记》中，马克思对亚当·斯密《国富论》中有关殖民问

---

[1] 参见《马克思恩格斯全集》第 26 卷 Ⅲ，人民出版社 1974 年版，第 598 页。

题的论述给予了很大关注。在布鲁塞尔时期，马克思从西斯蒙第的著作中看到了关于这一问题的观点。40 年代对殖民地问题的关注使马克思获得了对资本主义的形成发展与殖民地之间的关系的初步认识。

40 年代的研究成果在一些著作中获得了体现。在《德意志意识形态》中，马克思论述了殖民地对资本主义形成的推动作用，"美洲和东印度航路的发现扩大了交往，从而使工场手工业和整个生产的发展有了巨大的高涨。从那里输入的新产品，特别是投入流通的大量金银（它们根本改变了阶级之间的相互关系，沉重地打击了封建土地所有制和劳动者），冒险的远征，殖民地的开拓，首先是当时市场已经可能扩大为而且规模愈来愈大地扩大为世界市场——所有这一切产生了历史发展的一个新阶段"①。在《共产党宣言》中也做了类似论述，"美洲的发现、绕过非洲的航行，给新兴的资产阶级开辟了新的活动场所。东印度和中国的市场、美洲的殖民化、对殖民地的贸易、交换手段和一般的商品的增加，使商业、航海业和工业空前高涨，因而使正在崩溃的封建社会内部的革命因素迅速发展"②。这一时期的认识为后续的研究奠定了基础。

50 年代马克思在伦敦开始重新研究经济学时再次遇到了殖民地问题。马克思认识到对资本主义生产方式形成和发展的研究来说，殖民地问题是一个无法绕开的论题，因为殖民地不仅在资本原始积累过程中起到重要作用，而且在形成和继续发展资本主义的世界市场和世界体系中发挥了巨大作用。通过占领殖民地，资本主义获得了廉价的工业原料，开辟了广阔的销售市场，大量移民从宗主国流向殖民地，不同的生产关系相互碰撞，这些都是深入研究资本主义生产方式不可缺少的组成部分。19 世纪 30 年代开始，大不列颠推行掠夺殖民地并使附属区屈服的积极政策，40 年代随着谷物关税和妨碍殖民地贸易的航海法的取消，它成为世界上最大的殖民强国，拥有殖民地 200 多万平方公里，人口超过 1 亿。40 年代移民到殖民地的人口就有 100 多万。理论研究的深入和社会经济现实的发展都要求对殖民地问题做进一步研究。

《伦敦笔记》中对殖民地问题的研究主要集中在第 14 笔记本和第 21 至第 23 笔记本中。在第 14 笔记本中，马克思摘录了海·路·赫伦的《欧洲国家体系及其殖民地历史手册》，大量的事实和材料使其掌握了欧洲历史以及美洲发

---

① 《马克思恩格斯全集》第 3 卷，人民出版社 1956 年版，第 64 页。
② 《马克思恩格斯文集》第 2 卷，人民出版社 2009 年版，第 32 页。

现以来殖民帝国的形成和围绕它们所进行的讨论。马克思从该著作中引用了殖民地这一概念的定义和殖民地不同形式的划分，"欧洲人在世界其他地方的任何领地和租界均称为殖民地。它们分成：1）农业殖民地。殖民地的欧洲移民发展成一个民族。2）种植殖民地。〔……〕3）矿山殖民地。4）贸易殖民地。"①后来，马克思和恩格斯把主要由欧洲人移民居住并经营的殖民地同那种主要是土著人或输入的人口受奴役，大地主占统治地位的殖民地区别开来。关于第一种形式马克思在《资本论》第1卷批判现代殖民理论时写道："这里说的是真正的殖民地，即自由移民所开拓的处女地。……此外，这里还包括那些由于消灭了奴隶制而完全改变了关系的旧种植殖民地在内。"②与此相似，恩格斯在晚年书信中谈到工人对殖民政策的看法时，把"真正的殖民地"同"那些只是被征服的、由土著人居住的土地"区别开来③，认为前者都会独立的，而后者将由无产阶级引导它们走向独立。

在第14笔记本中，马克思还研究了"现代殖民理论"的两位代表人物爱·吉·威克菲尔德和赫·梅里威尔。威克菲尔德在《略论殖民艺术》中把殖民化的概念限制在向迄今未被占据的国家移民这个范围，马克思摘录了他的这个观点④。欧洲移民在北美、澳大利亚和新西兰往往不花分文就占据土地成为农场主，而不去做雇佣工人，"现代殖民理论"认为，这种情况是资本积累的主要障碍，它不利于资本主义生产方式在殖民地的建立和发展。威克菲尔德建议，国家应当给土地规定一个人为的价格，迫使没有任何财产的移民在一定时间内先当雇佣工人去挣钱，然后用他们自己挣的钱来购买土地。这种观点为国家殖民协会所认可和宣传，并被概括为"系统的殖民"，这样一来，殖民地不仅可以吸收大不列颠过剩人口，而且将其纳入资本主义世界体系之后还能为本国提供商品和资本的输出地。

马克思对梅里威尔的《关于殖民和殖民地的演说》两卷集做了广泛摘录。梅里威尔在这部著作中反对威克菲尔德提出的通过向殖民地大量移民来减少大不列颠的过剩人口的建议。他认为，移民绝不是治疗过剩人口的药剂。过

---

① 《马克思恩格斯全集》国际版新版第四部分第9卷，柏林迪茨出版社1991年版，第505页。
② 《资本论》第1卷德文第1版中译本，经济科学出版社1987年版，第732页。
③ 参见《马克思恩格斯文集》第10卷，人民出版社2009年版，第480页。
④ 参见《马克思恩格斯全集》国际版新版第四部分第9卷，柏林迪茨出版社1991年版，第486页。

剩人口是必要的从业后备力量，他们移民国外会造成工业繁荣时期劳动力的缺乏。① 尽管如此，马克思仍然把梅里威尔视为威克菲尔德的门徒②。因为他们都认为，殖民地的无偿土地会阻碍资本主义生产关系的普及。他们似乎从殖民地的例子中发现，雇佣工人一无所有是资本关系存在的一个必要条件。值得注意的是，当时在工人阶级队伍中也有日益强烈的要求，希望国家支持移民，如果对这些要求做出让步的话，一个人数众多的阶级就会加入移民的队伍。这也是促进梅里威尔研究移民后果的原因。

梅里威尔在以下两个问题上批判地探讨了李嘉图的观点。一是关于移民问题。李嘉图认为，在一国迅速增长的人口挤压生活资料的活动余地的情况下，唯一的药剂不是减少人口数字，就是迅速积累资本。事实证明，李嘉图没有考虑到资本主义生产关系的特点。在资本主义条件下，资本积累不是单纯的生产规模扩大，它还包含资本有机构成的不断增加。资本有机构成的增长与资本积累的增加成正比例推进，试图通过剩余价值转化为资本来抵制过剩人口是不可能成功的。与此同时，李嘉图也没有看到，资本积累过程越向前发展，预付资本量也相应提高。正如马克思所指出的，"要使用同量劳动力，就需要越来越大的资本量"③，劳动生产力的提高必然会产生永久性的工人人口过剩。梅里威尔从另一个角度阐述移民问题。他提出工人移民国外会造成繁荣时期缺乏足够多可供支配的劳动力，而资本要想在竞争中生存就必须在任何时候都能动用它所需的劳动力，一支可供支配的劳动力后备军是必要的。至于为什么劳动后备军会成为资本主义生产方式必要的生产条件，梅里威尔并没有说明。马克思在《资本论》中论述资本积累时对这个问题作出了详细的阐述。

二是关于宗主国向殖民地的资本输出。李嘉图是否定资本生产过剩存在的，梅里威尔在这一点上与李嘉图不同，他承认资本过剩的存在，指出，资本增长本身不足以"增大它的适用场所"。但是，梅里威尔并没有认识到资本生产过剩是由资本主义生产方式本身决定的。他认为把在本国不能投入或投入只会带来损失的资本输出到殖民地就可以解决这种过剩，可以阻止本国利润率的下降。马克思在《资本论》中论述了这个问题。他揭示了资本生产过剩的实

---

① 参见《马克思恩格斯文集》第 5 卷，人民出版社 2009 年版，第 730 页。

② 参见《马克思恩格斯文集》第 5 卷，人民出版社 2009 年版，第 882 页。

③ 《马克思恩格斯文集》第 7 卷，人民出版社 2009 年版，第 248 页。

质，指出生产过剩只是作为资本执行职能的生产资料的生产过剩，是相对于高水平利润率而言的生产过剩，资本的这种过剩是与工人人口过剩同时存在的。资本输出国外不是因为在国内不能投入生产，而是因为国外能够提供更高的利润。资本追逐利润的本性支配着它在各个生产部门之间流动，同时也在国家间流动。把资本输出到殖民地并不能改变根植于资本主义生产方式中的矛盾，也不能消除利润率下降的趋势和资本过剩产生的必然性。

马克思还关注了理论界对英国殖民政策的争论，分别摘录了赞成一方和反对一方的主要观点。亨利·布鲁姆于 1803 年出版了《关于欧洲国家殖民政策的研究》，他主张对殖民地的占领，使之成为不列颠商品的销售区、资本输出接纳区和移民居住区。同时，他谴责对土著人采取的残暴行为，尤其谴责把他们变为奴隶以及与此相联系的贩卖奴隶的做法。马克思从中摘录了一系列有关殖民主义的历史和殖民政策的实践方面的事实 ①。马克思摘录了托·福·巴克斯顿研究非洲殖民问题的两部著作 ②：《非洲的奴隶交易》和《补救办法，非洲奴隶交易的后果》。巴克斯顿把奴隶制和贩卖奴隶说成是没有人性的事情，主张严禁贩卖奴隶。他认为，贩卖奴隶与一项明智的殖民政策不相容，长此下去会破坏人们从非洲殖民地获利。他指出，非洲大陆是原料和食物的富饶产区，借助作为自由生产者的土著人的帮助就可以得到最合理的开发，还可以为不列颠建立一个重要的商品销售地区。

反对不列颠殖民政策的代表作包括托马斯·霍吉金的《关于美洲殖民协会的功过的研究》③ 和威廉·豪伊特的《殖民和基督教》④。马克思摘录了霍吉金著作中讲述的美洲殖民协会在反对奴隶制的斗争中做出的功绩和霍吉金关于继续这一斗争的论据。豪伊特坚持反对战争、种族主义和奴隶制，马克思在他的著作中摘录了欧洲人在占领和掠夺殖民地时施行野蛮暴行的大量事实，这些材

---

① 参见《马克思恩格斯全集》国际版新版第四部分第 9 卷，柏林迪茨出版社 1991 年版，第 542—552 页。

② 参见《马克思恩格斯全集》国际版新版第四部分第 9 卷，柏林迪茨出版社 1991 年版，第 494—501 页。

③ 参见《马克思恩格斯全集》国际版新版第四部分第 9 卷，柏林迪茨出版社 1991 年版，第 492 页。

④ 参见《马克思恩格斯全集》国际版新版第四部分第 9 卷，柏林迪茨出版社 1991 年版，第 516—526 页。

料在《资本论》中论述资本原始积累时被作为例证广泛引用①。

马克思对前资本主义的殖民问题进行了研究。马克思在第 14 笔记本的开头就摘录了杜罗·德·拉·马尔的《罗马人的政治经济学》②，在其中发现了许多有关生产力、经济关系的发展、古代罗马的货币、国家制度和文化的形成及作用方面的很有价值的事实材料。马克思认为，勒索被压迫民族的纳贡以及募集奴隶是对外扩张的动力。罗马帝国只有通过军事政权，不断发动战争，进行新的占领才能得以维持。在第 14 笔记本的结尾马克思摘录了布鲁姆有关欧洲国家殖民政策的著作，概括了布鲁姆对古代殖民问题的论述，"罗马人发展他们殖民地的目的在于征服和掠夺。……迦太基的殖民地同母国是交易关系。……希腊殖民地就其起因和政治关系来说不同于罗马和迦太基殖民地。雅典、斯巴达、柯林斯和阿哥斯的领土非常有限，因此，人口数量的增加使移民成为必要。"③

殖民地问题是一个涉及领域非常广泛的论题，马克思研究殖民地问题的主旨是在全球视野下考察资本主义生产方式产生发展的过程，他同时关注不同社会形态和文化样态之间的交流碰撞。对殖民历史、理论和政策的研究为揭示资本主义经济运动规律奠定了思想理论基础，也准备了历史材料基础。此外，研究殖民地问题使马克思认识到了人类社会发展的统一性和多样性，从而推动其社会形态理论的发展。

---

① 参见《马克思恩格斯文集》第 5 卷，人民出版社 2009 年版，第 861 页。
② 参见《马克思恩格斯全集》国际版新版第四部分第 9 卷，柏林迪茨出版社 1991 年版，第 325—364 页。
③ 《马克思恩格斯全集》国际版新版第四部分第 9 卷，柏林迪茨出版社 1991 年版，第 542—543 页。

第三章　政治经济学领域的"革命"

1857 至 1858 年间，马克思在政治经济学领域发生了一场"革命"，仅用一年的时间就写下了被后人称之为《政治经济学批判（1857—1858 年手稿）》（本章中简称为《57—58 年手稿》）的著作。这部手稿反映了马克思自 1843 年以后的 15 年间政治经济学理论研究的内容，是马克思一生的黄金时代的研究成果，"第一次科学地表述了对社会关系具有重大意义的观点"[①]。手稿关于政治经济学研究对象和方法、科学的价值理论和货币理论的制定，以及剩余价值的发现，都充分体现了马克思关于社会关系研究的主要观点。

第一节　十五年理论研究的准备

1843 年年底，马克思走上了政治经济学理论探索的崎岖道路。从 1843 年到 1857 年，马克思开始写作《57—58 年手稿》的 15 年间，是他为政治经济学理论探索的研究准备时期。这一时期，马克思形成了一系列的理论研究成果，为剩余价值理论的形成奠定了基础。

[①]　《马克思恩格斯全集》第 29 卷，人民出版社 1972 年版，第 546 页。

一、理论研究的最初成果

1843 年以后，马克思首先在系统研读了大量政治经济学文献的基础上写下了许多读书笔记。1844 年 8 月马克思完成的《1844 年经济学哲学手稿》，是他建立无产阶级政治经济学理论体系的第一次尝试，同时也对政治经济学的内容做了一定的分析。《1844 年经济学哲学手稿》主要从两个方面对政治经济学的理论体系作出了构想。第一，强调从“整体的联系”上把握政治经济学理论体系，也即打算连续用不同的单独的小册子来批判资产阶级的法、道德、政治等，然后再用一本专著来说明整体的联系、各个部分之间的关系。“整体的联系”，也就是把单独的批判性部分作为对资产阶级社会整体批判的有机组成部分。第二，强调“从当前的国民经济事实”出发建立政治经济学理论体系。他认为，异化劳动是国民经济学批判的出发点，要搞清资本主义社会中私有制、劳动、资本、地产、垄断、竞争、货币等范畴及范畴间的本质联系，必须从异化劳动范畴出发，从对异化劳动的分析中推导出私有财产范畴，再借助这两个范畴阐明政治经济学的一切范畴。

《1844 年经济学哲学手稿》对政治经济学内容的分析主要表现在：第一，批判地继承了资产阶级经济学家关于工资、利润、地租，以及阶级和阶级斗争的观点，分析了资本、地产、劳动三者的分离，揭示了工人、资本家、土地所有者对立的经济根源。马克思指出：“我们从国民经济学本身出发，用它自己的话指出，工人降低为商品，而且降低为最贱的商品；工人的贫困同他的生产的影响和规模成反比；竞争的必然结果是资本在少数人手中积累起来，也就是垄断的更惊人的恢复；最后，资本家和地租所得者之间、农民和工人之间的区别消失了，而整个社会必然分化为两个阶级，即有产者阶级和没有财产的工人阶级。”[1] 第二，分析了资本主义生产关系下的特定劳动形式，即异化劳动的表现及异化劳动与私有财产的关系，用异化劳动说明了资本主义经济关系下的雇佣劳动。马克思认为，在资本主义社会，工人在他的对象中异化了：他生产的越多，而能够消费的就越少；他创造的价值越多，而自己就越没有价值；工人的产品越完美，而自己却越畸形；工人创造的对象越文明，而自己则越野蛮；

---

[1] 《马克思恩格斯文集》第 1 卷，人民出版社 2009 年版，第 155 页。

劳动越有力量，工人就越无力；劳动越机巧，工人则越愚笨，越成为自然界的奴隶。因此，"劳动的这种现实化表现为工人的非现实化，对象化表现为对象的丧失和被对象奴役，占有表现为异化、外化"①。第三，批判了资产阶级经济学家关于工人工资增长原因、工人前途和命运的看法，站在工人阶级的立场上，分析了工人沦为机器的奴隶、过度劳动造成工伤事故并缩短工人寿命、相对过剩人口增加等问题，提出了在社会衰落状态中工人贫困日益加剧、在社会财富增进状态中工人贫困复杂多样、在社会最富裕状态中工人贫困持续不变的观点。工人劳动本质的异化就在于："劳动为富人生产了奇迹般的东西，但是为工人生产了赤贫。劳动生产了宫殿，但是给工人生产了棚舍。劳动生产了美，但是使工人变成畸形。劳动用机器代替了手工劳动，但是使一部分工人回到野蛮的劳动，并使另一部分工人变成机器。劳动生产了智慧，但是给工人生产了愚钝和痴呆。"②第四，揭示了资本的本质，认为资本是对劳动及其产品的支配权，资本家拥有这种权力就在于他是资本的所有者，他的权力就是他的资本的那种不可抗拒的购买的权力，资本不仅仅是物或对物的占有，而是一种生产关系。第五，研究了资本主义私有制的本质、需要、生产和分工、货币等问题，从不同角度揭露了资本主义生产方式的本质。

《1844 年经济学哲学手稿》的研究反映了马克思对哲学和经济学结合的整体研究。在马克思思想发展的历程中，尽管经过对黑格尔法哲学的批判，他已经逐渐摆脱了黑格尔和费尔巴哈的哲学影响，但是，《1844 年经济学哲学手稿》中并未形成唯物史观。在这里，马克思是在批判地继承黑格尔的历史辩证法的基础上借助费尔巴哈的唯物主义人本思想来进行研究的。这从《1844 年经济学哲学手稿》中马克思对费尔巴哈的思想给予的高度评价中就可以看到。他说："对国民经济学的批判，以及整个实证的批判，全靠费尔巴哈的发现给它打下真正的基础。从费尔巴哈起才开始了实证的人道主义的和自然主义的批判。费尔巴哈的著作越是得不到宣扬，这些著作的影响就越是扎实、深刻、广泛和持久；费尔巴哈著作是继黑格尔的《现象学》和《逻辑学》之后包含着真正理论革命的唯一著作。"③马克思考察了资本主义经济现实，以对异化劳动问

---

① 《马克思恩格斯文集》第 1 卷，人民出版社 2009 年版，第 157 页。
② 《马克思恩格斯文集》第 1 卷，人民出版社 2009 年版，第 158—159 页。
③ 《马克思恩格斯文集》第 1 卷，人民出版社 2009 年版，第 112 页。

题的分析为基础批判了资本主义经济制度和资产阶级政治经济学，阐发了自己关于哲学、经济学和共产主义的整体思想。马克思认为，作为资本主义"当前的国民经济事实"的异化劳动，构成了国民经济学所研究的"劳动"的实质所在，而这恰恰又正是资产阶级国民经济学产生研究困惑的根源；私有财产和异化劳动在本质上的同一，构成了国民经济学关于人的发展的本质的研究，而这恰恰又正是导致资产阶级国民经济学"把私有财产在现实中所经历的物质过程，放进一般的、抽象的公式，然后把这些公式当做规律"的原因。[①] 因此，必须要解决两个问题：一是从私有财产对真正人的和社会的财产的关系来规定作为异化劳动的结果的私有财产的普遍本质；二是人怎么使他的劳动外化、异化？这种异化又怎么以人的发展的本质为根据？马克思强调，这些问题已经不再仅仅是经济学的问题了，而是具有根本性的哲学问题，必须上升到哲学的高度去思考。因此，在《1844 年经济学哲学手稿》中，马克思把劳动作为哲学和经济学的根本原则，对劳动的本质做了深入的研究。哲学和经济学的结合，才有可能使马克思以异化劳动理论为武器对资产阶级国民经济学的批判达到前所未有的理论高度，也才有可能使马克思对劳动的本质做出全新的分析和深刻的见解。马克思关于共产主义的思想同样也是对哲学和经济学结合进行整体研究的产物。马克思认为，共产主义社会与共产主义思潮都是对私有财产的积极扬弃，但是，二者的本质区别就在于后者并没有理解私有财产的积极扬弃的本质，因而对它们的研究就必须越出经济学的视野，深入到对私有财产的本质的哲学研究中，揭示出共产主义社会的本质规定性。总之，《1844 年经济学哲学手稿》显示出的哲学和经济学的整体研究，奠定了马克思后来关于《资本论》整体研究的重要基础。

二、《哲学的贫困》的理论贡献

1847 年夏天问世的《哲学的贫困》，是马克思第一部公开出版的政治经济学著作，表明马克思自己已经弄清楚了他的"新历史观和经济观的基本特点"。在这部著作中，马克思深刻地剖析了蒲鲁东关于经济学和哲学的错误观点，把

① 参见《马克思恩格斯文集》第 1 卷，人民出版社 2009 年版，第 155 页。

唯物史观运用于政治经济学的研究，第一次公开表述了自己对劳动价值论的基本立场，对政治经济学理论的发展作出了重要贡献。

首先，马克思完全站到了李嘉图劳动价值论的立场上，用他的理论来反对蒲鲁东的价值理论；他完全承认李嘉图劳动价值论的历史功绩，充分地利用并批判地吸收了李嘉图理论中的合理成分。马克思对李嘉图在政治经济学领域中所作的贡献作了高度的评价："李嘉图给我们指出资产阶级生产的实际运动，即构成价值的运动。""李嘉图的价值论是对现代经济生活的科学解释。""李嘉图从一切经济关系中得出他的公式，并用来解释一切现象，甚至如地租、资本积累以及工资和利润的关系等那些骤然看来好像是和这个公式抵触的现象，从而证明他的公式的真实性；这就使他的理论成为科学的体系。"①

唯物史观的创立，使得马克思在世界观、方法论上赋予李嘉图劳动价值论新的内涵，在许多理论观点上实现了对李嘉图的超越。马克思与李嘉图和蒲鲁东等不同的是，他研究劳动价值论是要证实价值与资本主义生产方式的基础存在着密切的关系，是要说明价值只有在竞争中并通过竞争的作用才能得到实现，是要揭示资本主义生产方式的运动规律。马克思运用唯物史观所作的这些分析，在驳斥资产阶级政治经济学方面，在完成劳动价值论的科学革命方面迈出了最重要的一步。

在《哲学的贫困》中，马克思运用唯物史观作为研究劳动价值论的方法论基础，建立了政治经济学的研究方法。马克思认为，政治经济学是一门历史科学，研究的是与社会生产力的发展相适应的、具有过渡性的、历史上暂时的生产关系的产生、运动及其内部联系，研究的是人们借以进行生产、消费和交换的经济形式及其发展的规律性。正因为如此，马克思是在批判改造的基础上把辩证法和唯物史观运用于政治经济学的研究的。

马克思在批判蒲鲁东认为经济范畴是历来存在、永恒观念的基础上，阐明了经济范畴的客观性、历史性。马克思指出，蒲鲁东企图辩证地说明经济范畴的体系，但他没有把经济范畴看作历史的、与物质生产的一定发展阶段相适应的生产关系的理论表现，因而也就唯心主义地认为"现实关系只是一些原理和

---

① 《马克思恩格斯全集》第4卷，人民出版社1961年版，第92、93页。

范畴的化身。""这些原理和范畴过去曾睡在'无人身的人类理性'的怀抱里"①，并且把实在的关系当作抽象的体现。马克思批判了蒲鲁东认识经济范畴的唯心主义方法，并强调指出："经济范畴只不过是生产的社会关系的理论表现，即其抽象"②，经济范畴只有从经济关系本身的运动中通过深入的研究才能得出。经济关系是第一位的，经济范畴是第二位的，随着生产力、经济关系的发展、变化，人们的思想、范畴也会发展、变化。因此，经济范畴"同它们所表现的关系一样，不是永恒的。它们是历史的、暂时的产物"③。马克思对经济范畴的唯物史观的考察方式就成为他构筑政治经济学研究方法的重要基础。

马克思在批判蒲鲁东形而上学臆造经济范畴体系的基础上，阐明了经济范畴之间的内在联系和矛盾，提出了政治经济学研究的方法。任何一个社会中的生产关系都是一个矛盾统一体，这个体系内部的各个经济范畴之间是相互联系、相互作用并不断发展变化的；蒲鲁东无视经济范畴之间的内在联系，采取形而上学的方法，使体系中的各个经济范畴通过纯粹的思维活动相继产生，并臆造出经济范畴的顺序。针对蒲鲁东的这一做法，马克思明确指出：社会生产方式是一个总体，在这个总体中每一种关系都只是其他经济关系的整个锁链中的一个环节，它们非常紧密地联系在一起；对经济范畴的理解，对经济范畴顺序的安排，不能脱离生产关系整体的内部联系。马克思由此提出了政治经济学研究的一个重要的方法论原则，即必须从生产关系的整体上研究生产关系，必须从生产关系整体的内部联系上研究经济范畴。

其次，唯物史观的运用和政治经济学研究的方法论原则的确立，使马克思找到了与蒲鲁东的价值理论进行全面论战的科学方法，从而发展了劳动价值论。

一是，马克思批判了蒲鲁东关于"构成价值不过是体现在产品中的劳动时间所构成的价值"的论点，坚持了劳动决定价值的基本原理。蒲鲁东认为，交换价值起源于分工与交换，而分工与交换则是一个生产者向另一个生产者建议的产物，有了这种建议，才有了鲁滨逊式的孤立个人走向交换世界，从而才出现了价值。马克思对蒲鲁东这一不顾历史发展和交换价值起源的事实所作的纯

---

① 《马克思恩格斯文集》第 1 卷，人民出版社 2009 年版，第 602 页。
② 《马克思恩格斯文集》第 1 卷，人民出版社 2009 年版，第 602 页。
③ 《马克思恩格斯文集》第 1 卷，人民出版社 2009 年版，第 603 页。

粹主观唯心主义的解释进行了批判。马克思认为，"蒲鲁东先生并没有细究这些关系的始末，他只是给交换这一事实盖了历史的印记，把交换看做急欲确立这种交换的第三者可能提出的建议"①。但是，马克思没有进一步阐述自己对这个问题的看法。

蒲鲁东对价值的矛盾的本性作了研究。他虽然正确地认为使用价值与交换价值是相互排斥的，但他却不理解二者矛盾的根源和性质，把使用价值等同于丰裕、交换价值等同于稀少，把使用价值等同于供给、交换价值等同于需求，这样，他就非常轻松地从使用价值与交换价值的矛盾是丰裕与稀少的矛盾，归结出使用价值与交换价值的矛盾是效用与意见的矛盾，最后又把这一矛盾看做是自由意志造成的。在蒲鲁东看来，使用价值与交换价值矛盾的解决，是在构成价值，也就是在由劳动时间决定的价值中完成的。马克思完全承认使用价值与价值之间存在的矛盾，在肯定李嘉图劳动价值论的基础上，对蒲鲁东的构成价值论与李嘉图的劳动价值论作了比较分析。马克思指出："李嘉图给我们指出资产阶级生产的实际运动，即构成价值的运动。蒲鲁东先生却撇开这个实际运动不谈，而'煞费苦心地'去发明按照所谓的新公式（这个公式只不过是李嘉图已清楚表述了的现实运动的理论表现）来建立世界的新方法。李嘉图把现社会当做出发点，给我们指出这个社会怎样构成价值；蒲鲁东先生却把构成价值当做出发点，用它来构成一个新的社会世界。……在李嘉图看来，劳动时间确定价值这是交换价值的规律，而蒲鲁东先生却认为这是使用价值和交换价值的综合。李嘉图的价值论是对现代经济生活的科学解释；而蒲鲁东先生的价值论却是对李嘉图理论的乌托邦式的解释。李嘉图从一切经济关系中得出他的公式，并用来解释一切现象，……从而证明他的公式的真实性；这就使他的理论成为科学的体系。蒲鲁东先生只是完全凭任意的假设再度发现了李嘉图的这个公式，后来就不得不找出一些孤立的经济事实，加以歪曲和捏造，以便作为例证，作为实际应用的现成例子，作为实现他那新生观念的开端。"②

二是，马克思批判了蒲鲁东关于"劳动时间先天决定交换价值"的论点，阐明了价值决定的社会性。蒲鲁东认为，在商品价值的决定上，只要先开始用

---

① 《马克思恩格斯全集》第 4 卷，人民出版社 1958 年版，第 79 页。
② 《马克思恩格斯全集》第 4 卷，人民出版社 1958 年版，第 92—93 页。

产品中所包含的劳动量来衡量产品的相对价值，供求就必然会达到平衡。生产就会和消费相适应，产品就可永远顺利地进行交换。针对蒲鲁东价值理论的这一观点，马克思强调，只有在供求互相均衡的时候，任何产品的相对价值恰好是由包含在产品中的劳动量来确定的。蒲鲁东为了使商品的价值按照劳动时间"构成的价值"来进行交换，而建立供求之间的"比例性关系"的做法，实际上把关系弄颠倒了。马克思对蒲鲁东颠倒因果关系的行为作了形象的比喻："一般人都这样说：天气好的时候，可以碰到许多散步的人；可是蒲鲁东先生却为了保证大家有好天气，要大家出去散步。"[1] 因此，按照蒲鲁东"劳动时间先天决定交换价值"论点得出的结果必然是："今后产品应当完全按照花费在产品上的劳动时间来交换。不论供求关系怎样，商品的交换应当永远像商品的生产量完全适合需求那样来进行"[2]。

马克思认为，在经济现实中不存在像蒲鲁东所说的"劳动时间先天决定交换价值"，因为商品的价值是由劳动时间决定的，是和供求相联系的。他指出："供求的'比例性关系'，也就是一种产品在生产总和中所占的比例，根本不决定于这种产品按照相等于生产费用的价格的出售。只有供求的变动告诉生产者，某种商品应当生产多少才可以在交换中至少收回生产费用。这种变动是经常的，所以资本也就不断地出入于各个不同的工业部门。"[3]

在马克思看来，供求的经常平衡状态在现实中也是不存在的，"在以个人交换为基础的社会中，单只这种摇摆运动已使劳动时间成为价值尺度。完全构成了的'比例性关系'是不存在的，只有构成这种关系的运动。"[4] 实际上，马克思在这里已经非常清楚地说明了劳动时间决定价值与供求之间的关系：要承认劳动时间决定价值，就必须承认供求的变动已使劳动时间成为价值尺度。马克思在《哲学的贫困》中的这一认识成为他后来进一步发展了的思想，即决定价值的劳动时间是社会必要劳动时间的基础。

三是，马克思批判了蒲鲁东关于"商品应精确地按其所包含的劳动时间进行交换"的论点，阐释了决定商品价值的劳动的特性。蒲鲁东从由劳动时间构成的价值中得出了两个结论："——一定的劳动量和同一劳动量所创造的产品

---

[1]　《马克思恩格斯全集》第 4 卷，人民出版社 1958 年版，第 102—103 页。

[2]　《马克思恩格斯全集》第 4 卷，人民出版社 1958 年版，第 103 页。

[3]　《马克思恩格斯全集》第 4 卷，人民出版社 1958 年版，第 105—106 页。

[4]　《马克思恩格斯全集》第 4 卷，人民出版社 1958 年版，第 106 页。

是等价的。""——任何一个劳动日和另一个劳动日都是相等的；这就是说，一个人的劳动和另一个人的劳动如果数量相等，二者也是等值的，两个人的劳动并没有质的差别。在劳动量相等的前提下，一个人的产品和另一个人的产品相交换。所有的人都是雇佣工人，而且都是以相等劳动时间得到相等报酬的工人。交换是在完全平等的基础上实现的。"①

马克思认为，如果商品的相对价值是由生产商品所需的劳动量来决定的，结论就自然是：劳动的相对价值或工资也是由生产工资所必需的劳动量来决定的；劳动作为商品是由生产劳动这种商品所必需的劳动时间来衡量的，而生产劳动这种商品需要为了生产维持不断的劳动即供给工人活命和延续后代所必需的物品的劳动时间；劳动的自然价格无非就是工资的最低额。因此，马克思特别强调："由劳动时间衡量的相对价值注定是工人遭受现代奴役的公式，而不是蒲鲁东先生所希望的无产阶级求得解放的'革命理论'"②。

蒲鲁东还认为，商品应该按照其中所包含的劳动时间进行交换，即精确地遵循劳动小时与劳动小时相交换的原则。马克思指出："如果认为这种由劳动时间来衡量价值的产品的交换会使一切生产者得到平等的报酬，这种说法就是假定，平等分配还在交换以前就存在了。"③ 显然，"蒲鲁东先生的谬误是由于他把至多不过是一种没有根据的假设看做结果"。把劳动时间作为价值尺度，各个劳动日并不是等价的，一个人的劳动日和另一个人的劳动日也不是等值的。不能认为劳动日的价值不等，一个人的劳动日与另一个人的劳动日价值不等，价值就不是用劳动时间来衡量了。在马克思看来，在这种情况下，使用劳动时间作为价值的尺度，"就需要有一个可以比较各种不同劳动日价值的尺度表；确定这种尺度表的就是竞争"④。竞争决定着一个复杂劳动日中包含着多少简单劳动日，竞争使商品中所包含的劳动还原为简单劳动，从而复杂劳动是复合的简单劳动。可见，马克思在这里已经较为清楚地说明了决定商品价值的劳动的性质为简单劳动。马克思说："如果只把劳动量当做价值尺度而不问它的质量如何，那也就是假定简单劳动已经成为生产活动的枢纽。这就是假定：由于人隶属于机器或由于极端的分工，各种不同的劳动逐渐趋于一致；劳动把

① 《马克思恩格斯全集》第 4 卷，人民出版社 1958 年版，第 93 页。
② 《马克思恩格斯全集》第 4 卷，人民出版社 1958 年版，第 95 页。
③ 《马克思恩格斯全集》第 4 卷，人民出版社 1958 年版，第 95 页。
④ 《马克思恩格斯全集》第 4 卷，人民出版社 1958 年版，第 96 页。

人置于次要地位；钟摆成了两个工人相对活动的精确的尺度，就像它是两个机车的速度的尺度一样。"①

四是，马克思批判了蒲鲁东对"劳动价值"和"劳动的价值产品"的混淆，阐明了二者的区别。蒲鲁东错误地用"劳动价值"来衡量商品的价值，认为任何人的劳动都可以购买这种劳动所包含的价值，并由此作出了按商品所包含的价值进行交换就可以消除资本主义弊端、实现永恒公平的结论。马克思批判了蒲鲁东的这一谬论，明确指出："用劳动价值来确定商品的相对价值是和经济事实相抵触的。这是在循环论证中打转，这是用本身还需要确定的相对价值来确定相对价值。""蒲鲁东先生是把以下两种衡量的方法混为一谈了：一种是用生产某种商品所必要的劳动时间来衡量，另一种是用劳动价值来衡量。"②在马克思看来，"劳动价值"是无法用来确定或衡量商品价值的，因为"劳动价值"说明的是生产劳动商品所需要的劳动时间，用"劳动价值"来衡量商品的价值，也就是用价值来衡量商品的价值，这是循环论证，不能说明任何问题。"劳动价值"实际上还说明了它是劳动商品的价值，它本身还需要加以确定，因此，它也就无法作为确定商品价值的尺度了。所以，马克思反复强调："像任何其他的商品价值一样，劳动价值不能作为价值尺度"，"只要承认某种产品的效用，劳动就是它的价值的源泉。劳动的尺度是时间。产品的相对价值由生产这种产品所需的劳动时间来确定"③。可见，马克思已经认识到，劳动就是产品价值的源泉，任何产品的"相对价值"恰好由包含在产品中的劳动量来决定。

在对蒲鲁东的这一理论主张进行批判的过程中，马克思对蒲鲁东与斯密、李嘉图作了比较性研究，清楚地指出了蒲鲁东理论的谬误所在。马克思指出："亚当·斯密有时把生产商品所必要的劳动时间当做是价值尺度，有时却又把劳动价值当做价值尺度。李嘉图揭露了这个错误，清楚地表明了这两种衡量方法的差别。蒲鲁东先生加深了亚当·斯密的错误。亚当·斯密只是把这两个东西并列，而蒲鲁东先生却把两者混而为一。"④显然，在劳动价值论的基本主张上，马克思是以吸收李嘉图的观点为主导的，可以说，马克思当时还是一个李嘉图主义者。但与此同时，我们也应看到，在马克思对劳动价值论的基本主张

① 《马克思恩格斯全集》第 4 卷，人民出版社 1958 年版，第 96 页。
② 《马克思恩格斯全集》第 4 卷，人民出版社 1958 年版，第 98 页。
③ 《马克思恩格斯全集》第 4 卷，人民出版社 1958 年版，第 97、88 页。
④ 《马克思恩格斯全集》第 4 卷，人民出版社 1958 年版，第 99 页。

中，实际已经包含了对李嘉图理论进行科学革命的根本因素。马克思已经明确指出：李嘉图犯有把资产阶级的经济关系当做永恒范畴的一切经济学家的通病。马克思确信，价值、货币这一类经济范畴是一种社会关系，这一关系只是其他经济关系的整个链条中的一个环节，并且是和一定的生产方式相适应的。可以认为，在《哲学的贫困》中，马克思已经实现了劳动价值学说和唯物史观的统一。

三、剩余价值理论形成的基础

在 1848 年的《雇佣劳动与资本》中，马克思系统地阐述了自己的经济学观点，主要反映在两个方面：第一，马克思分析了表现生产关系的各种经济范畴，如商品、交换价值、价格、生产费用等范畴，形成了具有决定性意义的价值观念。他指出，"商品"的生产是二重性的生产，人们的生产不仅同自然界发生关系，而且由于生产人们相互之间也发生一定的联系和关系。[①] 在这种商品生产中，社会的相互关系是通过作为商品的劳动产品的生产和交换而形成的。因此，从人与自然之间的关系看，商品是一种物质产品；从人与人之间的关系看，商品又是一种社会关系。这是马克思后来形成的商品二因素理论的萌芽。由于商品是一种与商品生产者的社会关系相联系的物，劳动产品的独特社会性使这个物成为商品，因而研究商品的可交换性就成为马克思的研究重点。他认为，商品就是"能同别的产品交换的产品"，可交换性就是商品的本质规定，劳动产品要能进行交换就必须具备一定的条件。商品"按照一定比例进行交换，而这一定比例就构成它们的交换价值，或者用货币来表示，就构成它们的价格"[②]。因此，交换价值是商品之间交换的比例关系，而价格就是商品价值的货币表现。马克思不仅明确规定了"交换价值"和"价格"这两个范畴，而且还区别了交换价值的质的规定和量的规定，认为一种一定量的商品与一定量其他商品进行交换，表明的是商品本身所具有的交换价值的多少或价格的高低，只是与交换价值的量的规定性有关，它不改变交换价值的质的规定性。马

---

① 参见《马克思恩格斯文集》第 1 卷，人民出版社 2009 年版，第 724 页。
② 《马克思恩格斯文集》第 1 卷，人民出版社 2009 年版，第 725 页。

克思着重分析了交换价值量的规定性，提出了价格是"由买者和卖者之间的竞争即需求和供给的关系决定的"论断。① 马克思指出，卖者之间的竞争会压低商品的价格，买者之间的竞争会抬高商品的价格，卖者和卖者之间的竞争则必然导致二者发生利益冲突，一方面，买者要买得便宜，另一方面，卖者要卖得贵些。这三种类型的竞争决定着商品价格的确定。

在《雇佣劳动与资本》中，马克思没有区分价格与市场价格，同样，也没有区分价值和交换价值。马克思从价格和价格的规定出发，找到了隐藏在价格背后的"生产费用"范畴，对生产费用范畴作了三个方面的解释，一是认为生产费用可看作"生产商品所必需的劳动时间"，二是认为生产费用可看作资本家的"费用价格"，三是认为生产费用包括"原料和劳动工具的损耗部分"和"直接劳动"。② 显然，马克思当时还并不是很清楚生产费用的含义，但是，有一点却是十分清楚的，就是马克思始终把生产费用归结为劳动，把劳动看作生产费用的实体，这为他后来创立劳动价值论奠定了重要的基础。

马克思这时的研究虽然还没有形成科学的劳动力范畴，但是，他对劳动商品范畴进行了探讨。首先，劳动并不向来就是商品，它变成雇佣劳动从而成为商品是一定历史条件的产物。奴隶本身是商品，因此他无需"把他自己的劳动力出卖给奴隶主"，与奴隶相反，"自由工人自己出卖自己，并且是零碎地出卖"。③ 其次，工人用自己唯一的商品——劳动——与资本家进行交换，资本家支付给工人的工资就是工人劳动的交换价值或价格。工人为了交换必要的生活资料，就必须把这种贵重的再生产力量让给资本。再次，工资不是工人在他所生产的商品中占有的一份，它只是原有商品中由资本家用以购买一定量的生产性劳动的那一部分。最后，决定劳动商品价格的决定因素是由创造劳动这一商品所需要的劳动时间决定的，"工人的劳动的价格是由必要生活资料的价格决定的"④，并且劳动的"生产费用中也应加入延续工人后代的费用，从而使工人种族能够繁殖后代并用新工人来代替失去劳动能力的工人"⑤。

---

① 参见《马克思恩格斯文集》第 1 卷，人民出版社 2009 年版，第 717 页。
② 参见《马克思恩格斯文集》第 1 卷，人民出版社 2009 年版，第 721—722 页。
③ 参见《马克思恩格斯文集》第 1 卷，人民出版社 2009 年版，第 716 页。
④ 《马克思恩格斯文集》第 1 卷，人民出版社 2009 年版，第 722 页。
⑤ 《马克思恩格斯文集》第 1 卷，人民出版社 2009 年版，第 723 页。

以对劳动商品范畴的探讨为基础，马克思分析了资本范畴。他指出，资本就是"作为进行新生产的手段的积累起来的劳动"。同商品范畴一样，资本范畴同样具有二重性。黑人就是黑人，只有在一定的关系下，黑人才成为奴隶；纺纱机是纺棉花的机器，只有在一定的关系下，纺纱机才成为资本，"脱离了这种关系，它也就不是资本了，就像黄金本身并不是货币，砂糖并不是砂糖的价格一样"①。资本首先是一种社会生产关系，它的"躯体可以经常改变，但不会使资本有丝毫改变"。于是，在"除劳动能力以外一无所有的阶级的存在"的必要前提下，资本已经成为"一种独立的社会力量"，它可以通过交换直接的、活的劳动而保存并增大自身。② 马克思区分了资本的自然外衣和资本的社会形态，并且把包裹在社会形态之上的外衣剥离出来，揭示了资本的实质，即"不在于积累起来的劳动是替活劳动充当进行新生产的手段"，而"在于活劳动是替积累起来的劳动充当保存并增加其交换价值的手段"。③

第二，马克思系统阐述了剩余价值的来源问题，形成了剩余价值理论的最初观点。马克思关于剩余价值来源的论述是建立在价值理论基础之上的。他论述了价值规律的运动，指出："固然，商品的实际价格始终不是高于生产费用，就是低于生产费用；但是，上涨和下降是相互补充的，因此，在一定时间内，如果把产业衰退和兴盛总合起来看，就可看出各种商品是依其生产费用而互相交换的，所以它们的价格是由生产费用决定的。"④商品的价格虽然会随着供给和需求的变化而变化，但是始终围绕着生产费用波动。不仅如此，价值规律也具有破坏作用，它像地震一样震撼资产阶级社会的基础。马克思把无秩序状态的总运动看成是资产阶级社会的界限，认为资产阶级社会是在这种产业无政府状态的进程中，不得不用竞争方式拿一个极端去抵消另一个极端，以保持自身循环的社会。

马克思分析了资本与雇佣劳动之间的关系。他认为，在资本与雇佣劳动的交换中，"工人拿自己的商品即劳动力去换得资本家的商品，即换得货币，并且这种交换是按一定的比例进行的。一定量的货币交换一定量的劳动力的使用时间"，这"看起来好像是资本家用货币购买工人的劳动。工人是为了货币而

---

① 《马克思恩格斯文集》第 1 卷，人民出版社 2009 年版，第 723 页。
② 参见《马克思恩格斯文集》第 1 卷，人民出版社 2009 年版，第 725、726 页。
③ 参见《马克思恩格斯文集》第 1 卷，人民出版社 2009 年版，第 726 页。
④ 《马克思恩格斯文集》第 1 卷，人民出版社 2009 年版，第 720—721 页。

向资本家出卖自己的劳动。但这只是假象"①，实际上，"工人拿自己的劳动力换到生活资料，而资本家拿他的生活资料换到劳动，即工人的生产活动，亦即创造力量。工人通过这种创造力量不仅能补偿工人所消费的东西，并且还使积累起来的劳动具有比以前更大的价值"②。马克思揭示了工人受到资本家剥削的实质。

马克思认为，资本与雇佣劳动是互为前提的，二者相互制约、相互产生。资本只有同劳动发生交换，只有引起雇佣劳动的产生才能增加，雇佣工人的劳动也只有在它增加了资本，并使奴役它的那种权力加强时，才能和资本交换，因而资本的增加就是无产阶级的增加。如果一定要说资本的利益与工人的利益具有一致性，那么，"事实上不过是说资本和雇佣劳动是同一种关系的两个方面罢了。一个方面制约着另一个方面，就如同高利贷者和挥霍者相互制约一样"③。只要工人是雇佣工人，他的命运就取决于资本，资本越增长，雇佣劳动量就越增长，雇佣工人人数就越增加，受资本支配的人数也就越多。

在分析了资本和雇佣劳动具有统一性之后，马克思以工资和利润之间的变动关系指出了资本与雇佣劳动之间的对立性。工资和利润之间的变动关系表现在："工资和利润是互成反比的。资本的份额即利润越增加，则劳动的份额即日工资就越降低；反之亦然。利润增加多少，工资就降低多少；而利润降低多少，则工资就增加多少。"④因此，以利润为收入的资本与以工资为收入的雇佣劳动是截然对立的。资本的迅速增加实际相当于利润的迅速增加，而利润的迅速增加只有在劳动的交换价值迅速下降、相对工资迅速下降的条件下才有可能，也就是说，尽管随着资本主义的发展、劳动生产率的提高，工人的收入会随着资本的迅速增加而有所增加，工人的物质生活会有所改善，资本支配劳动的权力没有改变，劳动对资本的依赖程度却随之增大，横在雇佣劳动与资本之间的社会鸿沟也日趋扩大。马克思从生产资本的增长对工人工资的影响角度进一步分析了资本与雇佣劳动之间的对立性。他认为，生产资本的增长对雇佣劳动来说虽然是有利的，但是，它却会影响工人的就业，因为生产资本越增加，分工和采用机器的范围就越扩大，从而工人之间的竞争就越剧烈，他们的

---

① 《马克思恩格斯文集》第 1 卷，人民出版社 2009 年版，第 713—714、713 页。
② 《马克思恩格斯文集》第 1 卷，人民出版社 2009 年版，第 726 页。
③ 《马克思恩格斯文集》第 1 卷，人民出版社 2009 年版，第 728 页。
④ 《马克思恩格斯文集》第 1 卷，人民出版社 2009 年版，第 732 页。

工资也就会越减少。加之，工人阶级还从较高的社会阶层中得到补充，大批的小产业家和小食利者沦落到无产阶级队伍里来，为了生存他们不得不与工人一起伸手乞求工作。无产阶级人数的扩大进一步导致了工资的下降、资本利润的上升。可见，"如果说资本增长得迅速，那么工作日之间的竞争就增长得更迅速无比，就是说，资本增长得越迅速，工人阶级的就业手段即生活资料就相对地缩减得越厉害"①。马克思的分析结论就是："即使最有利于工人阶级的情势，即资本的尽快增加改善了工人的物质生活，也不能消灭工人的利益和资产者的利益即资本家的利益之间的对立状态。"②

马克思在《雇佣劳动与资本》中关于表现生产关系的各种经济范畴的分析，以及对剩余价值来源问题的研究，不仅推进了政治经济学范畴的研究，而且为他形成剩余价值理论奠定了重要的基础。

第二节　政治经济学对象、方法和理论体系

1849 年 8 月底，马克思移居伦敦后，一方面继续从事共产主义同盟领导机关的重新组建工作，总结 1848 年欧洲革命的经验；另一方面着手对政治经济学理论重新研究，以实现他创立无产阶级政治经济学理论体系的夙愿。19世纪 50 年代的英国，成为政治经济学理论发展的无可争议的中心。从 1850 年8 月开始，马克思利用大不列颠博物馆图书馆收藏的政治经济学著作和资料，再次研读了可能发现的所有重要的经济学文献。到 1853 年年底，马克思已写了包括 24 个笔记本的读书笔记。写于 1857 年 7 月到 1858 年 5 月间的经济学手稿，由马克思本人标明"M"和"I"到"Ⅶ"的 8 个笔记本，其中最重要的部分，就是我们现在熟悉的《〈政治经济学批判〉导言》。《〈政治经济学批判〉导言》部分第一次完整地提出了政治经济学研究的对象问题，创立了政治经济

---

① 《马克思恩格斯文集》第 1 卷，人民出版社 2009 年版，第 742 页。
② 《马克思恩格斯文集》第 1 卷，人民出版社 2009 年版，第 734 页。

学的一系列的科学方法，并对政治经济学理论体系做了较为完整的构思。

一、确定政治经济学研究的对象

政治经济学在 18 世纪中期就已有了相当程度的发展。自此以后的近百年间，资产阶级古典经济学家对政治经济学研究的对象作过一定程度的探讨。他们或者把政治经济学主题看作是"富国裕民"，增进国民财富的科学，如亚当·斯密在《国民财富的性质和原因的研究》（1776）中所研究的；或者把政治经济学的主题看作是对"分配规律"的研究，如大卫·李嘉图在《政治经济学和赋税原理》（1817）中所研究的；或者把政治经济学的研究主题看作是"人们的物质福利问题"，如让·沙尔·列果尔·西斯蒙第在《政治经济学新原理》（1819）中所研究的。这些经济学家都没有能够科学地理解政治经济学研究对象问题，一方面是由他们所处的阶级地位的局限性造成的，另一方面也是由他们没有建立科学的方法论造成的，他们都没能从社会和历史的整体关系上考察政治经济学研究的对象。

19 世纪 40 年代初，马克思在一开始从事政治经济学研究时，就从社会和历史的整体关系上理解政治经济学的独特地位。1844 年年初，恩格斯在《国民经济学批判大纲》中已经认识到，资产阶级政治经济学是一种"私经济学"，"因为在这种科学看来，社会关系只是为了私有制而存在"①。马克思在《1844年经济学哲学手稿》中进一步指出，要用异化劳动和私有制这两个因素阐明国民经济学的一切范畴。可见，马克思和恩格斯研究政治经济学伊始，就意识到这门科学所包含的强烈的社会性质，就力图以对资本主义私有制关系的剖析，作为政治经济学研究的主题。

19 世纪 40 年代后半期，随着唯物史观的创立，马克思对政治经济学研究对象有了更深入的理解。在这一过程中，马克思形成了以"生产力——生产方式（生产力的运动形式）——社会关系（生产关系）——理论、观念"为主要序列的社会结构理论，形成了社会和经济发展中现实和历史过程相统一的整体观念。正是在这一基础上，马克思才可能选取生产关系这一特定的层次，从生

---

① 《马克思恩格斯文集》第 1 卷，人民出版社 2009 年版，第 60 页。

产关系与生产力、生产方式，与社会关系、理论、观念的相互联系上，确立政治经济学研究的对象。马克思从来没有脱离社会整体结构，孤立地研究生产关系，也从来没有把生产关系同社会整体结构混为一谈，模糊政治经济学研究的特定的对象。马克思关于政治经济学研究对象的科学理解，在他对蒲鲁东政治经济学方法的批判中得到了反映，同时也为他在《57—58年手稿》中剖析资产阶级社会生产关系的内在结构、确立政治经济学研究对象作了理论准备。

在对蒲鲁东政治经济学方法的批判中，马克思特别强调了三个重要论点：第一，每一社会的生产关系都只是社会整体结构的有机组成部分，都形成一个统一的整体。马克思指出："在人们的生产力发展的一定状况下，就会有一定的交换［commerce］和消费形式。在生产、交换和消费发展的一定阶段上，就会有一定的社会制度、一定的家庭、等级或阶级组织，一句话，就会有一定的市民社会。有一定的市民社会，就会有不过是市民社会的正式表现的一定的政治国家。"① 只有在对社会整体结构正确理解的基础上，才能确立政治经济学的研究对象。第二，不理解人类历史的发展，就不能理解经济的发展及其规律性。马克思强调："人们借以进行生产、消费和交换的经济形式是暂时的和历史性的形式。随着新的生产力的获得，人们便改变自己的生产方式，而随着生产方式的改变，他们便改变所有不过是这一特定生产方式的必然关系的经济关系。"② 对社会经济关系历史性质的认定，是理解社会经济关系现实运动及其发展趋势的前提，因而也是揭示社会经济关系内在本质及其运行过程和趋势的前提。第三，经济范畴只不过是现实社会经济关系的抽象，与它所表现的关系一样不是永恒的，而是历史的和暂时的产物。离开现实经济关系的社会性和历史性，是不可能理解经济范畴的本质规定性的。

在《57—58年手稿》中，马克思进一步发展了政治经济学研究对象的理论，对社会生产关系的内在结构，即社会生产关系运动中生产和分配、交换、消费之间的辩证关系作了深入分析。首先，马克思提出了"生产是总体"的命题。③ 马克思认为，作为总体的生产，尽管存在着"一切生产阶段所共有

---

① 《马克思恩格斯全集》第27卷，人民出版社1972年版，第477页。
② 《马克思恩格斯全集》第27卷，人民出版社1972年版，第478—479页。
③ 参见《马克思恩格斯文集》第8卷，人民出版社2009年版，第9页。

的、被思维当做一般规定而确定下来的规定",但是,这种一般规定性只是一些抽象要素,"用这些要素不可能理解任何一个现实的历史的生产阶段"①。对于总体来说,有意义的是生产的特殊的社会性。生产总体是存在于一定的社会历史时代的总体。马克思明确地指出,我们研究的本题就是现代资产阶级生产。生产总体还是"科学的叙述对现实运动的关系",即主体对客体的认识和再现关系。也就是说,生产总体表现为"现实运动的关系"的生产,它"始终是一定的社会体即社会的主体在或广或窄的由各生产部门组成的总体中活动着"②,而这种"社会的主体",就是"科学的叙述"中认识和需要再现的对象。

马克思进一步分析了生产总体内部各构成要素之间的辩证关系。在马克思以前,一些资产阶级经济学家虽已研究过生产、分配、交换、消费的范畴,但是,他们的研究严重脱离了社会生产关系这一基本前提,把这些原本反映社会生产关系局部环节的范畴,看作是一般的自然关系。因此,他们的研究存在两个基本的错误倾向:一是把这些范畴并列起来,使社会经济运动过程变为一个无序列的非历史过程;二是把这些范畴割裂开来,使社会经济运动过程成为各环节互不相干的孤立过程。针对资产阶级经济学家的错误观点,马克思明确认为,政治经济学所研究的物质生产都是"一定社会性质的生产"。也就是说,不同社会形态的生产有某些"共同标志"、"共同规定",即都表现为劳动者通过有目的的活动,改变自然界的物质形式,以适合人们某种需要的过程,即物质资料的生产过程;但在任何条件下,生产又都是社会的生产,人们只有结成一定的经济关系,才能同自然界进行斗争。③

生产和分配、交换、消费之间存在着辩证关系。生产是社会经济运行过程中的决定性因素。在任何社会生产中,劳动者的劳动总是通过劳动资料作用于劳动对象,生产出能够满足人们需要的劳动产品。分配是社会产品分归社会或国家、社会集团和社会成员的活动,它包括作为生产条件的生产资料和劳动力的分配,以及作为生产结果的产品的分配。交换是人们相互交换活动或交换劳动产品的过程,它包括人们在生产中发生的各种活动和能力的交换,以及一般产品和商品的交换。消费是人们使用物质资料以满足生产和生活需要的过程,

---

① 《马克思恩格斯文集》第 8 卷,人民出版社 2009 年版,第 12 页。

② 《马克思恩格斯文集》第 8 卷,人民出版社 2009 年版,第 10 页。

③ 参见《马克思恩格斯文集》第 8 卷,人民出版社 2009 年版,第 5—9 页。

它包括生产消费和个人消费。"一定的生产决定一定的消费、分配、交换和这些不同要素相互间的一定关系。当然，生产就其单方面形式来说也决定于其他要素。"① 就生产和消费的关系而言，生产消费作为生产要素的耗费，与生产是同一的；在个人消费上则是生产决定消费。生产创造出消费的物质对象、消费方式和消费结构，创造出消费的动力。消费对生产的反作用表现在：消费再生产出从事生产活动的劳动者；生产过程结果的产品在消费中成为现实的产品，生产得以完成；消费创造出新的需要，在观念上提供了生产的对象，从而成为生产发展的内在动机。就生产和分配的关系而言，作为生产前提的生产资料和劳动力的分配决定生产，在产品分配上，生产决定分配；在分配方式上，人们在生产过程中的地位决定了他们在分配中所处的地位，他们参与生产的方式也决定了他们参与分配的方式。产品分配对生产的反作用表现在促进或延缓生产的发展。就生产和交换的关系而言，一方面表现为生产与直接生产过程中各种活动和能力的交换之间的关系，另一方面表现为生产与产品和商品的交换之间的关系。生产决定着交换的性质，生产发展的程度决定着交换发展的程度。交换对生产的反作用，就是随着交换的发展、市场的扩大，用于交换的产品的需求就会增长，这些产品的生产活动也就能得到进一步发展。因此，生产、分配、交换、消费这四个环节"构成一个总体的各个环节，一个统一体内部的差别"②。

　　在这些分析的基础上，马克思提出了一个著名论断："在一切社会形式中都有一种一定的生产决定其他一切生产的地位和影响，因而它的关系也决定其他一切关系的地位和影响。这是一种普照的光，它掩盖了一切其他色彩，改变着它们的特点。这是一种特殊的以太，它决定着它里面显露出来的一切存在的比重。"③ 在资本主义生产总体中，资本就是这种"普照的光"，就是这种"特殊的以太"，就是资产阶级社会支配一切的经济权力。

　　马克思还对社会运动整体的系统关系，即社会生产关系与生产力、经济基础与上层建筑之间的相互制约关系作了阐述。马克思认为，在社会运动整体的系统关系中，生产力和生产关系是"原生"关系，国家形式、法的关系和家庭

---

① 《马克思恩格斯文集》第8卷，人民出版社2009年版，第23页。
② 《马克思恩格斯文集》第8卷，人民出版社2009年版，第23页。
③ 《马克思恩格斯文集》第8卷，人民出版社2009年版，第31页。

关系等是"非原生",或者"第二级和第三级"的关系。物质生产决定艺术生产的发展,决定文化、宗教和政治的发展,等等。但是,物质生产在社会生活中的决定作用并不排除艺术和文学这样一些上层建筑要素的相对独立性。马克思以古希腊的艺术和莎士比亚的创作为例,说明艺术的兴盛并不是必然同经济和社会的发展完全一致的,这是由错综复杂的情况决定的,不能把上层建筑对经济基础的依赖关系简单化。

生产力与生产关系、经济基础与上层建筑之间的相互制约关系表现在:"人们在自己生活的社会生产中发生一定的、必然的、不以他们的意志为转移的关系,即同他们的物质生产力的一定发展阶段相适合的生产关系。这些生产关系的总和构成社会的经济结构,即有法律的和政治的上层建筑竖立其上并有一定的社会意识形式与之相适应的现实基础。物质生活的生产方式制约着整个社会生活、政治生活和精神生活的过程。"①

马克思所构思的社会运动的基本动态模型就是:"社会的物质生产力发展到一定阶段,便同它们一直在其中运动的现存生产关系或财产关系(这只是生产关系的法律用语)发生矛盾。于是这些关系便由生产力的发展形式变成生产力的桎梏。那时社会革命的时代就到来了。随着经济基础的变更,全部庞大的上层建筑也或快或慢地发生变革。"②任何一种社会形态,在它所能容纳的全部生产力还没有发挥出来以前,是不会灭亡的;而新的更高级的社会生产关系,在它的物质存在条件还没有在旧的社会形态中成熟以前,是不会产生的。因此,马克思所确立的政治经济学研究的对象不是孤立的,而是以生产力与生产关系、经济基础与上层建筑的矛盾运动为基础的。

二、对政治经济学方法的科学论述

马克思关于政治经济学研究对象的确定,为探讨政治经济学的方法奠定了基础。在《57—58年手稿》中,马克思阐述了政治经济学研究的总体方法论。其主要内容表现在以下四个方面:

---

① 《马克思恩格斯文集》第2卷,人民出版社2009年版,第591页。
② 《马克思恩格斯文集》第2卷,人民出版社2009年版,第591—592页。

　　第一，马克思把总体分解为具体总体和思想总体，科学地阐明了具体总体和思想总体的序列关系。马克思认为，在"现实的人"的面前，作为总体的生产，一开始就是"整体的一个混沌的表象"，是一种"实在和具体"，是一种"具体总体"。所谓"具体总体"，即只有经过思维加工，并且在思维中使之作为一个精神上的具体再现时，才能成为"一个具有许多规定和关系的丰富的总体"。这一"总体"不再是作为客体的总体，而是作为主体的总体，即作为再现在人的思维中的"思想总体"。"具体总体作为思想总体、作为思想具体，事实上是思维的、理解的产物；但是，决不是处于直观和表象之外或驾于其上而思维着的、自我产生着的概念的产物，而是把直观和表象加工成概念这一过程的产物。"[1] 因此，一方面，思想总体起始于具体总体，严格地说，起始于"整体的一个混沌的表象"；另一方面，思想总体又再现具体总体，严格地说，再现"一个具有许多规定和关系的丰富的总体"。显然，这种"再现"绝不是简单的摹写，而是经过人的思维这一"专有的方式"加工之后的"再现"，因而是人在运用"理论方法"意义上的"再现"。这种主体以总体的方式再现客体的方法，就成为马克思在《57—58年手稿》的"导言"中关于政治经济学研究的总体方法论述的精髓。具体总体和思想总体的关系是政治经济学研究的总体方法的一个主要内容。

　　第二，马克思对总体方法中最为重要的内容即思想总体再现具体总体的结构和过程作了深入的分析。马克思把总体方法运用于政治经济学的研究时，常常使用"结构"这一用语。"结构"有三种不同的、但却密切相关的含义。一是指作为思维对象的资本主义经济运动和经济过程本身的内在联系和规律。马克思认为，政治经济学所要研究的就是"形成资产阶级社会内部结构并且成为基本阶级的依据的范畴"，这些范畴在政治经济学理论体系中的"次序"，也是由它们"在现代资产阶级社会内部的结构"中的地位决定的。[2] 二是指经济范畴、经济概念和经济运动过程在思想总体中的相互联系和内部组织。三是指政治经济学理论著作的编排顺序，诸如著作的册、卷和篇、章的排列等。"结构"的这三种不同含义密切相关。第一种含义的结构是指政治经济学研究对象本身的结构。作为认识的客体，这种结构既是实在的，又是潜在的，因

---

[1] 《马克思恩格斯文集》第8卷，人民出版社2009年版，第25页。

[2] 参见《马克思恩格斯文集》第8卷，人民出版社2009年版，第32页。

为它只是主体思维的对象，并且只有经过人的思维加工和过滤，才能相对完整地得到体现。第二种含义的结构就是思想总体层次上的结构。这种结构是流动的，它体现在人的思维对具体总体的加工、再现的整个过程中。只有通过思维的语言，在特定的理论体系中才能显现出来，也就是只有借助于第三种含义的结构这一外在形式才能表现出来。第三种含义的结构就是一种形式化的结构。也就是说，在三种含义的结构中，第一、第二种含义的结构，实质上是具体总体和思想总体意义上的结构，也就是政治经济学理论认识客体和主体意义上的结构。第二、第三种含义的结构，反映了思想总体的运动过程作为过程结果形式之间的内在联系。其中，第二种含义的结构对第三种含义的结构起着主导作用，它是后者形成和变化的根据，而后者又是前者的必然的外在化形式。

马克思的总体方法表现为：其一，作为政治经济学研究对象的具体总体，是社会关系整体这一大系统中的最深层的结构。马克思在搞清楚了社会生产关系这一具体总体在资产阶级社会整体关系中的地位的基础上，完全搞清楚了社会生产关系这一具体总体的内在结构。其二，思想总体对具体总体的再现是一个过程，而这一过程不是具体本身的产生过程，因为具体总体作为社会经济运动客体，是独立于思想总体而存在的。思想总体对具体总体的再现，实质上"只是思维用来掌握具体、把它当做一个精神上的具体再现出来的方式"①，即抽象上升到具体。抽象上升到具体则是在理论的逻辑结构中再现现实的经济运动。其三，构成思想总体的基本要素是经济范畴。范畴的最显著的特征表现为：范畴所反映的"主体"及范畴本身的既定性；范畴对"主体"反映的局部性和单面性；在总体内，范畴的先后次序的排列，取决于它们在现代资产阶级社会内部结构中的地位。

第三，马克思对构成思想总体结构的基本要素即范畴的二重性和范畴的完备性作了论述。就范畴的二重性来说，马克思在《57—58 年手稿》的"货币"章中提出了商品"二重存在"问题。所谓商品的"二重存在"，一方面指作为产品的自然属性和作为交换价值的社会属性，另一方面指作为具有一定交换价值的商品和作为"象征性"交换价值存在的货币。马克思结合政治经济学的研究对象问题，对商品"二重存在"的基本性质作了论述。他认为，政治经

---

① 《马克思恩格斯文集》第 8 卷，人民出版社 2009 年版，第 25 页。

济学研究的是"财富生产的特殊社会形式",但是,财富的材料——主体意义上的劳动和客体意义上的满足自然需要和历史需要的物质对象,对于一切时代来说,最初都表现为"共通的东西",表现为"单纯的前提"。"这种前提完全处在政治经济学的考察范围之外,而只有当这种材料为形式关系所改变或表现为改变这种形式关系的东西时,才进入考察的范围"①。马克思认为,总体结构中范畴的自然属性本身并不属于政治经济学研究的对象。但是,当范畴的自然属性,如商品的使用价值属性,"一旦由于现代生产关系而发生形态变化,或者它本身影响现代生产关系并使之发生形态变化,它就属于政治经济学的范围了"②。马克思清晰地阐明了范畴中自然属性向社会属性转化的特殊规定。在这一意义上,马克思强调:"首先并且必定会表明,使用价值在怎样的范围内作为物质前提处在经济学和经济的形式规定之外,又在怎样的范围内进入经济学。"③

就范畴的完备性来说,马克思认为,构成总体的范畴如商品、价值、货币、劳动等,并不是资本主义社会特有的,在资本主义生产方式产生以前,这些范畴在漫长的历史进程中就有过不同程度的发展,它们是历史的产物,是历史上最发达、最复杂的生产组织中的最成熟和最完备的范畴。但是,这些范畴并不断开历史的链环,相反,却会极力映现出范畴的历史发展轨迹。因为其一,完备的范畴中留下的历史的印迹,对探索过去社会中范畴发展的过程具有重要意义。"人体解剖对于猴体解剖是一把钥匙。反过来说,低等动物身上表露的高等动物的征兆,只有在高等动物本身已被认识之后才能理解。"④ 其二,完备范畴自身的完善过程,也就是范畴在历史上的形成过程。"从科学的进程来考察,这些抽象规定恰恰是最早的和最贫乏的规定;它们部分地在历史上也是这样出现过的;比较发达的规定是较晚出现的规定。"⑤ 在历史上,商品作为抽象的规定,就早于较发达货币的规定的出现;而资本作为更为发达的规定,则晚于商品、货币规定的出现。因此,对于范畴在历史上发展序列的考察,蕴含着对范畴逐次完备的逻辑过程的认识。

---

① 《马克思恩格斯全集》第31卷,人民出版社1998年版,第266页。
② 《马克思恩格斯全集》第31卷,人民出版社1998年版,第293页。
③ 参见《马克思恩格斯全集》第30卷,人民出版社1995年版,第224页注释①。
④ 《马克思恩格斯全集》第30卷,人民出版社1995年版,第47页。
⑤ 《马克思恩格斯全集》第30卷,人民出版社1995年版,第202页。

第四，马克思对总体结构中范畴转换的有序性、关联性作了分析。马克思认为，总体结构中范畴转换的有序性可以理解为：一是在总体结构中，范畴的次序并不以它们在历史上起决定作用的先后次序为根据，而是完全取决于它们在既定总体内部结构中的地位。这里的"既定总体"指的就是现代资产阶级社会。例如，按历史发展的次序，土地所有制和地租先于资本和利润存在于社会经济关系中，但是，在现代资本主义社会这一总体结构中，不懂资本便不能懂地租，而不懂地租却完全可以懂资本，资本是资本主义社会的支配一切的经济权力。因此，在现代资本主义社会这一总体结构中，土地所有制和地租被资本和利润的性质所改变，成为从属于后者的现代土地所有制和现代地租，从而成为总体结构中的派生的、非原生的范畴。二是在一定限度内，范畴转换的有序性与现实历史过程中范畴形成的次序具有同一性。这是因为，在历史发展过程中，比较简单的范畴往往先于比较复杂的范畴而存在，如商品范畴在货币范畴之前就已存在，货币范畴则先于资本范畴而存在。但是，这种同一性也不是纯粹历史性的，它要受到总体结构本身性质的修正。比较简单的范畴尽管先于比较复杂的范畴而存在，但是，只有在发达的社会形态中，比较简单的范畴才能表现出它的全部规定性。比较简单的范畴的这种特殊规定性，往往构成比较复杂的范畴的最根本的规定性。三是总体结构中范畴转换的有序性具有二重性，即一方面它表现为规定性不同的范畴之间的层次转换关系，也即范畴间抽象上升到具体的过程，另一方面也表现为同一层次间规定性不同的范畴之间的转换关系。例如，资本的一般性、特殊性和个别性之间的转换关系，以及资本一般和许多资本之间的转换关系，就是资本这一层次内的、由资本范畴派生的资本子范畴之间的转换关系。这些子范畴的集合构成资本范畴的整体，形成资本范畴的较全面的规定性。这也表现为抽象上升到具体的过程。

马克思认为，总体结构中范畴转换的关联性可以理解为，范畴运动中同时性和历时性的统一。在《57—58年手稿》的"资本"章中，马克思对资本原始积累和资本积累这两个范畴之间转换的关联性作了分析，认为二者的转换呈现出两个显著的特点：一是历时性。马克思认为，资本原始积累是"资本的洪水期前"的过程，属于"资本的历史前提"。"这些前提作为这样的历史前提已经成为过去，因而属于资本的形成史，但决不属于资本的现代史，也就是说，不属于受资本统治的生产方式的实际体系"①。资本原始积累作为资本生成的史前阶段,"就像地球从流动的火海和气海的状态变为地球现在的形态所经历的过程,处于已经形成的地球的生命的彼岸一样"②。因此,如果仅从范畴的历时性角度考察,资本原始积累理所当然地应该排除在资本主义经济关系的总体结构之外。二是同时性。马克思指出,按照"我们的方法",在确定"研究的是已经生成的、在自身基础上运动的资产阶级社会"的同时,也不排斥对"现代资本的形成史"的考察③,因而"表明历史考察必然开始之点,或者说,表明仅仅作为生产过程的历史形式的资产阶级经济,超越自身而追溯到早先的历史生产方式之点"④。因此,原始积累范畴的历时性,并不会妨碍这一范畴进入总体结构的考察范围。相反,在总体结构内范畴运动的一定点上,资本原始积累将转化成资本积累的同时性范畴,从而形成这两个范畴之间的新的运动序列。在马克思看来,对资本原始积累和资本积累这两个范畴之间转换的关联性的分析,一方面可以深化对总体各范畴运动连续性的认识,另一方面也可以深化对总体自身的运动趋势的认识。

三、对政治经济学理论体系的构思

以对政治经济学理论体系的早期思考为基础,马克思把唯物史观运用于政治经济学理论体系的构建之中,并于 1857 年《〈政治经济学批判〉导言》中首次提出"五篇计划"。

在《〈政治经济学批判〉导言》对政治经济学方法的论述中,马克思提出了关于经济学著作的"分篇"设想。按照抽象上升到具体的方法,即抽象的规定在思维行程中导致具体的再现的方法,马克思把打算写作的《政治经济学批判》著作,分为以下五篇,这就是后来人们称作的"五篇计划":"(1) 一般的抽象的规定,因此它们或多或少属于一切社会形式,不过是在上面所阐述的意义上。(2) 形成资产阶级社会内部结构并且成为基本阶级的依据的范畴。资本、

---

① 《马克思恩格斯全集》第 30 卷,人民出版社 1995 年版,第 451 页。
② 《马克思恩格斯全集》第 30 卷,人民出版社 1995 年版,第 452 页。
③ 参见《马克思恩格斯全集》第 30 卷,人民出版社 1995 年版,第 208 页。
④ 《马克思恩格斯全集》第 30 卷,人民出版社 1995 年版,第 453 页。

雇佣劳动、土地所有制。它们的相互关系。城市和乡村。三大社会阶级。它们之间的交换。流通。信用事业（私人信用）。（3）资产阶级社会在国家形式上的概括。就它本身来考察。"非生产"阶级。税。国债。公共信用。人口。殖民地。向外国移民。（4）生产的国际关系。国际分工。国际交换。输出和输入。汇率。（5）世界市场和危机"①。

"五篇计划"第一篇中"一般的抽象的规定"，指的是马克思在《〈政治经济学批判〉导言》中提及的"一些有决定意义的抽象的一般的关系，如分工、货币、价值等等"，或者说是"劳动、分工、需要、交换价值等等这些简单的东西。"②虽然这些最抽象的范畴，正是由于它们的抽象而适用于一切时代，但是，就这些范畴的抽象的规定性本身而言，它们是历史关系的产物，它们只有对于这一特定的历史关系并在这些关系之内才具有充分的意义。因此，这些抽象的范畴实质上只是存在于资本主义这一特定的历史关系中的抽象，"最一般的抽象总只是产生在最丰富的具体发展的场合"③。

第二篇重点论述的是资本、雇佣劳动和土地所有制这三个形成资产阶级社会内部结构并且成为基本阶级的依据的范畴及其相互关系。这三个范畴并不是按照它们在历史上起作用的先后次序来排列的，它们的次序是由它们在现代资产阶级社会中的相互关系决定的。在现代资产阶级社会中，资本具有支配一切的经济权力，只有在考察资本范畴之后，才能考察其他两个范畴及其相互关系。

第三篇主要探讨资产阶级社会在国家上的概括。按马克思的设想，这一篇应该包括逐次展开的三个层次：一是对国家和资产阶级社会关系之间的研究，其中主要是对国家的本质及其经济职能一般性质的研究；二是对国家本身的考察，其中主要是对国家和经济发展、经济结构关系的研究，也包括对不同国家和经济发展、经济结构不同关系的比较研究；三是对国家经济职能形式的概述，其中包括对税、国债、公共信用、人口等问题的概述。

在"五篇结构计划"中，第三篇的论题较前两篇的论题具有较为具体的规定性；相对于后两篇而言，它又具有较为抽象的规定性。它是"五篇结构计划"

① 《马克思恩格斯全集》第30卷，人民出版社1995年版，第50页。
② 《马克思恩格斯全集》第30卷，人民出版社1995年版，第41—42页。
③ 《马克思恩格斯全集》第30卷，人民出版社1995年版，第45页。

中，从对一国内资本主义经济关系研究上升到对世界范围内资本主义经济关系研究的逻辑中介。第四篇和第五篇从资本主义国际交换和世界市场的整体关系上，考察资本主义经济关系的具体规定性。

大约在 1857 年 11 月上旬，马克思在写作《57—58 年手稿》的"货币"章时，再次提到"五篇计划"。这时，马克思对"五篇计划"作了两点重要补充：

第一，关于第一篇中商品范畴的地位问题。马克思指出："在考察交换价值、货币、价格的这个第一篇里，商品始终表现为现成的东西。形式规定很简单。我们知道，商品表现社会生产的各种规定，但是社会生产本身是前提。"① 这一说法与马克思当时正在写作的"货币"章中已经得出的一些重要理论结论有着直接的关系。马克思当时得出的重要理论结论就是："有必要对唯心主义的叙述方法作一纠正，这种叙述方法造成一种假象，似乎探讨的只是一些概念规定和这些概念的辩证法。因此，首先是弄清这样的说法：产品（或活动）成为商品；商品成为交换价值；交换价值成为货币。"② 在这里，马克思明确了商品是"五篇结构计划"中第一篇的起始范畴。因为无论在现实中还是在理论上，无论在历史上还是在逻辑上，商品都是发达的资本主义经济关系存在和发展的起点。

第二，对第五篇中"世界市场和危机"的论题作了重要补充。马克思指出，"在末篇中，生产以及它的每一个要素都被设定为总体，但是同时一切矛盾都展开了。于是，世界市场又构成总体的前提和承担者。于是，危机就是普遍指示超越这个前提，并迫使采取新的历史形态"③。马克思在这里强调两个问题：一是第五篇"世界市场"是资产阶级社会经济关系中最具体的关系，反映了资产阶级社会最复杂的经济关系；二是第五篇"世界市场"也是资产阶级社会经济关系总的危机的存在方式，也是现代社会向未来社会过渡的逻辑中介。

《〈政治经济学批判〉导言》最后一节，马克思列出标题后没有写完，但马克思列出的标题却表达了他对政治经济学体系的新的构思。马克思认为，他要研究的结构体系，首先就是生产，生产就是最基本的概念，其次讲生产资料和

---

① 《马克思恩格斯全集》第 30 卷，人民出版社 1995 年版，第 180 页。
② 《马克思恩格斯全集》第 30 卷，人民出版社 1995 年版，第 101 页。
③ 《马克思恩格斯全集》第 30 卷，人民出版社 1995 年版，第 181 页。

生产关系，接着讲生产关系和交往关系，然后再讲国家形式和意识形态同生产关系和交往关系的关系，再讲法的关系，最后讲家庭关系，这一逻辑序列不仅成为马克思政治经济学体系的新构思，而且也成为马克思对经济和社会整体理解的新的思考。

第三节　制定科学的价值理论和货币理论

在《57—58 年手稿》中，马克思对价值理论和货币理论作了科学的制定，这成为马克思实现经济学领域革命的最辉煌的成果之一。如果说 19 世纪 40 年代中期，马克思在对社会现实经济关系的深刻认识过程中，实现了从劳动价值论的异议者到拥护者的重大转变；那么，19 世纪 50 年代后期，马克思又实现了劳动价值论上的科学革命。

一、批判资产阶级货币理论

马克思对劳动价值论的科学革命是在《57—58 年手稿》的"货币"章中实现的。劳动价值论的科学革命首先表现在马克思通过对当时主流经济学货币理论的批判，在批判过程中逐步搞清了劳动价值论的主要内容，揭示了商品、价值、交换价值、价格、货币等重要范畴的本质规定性。

《57—58 年手稿》的"货币"章，是以对蒲鲁东主义者阿尔弗雷德·达里蒙《论银行改革》一书中货币理论的批判为起点的。在"货币"章的开头部分，马克思对达里蒙的货币理论作了批判，这一批判可概括为以下四方面的内容。

第一，马克思用一个实例说明，蒲鲁东主义者是怎样从随意的"统计和实证"中，得出他们的"理论抽象"的。达里蒙引用 1855 年 4 月 12 日到 9 月 13 日，法兰西银行贵金属储备和银行贴现证券数量变动的统计表，得出银行金属储备的减少额就是银行贴现证券的增加额结论，并认为两者成反比例变化。马克思认为，达里蒙在引用这一实例时，把信贷的需要（贴现汇票数量及其变动）和货币流通的需要混淆起来。实际上，这两者是"由完全不同的影响决定的"。马克思通过对这一时期法兰西银行金属货币储备和银行贴现证券变动的统计资料的科学分析，认为这两者之间根本不存在什么反比例关系，根本不存在什么始终不变的规律，也没有什么因果联系。滥用统计资料和对统计资料的随意解释，就是达里蒙货币理论的所谓"现实"基础。马克思指出："经济事实并没有验证他们的理论，而是证明他们不会掌握和利用事实，他们利用事实的方式倒是表明了他们的理论抽象是怎样产生的。"① 马克思的这一论断，揭示了经济学理论研究中利用经验事实和统计资料时所应持的科学态度和所应运用的科学方法。

第二，针对达里蒙货币理论的错误，马克思提出了关于货币理论的两个"基本问题"。达里蒙认为，由于法兰西银行保持金银货币发行和储备上的优势，逃避对"公众的服务"，从而破坏了流通和交换。因此，在达里蒙看来，消除资本主义经济中流通和交换的弊端，就在于实行银行的"改革"，即建立一种"废除"金属货币基础的"新的银行组织"。针对达里蒙的这一理论观点，马克思提出了两个"基本问题"：

第一个基本问题是：是否能够通过改变流通工具或流通组织，而使现存的生产关系以及与这些关系相适应的分配关系发生革命呢？显然，蒲鲁东主义者的回答是肯定的。他们正是希望通过改变银行组织，改变贵金属流通工具，实现资本主义生产关系上的革命。马克思的回答是否定的。因为流通的每一次"改造"，都是以生产条件的"改变"和社会"变革"为前提的，蒲鲁东主义者理论的荒谬性就在于，他们根本不了解生产关系、分配关系和流通关系之间的内部联系，根本没有从资本主义经济关系的总体上来理解资本主义经济运行中个别环节的社会性质。

第二个基本问题是：是否能够在保留货币的某一形式（如金属货币、纸币、信用货币、劳动货币）的同时，而又消除货币关系所固有的矛盾呢？马克思认为，蒲鲁东主义者提出的取消货币的贵金属形式、保留货币的纸币形式或劳动货币形式，以达到消除货币关系矛盾的理论，是极其荒谬的。这是因为："一

---

① 《马克思恩格斯全集》第30卷，人民出版社1995年版，第65页。

种货币形式可能消除另一种货币形式无法克服的缺点；但是，只要它们仍然是货币形式，只要货币仍然是重要的生产关系，那么，任何货币形式都不可能消除货币关系固有的矛盾，而只能在这种或那种形式上代表这些矛盾。"①

第三，针对达里蒙对资本主义危机原因及其出路理解的"偏见"，马克思分析了货币关系和资本主义经济危机的根源问题。达里蒙认为，资本主义经济危机（包括周期性的商业危机）就在于金银享有一种特权，即只有金银才有成为真正的流通工具的特权。因此，在达里蒙看来，消除或防止危机的出路就在于，使一切商品同金银一样，都有资格成为流通工具，产品同产品都能相交换。马克思认为，对达里蒙这一偏见的分析批判应该分为两步：首先，在抛开货币不说的情况下，探讨这类危机是怎样发生的；其次，在加入货币规定的情况下，探讨这类危机发生了什么样的变化。

马克思认为，危机的直接原因在于社会供给和社会需求的尖锐矛盾，因而可以归结为"供求规律"作用的结果。当然，危机的根本原因则是资本主义经济关系的内在矛盾。如果加入金银货币的规定，可能得出的进一步的结论就是：金银本身从两个方面影响危机，从而使危机的症状更加恶化：一是银行针对金银的输出采取的措施，对国内流通产生了不利的反作用；二是外国只愿意以金银的形式，而不是以任何其他形式得到资本，加剧了国内流通的矛盾和危机的严重程度。

显然，金银货币的存在，并不是资本主义经济危机产生的原因；相反，资本主义经济的内在矛盾却是金银货币内在矛盾深化的原因。作为一种起相反作用的力量，金银货币只是一定程度上加剧了这类危机的严重程度。因此，资产阶级社会的弊端，决不可能通过"改造"银行，建立"合理"的货币制度加以消除。

第四，通过对蒲鲁东主义"劳动货币"理论的批判，马克思对价值的本质、价值和价格的关系作了初步论述。达里蒙认为，取消金属货币的特权地位，代之以"劳动货币"，就可以消除资产阶级社会的"弊病"。这里所谓的"劳动货币"，就是劳动者获得的标明一定劳动时间的"小时券"。这时，货币的其他名称均被废除，在每一种商品上直接表明一定小时的劳动时间，如某种商品可直接标为"X 劳动小时"，中央银行则依据不同商品标明的劳动小时组织交换。

---

① 《马克思恩格斯全集》第 30 卷，人民出版社 1995 年版，第 69—70 页。

在商品经济中推行"劳动货币"是极其荒谬的。马克思指出，决定商品价值的"不是体现在产品中的劳动时间，而是现在必要的劳动时间"①。因此，一定量商品（如金）上标明的劳动时间，在现时劳动生产率下，必然发生实际的升值或贬值。例如，过去 1 镑金 = 20 劳动小时，由于劳动生产率的提高，现在 1 镑金 = 10 劳动小时。那么，过去标明 20 劳动小时的 1 镑金，现在只能换取标明为 10 劳动小时的商品。金的"价格"贬值了。以金为形式的劳动货币不断贬值，纸券形式上的劳动货币就会不断升值。在劳动生产率提高时，积累的纸券形式的劳动货币，可能导致通过不等价交换占有别人劳动财富的结果。可见，蒲鲁东主义者设计的"劳动货币"，不仅没有消除货币关系的"弊病"，反而保留，甚至加剧了这一弊病对实际经济运动危害的程度。

二、科学的劳动价值论的创立

在"货币"章对达里蒙货币理论的批判中，马克思的逻辑思路就是：从对货币关系的探讨中，揭示出交换价值的内在规定性；从对交换价值的探讨中，揭示出价值的内在规定性，以及价值向货币转化的内在必然性。现在，马克思继续从对价值的探讨中，揭示出商品的内在规定性，即把价值、交换价值作为商品的内在要素和机能，而把货币看作是商品的内在矛盾运动的产物。在这一转换了的逻辑思路中，商品作为具有最简单规定性的范畴，必然成为理论逻辑的起点。原先以货币或以价值为理论逻辑起点的叙述方法，不免带有某些唯心主义的痕迹。这就如马克思所提示的那样："有必要对唯心主义的叙述方式作一纠正，这种叙述方式造成一种假象，似乎探讨的只是一些概念规定和这些概念的辩证法。因此，首先是弄清这样的说法：产品（或活动）成为商品；商品成为交换价值；交换价值成为货币。"②

以此为新的阐述基点，马克思第一次确定了以商品为其经济学理论体系的起始范畴，即以商品范畴为理论逻辑叙述的起点。从商品范畴到货币范畴的转化，反映了理论逻辑中从具有简单规定性范畴向具有复杂规定性范畴的转化，

---

① 《马克思恩格斯全集》第 30 卷，人民出版社 1995 年版，第 83 页。
② 《马克思恩格斯全集》第 30 卷，人民出版社 1995 年版，第 101 页。

反映了从抽象上升到具体的总体方法在马克思经济学理论体系中的成功运用。

马克思围绕着商品的内在矛盾以及商品向货币转化的问题作了详尽的论述。这些论述是马克思实现劳动价值论革命的重要内容。在对商品内在矛盾的论述中，马克思首先揭示了商品的"二重存在"形式——内在存在形式和外在存在形式的对立统一关系。

马克思认为，商品具有"二重存在"形式，即作为"自然存在"的形式和作为"纯经济存在"的形式。"在纯经济存在中，商品是生产关系的单纯符号，字母，是它自身价值的单纯符号。"商品的"二重存在"包含了以下两层含义：其一，商品本身和商品价值的二重存在。商品本身指的是商品的"自然存在"，它是商品经济关系上的质的规定性。马克思提到的"商品的自然差别必定和商品的经济等价发生矛盾"，这就是他之后不久提到的商品使用价值和价值的两重规定及其矛盾。其二，商品的内在价值和外在交换价值的二重存在。马克思认为，价值不仅是商品的一般交换能力，同时也是一种商品交换其他商品的比例的指数，后者就是商品的交换价值。这就是说，"交换价值所表现的正是这个商品换成其他商品的比例；在实际的交换中，商品只有在和自己的自然属性相联系的并且和交换者的需要相适应的数量上，才是可交换的。"①马克思对价值和交换价值关系的分析，不仅揭示了价值的内在规定性和外在表现形式之间的联系，而且还为货币和货币关系的产生确定了逻辑前提。因为商品的交换价值实质上是商品内在的货币属性；货币同商品脱离的过程，就是这种内在属性取得外在独立存在的过程。

马克思第一次从商品价值的内在规定中，揭示货币的起源和本质，从而使货币理论建立在科学的劳动价值论基础之上。在这一理论阐述中，马克思认为，在商品交换中，首先必须把商品的物质的、自然的属性撇开，商品只是作为交换价值，只有在商品作为"交换价值的自身"时，"才能把这个交换价值和其他交换价值加以比较和交换"。

马克思进一步认为，在单纯的比较中，只要在观念上理解用于交换的商品的"交换价值"就可以了；但是，在实际交换中，就必须使这两个商品的"交换价值"，同第三种商品相比较，使观念上的理解转化为一定的物化形式；这个物化了价值的商品，就成为"商品的交换价值本身的象征"。这种作为交换

---

① 《马克思恩格斯全集》第30卷，人民出版社1995年版，第90页。

价值的"物质符号",实质上"是交换本身的产物,而不是一种先验地形成的观念的实现"。

可见,在观念上,商品的"二重存在"形式一方面是商品的"自然存在"形式,另一方面就是在质上不同于另一种商品存在的作为交换价值符号的形式。商品的这种"二重存在"形式,首先在"观念上"发生了变化;然后,在现实的交换过程中,就进一步转化为"实际上"的"二重存在"形式,即一方面是作为交换的商品本身,另一方面是与交换的商品本身相分离的,并作为交换价值独立存在的特殊商品。这种特殊的商品就是货币。因此,货币是商品内在的"二重存在"形式外在化的结果,是交换过程中商品内在矛盾发展的必然结果。据此,马克思初步得出了劳动价值论的两个重要结论。一是"产品的交换价值产生出同产品并存的货币。因此,货币同特殊商品的并存所引起的混乱和矛盾,是不可能通过改变货币的形式而消除的……同样,只要交换价值仍然是产品的社会形式,废除货币本身也是不可能的。"[①]二是货币作为同其他一切商品相对立的特殊商品,作为其他一切商品的交换价值的化身的规定性,具有四个重要属性:商品交换价值的尺度;交换手段;在契约上作为商品的代表;同其他一切特殊商品并存的一般商品。马克思强调:"所有这些属性都单纯来自货币是同商品本身相分离的、物化的交换价值这一规定。"在这里,马克思对货币的四个重要属性虽然没有作出展开论述,但马克思已经指出:货币在其第四个属性上,已表现为资本在历史上的"最初"形式。在转入"资本"章时,马克思专门论述了"货币转化为资本"的历史的逻辑过程。

货币是商品内在矛盾发展的结果。同时,货币的产生也进一步发展了商品的内在矛盾。这就是说,货币制度下商品交换出现的新的矛盾,只是商品内在矛盾的进一步的外在化形式。马克思把这些进一步发展的新的矛盾归结为以下四点:

第一,商品内在的二重形式,一旦外在地表现为商品和货币的对立形式,商品内在的可交换性就以货币形式存在于商品之外,从而货币就可能成为某种与商品不同的、对商品来说是"异己的东西"。

第二,商品的交换行为也因此而分为两个互相独立的行为,即分为在空间上和时间上彼此分离的、互不相干的两个存在形式:卖和买。商品交换行为的

---

① 《马克思恩格斯全集》第30卷,人民出版社1995年版,第94—95页。

直接同一已经消失。

第三，随着交换价值脱离商品而在货币形式上独立化，随着卖和买在空间上和时间上的分离，整个交换过程也开始同交换者、生产者相分离，在生产者之间出现了一个商人阶层。这一商人阶层参与交换的目的，不是为了占有作为产品的商品，而是为了取得交换价值本身。商人阶层的产生，形成了交换的"二重化"：一是为消费而交换，一是为交换而交换。后一种新的"不协调"的形式，已经包含了"商业危机"的可能性。

第四，交换价值一旦采取货币这一独立的形式，它就不再作为商品的一般性质而存在，它必然在与商品的并列中"个体化"，即成为一种与其他商品并列的"特殊商品"。从商业中分离出来的"货币经营业"就是专门经营这种"特殊商品"的。

在以上论述的基础上，马克思重新回顾"货币"章以来的理论思路，提出了纠正一种"唯心主义的叙述方法"的想法，确立了产品成为商品——商品成为交换价值——交换价值成为货币的逻辑构思。

三、科学的货币理论的形成

在"货币"章中，马克思主要论述了两大问题：一是商品流通和货币流通的互相制约关系；二是货币在其流通中取得的三种规定，即货币作为价值尺度的规定、货币作为交换手段的规定、货币作为货币的规定。而"货币"章则主要是对货币的三种规定的论述。

我们首先看马克思关于货币二重规定的论述。马克思认为，商品流通不同于一般的物物交换，它是以货币为媒介的商品交换。因此，作为商品流通，它的一个本质规定就是把商品的价值确定为货币形式上的价格。这就是说，商品流通必须具备两个条件：一是商品必须预先确定为价格；二是存在的不是个别交换行为，而是"交换总体，即交换行为的体系"[1]。可见，货币作为价值尺度和交换手段的规定性是以商品流通的一定发展为前提的。

在货币的价值尺度的规定中，一方面，货币成为衡量每个商品交换价值

---

[1] 《马克思恩格斯全集》第30卷，人民出版社1995年版，第138页。

量的尺度；另一方面，货币所表现的商品的交换价值，就是商品价格。这就是说："货币在这里表现为交换价值的尺度；价格则表现为用货币来计量的交换价值。"① 然而，一旦商品价值表现为价格，价格就不是商品的"直接的规定性"，而是商品的"反思的规定性"。这就是说，起先，交换价值只是商品的内在规定；后来，在货币形式上，商品开始和这种内在的规定相分离，即一方是商品，另一方是表现商品交换价值的货币，交换价值取得了外在于商品的规定；最后，在货币价值尺度的职能中，商品一方面同存在于商品之外的独立存在的货币发生关系，另一方面又在价格上取得了自己观念上的形态，从而使商品二重地表现为观念上的货币和实在的货币。

由于商品作为价格，始终只是观念地转化为货币，因而必然出现两个结果，即一方面，商品观念地转化为货币，同实在的货币量无关，并不受实在的货币量的限制；另一方面，现存的货币量，同商品交换价值的比例无关。货币在商品流通中所起的媒介作用，使货币取得了交换手段或流通手段的规定。货币作为流通手段，不再是观念上的货币，而是实在的货币。

货币的二重规定之间既存在密切联系也存在明显区别。从联系上看，马克思认为，商品只有事先观念地转化为货币，即获得价格规定，才能实际地同货币相交换，转化为实在的货币。在这一过程中，价格一方面表现为货币流通的前提，另一方面又表现为货币流通的结果。从区别上看，马克思认为，货币作为价值尺度的规定，同货币的现存量无关，而货币作为流通手段的规定时，流通中的货币量是十分重要的，货币量是必须被确定了的。

马克思考察了货币流通量规律问题。他指出，决定流通中所需货币量的因素主要有三个：个别商品的价格、按一定价格投入流通的商品量、货币流通速度。前两个因素的统一，就是投入流通的商品价格总额。马克思认为货币流通量规律的作用具有两个基本性质，一是价格的高低不取决于流通中货币量的多少，相反，流通中货币量的多少取决于价格的高低；二是货币流通速度不取决于流通中的货币量，相反，流通中的货币量取决于货币流通速度。

在对货币的二重规定作了初步分析的基础上，马克思对以下三个问题作了展开论述。第一，流通表现为社会的整体运动；流通过程总体表现为一种自发的客观联系；这种联系来自自觉的个人的相互作用；但是，这种联系一旦形成，

---

① 《马克思恩格斯全集》第30卷，人民出版社1995年版，第140页。

就表现为凌驾于个人之上的独立权力。在这一问题的分析过程中，马克思强调了商品流通的条件，他认为这个条件就是："商品作为交换价值来生产，即不是作为直接的使用价值，而是作为以交换价值为中介的使用价值来生产"①。第二，货币的媒介作用，把商品流通过程分裂为两种行为。马克思认为，在这一分裂中，已经蕴藏着危机的萌芽，或者多少是危机的可能性。当然，这种危机的可能性转化为现实性，还有待于流通取得典型发展，以及与流通概念相符合的各种基本条件的具备。第三，流通的循环形式具有两重性，即"W—G—G—W"和"G—W—W—G"。在"W—G—G—W"中，货币是获得商品的手段，而在"G—W—W—G"中，商品成为获得货币的手段。即使不考虑利润范畴，"G—W—W—G"也已表现为流通的特殊形式。这种特殊形式一方面表现为贸易基础，另一方面也意味着货币不仅具有价值尺度和流通手段的规定性，而且还取得了第三种规定，即货币可能在流通之外获得一种独立的存在。可见，货币的第三种规定既是商品流通特殊形式作用的结果，也是货币的二重规定发展的结果。

马克思在论述货币的第三种规定之前，对货币二重规定的内在矛盾关系作了分析。马克思首先指出了货币作为价值尺度规定具有的两个显著的特征：其一，确定商品价格时，货币只是想象的货币，这时，现存的货币量是无关紧要的，重要的是货币的"物质基质"；其二，货币只是观念地表现为商品的价格，并以金银等自然实体上单纯的量，为其比较标准。相反，货币作为流通手段时，货币必须是实在的货币，流通中现存的货币量则成为货币作为流通手段的唯一重要的规定性。但是，在货币作为流通手段职能时，作为商品交换的媒介，它只起着转瞬即逝的作用，同货币相交换的商品不是实现在货币材料中，而是实现在另一种商品材料中。"在这个过程中，货币的实在性并不在于它是价格，而在于它代表价格，它是价格的代表。"② 这样，货币的"物质基质"反而变得无关紧要了，象征性的货币符号可以代替实在的货币。这种象征性的单纯的货币符号就是纸币。

货币的这两种"相互矛盾"的规定，可以说明两种现象：第一，当金属货币掺进便宜金属时，货币便会贬值，价格便会上涨；第二，当货币的"基质"

① 《马克思恩格斯全集》第30卷，人民出版社1995年版，第147页。
② 《马克思恩格斯全集》第30卷，人民出版社1995年版，第164—165页。

完全取消，用货币符号——纸币来代替时，"这些纸币在流通所需要的数量以内，会按十足的金银价值进行流通"①。出现第一种现象时，货币兼有两种职能，出现第二种现象时，货币只具有流通手段职能。

马克思对货币的第三种规定，即货币作为货币，或货币作为财富的物质代表问题进行了探讨。在这一探讨中，马克思依次提出了以下几个方面的基本观点：

第一，货币的两重循环形式是理解货币第三种规定的起点。马克思认为，在第三种规定中，货币成为充分发展的货币，它既以前两种规定为前提，又表现为前两种规定的统一。因为只具有价值尺度和流通手段规定的金银，才可能实现由通常的"金银积累"转化为"货币积累"，才可能在"G—W—W—G"运动结束时，使货币作为"潜在的财富"独立地存在于流通过程之外。

第二，货币的第三种规定就是货币成为财富的一般物质代表。马克思认为，就货币本身而言，一方面，在货币上，财富的形式和内容是统一的，货币就是财富本身；另一方面，货币又是同其他一切商品相对立的一般财富形式，货币又是财富的一般物质代表。这两方面的统一，构成货币第三种规定的最基本的性质。

第三，货币的第三种规定是货币成为资本的最初形式。马克思认为，第三种规定的货币，不仅是流通的前提，而且也是流通的结果。这时，循环运动的目的、对象和产物都是货币这一"一般财富的物质代表"，因而货币起着生产的作用，成为生产要素。这种直接生产交换价值、生产货币的劳动，必然是雇佣劳动。由此可见，"资产阶级社会的基本前提是：劳动直接生产交换价值，从而生产货币；而货币也直接购买劳动，从而购买工人，只要后者在交换中让渡自己的活动"②。资本是在货币的第三种规定基础上发展起来的。

第四，货币的第三种规定中包含着世界货币的职能。马克思认为，货币在它的第三种规定中，又重新作为金银出现，从而否定了货币作为铸币的性质。在国际交换制度中，充当普通交换手段的货币，不再是货币符号，而是第三种规定意义上的货币。这一货币实际具有了世界货币职能的意义。

第五，同货币的前两种规定相比较，第三种规定的货币表现在三个方面：

---

① 《马克思恩格斯全集》第30卷，人民出版社1995年版，第166页。
② 《马克思恩格斯全集》第30卷，人民出版社1995年版，第178页。

其一，货币的第三种规定是对货币的第二种规定中铸币的否定。但同时，货币的第三种规定又把第二种规定包含在自身之内：一方面，它仍然可以不断转化为铸币，另一方面，它仍然作为"世界铸币"发生作用。其二，货币的第三种规定是对货币的第二种规定单纯实现商品价格职能的否定。在货币的第二种规定中，价格的实现就是货币转化为某种特殊商品，而在货币的第三种规定中，货币本身始终表现为财富的一般形式。其三，货币的第三种规定是货币的第一种规定的否定。第三种规定的货币不再是交换价值的观念上尺度，不仅货币的物质基质，而且货币的一定的物质量也变得更为重要了。

第六，由于货币的第三种规定的产生，积累货币成了致富的主要对象和主要过程。马克思认为，积累货币和积累其他商品有着本质的区别：积累商品只具有积累特殊财富的性质，而积累货币则是积累一般财富，积累商品要通过贸易，才能转换成其他特殊商品，而积累货币就可能避免这些麻烦。但是，积累货币和现代资产阶级社会的积累资本也是有本质区别的。"为了积累资本，必须把积累起来是金银重新加入流通这种行为本身当作积累的因素和手段。"①从这一意义上说，积累资本是对积累货币的否定。在积累资本时，货币必然转化为纯粹的物的存在形式，流通过程必须表现为交换价值的生产过程。

第七，货币的第三种规定包含着支付手段的职能。在商品流通过程中，由于相互交换的商品存在之间，可能出现时间上的差异，从而使货币的第三种规定表现出"互相支付的性质"，货币成为支付手段。显然，货币作为支付手段，契约中的货币的价值量变动就具有重要意义，货币的矛盾更为尖锐地发展起来。

第八，马克思对一些需要补充论述的问题作了提示。这些问题主要有：铸币制度；对金银发现、产地和生产的历史叙述；金银货币价值变动的原因及其影响；货币流通量的变动和价格涨落的关系；货币流通速度、必要量及货币流通发展程度；货币的瓦解作用；等等。

最后，马克思简要地提到了交换价值形式发展中所有权关系转变性质问题。马克思没有作展开论述，只是说明了一点，即货币是交换价值进一步发展的结果，而货币的第三种规定又是货币进一步发展的结果，进而资本又是货币的第三种规定进一步发展的结果。马克思已经完全清楚地理解了商品向货币转化、货币向资本转化的历史的和逻辑的过程。

---

① 《马克思恩格斯全集》第30卷，人民出版社1995年版，第187页。

第四节　剩余价值理论的发现

《57—58年手稿》的"资本"章，以对剩余价值的生产和流通的分析为中心，第一次对资本主义经济运动过程作了周详而透彻的分析。剩余价值理论的创立，使社会主义者早先像资产阶级经济学者一样在深沉的黑暗中摸索的经济领域，得到了明亮的阳光的照耀，科学社会主义也以此为中心而发展起来了。

一、对剩余价值范畴及其本质的探讨

"作为资本的货币章"是"资本"章的引论部分，它紧接在"货币"章之后，对货币转化为资本过程的一般性质作了论述，是剩余价值范畴形成过程的重要环节。在这一部分手稿中，马克思经济思想过程，突出地表现在他对货币向资本转化的五个环节的探讨中。

第一，揭示简单商品流通的要素及其基本性质，深刻阐明货币向资本转化的社会经济关系的前提。在"货币"章中，马克思已经提到，货币的第三种规定已经潜在地包含着资本的最初规定。首先，货币在作为价值尺度规定和作为流通手段规定上还能表现出来的一些社会关系，在货币的第三种规定上已经完全消失了。货币已经完全地以金银的物质外壳形态表现出来，货币的社会关系完全消失在纯粹的自然物质形态中。其次，货币的第三种规定作为货币的完成形态，使金银积累取得了货币积累的形式，原先的简单商品流通形式"W—G—G—W"，也转化为纯粹为了货币积累的"G—W—W—G"形式。在后一种形式中，已经包含了资本运动的一般规定性。因此，在思维的进程中，有必要以货币的这一完成的规定性为起点，通过对简单商品流通要素及其作用的分析，揭示出以交换价值为目的、反映了货币转化为资本动态过程的流通形式。

马克思认为，上述两种流通形式，实质上是不同社会生产关系中存在的、性质不同的交换关系：一是"W—G—G—W"，它是纯粹为使用价值的交换，是以"自然内容"为特征的交换；一是"G—W—W—G"，它是为交换价值的交换，这是具有"经济内容"的交换，是交换关系的"形式规定"。对交换的这一"形式规定"的考察，可以看到交换关系所具有的三个最简单、然而也是最重要的要素：（1）作为交换主体的"交换者"；（2）作为交换对象的"等价物"；（3）作为交换关系媒介的"交换行为本身"。

交换关系中这三个要素，在其作用过程中具有以下三个特点：其一，交换者各自"等价物"在使用价值上的自然差别，是交换行为发生的必要前提；但是，不同"等价物"中的使用价值，对其所有者来说，并不具有满足其特殊需要的作用。其二，交换主体的完全自由，是交换过程发生的另一必要前提。其三，主体利益的实现，是交换过程发生的直接动因。在此基础上，马克思得出的一个重要结论就是："平等和自由不仅在以交换价值为基础的交换中受到尊重，而且交换价值的交换是一切平等和自由的生产的、现实的基础"①。资产阶级的自由和平等观念，是以创立商品经济发展的社会环境为经济基础的。

第二，揭示货币转化为资本的逻辑的和历史的过程，深刻阐明资本是资产阶级社会占统治地位的关系。货币的第三种规定是货币发展的最复杂的规定性，同时又是资本的最初的规定性。在这里，要从方法论上理解经济范畴的简单规定性和复杂规定性的转化关系，理解范畴发展的逻辑过程和范畴产生的历史过程的关系。马克思认为，范畴的简单规定性到范畴的复杂规定性，就是范畴的逻辑运动过程，也就是从抽象范畴上升到具体范畴的过程。在简单范畴（如交换价值）中，尽管包含了复杂范畴的萌芽（如货币），但是，它并不包括复杂范畴的全部规定性。作为基础的、先行的范畴，简单范畴所具有的只是发展了的复杂范畴的最本质的规定性。而复杂范畴在简单范畴基础上的发展，绝不单纯是在简单范畴上添凑了一些新的因素，而是在对简单范畴扬弃中的发展。

与资本范畴相比，货币的第三种规定只具有简单规定性；货币作为资本是货币作为货币的更高层次上的实现。但是，在货币的简单关系本身中，并不存在资本关系；货币作为资本的实现，是以已经形成的、在自身基础上运动的资产阶级社会为既定前提的。因此，只有在资本主义经济关系这一既定的总体

---

① 《马克思恩格斯全集》第30卷，人民出版社1995年版，第199页。

中，才有货币范畴到资本范畴的序列转化关系。

马克思认为，"资本首先来自流通，而且正是以货币作为自己的出发点"①。这是因为，在以货币为起点和以货币为终点的流通形式中，生产过程的内容已经发生了根本的变化。这时，生产过程已经成为为交换价值的生产，表现这一生产内容的流通形式，也就转变为运动。因此，以交换价值生产为特定内容和基本前提的商品运动过程，才是货币转化为资本的本质所在。

第三，揭示资本运动过程的首要特征，深刻阐明资本运动过程的根本性质。通过对以上两个环节的阐述，马克思得出又一个重要的结论就是："要阐明资本的概念，就必须不是从劳动出发，而是从价值出发，并且从已经在流通运动中发展起来的交换价值出发"②。一旦货币表现为不仅与流通相独立，而且在流通中保存自己的交换价值，它就不再是货币，而是资本了，可见，资本同直接的交换价值或货币的区别就在于，资本是"在流通中并通过流通保存自己，并且使自己永存的交换价值"③。这是资本运动过程的首要的一般特征。

资本运动过程的首要的说要一般特征还在于：来自流通的交换价值作为流通的前提，是以劳动为媒介而保存自己并使自己增殖的过程。在这里，资本运动的"简单规定"就是：资本和劳动两者是作为异己的东西相对立的：工人把劳动作为一种使用价值提供给资本，这里的劳动是"在可能性上作为工人的能力存在"的，因而指的就是"劳动能力"或劳动力。马克思关于劳动力商品理论得到了重要发展。劳动力商品理论的发展揭示资本运动过程的根本性质，为剩余价值理论的创立奠定了极其重要的基础。

资本和劳动能力的交换，反映了资本运动过程的特殊社会性质：一方面，和资本相交换的"劳动能力"所具有的唯一有用性，就是它的使用价值能使资本的价值得到保存和增殖；另一方面，资本就其实体而言，是一种"物化劳动"，因而它不可能通过与物化劳动的交换而得到增殖，它只能与"非物化劳动"相交换。这种"非物化劳动"就是存在于工人这一"活的主体"中的活劳动。就是说，与资本相交换的劳动，是一种创造价值的生产性劳动。

马克思以上的思想过程可以概括为以下三点：其一，商品和货币是考察资

---

① 《马克思恩格斯全集》第30卷，人民出版社1995年版，第208页。
② 《马克思恩格斯全集》第30卷，人民出版社1995年版，第215页。
③ 《马克思恩格斯全集》第30卷，人民出版社1995年版，第218页。

本主义经济的必要前提，货币的完成形态表现为资本的最初规定性；其二，要以流通作为考察资本形成及其根本性质的前提；其三，资本运动的首要的一般特征首先表现为资本和劳动能力相交换的特殊规定性中，"劳动能力"的使用价值是价值增殖的"媒介"。

第四，通过对资本和劳动能力交换的一般过程和特殊过程的考察，阐明资本生产过程的基本前提。马克思以资本和劳动能力的交换作为考察资本主义生产过程的出发点。马克思首先区分资本和交换的性质上不同的，甚至相互对立的两个过程：一是工人拿自己的商品同资本家的一定的货币额相交换，这时，"工人出卖的是对自己劳动的支配权，这种劳动是一定的劳动，一定的技能等等"。这一"劳动能力"商品的交换价值，"由把工人本身生产出来所花费的那个劳动量决定"，并且直接表现为"维持他的生命力的物品，是满足他的身体的、社会的等等需要的物品"的费用。① 二是资本家把交换来的"劳动本身"，在生产过程中作为一种生产劳动加以使用，使资本价值得到保存和增殖。马克思认为，资本和劳动交换的第一个过程，属于一般意义上的交换范畴；第二个过程则是资本占有劳动的特殊过程，它是同本来意义上的交换相对立的、本质上完全属于另一种范畴。

在资本和劳动交换的第二个过程中，马克思认为，其实质就在于："由于劳动被占有、被并入资本……资本开始发酵并且成为过程，成为生产过程。"② 但是，这一生产过程在现实经济运动中又表现出二重性：一方面表现为一般生产过程中活劳动和它的物质对象之间的自然联系，也就是表现为"简单生产过程"或"劳动过程"；另一方面又表现为资本占有劳动而实现价值增殖的特殊的社会关系。马克思把前一方面称作"形成资本内容的关系"，把后一方面称作"资本作为资本的形式关系"。他认为，"资本同时是这两种规定，并且同时是这两种规定彼此的关系"③。其实，这两重性就是马克思后来在《资本论》第一卷中称作的资本主义生产过程中劳动过程和价值增殖过程的两重性。

第五，在对价值的简单保存和价值增殖过程分析中，首次提出"剩余价值"范畴。马克思分析了资本和第二个交换过程的二重性之后，进一步考察"资本

---

① 参见《马克思恩格斯全集》第30卷，人民出版社1995年版，第241、242、244页。
② 《马克思恩格斯全集》第30卷，人民出版社1995年版，第259页。
③ 《马克思恩格斯全集》第30卷，人民出版社1995年版，第260页。

作为资本的形式关系"中体现的"价值的简单保存"（或"预先存在的价值的保存"）和"价值增殖"的两重性问题。在这一考察中马克思首次提出了"剩余价值"概念。马克思认为，从资本主义价值的简单保存过程来看，资本主义商品价值只相当于生产商品的生产费用，这就是："产品的价值＝原料的价值＋劳动工具已被消耗的部分（即已转移到产品上的、扬弃了其原来形式的那一部分）的价值＋劳动的价值。或者说，产品的价格等于这些生产费用，也就是＝在生产过程中消费掉的各种商品的价格总和"[①]。这里所说的"生产费用"，指的是商品生产中消耗的资本的价值部分。在资本现实运动中，这种生产费用构成资本生产过程的前提；在资本的理论逻辑中，这种生产费用范畴构成论述资本价值增殖过程的起始点。

从"资本作为资本的形式关系"来看，资本是由价值构成的，资本所具有的物质实体和资本的价值规定毫无关系。在生产过程中，劳动改变的只是生产资料的物质实体，并不改变生产资料商品和劳动力商品中预先存在的价值，它们仍然是生产过程结束时的商品价值的构成部分。假如资本以此为界限，即以生产费用等于商品价值为界限，资本也就不具有生产性了，资本主义生产过程也就不可能发生。然而，要使预先存在的资本价值得到增殖，就必须使劳动能力使用所创造的价值大于劳动力自身的价值。马克思的结论就是："因此，价值所以能够增加，只是由于获得了也就是创造了一个超过等价物的价值。"[②]这也就是说，"在资本方面表现为剩余价值的东西，正好在工人方面表现为超过他作为工人的需要，即超过他维持生命力的直接需要而形成的剩余劳动"[③]。资本的使命就是创造这种剩余劳动，攫取剩余价值。

在"资本"章中，马克思在揭示剩余价值本质之后，没有像后来的《资本论》第一卷那样，立即得出剩余价值率范畴，而是转入对资产阶级经济学利润理论，特别是李嘉图利润理论的批判。马克思认为，李嘉图的根本错误就在于："他从来没有研究价值由工资决定和由物化劳动决定之间的区别究竟是从何而来的……利润等等在他那里只表现为分享产品的份额……他从未研究过中介形式。"[④]通过对李嘉图利润理论的批判，马克思进一步揭示了剩余价值和利

---

① 《马克思恩格斯全集》第 30 卷，人民出版社 1995 年版，第 272 页。
② 《马克思恩格斯全集》第 30 卷，人民出版社 1995 年版，第 285 页。
③ 《马克思恩格斯全集》第 30 卷，人民出版社 1995 年版，第 286 页。
④ 《马克思恩格斯全集》第 30 卷，人民出版社 1995 年版，第 288 页。

润之间的"媒介形式"，提出了剩余价值率范畴，科学地阐明了利润率和剩余价值率之间的内在联系。

马克思对剩余价值理论考察的逻辑起点是资本的生产过程。在"资本"章中，马克思在最初确定这一逻辑起点时，具有以下两个显著特点：第一，总体方法是马克思提出剩余价值范畴的方法论前提。马克思多次提到，在"资本"章的最初考察中，"流通其实还与我们无关，因为我们在这里考察的是资本一般……而我们在这里考察的是资本本身，也可以说是全社会的资本。资本的差别性等等还与我们无关"①。只有从总体上把握"全社会的资本"，只有在纯粹的、完备的资本概念上，才能透过利润、利息、地租等纷繁复杂的现象形态，揭示出剩余价值一般的本质。马克思以前的古典经济学家缺乏这种总体观，他们观察到的只是浮现在社会经济运动表面的特殊收入形式。第二，马克思对剩余价值理论的最初阐述，是和批判李嘉图利润理论联系在一起的。政治经济学理论史批判和政治经济学理论原理的科学阐述的密切结合，是马克思创立科学的政治经济学理论的一个重要特征。李嘉图不懂得利润的本质，不懂得作为利润实体的剩余价值，也从来没有研究过剩余价值和利润之间的本质区别及其转化的"中介"环节。李嘉图在利润这一外在形式上，把利润和剩余价值混淆在一起，把利润率和剩余价值率直接等同起来。正是在批判"李嘉图的思路"的基础上，马克思才确立了以剩余价值一般为起点，从剩余价值一般上升到剩余价值特殊的逻辑思路。把利息和利润等特殊形式归结为剩余价值的一般形式，这是创立科学的剩余价值理论过程中最重要的突破。

二、对绝对剩余价值和相对剩余价值的分析

马克思在提出"剩余价值"概念以后，分别考察了绝对剩余价值和相对剩余价值问题。但是，马克思这时还没有对这两种剩余价值生产方式的逻辑的和历史的转化关系作出说明。一方面，马克思没有创立超额剩余价值概念，因而还不能说明从绝对剩余价值到相对剩余价值转化的逻辑中介；另一方面，马克思也没有论及资本主义生产从简单协作到工场手工业，再到机器大工业的发展

---

① 《马克思恩格斯全集》第30卷，人民出版社1995年版，第312页。

阶段问题，因而还不能说明绝对剩余价值到相对剩余价值转化的历史过程。马克思在《57—58年手稿》的"资本"章中论述的，还只是剩余价值量的绝对的和相对的增加的问题。

第一，劳动生产力的变化同剩余价值绝对量和相对量变化上的相互作用关系。在对这个问题的探讨中，马克思提出了关于生产力提高和剩余价值量增加之间关系的三条"规则"。这三条"规则"对于理解资本主义经济的动态过程是极有意义的。

规则一：生产力的提高之所以能够增加剩余价值，只是因为它缩小了必要劳动和剩余劳动的比例。"剩余价值恰好等于剩余劳动；剩余价值的增加可以用必要劳动的减少来准确地计量。"①

规则二："资本的剩余价值的增加数并不是生产力的乘数……而是活的工作日中原来代表必要劳动的部分减去该部分除以生产力的乘数之后的余额。"②这里的生产力的"乘数"就是生产力增长的倍数。假如生产力提高以前，必要劳动和剩余劳动各占工作日的$\frac{1}{2}$，在生产乘数为2时，剩余价值的增加数就等于必要劳动占工作日比例的$\frac{1}{2}$，减去该比例$\frac{1}{2}$除以生产力乘数2之后的余额，即$\frac{1}{2}-\frac{1}{2}\div2=\frac{1}{4}$，现在剩余劳动占工作日的比例就从原来的$\frac{1}{2}$，增加到$\frac{1}{2}+\frac{1}{4}$即$\frac{3}{4}$。显然，原来必要劳动占全部工作日的比例越大，由一定生产力乘数引致的剩余价值增加数也就越大。这也表明，同一生产力乘数对不同国家或不同产业部门剩余价值增加数的影响是各不相同的。

规则三：从上述规则二可以推导出，在生产力提高以前，剩余劳动在全部工作日中所占的比例越大，由生产力提高而增加的剩余价值就越少。这就是说，"资本已有的价值增殖程度越高，资本的自行增殖就越困难"③。在资本主义经济中，生产力的提高和剩余价值的增加之间，存在着一种内在的对立关系。

第二，不变资本和可变资本之间比例关系的变动对剩余价值生产和剩余价值量变化的影响。通过对不变资本和可变资本比例变化的动态研究，马克思进一步揭示了利润和剩余价值、利润率和剩余价值率之间的内在联系。马克思集中论述了三个问题：（1）不变资本和可变资本的划分及其对利润率和剩余价值

① 《马克思恩格斯全集》第30卷，人民出版社1995年版，第303页。
② 《马克思恩格斯全集》第30卷，人民出版社1995年版，第303页。
③ 《马克思恩格斯全集》第30卷，人民出版社1995年版，第305页。

率的影响；（2）不变价值和可变价值比例变化的趋势及对利润和剩余价值的影响；（3）同时并存的工作日剩余价值量的变化。

这时，马克思虽然还没有使用"资本有机构成"这一用语，但是，关于资本有机构成理论的基本观点已经形成。不变资本和可变资本的比例及其变动趋势理论的形成，是马克思理解利润和剩余价值性质及其内在联系的必要理论前提。

第三，资本的再生产和积累对剩余价值量的增长和限制。在上述对资本生产过程考察的基础上，马克思进一步提出资本再生产和积累问题。马克思认为，资本的特殊社会性质及其基本矛盾的作用，必然在使资本不断扩张的同时，造成资本以"生产过剩"为基本特征的一系列"限制"。通过对资本积累过程及其实质的分析，马克思指出："如果说创造资本的剩余价值是以创造剩余劳动为基础的，那么资本作为资本来增加（即资本积累，而如果没有积累，资本就不可能成为生产的基础……）则取决于这种剩余产品的一部分转化为新资本"[①]。剩余价值是资本积累的源泉。同时，马克思也已清楚地认识到，积累的资本进入生产过程时，必须分为实现劳动所需的客观条件和"劳动基金"两部分。"劳动基金"成为新剩余价值的源泉。

马克思还认为，作为资本主义扩大再生产的源泉，资本积累的不断增长具有两重性质：一方面，资本积累是资本扩张的基础，它直接表现为资本物质生产能力的不断增长，因而包含着"进步的因素"；另一方面，资本积累也是资本主义关系再生产的过程。在这两重性质中，资本积累的意义首先就在于："资本和劳动的关系本身的，资本家和工人的关系本身的再生产和新生产。这种社会关系，生产关系，实际上是这个过程的比其物质结果更为重要的结果"[②]。在资本主义基本矛盾的作用下，资本再生产过程的结果必然是："资本的发展程度越高，它就越是成为生产的界限，从而也越是成为消费的界限，至于使资本成为生产和交往的棘手的界限的其他矛盾就不用谈了"[③]。

资本的原始积累属于资本的"形成史"，不属于资本的"现代史"，不属于受资本统治的生产方式的实际体系。但是，在论及资本主义生产方式"超越自

[①] 《马克思恩格斯全集》第30卷，人民出版社1995年版，第434—435页。
[②] 《马克思恩格斯全集》第30卷，人民出版社1995年版，第450页。
[③] 《马克思恩格斯全集》第30卷，人民出版社1995年版，第397页。

己"的历史必然性时，有必要对资本主义生产方式的历史形成过程作一考察。因为通过这一考察，可以揭示资本主义生产方式发生、发展和灭亡的历史必然性。马克思指出："如果说资产阶级前的阶段表现为仅仅是历史的，即已经被扬弃的前提，那么，现代的生产条件就表现为正在扬弃自身，从而正在为新社会制度创造历史前提的生产条件。"①

对资本和雇佣劳动关系形成的历史前提和基本条件的深入理解，成为马克思经济思想形成过程的重要环节。他在对剩余价值和资本生产过程问题之后的探讨中，考察了资本主义生产以前的一些形式——亚细亚的所有制形式、古代的所有制形式和日耳曼的所有制形式。在这些所有制形式中，对劳动的客体条件的占有，不是通过劳动进行的，而是劳动的前提，"劳动的主要客观条件本身并不是劳动的产物，而是已经存在的自然"②。这时，劳动的主体条件是作为某一公社的成员，作为其从事劳动的基础，劳动主体（个人）是以公社为媒介才与劳动客体（土地）发生关系的。

对这些所有制形式的历史考察，深刻地揭示了资本主义生产方式中劳动主体和客体关系的基本性质及其历史趋势。马克思的结论就是："在资本对雇佣劳动的关系中，劳动即生产活动对它本身的条件和对它本身的产品的关系所表现出来的极端的异化形式，是一个必然的过渡点，因此，它已经自在地、但还只是以歪曲的头脚倒置的形式，包含着一切狭隘的生产前提的解体，而且它还创造和建立无条件的生产前提，从而为个人生产力的全面的、普遍的发展创造和建立充分的物质条件。"③

以上的分析表明，在提出剩余价值范畴之后，马克思对剩余价值的本质作了三个主要方面的探讨：其一，剩余价值是在资本的生产过程中产生的，是在资本的流通过程中"实现"的。资本生产过程中价值增殖过程，实质上就是剩余价值的产生过程。其二，剩余价值的实体就是雇佣工人的剩余劳动，即"在资本方面表现为剩余价值的东西，正好在工人方面表现为超过他作为工人的需要，即超过他维持生命力的直接需要而形成的剩余劳动"④。其三，剩余价值生产孕育了资本主义经济的深刻矛盾。马克思认为，资本创造剩余劳动，从而占

---

① 《马克思恩格斯全集》第30卷，人民出版社1995年版，第453页。
② 《马克思恩格斯全集》第30卷，人民出版社1995年版，第476页。
③ 《马克思恩格斯全集》第30卷，人民出版社1995年版，第511—512页。
④ 《马克思恩格斯全集》第30卷，人民出版社1995年版，第286页。

有的剩余价值的急剧增长，体现了资本的伟大的历史作用。资本对剩余价值的无止境的追求，是靠不断地驱使劳动生产力向前发展来实现的；但是，劳动生产力的这种发展一旦超越一定的界限，资本的历史使命也就完成了。

对剩余价值本质的这三方面论述表明，马克思已经完全搞清了剩余价值理论，他不仅完全搞清了剩余价值是从哪里产生的、是怎样产生的问题，而且也完全搞清了剩余价值生产的内在矛盾及其历史发展趋势。

三、对剩余价值与资本流通过程的论述

《57—58年手稿》中"资本"章的第二篇"资本的流通过程"，从对资本周转问题研究切入，展开资本流通过程理论的分析。这时，马克思还没涉及资本循环问题。这就是说，在理论逻辑中，资本流通理论呈现出资本循环上升到资本周转的序列；而在理论形成的历史上，资本流通理论的发展却表现为从资本周转到资本循环的序列。

第二篇"资本的流通过程"一开始涉及的是"资本流通和资本周转"论题，马克思集中探讨了以下三个问题：

第一，对资本周转构成的要素的分析。马克思认为，从"整体"上考察，资本流通包括生产过程和流通过程两大要素。这里的资本流通指的是"出发点就是复归点，复归点就是出发点"的资本运动过程，实际上就是周而复始、不断重复的资本周转。马克思指出，资本周转时间取决于生产过程经历的时间（生产时间）和流通过程经历的时间（流通时间）。其中的生产时间"直接同生产力的发展相一致"，流通时间指的是"资本从转化为产品到产品转化为货币所经历的期间"[①]。流通时间决定和制约着生产过程，因而也影响着一年内资本自行增殖的次数，影响着年利润率的高低。马克思认为，资本周转由四个要素构成：I.实际生产过程及其持续时间；II.产品转化为货币；III.货币转化为生产资本各要素；IV.资本同活劳动能力相交换。在这四个要素中，第I要素属于价值增殖过程问题，第III要素应归在许多资本间相互竞争关系中论述；第IV要素要在《雇佣劳动》册中讨论。现在要讨论的只是第II要素，即资本由产品

① 《马克思恩格斯全集》第30卷，人民出版社1995年版，第514页。

转化为货币的问题。

第二，对资本周转第 II 要素的分析。资本由产品转化为货币这一要素对资本周转的影响，只能是由"价值实现的较大困难而引起的"①。这一实现过程首先涉及产品到销售地即市场距离问题，这也就涉及"运输费用"问题。马克思指出，运输中耗费的劳动时间，同直接生产过程中物化在产品中的劳动时间一样，都是产品"生产费用"的组成部分。

第三，流通过程和生产过程的内在联系。在资本周转限度内，流通本身不仅是一般生产过程的要素，而且也是直接生产过程的要素，如运输作为直接生产过程的继续，就是在流通过程中完成的；而且流通过程的时间、速度，对资本再生产过程中的价值增殖也具有决定性影响。同时，资本生产过程只有顺利地通过流通阶段，才能开始资本的再生产过程。因此，流通过程也是对资本再生产过程的一种限制因素。在前面论及运输作为生产性流通费用的性质及其补偿形式之后，马克思进一步指出，同单纯的流通有关的费用是对剩余价值的扣除，这些费用是"非生产费用"。

马克思对资本周转问题的论述，被他对资产阶级经济学剩余价值和利润的理论史批判所打断。在这一理论史批判中，马克思着重指出，以前的经济学因为不理解资本的社会经济关系性质和历史性质，不理解资本和劳动交换的性质，所以根本就不可能理解利润和剩余价值的实质及其内在联系。马克思揭示了剩余价值的一般性质及其向利润、利息等"第二级的"、"派生的"形式的转化关系。在这一"插入部分"论述之后，马克思又回到"本题"——资本周转问题上。从这以后，一直到第二篇"资本的流通过程"结束，马克思集中考察了资本周转的中心问题——固定资本和流动资本问题。马克思这一考察，可以细分为五个层次。

第一，马克思从资本周转的阶段性和连续性相统一的视角，提出了固定资本和流动资本的第一种规定，即所谓的"资本的形式规定"：在资本周转中，就资本从一个阶段向另一个阶段过渡而言，资本是流动资本；就资本总是在特定环节中采取某种特殊形态而言，资本是固定资本。

第二，与资本周转的阶段性和连续性相统一的问题有关，马克思进一步对运输等与直接生产过程相关的费用之外的流通费用问题作了考察。这些非生产

---

① 《马克思恩格斯全集》第 30 卷，人民出版社 1995 年版，第 518 页。

性流通费用并不创造价值，只是实现价值的费用，这是对价值的一种扣除。

第三，通过对资产阶级经济学文献中关于固定资本和流动资本理论的批判，马克思提出了固定资本和流动资本的第二种规定，即我们现在理解的严格意义上的固定资本和流动资本。马克思对固定资本和流动资本从第一种规定的理解，过渡到第二种规定的理解，反映了这一时期马克思资本周转理论发展的轨迹。

第四，在对固定资本和流动资本第二种规定理解的基础上，马克思进一步就固定资本和社会生产力发展之间的关系作了详尽论述。马克思提出了三个基本观点：固定资本的发展是资本主义生产发展的标志；资本主义机器的大规模使用和科学的发展，加剧了劳动异化；与固定资本的发展相一致的社会生产力的发展，必然导致资本主义社会向共产主义社会的过渡。

第五，马克思集中考察了固定资本和流动资本的流通和补偿问题，认为流动资本作为资本再生产的次数，同它作为剩余价值和追加资本来实现的次数一样多；固定资本作为价值进入流通的数量，只限于它作为使用价值被消费的部分。流动资本和固定资本的构成比例，影响着总资本的年平均周转速度和周转次数。马克思对固定资本和流动资本这些较为具体的规定性的论述，反映了马克思这一时期对资本周转理解的深度。

"资本"章的最后一篇要论述"生产和流通的统一"意义上的"资本的总运动"。马克思认为，从"资本的总运动"来考察资本运动的性质，首先就发生着剩余价值向利润转化的问题。因而从生产和流通相统一的角度来看，直接生产过程中增殖的新价值，这时发生的新变化就是："不再是用这一价值的实际尺度，即剩余劳动同必要劳动之比，而是用作为这一价值的前提的它自身来计量了。具有一定价值的资本在一定时期内生产出一定的剩余价值"①。一旦剩余价值表现为利润，剩余价值率也就转化为利润率了。循着这一逻辑思路，马克思进一步对两个极其重要的理论问题作了初步论述：

第一，通过对利润率变化趋势的考察，马克思提出了利润率趋向下降规律的基本内容。马克思认为，就利润率趋向下降规律而言，"从每一方面来说都是现代政治经济学的最重要的规律，是理解最困难的关系的最本质的规律。从历史的观点来看，这是最重要的规律。这一规律虽然十分简单，可是直到现在

---

① 《马克思恩格斯全集》第 31 卷，人民出版社 1998 年版，第 145 页。

还没有人能理解，更没有被自觉地表述出来"①。

第二，通过对利润率形成过程的考察，马克思提出了利润率"平均化"的问题。马克思认为："在各个不同的产业部门中，数量相等的各个资本的利润不相等，即利润率不相等，这是竞争的平均化作用的条件和前提。"②

但是，马克思对这两个理论问题并没有展开论述。因为马克思这时已制定了分册出版《政治经济学批判》的计划，并打算尽快出版论述商品和货币理论的第一分册。这样，马克思对许多应该在第三篇中作详尽论述的问题，只作了一些提示性的说明。

① 《马克思恩格斯全集》第31卷，人民出版社1998年版，第148页。
② 《马克思恩格斯全集》第31卷，人民出版社1998年版，第164页。

第四章　马克思恩格斯对中国、印度问题的研究

1848 年欧洲革命失败，人民解放运动陷入低潮，同时西方列强加紧对东方的侵略，导致中国、印度相继发生许多重大事件，民族解放运动此起彼伏，出现了西方宁寂而东方动荡的状况。在此背景下，马克思恩格斯一方面在以主要精力进行政治经济学研究过程中，需要联系到英国侵略殖民地的历史；另一方面，马克思物质生活困难，为了"谋生的迫切需要"而为《纽约每日论坛报》撰稿。因此，19 世纪 50 年代，马克思恩格斯除了在许多著述和书信中提到过中国、印度外，还专门写过论述中国、印度问题的文章，运用唯物史观分析了中国、印度的许多具体问题，提出了关于东方民族运动和社会发展的一些重要思想，反映了东西方之间人民解放和发展运动的互动关系，极大地丰富、发展了世界历史理论和人民解放理论，成为这一时期马克思恩格斯理论探索的重要成果。

第一节　关于中英鸦片战争的研究

19 世纪中叶，英、法、美等西方列强向东方和中国开拓世界市场，中国关闭的国门被第一次鸦片战争所打破，不断增加的鸦片贸易和棉纺织品的大量输入，破坏了中国的小农经济和家庭手工业相结合的社会经济基础，动摇了清

王朝的政治统治，中西矛盾日益尖锐起来。因此清政府拒绝了英、法、美旨在扩大对华掠夺性贸易和使鸦片贸易合法化的修改条约的要求。在外交讹诈失败后，西方列强决定使用武力扩大侵略，千方百计地寻找一切借口，以便主动对华发动战争。正是在这样的历史背景下，马克思恩格斯围绕着西方列强对华战争写了十余篇评论文章，深刻地揭露了西方列强对华战争的原因、性质和后果。

一、揭露西方殖民主义者的侵略行径

1848 年欧洲革命失败后，马克思恩格斯十分关注东方各被压迫民族人民的反侵略斗争。在中国问题上，他们围绕第二次鸦片战争的前因后果相继写了《英中冲突》、《英人在华的残暴行动》、《英人对华的新远征》、《鸦片贸易史》、《新的对华战争》等通讯稿，揭露英国捏造事实制造对华战争的借口，深刻批判英国对中国发动的"海盗式战争"。

马克思明确指出殖民主义者的鸦片贸易是造成中外冲突、中国人民受苦受难的根源之一。马克思在《鸦片贸易史》中写到，鸦片"这种贸易，无论就可以说是构成其轴心的那些悲惨冲突而言，还是就其对东西方之间一切关系所发生的影响而言，在人类历史记录上都是绝无仅有的"[1]。1767 年以前，"中国法律许可鸦片作为药品输入"，英国东印度公司"迅速地把在印度种植鸦片和向中国私卖鸦片变成自己财政系统的不可分割的部分"[2]。英国私人企业不顾"天朝政府拼命抵制"，不惜采用任何手段从事这项贸易。1837 年偷运入中国的鸦片已达 39 000 箱，"1856 年英政府靠鸦片垄断获取了 2500 万美元的收入，正好是它财政总收入的六分之一"[3]。马克思引用英国人蒙哥马利·马丁的话来说明鸦片贸易的巨大危害性："不是吗，'奴隶贸易'比起'鸦片贸易'来，都要算是仁慈的"[4]。因此，马克思认为从 19 世纪开始的鸦片贸易的性质发生了质变，鸦片已经从一般意义上的商品，变成了殖民主义者侵略的毒辣工具。

马克思斥责英国以"站不住脚的借口"发动第一次鸦片战争。鸦片战争前

---

[1] 《马克思恩格斯选集》第 1 卷，人民出版社 2012 年版，第 803 页。
[2] 《马克思恩格斯选集》第 1 卷，人民出版社 2012 年版，第 804 页。
[3] 《马克思恩格斯选集》第 1 卷，人民出版社 2012 年版，第 807 页。
[4] 《马克思恩格斯选集》第 1 卷，人民出版社 2012 年版，第 802 页。

的中国是一个自给自足的自然经济社会，外来的工业品很难在中国找到市场，这与资本主义经济扩张的需要尖锐对立。为打开中国的市场，变入超为出超，英国商人于 18 世纪中叶竭力发展对华鸦片贸易。因输入鸦片而造成的白银不断外流，严重扰乱清王朝的国库收支和货币流通，因此中国政府决定："此种万恶贸易毒害人民，不得开禁。"①1838 年底，道光皇帝任命林则徐为钦差大臣，前往广州查禁鸦片。1839 年 6 月，林则徐在虎门当众销毁从英、美烟贩那里收缴来的几百万斤鸦片。这一禁烟运动本是中国政府打击毒品走私和非法贸易、保护国家和人民利益的正义行为，却成为了英国政府发动侵华战争的借口。1840 年 6 月下旬，英军舰队到达广东海面，不宣而战。马克思指出："中国政府在 1837 年、1838 年和 1839 年采取的非常措施——这些措施的最高潮是钦差大臣林则徐到达广州和按照他的命令没收、销毁走私的鸦片——提供了第一次英中战争的借口"②。

马克思揭露英国蓄意发动第二次鸦片战争的阴谋。第一次鸦片战争并没有给西方列强带来预期的贸易效益，它们把原因归咎于中国的门户开放得还不够，叫嚣再次发动对华战争，以进一步打开中国市场，这就有了 1856—1860 年的第二次鸦片战争。这次战争的借口是"亚罗号"事件。对此，马克思指出："我们认为，每一个公正无私的人在仔细地研究了香港英国当局同广州中国当局之间往来的公函以后，一定会得出这样的结论：在全部事件过程中，错误是在英国人方面。"③针对 1856 年 10 月英舰炮轰广州事件，马克思指出："世界上的文明国家，对于这种以违背了无中生有的外交礼节为借口，不先行宣战就侵入一个和平国家的做法是否赞同，恐怕是个问题"④。根据"亚罗号"事件的事实真相，马克思分析指出，这次外交兼军事的话剧截然分成两幕，"第一幕，借口中国总督破坏了 1842 年的条约而炮轰广州；第二幕，借口总督顽强坚持 1849 年协定而更猛烈地继续炮轰"⑤。针对 1856 年英国海军司令何伯率领远征队，借口护送公使进京，蓄意挑起的事端，马克思严厉地质问道："难道法国公使有留驻伦敦的权利就能赋予法国公使以率领法国远征队强行侵入泰晤士河

① 《马克思恩格斯选集》第 1 卷，人民出版社 2012 年版，第 806 页。
② 《马克思恩格斯选集》第 1 卷，人民出版社 2012 年版，第 806 页。
③ 《马克思恩格斯全集》第 16 卷，人民出版社 2007 年版，第 17 页。
④ 《马克思恩格斯全集》第 16 卷，人民出版社 2007 年版，第 23 页。
⑤ 《马克思恩格斯全集》第 16 卷，人民出版社 2007 年版，第 22 页。

的权利吗?"他义正词严地指出:"即使中国人应该让英国和平的公使前往北京,那末中国人抵抗英国人的武装远征队,毫无疑义地也是有理的。"①

马克思恩格斯斥责英军在侵华战争中犯下的滔天罪行。在《英人在华的残暴行动》一文中,马克思写道:"广州城的无辜居民和安居乐业的商人惨遭屠杀,他们的住宅被炮火夷为平地,人权横遭侵犯"②。英军杀害中国寻常居民,强奸妇女,枪挑儿童,焚烧村庄,无所不用其极。对此,马克思谴责道:这些暴行"完全是恣意的胡作非为"③。在《英人对华的新远征》一文中,恩格斯指出:"在这次攻击中,英军损失了185人,他们为了报复,在劫城的时候进行了无比残忍的蹂躏屠杀"④。恩格斯对此痛斥道:"英军此次作战自始至终大发兽性,这种兽性和引起这次战争的贩私贪欲完全相符"⑤。马克思恩格斯撕破了殖民主义者披戴的"文明"面纱,使公众看到它的野蛮本相。

马克思揭露英国政府通过"篡改事实"获取国内人民的支持。针对炮轰广州事件,英国《每日新闻》表达了不同于官方的意见:"真是骇人听闻,为了替一位英国官员的被激怒了的骄横气焰复仇,为了惩罚一个亚洲总督的愚蠢,我们竟滥用自己的武力去干罪恶的勾当,到安分守己的和平住户去杀人放火,使他们家破人亡,而我们自己本来就是闯入他们海岸的不速之客。且不说这次轰击广州的后果如何,无所顾忌地任意把人命送上虚伪礼节和错误政策的祭坛,这一行为本身就是丑恶和卑鄙的"⑥。马克思认为,尽管这种反战的观点与英国政府派报刊的观点一样,没有超出资产阶级的狭隘偏见,认为事件的起因在中国,但至少它表明一部分人并不支持英国政府悍然发动对华战争和滥杀无辜的海盗行径。因此,为煽动国内人民的仇华情绪,英国政府及其报刊篡改事实,丑化中国在国际交往中的行为,斥责中国"损害"英国的利益。在"亚罗号"事件上,英国政府报刊连篇累牍地对中国人进行大量的斥责。它们大肆攻击中国人违背条约的义务、侮辱英国的国旗、羞辱旅居中国的外国人,等等。对此,马克思谴责说:"可是,除了亚罗号划艇事件以外,它们举不出一个明

---

① 《马克思恩格斯选集》第1卷,人民出版社2012年版,第833页。
② 《马克思恩格斯选集》第1卷,人民出版社2012年版,第792页。
③ 《马克思恩格斯全集》第12卷,人民出版社1962年版,第309页。
④ 《马克思恩格斯全集》第16卷,人民出版社2007年版,第106页。
⑤ 《马克思恩格斯全集》第16卷,人民出版社2007年版,第106页。
⑥ 《马克思恩格斯全集》第16卷,人民出版社2007年版,第23页。

确的罪名，举不出一件事实来证实这些指责。而且就连这个事件的实情也被议会中的花言巧语歪曲得面目全非，以至使那些真正想弄清这个问题真相的人深受其误。"①而对于旅居中国的外国人在英国庇护下每天所干的破坏条约的可恶行为，英国报纸却讳莫如深，以至于"坐在家里而眼光不超出自己买茶叶的杂货店的英国人，完全可以把政府和报纸塞给公众的一切胡说吞咽下去"②。1859年6月"白河惨案"发生后，《泰晤士报》雷霆般地斥责中国政府"双重的背信弃义行为"。马克思则揭露说："说来奇怪，《泰晤士报》虽然是在狂热的浪涛中上下翻滚着，但在转载报道时却费尽心机把其中对该诅咒的中国人有利的各节，都小心翼翼地从原文中抹掉了。混淆事实也许是狂热时干的事，但篡改事实似乎只有冷静的头脑才能做到。"③

通过透过现象深入本质的分析，马克思认为殖民主义者的侵略，不是某些个人的罪孽，其背后隐藏着西方资产阶级的肮脏的政治和经济的目的。马克思尖锐地揭露，惯于吹嘘自己道德高尚的英国资产阶级，"用海盗式的借口经常向中国勒索军事赔款，来弥补自己的贸易逆差"④。它们所谓"文明"发展的基础是中国人民的眼泪和鲜血。殖民主义者却把它们的残暴行为以及由这种行为造成的后果，说成是"有理由的"、"合法的"。马克思用这些有真凭实据的历史事实，来唤醒被压迫民族识破殖民主义者的无耻谎言。

二、支持中国军民的反抗行为

基于英国等列强殖民侵略中国的极端不义性，马克思恩格斯揭露殖民者的伪善面目和丑恶嘴脸，肯定中国人民抵抗手段的正义性，热情支持中国人民反抗外来侵略的斗争。

马克思分析指出，清政府奉行的道义原则无法抵制和对抗西方列强以武力为后盾攫取利益的侵略行径。基于鸦片输入给中国社会造成的巨大危害，早在嘉庆四年即1799年清政府就已下令禁止鸦片进口。道光元年（1821年），道

① 《马克思恩格斯选集》第 1 卷，人民出版社 2012 年版，第 791 页。
② 《马克思恩格斯选集》第 1 卷，人民出版社 2012 年版，第 793 页。
③ 《马克思恩格斯选集》第 1 卷，人民出版社 2012 年版，第 835 页。
④ 《马克思恩格斯选集》第 1 卷，人民出版社 2012 年版，第 814 页。

光帝下诏规定："凡洋船至粤，先令洋商出具未带鸦片甘结，方准开仓验货，如有夹带，即将该商照例治罪；凡开烟馆者议绞，贩卖鸦片者充军，吸食者仗徒。"[1] 由此揭开了禁烟运动的序幕。道光三十年（1850年），皇帝多次颁布禁烟令，但在派林则徐前往广州禁烟之前，其禁烟成效甚微。清政府内部曾有官员提出对鸦片贸易采取"弛禁"政策，提议将鸦片贸易合法化而从中取利。但是，清政府认为鸦片贸易毒害人民，不能开禁。对此，马克思评论说："早在1830年，如果征收25%的关税，就会带来385万美元的收入，到1837年，就会双倍于此。可是，天朝的野蛮人当时拒绝征收一项随着人民堕落的程度而必定会增大的税收。1853年，当时的咸丰帝虽然处境更加困难，并且明知为制止日益增多的鸦片输入而作的一切努力不会有任何结果，但仍然恪守自己先人的坚定政策。"[2] 可见，中国清政府在内政外交上恪守的首先是道义原则而非纯粹的利益原则。但是，这种道义原则在资本主义列强的利己原则面前不堪一击。马克思分析指出，中国皇帝为了制止自己臣民的自杀行为，采用"内禁"与"外禁"相结合的方法，下令同时禁止外国人输入和本国人吸食这种毒品，而东印度公司却迅速地把在印度种植鸦片和向中国私卖鸦片变成自己财政系统的不可分割的部分。可见，"半野蛮人坚持道德原则，而文明人却以自私自利的原则与之对抗"[3]。结果，道德原则被利己原则所腐化。马克思说："正因为英国政府在印度实行了鸦片垄断，中国才采取了禁止鸦片贸易的措施。天朝的立法者对违禁的臣民所施行的严厉惩罚以及中国海关所颁布的严格禁令，结果都丝毫不起作用。中国人的道义抵制的直接后果就是，帝国当局、海关人员和所有的官吏都被英国人弄得道德堕落。"[4]

既然落后的清王朝奉行的道义原则无法对抗强权国家的利益原则，那么，不论中国人民采取什么样"野蛮的"、"暴力的"抵抗手段都是正义的。马克思恩格斯热情支持、深切同情和高度评价中国人民反抗列强侵略的斗争。

恩格斯热情赞扬中国官兵在第一次鸦片战争中的反侵略斗争。在《英人对华的新远征》一文中，恩格斯对此进行了详细的论述。英国远征军在1841年企图侵入贯穿中国的中部大河长江，并且溯江而上，直达南京城。但是当他们

---

① 方骏：《中国近代的禁烟运动》，《陕西师范大学学报》（哲学社会科学版）2002年第3期。

② 《马克思恩格斯选集》第1卷，人民出版社2012年版，第806页。

③ 《马克思恩格斯选集》第1卷，人民出版社2012年版，第804页。

④ 《马克思恩格斯选集》第1卷，人民出版社2012年版，第805—806页。

到达镇江的时候，遇到了中国军民的英勇抵抗。"这些中国的鞑靼士兵无论军事技术怎样差，却决不缺乏勇敢和锐气。这些鞑靼士兵总共只有 1500 人，但殊死奋战，直到最后一人。他们在应战以前好像就已料到战斗的结局，他们将自己的妻子儿女绞死或者淹死。后来从井中曾打捞出许多尸体。主将看到大势已去，就焚烧了自己的房屋，投火自尽。在这次攻击中，英军损失了 185人，他们为了报复，在劫城的时候进行了无比残忍的蹂躏屠杀。"① 镇江保卫战是第一次鸦片战争的最后一战，充分反映了中华民族英勇反抗侵略的斗争精神。恩格斯断言："如果这些侵略者到处都遭到同样的抵抗，他们绝对到不了南京。"② 但是，腐朽的清政府却不顾爱国军民的英勇抵抗，最终选择了向敌人妥协投降，与英国签订了中国历史上第一个不平等的条约——《南京条约》。对此，恩格斯感慨地说："在一切实际事务中——而战争就是极其实际的——中国人远胜过一切东方人，因此毫无疑问，英国人定会发现中国人在军事上是自己的高才生。"③

马克思分析认为，中国政府武力击退强行驶入白河的英法舰队不是违背条约而是挫败入侵。第二次鸦片战争第一阶段，英、法通过《天津条约》攫取了在中国的一系列特权并获得战争赔款，可是，它们并不满足，蓄意利用换约之机再次挑起战争。1859 年 6 月，英、法公使全然不顾清政府的安排，带着炮舰、部队和武器溯白河而上。显然，这是有悖于国际外交礼节的行为。所以，当英法舰队到达白河口并企图强行进入白河时，必然遭到中国驻防官兵的毁灭性轰击。马克思对此写道："6 月 25 日，英国人企图强行进入白河时，约有 2 万蒙古军队做后盾的大沽炮台除去伪装，向英国船只进行毁灭性的轰击。陆战水战同时并举，打得侵略者狼狈不堪。"④ 消息传到英国，英国好战分子杀气腾腾地"一致怒吼着要求实行大规模报复"⑤。伦敦《每日电讯》叫嚷："大不列颠应该对中国海岸线全面进攻，打进京城，将皇帝逐出皇宫，……我们应该用九尾鞭抽打每一个敢于侮辱我国民族象征的蟒衣官吏……应该把他们〈中国将军们〉个个都当做海盗和凶手，吊在英国军舰的

① 《马克思恩格斯全集》第 16 卷，人民出版社 2007 年版，第 106 页。
② 《马克思恩格斯全集》第 16 卷，人民出版社 2007 年版，第 106 页。
③ 《马克思恩格斯全集》第 16 卷，人民出版社 2007 年版，第 107 页。
④ 《马克思恩格斯选集》第 1 卷，人民出版社 2012 年版，第 827 页。
⑤ 《马克思恩格斯选集》第 1 卷，人民出版社 2012 年版，第 827 页。

桅杆上。"① 马克思通过对"现有的不多的一点材料"的仔细分析，向人们展示了这一事件的事实真相。他认为，即使《天津条约》规定英国公使可以直接前往北京，中国政府反抗英国舰队驶入白河，"是否就违反了这个用海盗式战争强加于它的条约呢？从大陆邮班传来的消息中可知，中国当局不是反对英国使节前往北京，而是反对英国武装船只上驶白河"②。中国人对上次英国人炮轰广州一事记忆犹新，所以不能不认为这种武装是实行入侵的工具，"难道法国公使有留驻伦敦的权利就能赋予他率领一支法国武装远征队强行侵入泰晤士河的权利吗"③？既然连用海盗式的战争强加给中国的《天津条约》也没有规定英国人和法国人可以派遣军队进入北京，那么非常明显，破坏条约的不是中国人，而是英国人，而且"英国人是蓄意要刚好在规定的交换批准书日期之前向中国寻衅"④。因此，中国人反抗侵略，"并不是违背条约，而是挫败入侵"⑤。也就是说，中国人武装击退白河入侵者是正义的。

恩格斯深入分析和高度评价了中国人民在第二次鸦片战争中的反侵略斗争。外国侵略者对中国的疯狂侵略和掠夺，激起了中国人民的奋起反抗。在《波斯和中国》一文中，恩格斯从军事的角度分析了第二次鸦片战争时中国所面临的严峻局面：英法两国的海陆军正在向香港集结，西伯利亚边境上的哥萨克士兵在不停地向黑龙江沿岸推移，俄国海军陆战队则构筑工事把满洲的良好港湾包围起来。"旧中国的死亡时刻正在迅速临近"⑥。在此背景下，恩格斯认识到，在第二次鸦片战争时，中国人的情绪与第一次鸦片战争时的情绪已显然不同。第一次鸦片战争时中国人对外国侵略者还没有深刻的认识，所以人民保持平静，让皇帝的军队去同侵略者作战，失败之后，则抱着东方宿命论的态度屈从于敌人的暴力。但是第二次鸦片战争时，民众积极地而且是狂热地参加反对外国人的斗争。他们绑架和杀死外国人，秘密暴动，宁愿与船同沉海底或者在船上烧死也不投降。恩格斯认为："这些把炽热的炮弹射向毫无防御的城市、杀人又强奸妇女的文明贩子们，尽可以把中国人的这种抵抗方法叫做卑劣的、

---

① 《马克思恩格斯选集》第 1 卷，人民出版社 2012 年版，第 827 页。
② 《马克思恩格斯选集》第 1 卷，人民出版社 2012 年版，第 828 页。
③ 《马克思恩格斯选集》第 1 卷，人民出版社 2012 年版，第 828 页。
④ 《马克思恩格斯选集》第 1 卷，人民出版社 2012 年版，第 831 页。
⑤ 《马克思恩格斯选集》第 1 卷，人民出版社 2012 年版，第 828 页。
⑥ 《马克思恩格斯选集》第 1 卷，人民出版社 2012 年版，第 800 页。

野蛮的、凶残的方法；但是只要这种方法有效，那么对中国人来说这又有什么关系呢？""是英国政府的海盗政策造成了这一所有中国人普遍奋起反抗所有外国人的局面，并使之表现为一场灭绝战。"①

马克思恩格斯认为，中国民众"野蛮"反对外国人的斗争是一场正义的人民战争。西方列强的入侵激起了中国人民的极大愤怒，他们自发地同外国人作斗争。由于缺乏必要的组织和领导，也没有枪炮弹药，中国民众特别是南方各省民众以近乎野蛮的手段对付外国人。如，在供应香港英国人居住区的面包里大量地投放毒药；暗带武器搭乘商船，在中途杀死外国船员和乘客，夺取船只；甚至国外的华侨也在夜间起事；等等。中国人这种反抗侵略者的斗争方式引起了外国人的喧哗，被斥责为"卑劣行为"。恩格斯却对这种斗争方式表示理解和支持，他说："如果他们的绑架、偷袭和夜间杀人就是我们所说的卑劣行为，那么这些文明贩子们就不应当忘记：他们自己也承认过，中国人采取他们通常的作战方法，是不能抵御欧洲式的破坏手段的"②。可见，在恩格斯看来，既然中国人的暴行是由欧美列强的侵略引起的，而且中国人采取通常的作战方式不能有效抵抗侵略，就不该从道德方面指责中国人的行为。"我们不要像道貌岸然的英国报刊那样从道德方面指责中国人的可怕暴行，最好承认这是'保卫社稷和家园'的战争，这是一场维护中华民族生存的人民战争。虽然你可以说，这场战争充满这个民族的目空一切的偏见、愚蠢的行动、饱学的愚昧和迂腐的野蛮，但它终究是人民战争。而对于起来反抗的民族在人民战争中所采取的手段，不应当根据公认的正规作战规则或者任何别的抽象标准来衡量，而应当根据这个反抗的民族所刚刚达到的文明程度来衡量。"③也就是说，既然是"人民战争"，那就是正义的，尽管其采取的手段并不能被所谓的文明国家所认可。

在以上分析的基础上，马克思恩格斯愤怒地声讨西方列强的残暴行径，热情地支持中国人民的反侵略斗争，并且充满深情地预言："过不了多少年，我们就会亲眼看到世界上最古老的帝国的垂死挣扎，看到整个亚洲新纪元的曙光"④。后来中国历史的发展事实为这一预言作了最好的注解。

① 《马克思恩格斯选集》第 1 卷，人民出版社 2012 年版，第 798 页。
② 《马克思恩格斯选集》第 1 卷，人民出版社 2012 年版，第 798 页。
③ 《马克思恩格斯选集》第 1 卷，人民出版社 2012 年版，第 798—799 页。
④ 《马克思恩格斯选集》第 1 卷，人民出版社 2012 年版，第 800 页。

三、对两次鸦片战争起因及危害的分析

19世纪五六十年代，马克思恩格斯曾写了一系列关于两次鸦片战争问题的论文，发表了许多精辟的评述，不仅揭示了战争的起因和历史真相，而且还从唯物史观的高度分析了战争对中国社会现实及其未来发展的影响。

关于第一次鸦片战争的起因，马克思在《新的对华战争》一文中，曾尖锐指出："英国人曾为鸦片走私的利益而发动了第一次对华战争。"[①]19世纪中叶，英国已完成工业革命，机器工业逐渐代替了工场手工业，英帝国号称"世界工场"，成为当时世界上头号资本主义强国。但是，在资本增殖和扩张逻辑的作用下，商品生产严重过剩，英国资产阶级奔走全球，到处寻找商品市场。巨大的中国市场成为他们的必然目标，他们处心积虑地要打开中国的大门。为了达到殖民掠夺的目的，英国殖民主义者在策划战争的同时，还采用了鸦片贸易作为掠夺中国财富进行商品侵略的重要武器。英国资产阶级用了各种手段保护鸦片走私，使鸦片像潮水一般涌入中国，年年递增。对此，马克思指出："印度的英国当局的收入，足足有七分之一要靠向中国人出售鸦片，而印度对英国工业品的需求在很大程度上又是取决于印度的鸦片生产。"[②]鸦片贸易给中国人民带来了巨大的灾难。它使中英贸易中中国方面由入超变为出超，白银大量外流，引起国内银价上涨，钱价大跌，也直接影响到中国人民的生活。鸦片的吸食摧残了中国人的身心，直接或间接地造成了社会生产力的萎缩。中国人民理所当然地在本国土地上进行禁烟活动。1839年6月3日至25日，林则徐在广州虎门销毁鸦片两万余箱，标志了这场运动达到了高潮。它沉重地打击了英国政府的鸦片政策，影响了英国资产阶级的巨额收入。这样，反对中国的禁烟就成为他们策划已久、阴谋用战争推进鸦片贸易、打开中国门户的"借口"。对此，马克思指出："中国政府在1837年、1838年和1839年采取的非常措施——这些措施的最高潮是钦差大臣林则徐到达广州和按照他的命令没收、销毁走私的鸦片——提供了第一次英中战争的借口。"[③]1840年2月，英国议会通过对华

---

① 《马克思恩格斯选集》第1卷，人民出版社2012年版，第842页。

② 《马克思恩格斯选集》第1卷，人民出版社2012年版，第784页。

③ 《马克思恩格斯选集》第1卷，人民出版社2012年版，第806页。

作战决议案，决定派遣 4000 名远征军，军舰、运输舰、武装汽船 48 只，装载大炮 540 门，于 1840 年 6 月封锁广州珠江口岸，这标志了中英鸦片战争的正式开始。直到 1842 年 8 月，英国殖民当局共派侵略军达 22 000 人，在中国土地上作战，用武力打败清政府，迫使清政府签订了不平等的《南京条约》。这就是第一次鸦片战争的起因和历史真相。

对于第二次鸦片战争的起因，马克思作出了详细的分析。英国发动第二次鸦片战争的借口是所谓的"亚罗号"事件。"亚罗号"是中国人的一条走私船，船员都是中国人，但为英国人所雇用。该船曾在香港注册，并取得暂时悬挂英国国旗航行的执照，但在所谓"侮辱事件"发生以前，这张执照就已经满期了，而且并未悬挂英国国旗。1856 年 10 月 8 日，广东水师在船上逮捕了涉嫌走私的船员。于是，船主向英国领事巴夏礼控告。巴夏礼致函两广总督叶名琛，用命令的口吻提出无理要求：放回被捕者并道歉，同时致书英国海军将军西马縻各厘，称中国的行为"侮辱"了英国国旗，并且相当明显地暗示说："期待已久的向广州来一次示威的良机到来了。"[①]叶名琛据实驳斥巴夏礼的歪曲事实的言论和蛮横要求，同时又在查清相关事实后将无罪人员送回船上。但巴夏礼并不感到满意。接着，态度蛮横的英国海军将军西马縻各厘率舰队抵达广东海面进行大肆恫吓。23 日，英舰闯入珠江，炮轰广州城，几天后因兵力不足撤出广州城。西马縻各厘却致函叶名琛，要求举行紧急会议，以结束现状，并以再次进攻相威胁。叶名琛认为，按照 1849 年相关协定，海军上将没有权利要求举行这种会议，便拒绝之。于是，英舰再次炮轰广州，摧毁停在江面上的中国舰队。马克思说："这场极端不义的战争就是根据上面简单叙述的理由而进行的。……广州城的无辜居民和安居乐业的商人惨遭屠杀，他们的住宅被炮火夷为平地，人权横遭侵犯，这一切都是在'中国人的挑衅行为危及英国人的生命和财产'这种站不住脚的借口下发生的！"[②]英国资产阶级编造了种种借口，胡说鸦片战争"不过是一个持续了二十年，并且要决定东方和西方之间应有的国际关系和商务关系的开端"，战争发生的原因是由于中国人"愚昧而骄傲"，以及英国人受到了"侮辱"，等等。马克思严厉地驳斥了这种荒谬的借口，认

---

① 《马克思恩格斯选集》第 1 卷，人民出版社 2012 年版，第 792 页。
② 《马克思恩格斯选集》第 1 卷，人民出版社 2012 年版，第 792—793 页。

为愿意弄清楚这个问题的人们，都知道这种说法是"多么虚伪和空洞"。① 在《英人在华的残暴行动》一文里，马克思义愤填膺地写道："这些不分青红皂白的说法是毫无根据的。英国人控告中国人一桩，中国人至少可以控告英国人九十九桩。……非法的鸦片贸易年年靠摧残人命和败坏道德来填满英国国库的事情，我们一点也听不到。外国人经常贿赂下级官吏而使中国政府失去在商品进出口方面的合法收入的事情，我们一点也听不到。对那些被卖到秘鲁沿岸去当不如牛马的奴隶、被卖到古巴去当契约奴隶的受骗契约华工横施暴行'以至杀害'的情形，我们一点听不到。外国人常常欺凌性情柔弱的中国人的情形以及这些外国人带到各通商口岸去的伤风败俗的弊病，我们一点也听不到。我们所以听不到这一切以及更多得多的情况，首先是因为在中国以外的大多数人很少关心这个国家的社会和道德状况；其次是因为按照精明和谨慎的原则不宜讨论那些不能带来钱财的问题。"② 因此，马克思敏锐地感觉到："在中国，压抑着的、鸦片战争时燃起的仇英火种，爆发成了任何和平和友好的表示都未必能扑灭的愤怒烈火。"③

马克思恩格斯为美国《纽约每日论坛报》写的系列评论文章，向全世界人民揭露了英法等列强蓄谋已久的侵略行为的事实真相。同时，对于两次鸦片战争对中国造成的危害，马克思恩格斯也进行了有力的揭露。

其一，马克思痛斥了英国人主导的鸦片战争及其鸦片贸易摧残中国人的生命并败坏清政府官吏的道德。以英国为首的欧美列强在对华进行合法贸易无法改变贸易入超的情况下，便以非法的鸦片贸易攫取中国人的财富；在非法的鸦片贸易遭遇中国政府查禁的情况下，便付诸以大炮来轰开中国的大门。对此，马克思指出，鸦片贸易对中国人的生命是一种巨大的伤害。鸦片作为一种毒品，一旦吸食成瘾，吸食者不但要为之付出大量的钱财，而且身心健康受到严重摧残，最终在萎靡不振中死去。英国东印度公司却以生产中国人吸食的鸦片为业，从中牟取暴利。对于鸦片贸易通过摧残人命的方式攫取中国人的财富这种极其不道德的贸易，马克思说："我们不想详述这种贸易的道德方面，关于这种贸易，连英国人蒙哥马利·马丁都这样写道：'不是吗，'奴隶贸易'比起

① 《马克思恩格斯选集》第 1 卷，人民出版社 2012 年版，第 793 页。
② 《马克思恩格斯选集》第 1 卷，人民出版社 2012 年版，第 793 页。
③ 《马克思恩格斯选集》第 1 卷，人民出版社 2012 年版，第 793 页。

'鸦片贸易'来，都要算是仁慈的。我们没有毁灭非洲人的肉体，因为我们的直接利益要求保持他们的生命；我们没有败坏他们的品格、腐蚀他们的思想，也没有毁灭他们的灵魂。可是鸦片贩子在腐蚀、败坏和毁灭了不幸的罪人的精神存在以后，还杀害他们的肉体；每时每刻都有新的牺牲者被献于永不知饱的摩洛赫之前，英国杀人者和中国自杀者竞相向摩洛赫的祭坛上供奉牺牲品"[1]。不仅如此，鸦片贸易还加剧了清政府官吏的腐败和道德堕落。在第一次鸦片战争前，鸦片贸易作为非法的贸易受到清政府的查禁。于是英国烟贩就通过贿赂相关检查人员的手段，继续进行罪恶的鸦片贸易。结果，清朝当局、海关人员和所有的官吏都被英国人的金钱贿赂而弄得道德堕落。对此，马克思指出："侵蚀到天朝官僚体系之心脏、摧毁了宗法制度之堡垒的腐败作风，就是同鸦片烟箱一起从停泊在黄埔的英国趸船上被偷偷带进这个帝国的。"[2]

其二，马克思揭示，鸦片贸易扰乱了中国的国库收支和货币流通。鸦片贸易改变了中国对外贸易的长期优势，中国白银大量外流。据资料显示，1821—1840 年间，中国白银外流至少在 1 亿两以上，相当于当时银货流通总额的 1/5；平均每年流出 500 万两白银，相当于清政府每年收入的 1/10，18 世纪末，1 两白银换铜钱 1000 文左右，到 19 世纪 30 年代后期，上涨到 1600 文。[3] 可见，清朝的货币流通已经受到严重的干扰。马克思说："1837 年，中国政府终于到了非立即采取果断行动不可的地步。因输入鸦片而造成的白银不断外流，开始扰乱天朝帝国的国库收支和货币流通。"[4] 第一次鸦片战争后，虽然英中两国没有就鸦片贸易达成什么协议，但是清政府已经不敢再查禁走私鸦片。如此，鸦片贸易更加猖獗，英国政府和鸦片贩子从中牟取暴利。"英国政府在每箱鸦片上所花的费用约 250 卢比，而在加尔各答拍卖场上的卖价是每箱 1210—1600 卢比。"[5] 鸦片运到中国后，再以几倍的价格卖给中国人。由于大量的白银都用于购买鸦片，中国人已无消费能力和支付能力购买外国产品。因此，马克思指出，只要取消鸦片贸易，中国还可以逐渐地再多吸收一些英美商品，数额可达 800 万英镑，实际也就是中国对英美贸易总顺差的数目，然而，"尽管有着贸

① 《马克思恩格斯选集》第 1 卷，人民出版社 2012 年版，第 802 页。

② 《马克思恩格斯选集》第 1 卷，人民出版社 2012 年版，第 805 页。

③ 参见李侃：《中国近代史（1840—1919）》，中华书局 2012 年版，第 11 页。

④ 《马克思恩格斯选集》第 1 卷，人民出版社 2012 年版，第 806 页。

⑤ 《马克思恩格斯选集》第 1 卷，人民出版社 2012 年版，第 807 页。

易顺差，中国的财政和货币流通却由于总额约达 700 万英镑的鸦片进口而陷于严重的混乱。"①

其三，马克思恩格斯指出，英国发动的"海盗式战争"严重侵犯了中国人权。马克思恩格斯站在人道主义的立场，在文中多次斥责英军屠杀中国居民、抢掠和破坏中国居民财产等侵犯中国人权的罪恶行径。1856 年 10 月底，在两广总督叶名琛拒绝按英方就"亚罗号"事件作出的无理要求行事后，英军炮轰广州城并进入城内进行烧杀抢夺，俨然十足的海盗行为。对此，马克思斥责说："广州城的无辜居民和安居乐业的商人惨遭屠杀，他们的住宅被炮火夷为平地，人权横遭侵犯，这一切都是在'中国人的挑衅行为危及英国人的生命和财产'这种站不住脚的借口下发生的!"②1857 年 4 月，在英国决定第二次远征中国之际，恩格斯回顾了第一次鸦片战争时期英国人在中国遇到抵抗进而残杀中国军民的情景。他说："在这次攻击中，英军损失了 185 人，他们为了报复，在劫城的时候进行了无比残忍的蹂躏屠杀。英军此次作战自始至终大发兽性，这种兽性和引起这次战争的贩私贪欲完全相符。"③

其四，马克思认识到，鸦片贸易和战争赔款还加重了中国民众的经济负担。第一次鸦片战争失败后，清政府赔偿英国 420 万英镑，第二次鸦片战争失败后，清政府赔偿英国 1 334 000 英镑。战后猖獗的鸦片贸易使得中国的白银进一步外流，造成严重的银贵钱贱现象。赔款和银价上涨造成的经济负担全部加在中国平民百姓的头上。对此，马克思指出："中国在 1840 年战争失败以后被迫付给英国的赔款、大量的非生产性的鸦片消费、鸦片贸易所引起的金银外流、外国竞争对本国工业的破坏性影响、国家行政机关的腐化，这一切造成了两个后果：旧税更重更难负担，旧税之外又加新税。"④

从唯物史观的高度，马克思不仅看到了中国旧政权在西方列强的侵略下加速走向消亡，同时也看到了促进中国社会发展的新因素的孕育。西方列强强迫清朝政府签订的一系列不平等条约，使中国由一个独立的封建皇权专制社会发展成为半封建、半殖民地社会，不仅加深了中国人民的苦难，而且极大地冲击了专制主义的国家政权，加速了它的解体过程。马克思在《中国革

---

① 《马克思恩格斯选集》第 1 卷，人民出版社 2012 年版，第 814 页。
② 《马克思恩格斯选集》第 1 卷，人民出版社 2012 年版，第 792—793 页。
③ 《马克思恩格斯全集》第 16 卷，人民出版社 2007 年版，第 106 页。
④ 《马克思恩格斯选集》第 1 卷，人民出版社 2012 年版，第 780 页。

命和欧洲革命》中指出："与外界完全隔绝曾是保存旧中国的首要条件，而当这种隔绝状态通过英国而为暴力所打破的时候，接踵而来的必然是解体的过程，正如小心保存在密闭棺材里的木乃伊一接触新鲜空气便必然要解体一样。"① 在《俄国在远东的成功》一文中，马克思进一步指出："摇摇欲坠的亚洲帝国正在一个一个地成为野心勃勃的欧洲人的猎获物。这里又有一个这样的帝国，它很虚弱，很衰败，甚至没有力量经受人民革命的危机，在这里，就连一场激烈爆发的起义也都变成了看来无法医治的慢性病；它很腐败，无论是控制自己的人民，还是抵抗外国的侵略，一概无能为力"②。同时，马克思也认识到，西方列强对中国的疯狂侵略和残酷剥削、清朝政府的腐败，使中国人民快速觉醒，在客观上又促进了中国社会内部进步的革命的因素的产生和发展。他说："所以几乎不言而喻，随着鸦片日益成为中国人的统治者，皇帝及其周围墨守成规的大官们也就日益丧失自己的统治权。历史好像是首先要麻醉这个国家的人民，然后才能把他们从世代相传的愚昧状态中唤醒似的。"③太平天国革命的爆发就是对马克思这一科学预言的惊人回应。

第二节 关于中国革命和发展问题的研究

19世纪50年代，中国爆发了规模庞大、旷日持久的太平天国运动，动摇了清朝的反动统治，沉重打击了外国侵略者，显示出中国革命的巨大威力。马克思和恩格斯以充分肯定的态度，评述了太平天国革命运动的原因、作用、意义和局限性等问题，站在历史唯物主义的高度深入分析了中国革命和中国发展问题。

① 《马克思恩格斯选集》第1卷，人民出版社2012年版，第780—781页。
② 《马克思恩格斯选集》第1卷，人民出版社2012年版，第822页。
③ 《马克思恩格斯选集》第1卷，人民出版社2012年版，第779—780页。

一、对中国革命作用和民族命运的阐释

1851 年，酝酿已久的太平天国革命运动在广西金田村爆发了，它持续了 16 年之久，建立了比较完备的政权机构，规模之大、影响之深是中国农民起义的历史上少见的。马克思以充分肯定的态度，评述了这一革命运动的性质和作用。

关于太平天国起义的原因，马克思认为这次革命是鸦片战争炮声的回应。他说："中国的连绵不断的起义已经延续了约十年之久，现在汇合成了一场惊心动魄的革命；不管引起这些起义的社会原因是什么，也不管这些原因是通过宗教的、王朝的还是民族的形式表现出来，推动了这次大爆发的毫无疑问是英国的大炮，英国用大炮强迫中国输入名叫鸦片的麻醉剂。"① 几年之后，马克思再一次谈到了这次革命的原因："运动发生的直接原因显然是：欧洲人的干涉，鸦片战争，鸦片战争所引起的现存政权的震动，白银的外流，外货输入所引起的经济平衡的破坏，等等。"② 也就是说，鸦片没有起到麻醉作用，反而起到了惊醒作用，殖民主义者的侵略唤起了中华民族的觉醒，激起了千千万万个农民的反抗，汇聚成了一波影响深远的革命浪潮。

关于太平天国革命运动的国内影响，马克思认为它沉重地打击了封建统治，对推动中国社会发展具有积极作用。还在太平天国革命运动处在酝酿时期，马克思恩格斯就在共同撰写的《国际述评》中指出："这个国家据说已经接近灭亡，甚至面临暴力革命的威胁，但是，更糟糕的是，在造反的平民当中有人指出了一部分人贫穷和另一部分人富有的现象，要求重新分配财产，过去和现在一直要求完全消灭私有制"③。显然，马克思恩格斯充分肯定太平天国革命的积极作用，认为它是反抗民族的和阶级的压迫的小股农民起义的汇合，是更高级的斗争形式。它明确地提出推翻清朝、平等平均的革命纲领，建立了自己的政权，与清政府分庭抗礼，达到了旧式农民起义的最高峰。它显示了农民群众的作用，严重地打击了清朝统治者的淫威，使它"没有力量来经受人民革

---

① 《马克思恩格斯选集》第 1 卷，人民出版社 2012 年版，第 779 页。
② 《马克思恩格斯全集》第 15 卷，人民出版社 1963 年版，第 545 页。
③ 《马克思恩格斯全集》第 7 卷，人民出版社 1959 年版，第 264 页。

命的危机，在这里，就连一场激烈爆发的起义也都变成了看来无法医治的慢性病"①。马克思恩格斯从历史发展高度，理性地看到太平天国革命对落后的中国社会的积极促进作用，认为这场农民革命，加速了封建制度的解体，同时又对新制度的诞生起到了助产婆的作用。由此，马克思恩格斯预言，不久就会看见"自由、平等、博爱"的中华共和国。

关于这次中国农民革命对欧洲革命的影响，马克思用"两极相联"②这个朴素的谚语来比喻中国革命和欧洲革命之间的关系。鸦片这一麻醉品唤醒了中国人，中国发生了起义，清朝政府发生了危机，"这个普遍危机一扩展到国外，紧接而来的将是欧洲大陆的政治革命"③。太平天国革命不仅中断了清朝同印度的鸦片贸易，而且也使外国工业品的购买陷于停顿。殖民主义者"进行干涉只能使革命更加暴烈，并拖长商业的停滞"④。西方世界的干预只会使中国革命更加猛烈，并且加速自己国家的经济危机。从这个意义上说，太平天国革命比清朝的任何法令都更有效地抵制了殖民主义者的鸦片贸易和经济掠夺，保护了民族的利益，有力地打击了殖民主义者的入侵。对此，马克思指出："这将是一个奇观：当西方列强用英、法、美等国的军舰把'秩序'送到上海、南京和运河口的时候，中国却把动乱送往西方世界。"⑤在这里，马克思充分肯定了太平天国革命的世界意义，说它将引起欧洲大陆的政治革命，有效地支持那里人民"争取共和自由、争取廉洁政府的斗争"⑥。他从世界革命的总体视角出发，"断定这次中国革命对欧洲的影响一定比俄国的所有战争、意大利的宣言和欧洲大陆上的秘密社团所起的影响大得多"⑦。马克思清楚地看到太平天国革命对"先进"、"文明"的欧洲产生的重大影响，客观地指出了它的历史进步作用。

马克思还认识到，由农民阶级独立领导的太平天国革命，具有它自身无法克服的阶级局限性。马克思运用唯物史观的方法对中国农民革命进行了科学评价，作出了深刻的分析，他说，在这次革命中，"除了改朝换代以外，他们没

---

① 《马克思恩格斯选集》第 1 卷，人民出版社 2012 年版，第 822 页。
② 《马克思恩格斯选集》第 1 卷，人民出版社 2012 年版，第 778 页。
③ 《马克思恩格斯选集》第 1 卷，人民出版社 2012 年版，第 783 页。
④ 《马克思恩格斯选集》第 1 卷，人民出版社 2012 年版，第 784 页。
⑤ 《马克思恩格斯选集》第 1 卷，人民出版社 2012 年版，第 783—784 页。
⑥ 《马克思恩格斯选集》第 1 卷，人民出版社 2012 年版，第 778 页。
⑦ 《马克思恩格斯全集》第 12 卷，人民出版社 1962 年版，第 76 页。

有给自己提出任何任务。他们没有任何口号"。"他们的全部使命，好像仅仅是用丑恶万状的破坏来与停滞腐朽对立，这种破坏没有一点建设工作的苗头。"①这是封闭保守的自给自足的生产方式限制了他们的眼光。他们可以沉重地打击封建的、殖民主义者的统治，但决不可能提出完备的切实可行的纲领，以建立一种先进的社会制度。但是，马克思对太平天国革命总体上是肯定的，并且满怀信心地说："中国革命将把火星抛到现今工业体系这个火药装得足而又足的地雷上，把酝酿已久的普遍危机引爆。"②

二、对世界贸易发展影响中国经济的探讨

1858—1859 年期间，马克思在《鸦片贸易史》、《英中条约》、《中国和英国的条约》、《对华贸易》等文章中，运用历史唯物主义的观点考察和研究了中国的经济社会结构，深入分析了鸦片贸易和资本主义工业产品的输入对中国经济的影响，指出了这种自给自足的自然经济在外力作用下走向解体的历史必然性。

马克思深入分析了中国清代的社会经济结构特征。马克思认为，中国清代"是那个依靠小农业和家庭工业相结合而存在的中国社会经济结构"③，与封建专制主义政治结构相适应。在这样的社会经济结构中，自给自足的自然经济占主导地位，农民不但生产自己所需要的农产品，而且生产自己需要的大部分手工业品。虽然商品经济早就存在，但是在整个经济结构中不起主要作用。马克思在引用一位来到中国的英国官员米切尔的话说："中国人的习惯是这样节俭、这样因循守旧，甚至他们穿的衣服都完全是以前他们祖先所穿过的。……福建的农民不单单是一个农民，他既是庄稼汉又是工业生产者。他生产布匹，除原料的成本外，简直不费分文。如前所说，他是在自己家里经自己的妻女和雇工的手而生产这种布匹的；既不要额外的劳力，又不费特别的时间。在他的庄稼正在生长时，在收获完毕以后，以及在无法进行户外劳动的雨天，他就让他家

---

① 《马克思恩格斯全集》第 15 卷，人民出版社 1963 年版，第 545 页。
② 《马克思恩格斯选集》第 1 卷，人民出版社 2012 年版，第 783 页。
③ 《马克思恩格斯选集》第 1 卷，人民出版社 2012 年版，第 843 页。

里的人们纺纱织布。总之，一年到头一有可利用的空余时间，这个家庭工业的典型代表就去干他的事，生产一些有用的东西。"①马克思认为米切尔对中国社会经济结构的分析是符合当时客观实际的："这些有利情况，再加上他们特别刻苦耐劳，就能充分满足他们衣食方面的简单需要"②。这说明中国的这一小农业和家庭手工业相结合的经济结构，具有牢固的存在基础，如果没有外力作用，很难发生根本性改变。这一点与印度相类似。马克思在谈到印度公社的时候说："这些田园风味的农村公社不管看起来怎样祥和无害，却始终是东方专制制度的牢固基础，它们使人的头脑局限在极小的范围内，成为迷信的驯服工具，成为传统规则的奴隶，表现不出任何伟大的作为和历史首创精神。"③这也是中国古代社会曾经长期稳定不变的主要原因。可是到了近代，西方世界已经发生了根本性的变化，世界历史开始形成，对小农业与家庭手工业相结合的经济结构产生了巨大的冲击和挑战。

马克思详细考察了鸦片贸易对中国经济的直接影响。19世纪40年代，欧美各主要资本主义国家都已经相继完成了工业革命，生产能力极大提高，生产过剩危机不断发生。在资本增殖和扩张逻辑的作用下，为了寻找新的原料产地和产品的销售市场，各主要资本主义国家纷纷走上了侵略扩张的殖民主义道路。占领中国的广阔市场是它们的重要目标，鸦片贸易由此产生。"到1816年，鸦片年贸易额已将近250万美元。"④"1856年输入中国的鸦片，总值约3500万美元，同年英印政府靠鸦片垄断获取了2500万美元的收入，正好是它财政总收入的六分之一。"⑤因鸦片贸易，由中国向英属印度输出的白银，几乎使天朝帝国的银源有枯竭的危险。通过对鸦片贸易史的考察，马克思感叹："这种贸易，无论就可以说是构成其轴心的那些悲惨冲突而言，还是就其对东西方之间一切关系所发生的影响而言，在人类历史记录上都是绝无仅有的"⑥。但是，由于大清王朝国民的需求能力和消费能力的有限性，鸦片贸易的扩张严重影响了帝国主义国家对中国的工业品输出。对此，马克思说："中国人不能既购买商

① 《马克思恩格斯选集》第1卷，人民出版社2012年版，第845—846页。
② 《马克思恩格斯选集》第1卷，人民出版社2012年版，第846—847页。
③ 《马克思恩格斯选集》第1卷，人民出版社2012年版，第853—854页。
④ 《马克思恩格斯选集》第1卷，人民出版社2012年版，第805页。
⑤ 《马克思恩格斯选集》第1卷，人民出版社2012年版，第807页。
⑥ 《马克思恩格斯选集》第1卷，人民出版社2012年版，第803页。

品又购买毒品；在目前条件下，扩大对华贸易也就是扩大鸦片贸易；增加鸦片贸易是和发展合法贸易不相容的。"① 也就是说，对华鸦片贸易和商品输出是此消彼长的关系，鸦片贸易的增长阻碍了资本主义国家的对华商品销售。

马克思深刻揭示了机器大工业生产方式对于中国自然经济走向解体的根本性推动。马克思指出："过去有个时候，曾经流行过一种十分虚妄的见解，以为天朝帝国'大门被打开'一定会大大促进美国和英国的商业……这些奢望是没有可靠根据的。"② 因为"除我们已证明与西方工业品销售成反比的鸦片贸易之外，妨碍对华贸易迅速扩大的主要因素，是那个依靠小农业与家庭工业相结合而存在的中国社会经济结构"。并且，为了长久保持此经济结构，摇摇欲坠的晚清王朝实行鸵鸟式的闭关锁国政策，将外国人与中国人的交往限定在离北京和产茶区很远的地方——广州，外国人在广州做生意，也只限同领有政府特许执照的从事外贸的商人进行交易，"这是为了阻止它的其余臣民同它所仇视的外国人发生任何联系"③。但是，晚清王朝设置的这种政治"藩篱"并没有真正起到防护作用，反而加速了它的解体进程。"满族王朝的声威一遇到英国的枪炮就扫地以尽，天朝帝国万世长存的迷信破产了，野蛮的、闭关自守的、与文明世界隔绝的状态被打破，开始同外界发生联系，这种联系从那时起就在加利福尼亚和澳大利亚黄金的吸引之下迅速地发展起来。"④ 鸦片战争失败以后，中国被迫付给英国的赔款、毒害人民的鸦片消费、金银的外流、外国产品对本国的破坏性影响、国家行政机关的腐化等，所有这些都构成了中国小农业和手工业相结合的破坏性因素，并且对专制主义的国家政权造成了巨大的打击。殖民主义的大炮破坏了皇帝的权威，迫使天朝帝国与世界接触，"与外界完全隔绝曾是保存旧中国的首要条件，而当这种隔绝状态通过英国而为暴力所打破的时候，接踵而来的必然是解体的过程，正如小心保存在密闭棺材里的木乃伊一接触新鲜空气便必然要解体一样"⑤。马克思恩格斯在1850年合写的《国际评述（一）》中精辟地阐述了这一解体的具体原因和进程："在这个国家，缓慢地但不断地增加的过剩人口，早已使它的社会条件成为这个民族的大多数人的沉

① 《马克思恩格斯选集》第1卷，人民出版社2012年版，第802页。
② 《马克思恩格斯选集》第1卷，人民出版社2012年版，第843页。
③ 《马克思恩格斯选集》第1卷，人民出版社2012年版，第784页。
④ 《马克思恩格斯选集》第1卷，人民出版社2012年版，第779页。
⑤ 《马克思恩格斯选集》第1卷，人民出版社2012年版，第780—781页。

重枷锁。后来英国人来了，用武力达到了五口通商的目的。成千上万的英美船只开到了中国；这个国家很快就为不列颠和美国廉价工业品所充斥。以手工劳动为基础的中国工业经不住机器的竞争。牢固的中华帝国遭受了社会危机。"①这是对机器大工业生产方式战胜落后的自然经济的深刻揭示。

三、对中国与俄国社会问题的分析

马克思恩格斯在相关文章中就俄国、中国的社会问题进行了深入的分析和研究，在此基础上集中探讨和论述了俄中两国的社会发展和革命前景问题。

在对俄国 1861 年以后农村社会发展的新文献进行深入研究的基础上，恩格斯于 1875 年 3—4 月写成《论俄国的社会问题》，1875 年 5 月又为它写了一篇导言。在这本书及其导言里，恩格斯批驳俄国的民粹主义者特卡乔夫的错误观点，以大量的事实证明俄国存在着严重的社会问题。恩格斯认为，俄国的社会问题集中表现为封建沙皇政府和新生的资产阶级联合起来压迫农民和农村公社，力图置农民和农村公社于死地。

首先是封建沙皇政府通过农奴制改革加重对农民的剥削。1861 年俄国进行农奴制改革，不仅没有减轻农民的负担，反而加强了对农民的剥削。恩格斯详细考察了相关事实资料，将这种剥削的加强概括为三个方面，并作了详细的分析和论述。其一，农民交纳比以前更重的土地税。农奴制改革使农奴获得了"人"的权利，地主在保留对土地所有权的情况下，将土地作为份地分给农民使用。在俄国欧洲部分，农民占有 10 500 万亩土地，贵族即大土地所有者占有 1 亿亩土地，每人平均占有 3300 俄亩。但是，农民每年交纳 19 500 万卢布的土地税，而贵族则只交纳 1300 万。贵族的土地收获量却比农民的高一倍，因为在赎免徭役后接着分配土地时，国家从农民手中夺走而转交给贵族的，不仅是大部分的土地，而且是最好的土地，同时农民不得不为了自己最坏的土地向贵族按最好的土地付地价。基于上述事实，恩格斯指出："农民——其大多数——在赎免以后，陷入了极其贫困的、完全无法忍受的状态。他们不仅被夺去了他们大部分的和最好的土地，因而甚至在帝国富饶的地区，农民的份

---

① 《马克思恩格斯全集》第 7 卷，人民出版社 1959 年版，第 264 页。

地——按俄国的耕作条件说——都小得无法赖以糊口"①。当时的俄国，地主几乎完全免税，几乎全部土地税由农民承担。其二，农民交付国家垫付赎金的利息和分期偿付赎金。"农民不仅为这块土地被刮去了极大的一笔钱，这笔钱是由国家替他们垫付的，现在他们必须连本带利逐渐偿还给国家。"②其三，新建立的地方管理机构也向农民收取捐税。"自从新近建立地方管理机关以来又加上了省和县的捐税。"③综上可见，农民的捐税负担极其沉重。因此，恩格斯指出："这次'改革'的最重大的后果就是给农民加上了各种新的捐税负担。"④

其次是新生的资产阶级对农民的剥削。恩格斯根据掌握的事实资料，将农民被剥削的方式概括为三种类型。其一，高利贷剥削。19世纪中期，俄国的资本主义得到一定程度的发展，出现了高利贷者和农村富农，构成新生资产阶级的一部分。快到收税的时候，高利贷者和富农就跑出来，拿自己的现钱向农民放债。农民因为交税需要现钱，被迫无奈接受高利贷。"这样一来，农民也就更深地陷入困境，需要的现钱越来越多。"⑤其二，粮商剥削。一到收获的时节，粮商（也是新生的资产阶级）散布各种压低粮价的谣言，开出很低的粮食收购价格。农民因需要现钱，被迫低价出售一部分养家活口所必需的粮食。"可见，俄国粮食的大量出口是直接以农民挨饿为基础的。"⑥其三，投机家剥削。一些新生资产阶级投机家从政府那里长期租赁一片国有土地，当土地不用施肥就能得到很好收成时就自己耕种，当地力耗尽时再把这片土地分成小块，以很高的租价租给临近少地的农民。综合以上三种剥削农民的方式，恩格斯说："没有任何一个国家像俄国这样，当资产阶级社会还处在原始蒙昧状态的时候，资本主义的寄生性便已经发展到这样的程度，以致整个国家、全体人民群众都被这种寄生性的罗网覆盖和缠绕。"⑦并且，恩格斯将这些寄生性的新生资产阶级比喻为"吮吸农民血液的吸血鬼"⑧。

---

① 《马克思恩格斯选集》第3卷，人民出版社2012年版，第325页。
② 《马克思恩格斯选集》第3卷，人民出版社2012年版，第325页。
③ 《马克思恩格斯选集》第3卷，人民出版社2012年版，第325页。
④ 《马克思恩格斯选集》第3卷，人民出版社2012年版，第325页。
⑤ 《马克思恩格斯选集》第3卷，人民出版社2012年版，第326页。
⑥ 《马克思恩格斯选集》第3卷，人民出版社2012年版，第326页。
⑦ 《马克思恩格斯选集》第3卷，人民出版社2012年版，第326页。
⑧ 《马克思恩格斯选集》第3卷，人民出版社2012年版，第326页。

　　基于以上分析，恩格斯认识到，俄国农民在摆脱农奴地位以后的处境已经不堪忍受，不可能长久这样继续下去，俄国革命正在日益迫近，这都是显而易见的事情。"问题只在于这个革命的结果可能怎样，将会怎样？"[①] 对此，恩格斯运用历史唯物主义观点驳斥了俄国民粹派不顾历史发展的客观条件，鼓吹俄国可以借助农村公社直接过渡到社会主义的主张。针对特卡乔夫所说的俄国存在的"劳动组合"，恩格斯通过考察和分析它在俄国存在的实际状况，指出劳动组合的本质，即"劳动组合在这里是使资本家便于剥削雇佣工人的工具"[②]。此外，针对特卡乔夫所说的俄国存在的"土地公社所有制"，恩格斯通过分析和研究它的生成发展历史以及在俄国存在的特点，指出俄国的公社所有制随着俄国资本主义的发展必将解体，"由此可见，俄国的公社所有制早已度过了它的繁荣时代，看样子正在趋于解体"[③]。同时，恩格斯也不否认土地公社所有制有可能转变为高级形式，"只要它能够保留到条件已经成熟到可以这样做的时候，只要它显示出能够在农民不再是单独而是集体耕作的方式下向前发展"[④]。也就是说，有可能实现这种向高级形式的过渡，而俄国农民无须经过资产阶级的小块土地所有制的中间阶段。但是，恩格斯特别指出，要使这一社会形式不经过资本主义阶段而实现向高级形式的过渡，必须具备一定的社会历史条件。一个条件是外部条件，即"西欧在这种公社所有制彻底解体以前就胜利地完成无产阶级革命并给俄国农民提供实现这种过渡的必要条件，特别是提供在整个农业制度中实行必然与此相联系的变革所必需的物质条件"[⑤]。他强调指出："如果有什么东西还能挽救俄国的公社所有制，使它有可能变成确实富有生命力的新形式，那么这正是西欧的无产阶级革命。"[⑥] 另一个条件是内部条件，即俄国国内发生一场改变和灭亡沙皇封建制度的革命。他指出，假定俄国可以由农村公社为出发点实现社会发展，那么必须消除对农村公社的各种破坏性影响，给予它正常的发展条件，使它能够生存下去。由于沙皇封建制度残酷地压迫和剥削农村公社，力图置它于死地。所以恩格斯认为，只有发生一场革

---

① 《马克思恩格斯选集》第 3 卷，人民出版社 2012 年版，第 327 页。
② 《马克思恩格斯选集》第 3 卷，人民出版社 2012 年版，第 329 页。
③ 《马克思恩格斯选集》第 3 卷，人民出版社 2012 年版，第 332 页。
④ 《马克思恩格斯选集》第 3 卷，人民出版社 2012 年版，第 332—333 页。
⑤ 《马克思恩格斯选集》第 3 卷，人民出版社 2012 年版，第 333 页。
⑥ 《马克思恩格斯选集》第 3 卷，人民出版社 2012 年版，第 333 页。

命，改变和灭亡沙皇封建制度，才能保证农村公社的存在与发展。他分析认为当时"俄国无疑处在革命的前夜"[①]。因为：一是俄国的财政已经混乱到了极点，捐税额已无法再往上提高，旧国债的利息要用新公债来偿付，而每一次举借新公债都遇到越来越大的困难，而只有借口建造铁路才能筹到一些钱；二是行政机构早已腐败透顶，官员们主要是靠贪污、受贿和敲诈来维持生活，而不是薪俸；三是全部农业生产——这是俄国最主要的生产——都被 1861 年的赎买办法弄得混乱不堪，导致农业生产一年比一年下降。恩格斯认识到，所有这一切只是靠东方专制制度在表面上勉强支持着，而实际上各种社会矛盾正在变得日益尖锐。尤其是"俄国农民现在所处的环境本身，正推动他们投身到运动中去"[②]。因此他感到"革命无疑正在日益临近"[③]，并且认为这个革命对全欧洲具有极伟大的意义，这就是"它会一举消灭欧洲整个反动势力的迄今一直未被触动的最后的后备力量。"[④]

中国的社会问题具有不同于俄国的特征。19 世纪 50 年代以后，马克思恩格斯十分关注研究中国社会问题，在《中国革命和欧洲革命》、《波斯和中国》、《英中条约》、《鸦片贸易史》、《新的对华战争》、《对华贸易》等文章中，阐述了深刻的见解。

马克思恩格斯认为，由于战争赔款和鸦片贸易而造成的老百姓生活艰难，是当时中国最主要的社会问题。第一次鸦片战争失败后，清政府赔偿英国 420 万英镑，第二次鸦片战争失败后，清政府赔偿英国 1 334 000 英镑。战后猖獗的鸦片贸易使得中国的白银进一步外流，造成严重的银贵钱贱现象。赔款和银价上涨造成的经济负担全部加在中国平民百姓的头上，因而老百姓生活更加艰难。马克思 1853 年在《中国革命与欧洲革命》一文中写道："中国在 1840 年战争失败以后被迫付给英国的赔款、大量的非生产性的鸦片消费、鸦片贸易所引起的金银外流、外国竞争对本国工业的破坏性影响、国家行政机关的腐化，这一切造成了两个后果：旧税更重更难负担，旧税之外又加新税。"[⑤] 由于不断地增加捐税，就连高高在上的咸丰皇帝都发出感叹："小民其何以堪"？民众既

① 《马克思恩格斯选集》第 3 卷，人民出版社 2012 年版，第 335 页。
② 《马克思恩格斯全集》第 25 卷，人民出版社 2001 年版，第 36 页。
③ 《马克思恩格斯选集》第 3 卷，人民出版社 2012 年版，第 336 页。
④ 《马克思恩格斯选集》第 3 卷，人民出版社 2012 年版，第 335—336 页。
⑤ 《马克思恩格斯选集》第 1 卷，人民出版社 2012 年版，第 780 页。

受"颠沛困苦",又受"追呼迫切之累"①。马克思在此引用咸丰皇帝在"上谕"中的话,说明当时老百姓的生活艰难已经达到了何等地步。

马克思恩格斯认识到,官吏的腐败和道德堕落也是当时中国突出的社会问题。鸦片是英殖民主义者侵入中国的毒辣工具。1800 年,输入中国的鸦片已经达到 2000 箱,给清政府和中国人民带来了极大的危害。嘉庆皇帝为了制止自己臣民的自杀行为,下令同时禁止外国人输入和本国人吸食鸦片。但是,东印度公司却将在印度种植的鸦片向中国偷运私卖,作为自己财政收入的主要来源。因此,马克思指出:"半野蛮人坚持道德原则,而文明人却以自私自利的原则与之对抗。"②结果,清政府对吸食鸦片的臣民所施行的严厉惩罚以及中国海关所颁布的严格禁令,都丝毫不起作用。因为,英国殖民者不仅向中国偷运鸦片,而且还对清政府的海关人员和各级官吏行贿,造成海关人员和各级官吏严重的腐败和道德堕落。对此,马克思写道:"中国人的道义抵制的直接后果就是:帝国当局、海关人员和所有的官吏都被英国人弄得道德堕落。侵蚀到天朝官僚体系之心脏、摧毁了宗法制度之堡垒的腐败作风,就是同鸦片烟箱一起从停泊在黄埔的英国趸船上被偷偷带进这个帝国的。"③

当时中国社会问题产生的主要原因是资本主义列强的入侵。因此,马克思恩格斯认为,中国社会问题能否得到解决,主要取决于中国人民的觉醒程度。马克思恩格斯通过对比中国人民在两次鸦片战争中的不同表现,认为中国人民已经开始觉醒了。恩格斯在《波斯与中国》一文中,详细考察了中国人反抗侵略的斗争。他认为,在第二次鸦片战争时,中国人的情绪和第一次鸦片战争不一样了。那时中国人对外国侵略者还没有深刻的认识,所以人民保持平静,让皇帝的军队去同侵略者作战,失败之后,则屈从于敌人的暴力。但是在此次战争中,中国南方各省人民群众积极地、奋勇地参加了反抗侵略者的斗争。他们绑架和杀死外国人,秘密暴动,宁愿与船同沉海底或者在船上烧死也不投降。尽管当时那些道貌岸然的"文明贩子们"将中国人民的斗争看作是野蛮的、凶残的,但是马克思却高度肯定和赞扬他们的斗争,认为这是"保卫社稷和家园"的斗争,是维护中华民族生死存亡的人民战争。通

① 《马克思恩格斯选集》第 1 卷,人民出版社 2012 年版,第 780 页。
② 《马克思恩格斯选集》第 1 卷,人民出版社 2012 年版,第 804 页。
③ 《马克思恩格斯选集》第 1 卷,人民出版社 2012 年版,第 805 页。

过分析中国人民的反抗斗争，马克思指出："中国的南方人在反对外国人的斗争中所表现的那种狂热本身，似乎表明他们已经觉悟到旧中国遇到极大的危险"①。因而，他敏锐地觉察到："有一点是肯定无疑的，那就是旧中国的死亡时刻正在迅速临近"②。恩格斯在展望中国的前途时更是满怀深情地预言："过不了多少年，我们就会亲眼看到世界上最古老的帝国的垂死挣扎，看到整个亚洲新纪元的曙光。"③

四、对中国发明及社会未来走向的研究

中国有悠久的历史，较早地脱离了蒙昧时期，进入文明社会。农业、畜牧业、手工业和文化曾居于世界先进水平。马克思恩格斯十分珍视中国的灿烂文化，赞扬了中国人民的首创精神，指出了中国社会的发展方向。

马克思恩格斯高度关注中国古代的伟大发明。精通军事的恩格斯多次论证火药是中国的发明。他指出："现在已经毫无疑义地证实了，火药是从中国经过印度传给阿拉伯人，又由阿拉伯人和火药武器一道经过西班牙传入欧洲。"④他通过史料考察到中国人早在公元前几百年就已使用爆炸性火器，宋朝曾用之于保卫开封府的战役。他在《自然辩证法》中指出蚕在550年左右就从中国输入到希腊。关于中国的火药、指南针和印刷术的发明，马克思说它们是"预告资产阶级社会到来的三大发明。火药把骑士阶层炸得粉碎，指南针打开了世界市场并建立了殖民地，而印刷术则变成新教的工具，总的来说变成科学复兴的手段，变成对精神发展创造必要前提的最强大的杠杆"⑤。中国的这些发明对于生产力的发展、社会制度的变革和世界文明进步发生了巨大作用。马克思恩格斯从这些侧面阐述了中国较高的发展水平及对世界的影响，有力地批驳了一些资产阶级学者所谓中国文明"西来说"和"欧洲中心论"。

马克思揭示了中国后来逐渐落伍，社会发展缓慢之谜。他说：中国"小农

① 《马克思恩格斯选集》第 1 卷，人民出版社 2012 年版，第 800 页。
② 《马克思恩格斯选集》第 1 卷，人民出版社 2012 年版，第 800 页。
③ 《马克思恩格斯选集》第 1 卷，人民出版社 2012 年版，第 800 页。
④ 《马克思恩格斯全集》第 7 卷，人民出版社 1959 年版，第 386 页注释。
⑤ 《马克思恩格斯文集》第 8 卷，人民出版社 2009 年版，第 338 页。

业和家庭工业的统一形成了生产方式的广阔基础"①。这种资本主义以前的、民族的生产方式，结构坚固，不会因轻易震动而解体，严重阻碍着商品生产的发展。同时，在中国"小规模园艺式的农业中"，虽然也有过"巨大的节约"，"不过总的说来，这种制度下的农业生产率，以人类劳动的巨大浪费为代价，而这种劳动力则是从其他生产部门剥夺来的"②。轻视生产工具的改良和科学技术的利用，大量地增加劳动力和劳动量，妨碍了精细分工，使许多人本来应该从小生产中游离出来，从事其他先进部门的生产和研究成为不可能。这就阻碍了资本主义萌芽的发展。马克思的这一论断预示，中国要进步、发展，就必须要对小农业和家庭工业相结合的经济结构进行根本性的改造。

在找到了阻碍中国社会发展的原因之后，马克思恩格斯正确指出了中国社会未来的发展方向和道路。马克思恩格斯认识到，鸦片战争打开了中国的国门，破坏了小农业和手工业相结合的生产方式，打破了中国社会经济发展的停滞状态，客观上刺激和促进了中国近代资本主义经济的产生和发展，在这一过程中同时也产生了中国最初的无产阶级等进步力量，从而为旧社会的解体和新社会的诞生创造了物质基础。但是，外国资产阶级用他们的方式影响中国，不是要把中国改造成为和他们一样的资本主义国家，而是要把中国变成供他们掠夺和剥削的殖民地。"既不会使人民群众得到解放，也不会根本改善他们的社会状况，因为这两者不仅仅决定于生产力的发展，而且还决定于生产力是否归人民所有。"③他们给中国等殖民地半殖民地国家的人民带来的是"流血与污秽"、"苦难与屈辱"④。因此，"只有在伟大的社会革命支配了资产阶级时代的成果，支配了世界市场和现代生产力，并且使这一切都服从于最先进的民族的共同监督的时候，人类的进步才会不再像可怕的异教神怪那样，只有用被杀害者的头颅做酒杯才能喝下甜美的酒浆。"⑤在此，马克思为中国社会的未来发展指明了方向和道路，即：中国人民要想彻底改变受压迫奴役和受苦受难的现状，只有进行一场伟大的社会革命，建立先进的社会制度。

---

① 《马克思恩格斯全集》第 25 卷，人民出版社 1974 年版，第 373 页。
② 《马克思恩格斯全集》第 25 卷，人民出版社 1974 年版，第 117 页。
③ 《马克思恩格斯选集》第 1 卷，人民出版社 2012 年版，第 861 页。
④ 《马克思恩格斯选集》第 1 卷，人民出版社 2012 年版，第 861 页。
⑤ 《马克思恩格斯选集》第 1 卷，人民出版社 2012 年版，第 862—863 页。

第三节　关于印度问题的研究

19世纪的印度处在英国殖民统治之下，成为东方社会发展状况的另一个典型代表，成为马克思恩格斯关注和研究的重点对象。马克思恩格斯考察了印度传统的经济社会结构，分析了英国对印度的殖民统治及其对印度社会造成的危害，研究了印度人民反抗英国殖民统治的民族解放运动状况，从而形成对印度社会及其民族命运和前途问题的深刻认识，丰富了东方社会发展理论和唯物史观。

一、关于印度传统经济社会结构的考察

马克思首先考察了印度社会的整体状况。在《不列颠在印度的统治》这篇评论中，马克思以对比的方式，生动而又深刻地描绘道："印度斯坦是亚洲规模的意大利。喜马拉雅山相当于阿尔卑斯山，孟加拉平原相当于伦巴第平原，德干高原相当于亚平宁山脉，锡兰岛相当于西西里岛。它们在土地出产方面是同样地富庶繁多，在政治结构方面是同样地四分五裂。意大利常常被征服者的刀剑压缩为各种大大小小的国家，印度斯坦的情况也是这样，在它不处于伊斯兰教徒、莫卧儿人或不列颠人的压迫之下时，它就分解成像它的城镇甚至村庄那样多的各自独立和互相敌对的邦。但是从社会的观点来看，印度斯坦却不是东方的意大利，而是东方的爱尔兰。意大利和爱尔兰——一个淫乐世界和一个悲苦世界——的这种奇怪的结合，早在印度斯坦宗教的古老传统里已经显示出来了。这个宗教既是纵欲享乐的宗教，又是自我折磨的禁欲主义的宗教；既是崇拜林伽的宗教，又是崇拜札格纳特的宗教；既是僧侣的宗教，又是舞女的宗教"①。这就是马克思眼中印度社会的整体面貌。马克思运用其丰富的经济、

---

① 《马克思恩格斯选集》第1卷，人民出版社2012年版，第848—849页。

政治、宗教文化等知识，通过对印度社会状况的观察和分析，将印度社会的整体状况生动形象地展现在人们的面前。

在把握印度社会整体状况的基础上，通过对东方社会与西方社会进行比较的方式，马克思研究和分析了印度社会的农业生产及其管理方式。他说："在亚洲，从远古的时候起一般说来就只有三个政府部门：财政部门，或者说，对内进行掠夺的部门；战争部门，或者说，对外进行掠夺的部门；最后是公共工程部门。气候和土地条件，特别是从撒哈拉经过阿拉伯、波斯、印度和鞑靼区直至最高的亚洲高原的一片广大的沙漠地带，使利用水渠和水利工程的人工灌溉设施成了东方农业的基础。无论在埃及和印度，或是在美索不达米亚、波斯以及其他地区，都利用河水的泛滥来肥田，利用河流的涨水来充注灌溉水渠。节省用水和共同用水是基本的要求，这种要求，在西方，例如在佛兰德和意大利，曾促使私人企业结成自愿的联合；但是在东方，由于文明程度太低，幅员太大，不能产生自愿的联合，因而需要中央集权的政府进行干预。所以亚洲的一切政府都不能不执行一种经济职能，即举办公共工程的职能。"[1] 显然，马克思是从东方社会经济与政治的相互关系视角，剖析了中央集权与政府举办公共工程特别是水利工程的内在逻辑关系，从而深刻揭示和阐明了东方专制制度的一个重要特征，即由于与西方存在着文明程度和地理环境的差异，东方各国必然会由中央集权政府通过举办公共水利工程来管理农业，从而成为东方专制制度的重要基础。由此可见，马克思是基于现代西方的生产方式来洞察、透析东方世界和印度社会的农业生产及其管理方式。

与农业生产相联系，马克思紧接着考察了印度社会的手工业生产。马克思认识到手工业生产在传统印度社会中的极端重要性，他对此描述道："从遥远的古代直到19世纪最初十年，无论印度过去在政治上变化多么大，它的社会状况却始终没有改变。曾经造就无数训练有素的纺工和织工的手织机和手纺车，是印度社会结构的枢纽"[2]。这就是在西方机器大工业生产方式进入之前的印度传统手工业生产方式。

在对印度传统社会的农业生产和手工业生产分别研究后，马克思进一步分析了印度社会的组织结构。根据英国下院关于印度事务官方报告的一段描写，

---

[1] 《马克思恩格斯选集》第1卷，人民出版社2012年版，第850—851页。

[2] 《马克思恩格斯选集》第1卷，人民出版社2012年版，第851页。

马克思得出结论:"在印度有这样两种情况:一方面,印度人也像所有东方人一样,把他们的农业和商业所凭借的主要条件即大规模的公共工程交给中央政府去管,另一方面,他们又散处于全国各地,通过农业和制造业的家庭结合而聚居在各个很小的中心地点。由于这两种情况,从远古的时候起,在印度便产生了一种特殊的社会制度,即所谓村社制度,这种制度使每一个这样的小结合体都成为独立的组织,过着自己独特的生活"①。马克思在关于印度的相关论著中,多次把这种家庭农业和家庭手工业相结合的经济形式称之为"家庭公社"或"农村公社",并把它作为一种封闭的自给自足的经济基础看待,认为它是构成印度社会的基本组织,从而揭示了印度被殖民侵略、被迫由民族历史向世界历史转变的根本原因。

二、对英国统治印度及危害的分析

在《不列颠在印度的统治》与《不列颠在印度统治的未来结果》两篇文章中,马克思对英国侵略印度的历史必然性作了深入分析,并且就英殖民主义对印度的统治及其影响作了评价。

马克思分析认为,不列颠人对印度的侵略具有历史的必然性。一方面是资本增殖和扩张逻辑作用的必然结果。资本的特性决定了资本家追逐剩余价值的无限制性,也就造成了殖民侵略扩张的无休止性。当时资本主义正处在上升时期,国内市场日益饱和,资本主义需要打破国家界限,开拓世界市场,以达到占有国外的原材料和资源能源以及推销自己产品的双重目的。在此目的的驱使下,殖民主义的魔爪伸向世界各个落后地区。印度同样是被涉猎的对象。这是造成印度被英国殖民统治的外部原因。因此马克思说,英国殖民侵略造成印度传统社会结构的解体,"与其说是由于不列颠收税官和不列颠士兵的粗暴干涉,还不如说是由于英国蒸汽和英国自由贸易的作用"②。

另一方面是印度经济社会发展落后的必然结果。马克思分析认为,印度当时的经济社会发展落后集中表现为:生产力水平的极端低下、政治格局的

---

① 《马克思恩格斯选集》第 1 卷,人民出版社 2012 年版,第 852 页。
② 《马克思恩格斯选集》第 1 卷,人民出版社 2012 年版,第 853 页。

"四分五裂"、村社制度的落后保守、宗教信仰的对立冲突。这些正是其被英国殖民统治的内部原因。落后就要挨打。因此，印度沦为帝国主义的完全殖民地，并不是出于英国资本家的一时冲动，也并非由于印度人的软弱可欺，而在于社会历史发展规律的作用结果。马克思在谈到这个问题时说，"英国在印度的统治是怎样建立起来的呢？大莫卧儿人的无上权力被它的总督们摧毁，总督们的权力被马拉塔人摧毁，马拉塔人的权力被阿富汗人摧毁；而在大家这样混战的时候，不列颠人闯了进来，把他们全都征服了。这是一个不仅存在着伊斯兰教徒和印度教徒的对立，而且存在着部落与部落、种姓与种姓对立的国家，这是一个建立在所有成员之间普遍的互相排斥和与生俱来的排他思想所造成的均势上面的社会。这样一个国家，这样一个社会，难道不是注定要做征服者的战利品吗？就算我们对印度斯坦过去的历史一点都不知道，那么，甚至现在英国还在用印度出钱供养的印度人军队来奴役印度，这难道不是一个重大的、不容争辩的事实吗？所以，印度本来就逃不掉被征服的命运，而它过去的全部历史，如果还算得上是什么历史的话，就是一次又一次被征服的历史"[①]。

印度的历史，"不过是一个接着一个的入侵者的历史，他们就在这个一无抵抗、二无变化的社会的消极基础上建立了他们的帝国。因此，问题并不在于英国人是否有权征服印度，而在于我们是否宁愿让印度被土耳其人、波斯人或俄国人征服而不愿让它被不列颠人征服。"[②]也就是说，印度最终被征服的历史命运具有必然性，但究竟是被哪一个帝国主义国家征服却具有偶然性。马克思认为，英殖民主义者在征服印度以后，要实现对印度的殖民统治，则必须要完成双重的历史使命："一个是破坏的使命，即消灭旧的亚洲式的社会；另一个是重建的使命，即在亚洲为西式的社会奠定物质基础"[③]。英殖民主义者在征服印度以后，面临的状况仍然是政治上的四分五裂而导致的印度的孤立状态，"而孤立状态是它过去处于停滞状态的主要原因"[④]。这与资本主义开拓世界市场、从而使一切国家的生产和消费都成为世界性的初衷是相违背的。因此，对于印度的分裂、闭塞和孤立，英殖民主义者是不能容忍的，它首先要完成的任务就

---

① 《马克思恩格斯选集》第 1 卷，人民出版社 2012 年版，第 856 页。
② 《马克思恩格斯选集》第 1 卷，人民出版社 2012 年版，第 856—857 页。
③ 《马克思恩格斯选集》第 1 卷，人民出版社 2012 年版，第 857 页。
④ 《马克思恩格斯选集》第 1 卷，人民出版社 2012 年版，第 858 页。

是实现印度的统一，这是它在印度日后开展一切活动的基本前提。于是英殖民主义者"破坏了本地的公社，摧毁了本地的工业，夷平了本地社会中伟大和崇高的一切，从而毁灭了印度的文明"①。马克思分析，"不列颠人用刀剑实现的这种统一，现在将通过电报而巩固起来，永存下去"。②也就是说，英殖民主义者之所以能够实现和巩固这种统一，不仅是由于"刀剑"的锋利，更为重要的是两种社会文明程度的差距。通过历史经验的总结，他说，"野蛮的征服者，按照一条永恒的历史规律，本身被他们所征服的臣民的较高文明所征服"③。但是，"不列颠人是第一批文明程度高于印度因而不受印度文明影响的征服者。"④相反，英殖民主义者在毁灭印度传统文明的同时，通过他们的重建工作深深地影响了印度。

关于英殖民主义统治对印度的影响，马克思既不是简单地肯定，也不是简单地否定，而是运用唯物主义的历史辩证法，从肯定与否定的辩证统一中对其作出客观的分析和评价。

一方面，马克思认为，英殖民主义的统治对印度社会造成的影响，一是符合资本主义自身发展的规律，二是符合印度社会历史发展的方向。他说，"的确，英国在印度斯坦造成社会革命完全是受极卑鄙的利益所驱使，而且谋取这些利益的方式也很愚蠢。但是问题不在这里。问题在于，如果亚洲的社会状态没有一个根本的革命，人类能不能实现自己使命？如果不能，那么，英国不管犯下多少罪行，它造成这个革命毕竟是充当了历史的不自觉的工具。"⑤马克思具体从以下几个方面进行了分析。其一，由英国教官组织和训练出来的印度人军队，成为"印度自己解放自己和不再一遇到外国入侵者就成为战利品的必要条件"⑥。其二，第一次被引进亚洲社会并且主要是由印度人和欧洲人的共同子孙所领导的自由报刊，成为"改建这个社会的一个新的和强有力的因素"⑦。其三，在英国人监督下勉强受到一些很不充分的教育的印度当地人中间，正在崛

① 《马克思恩格斯选集》第1卷，人民出版社2012年版，第857页。
② 《马克思恩格斯选集》第1卷，人民出版社2012年版，第857页。
③ 《马克思恩格斯选集》第1卷，人民出版社2012年版，第857页。
④ 《马克思恩格斯选集》第1卷，人民出版社2012年版，第857页。
⑤ 《马克思恩格斯选集》第1卷，人民出版社2012年版，第854页。
⑥ 《马克思恩格斯选集》第1卷，人民出版社2012年版，第857页。
⑦ 《马克思恩格斯选集》第1卷，人民出版社2012年版，第857页。

起一个"具有管理国家的必要知识并且熟悉欧洲科学的新的阶级"①。其四，蒸汽机使印度能够同欧洲经常地、迅速地来往，把印度的主要港口同整个东南海洋上的港口联系起来，"使印度摆脱了孤立状态"②。最后，铁路加上轮船，将使英国和印度之间的距离缩短，从而"这个一度是神话中的国度就将同西方世界实际地联结在一起"③。马克思认为这些还不足以说明问题，他认为英殖民主义者的征服对印度的影响的至深之处在于它破坏了印度以自给自足为主要内容的经济基础，从而在"亚洲造成了一场前所未闻的最大的、老实说也是唯一的一次社会革命"④。然而，这场革命的发生是同铁路在印度的"敷设"密切联系在一起的。这是因为：第一，铁路能够解决由于"极端缺乏运输和交换其各种产品的工具"而造成的生产力瘫痪状态，可以很容易地为农业服务；第二，铁路可以缩减军事机构的数量和开支；第三，铁路结束了印度农村公社几乎没有往来的历史，从而使"互相交往和来往的新的需要"得到满足；第四，铁路在印度的兴建为印度人提供了兴建铁路和在相关产业部门内应用机器的技术；第五，"由铁路产生的现代工业，必然会瓦解印度种姓制度所凭借的传统的分工"，从而扫清"印度进步和强盛的基本障碍"⑤。正是由于铁路在此充当的特殊角色和发挥的特殊作用，所以马克思给予了其极高的评价："铁路系统在印度将真正成为现代工业的先驱"⑥。

　　另一方面，马克思不仅看到了英殖民主义统治对印度造成的积极影响，更对其消极影响作出了最严厉的揭露和批判。马克思始终认为英殖民主义对印度的统治是一场灾难，并且这场灾难，"与印度斯坦过去所遭受的一切灾难比较起来，毫无疑问在本质上属于另一种，在程度上要深重得多"⑦。他说，"内战、外辱、革命、征服、饥荒——尽管所有这一切接连不断地对印度斯坦造成的影响显得异常复杂、剧烈和具有破坏性，它们却只不过触动它的表面。英国则摧毁了印度社会的整个结构，而且至今还没有任何重新改建的迹象。印

---

① 《马克思恩格斯选集》第 1 卷，人民出版社 2012 年版，第 857—858 页。
② 《马克思恩格斯选集》第 1 卷，人民出版社 2012 年版，第 858 页。
③ 《马克思恩格斯选集》第 1 卷，人民出版社 2012 年版，第 858 页。
④ 《马克思恩格斯选集》第 1 卷，人民出版社 2012 年版，第 853 页。
⑤ 《马克思恩格斯选集》第 1 卷，人民出版社 2012 年版，第 858—861 页。
⑥ 《马克思恩格斯选集》第 1 卷，人民出版社 2012 年版，第 860 页。
⑦ 《马克思恩格斯选集》第 1 卷，人民出版社 2012 年版，第 849 页。

度人失掉了他们的旧世界而没有获得一个新世界，这就使他们现在所遭受的灾难具有一种特殊的悲惨色彩，使不列颠统治下的印度斯坦同它的一切古老传统，同它过去的全部历史断绝了联系"。① 也就是说，印度以牺牲自己的古老传统文明为代价，换取了"由铁路产生的现代工业"。另外，英殖民主义的统治给印度社会造成的这种灾难，并不是由于他们一时疏忽。"英国在印度斯坦造成社会革命完全是受极卑鄙的利益所驱使，而且谋取这些利益的方式也很愚蠢。""英国的工业巨头们之所以愿意在印度修筑铁路，完全是为了要降低他们的工厂所需要的棉花和其他原料的价格。""大不列颠的各个统治阶级过去只是偶尔地、暂时地和例外地对印度的发展问题表示兴趣。贵族只是想征服它，金融寡头只是想掠夺它，工业巨头只是想通过廉价销售商品来压垮它。"② 因此，马克思认为，"不列颠人在印度的全部统治都是肮脏的"，英殖民主义者"在印度进行统治的历史，除破坏以外恐怕就没有别的什么内容了"③。

马克思同样将这种唯物辩证的历史辩证法运用到对印度发展前途的展望上。既然英国只是充当了历史的不自觉的工具，那么，"英国资产阶级将被迫在印度实行的一切，既不会使人民群众得到解放，也不会根本改善他们的社会状况，因为这两者不仅仅决定于生产力的发展，而且还决定于生产力是否归人民所有"④。此外，马克思认为，"在大不列颠本国现在的统治阶级还没有被工业无产阶级取代以前，或者在印度人自己还没有强大到能够完全摆脱英国的枷锁以前，印度人是不会收获到不列颠资产阶级在他们中间播下的新的社会因素所结的果实的"⑤。也就是说，英国资产阶级只是为印度生产力的发展和印度的振兴提供了一定的物质基础，印度要想真正把握这些促使印度振兴的新的因素，从而彻底改变印度人民受殖民统治和压迫的现状，只有进行一场伟大的社会革命。"只有在伟大的社会革命支配了资产阶级时代的成果，支配了世界市场和现代生产力，并且使这一切都服从于最先进的民族的共同监督的时候，人类的进步才会不再像可怕的异教神怪那样，只有用被杀害者的头颅做酒杯才能

① 《马克思恩格斯选集》第 1 卷，人民出版社 2012 年版，第 850 页。
② 《马克思恩格斯选集》第 1 卷，人民出版社 2012 年版，第 854、860、858 页。
③ 《马克思恩格斯选集》第 1 卷，人民出版社 2012 年版，第 856 页。
④ 《马克思恩格斯选集》第 1 卷，人民出版社 2012 年版，第 861 页。
⑤ 《马克思恩格斯选集》第 1 卷，人民出版社 2012 年版，第 861 页。

喝下甜美的酒浆。"①印度爆发的民族解放起义就是对马克思这一科学论断的有力回应。

三、对印度民族解放起义问题的研究

1857—1859 年印度爆发了反抗英国殖民统治的民族解放运动。马克思和恩格斯对此问题密切关注，并且在《纽约每日论坛报》上发表一系列文章予以论述，围绕着土地问题分析了印度社会各阶层对英国的态度及其变化的原因，对受资本侵略的印度社会情况及其阶级结构作历史唯物主义的解析，进而探究印度民族解放运动的原因、性质及其影响。

马克思恩格斯分析认为，土地和农民问题是英国统治印度的核心问题。如何统治印度，主要的一点就是如何处理土地问题，如何统治农民。在此问题上，英国殖民统治者内部争论不休，也根据情况变化而采取过不同的政策和措施。但是始终不变的是：多占土地，征收地税，压榨农民，这是英国实现殖民统治的一贯宗旨。马克思恩格斯曾比较详细地考察印度的土地和农民问题，突出强调这个问题在反抗英国殖民统治中的重要意义。

马克思恩格斯列举大量材料，揭露英国殖民者在印度以各种手段侵占土地，征收地税，垄断盐、鸦片贸易，推行强迫种植制度，摧毁原有的家庭手工业和家庭农业相结合的经济基础。其中，马克思曾着重分析英国在印度农村推行的土地政策：柴明达尔制度和莱特瓦尔制度。指出这两种制度的实质就在于对农民土地所有权的剥夺。由于实行柴明达尔制度，孟加拉管区的居民被剥夺了对土地世代相承的权利，让地方包税人即所谓柴明达尔得到了这些权利。而柴明达尔也只能得到收入的十分之一，其余的十分之九要交给政府。在马德拉斯管区和孟买管区实行莱特瓦尔制度，结果本来有权占有土地的地方贵族都同老百姓一起，下降到小块土地的掌管人的地位，为东印度公司收税官耕种小块土地，而印度的莱特即农民同样被剥夺了任何对土地的永久性权利，他们必须根据收成情况每年缴纳不同数量的捐税。马克思认为，在孟加拉推行的，是英国的大地主占有制、爱尔兰的中介人制度、奥地利的使地主变成包税人的制度

---

① 《马克思恩格斯选集》第 1 卷，人民出版社 2012 年版，第 862—863 页。

和亚洲的制度（国家是真正土地占有者）的混合物。在马德拉斯和孟买，则是法国式的农民私有者，但是，他们同时又是农奴和国家分成制佃农。对此，他一针见血地指出：印度农民实际上"肩上压着所有这些各式各样的制度的缺陷，但是却享受不到这些制度的任何一项好处"[1]。莱特如法国农民一样，受到私人高利贷者的敲诈勒索，但对土地却没有任何继承和永久性的权利；他们和农奴一样耕种土地，但生活毫无保证，还不如农奴；他们和欧洲分成制农民一样，必须把产品交给国家，但大地主却不像对待分成制农民那样，担负供给资金和农具的责任。结果，占印度居民十二分之十一的莱特农民都遭到可怕的赤贫化。所以，马克思尖锐地讽刺：英国推行柴明达尔和莱特瓦尔制度，"只不过是对荷兰殖民统治的摹仿"[2]，并且引用英国爪哇总督的一段话，认为这种制度对农民"还不如过去的西印度种植场主对那些在他们的种植场干活的奴隶那样关心"，因为"它把政客的全部实际技巧和商人的全部独占一切的利己心肠全都结合在一起"[3]。马克思认为这些土地制度和政策就其本质来说，是资本奴役殖民地的一种形式。

英国殖民者的奴役引起印度人民的反抗，农民成为最主要的反抗力量。1857年的印度起义由驻孟加拉北部的西帕依部队首先发动。西帕依的下层与农民、手工业者有密切关系。起义迅速发展到各地，其他许多地方的土著部队纷纷响应。不论是土著军队，还是军队外的印度教徒、伊斯兰教徒、锡克教徒，主要成分都是农民及手工业者。马克思在分析起义原因时，曾引用当时英国著名的资产阶级政治家迪斯累里1857年7月的演说材料，认为引起反抗的主要问题就是对土地、农村的掠夺。同年，马克思在《关于在印度实行刑罚的调查》一文中，援引1856—1857年提交英国下院的官方蓝皮书所公布的材料，详细揭露了英国殖民者对印度农民剥削、压迫以及在农村中普遍采用刑罚的暴虐情况，再次强调印度农民与殖民者的尖锐对立是引起起义的内在原因。

恩格斯则从军事角度对印度起义作过多次评论。他通过分析起义部队和其他参加者的种种表现，肯定性地指出他们善于分散进行游击战，在广大地区（主要是农村）迂回；熟悉地形，适应气候；截断英军与加尔各答的交通，到

---

① 《马克思恩格斯全集》第9卷，人民出版社1961年版，第244页。

② 《马克思恩格斯选集》第1卷，人民出版社2012年版，第849页。

③ 《马克思恩格斯选集》第1卷，人民出版社2012年版，第850页。

处破坏，"使农民不能交纳地租，或者至少给他们不交地租造成借口"①。但是，起义者没有明确的斗争目标，缺乏组织，没有统一指挥，除西帕依情况稍好外，没有先进的军事知识，兵力常常配备不当。恩格斯认为这一方面是由于农民的阶级局限性而导致农民斗争的共性情况，另一方面也反映了印度社会复杂的宗教和种姓制度的特殊情况。

资本殖民者对殖民地的奴役，主要损害的是农民利益，但在不同时期不同程度上也伤及殖民地其他阶层的利益。马克思恩格斯肯定印度农民以外其他阶层的反侵略作用并对其政治态度变化的原因作出具体分析。

英国对印度的殖民掠夺也伤害了当地王公贵族的利益。东印度公司在长期的殖民统治中，把印度王公降为附庸的地位，吞并其土地，强迫他们承担军费等各种义务，从而引起他们不满。19世纪40年代，这种矛盾渐趋激化。马克思在《印度问题》一文中大量引用迪斯累里的演说，分析这一趋势与1857年爆发的民族起义的关系。迪斯累里谈到，1848年东印度公司财政困难，参事会决定加快兼并土著王公土地。萨塔拉公国的王公死后，东印度公司不承认他的养子和继承人，而把该公国并入公司的领地。此后对其他王公照例处置。结果，从1848年至1854年有十几个独立王公的领地被强制并入东印度公司。他估计，"每年从土地所有者收回的地产在孟加拉管区不少于50万英镑，在孟买管区不少于37万英镑，在旁遮普不少于20万英镑"②。英国殖民者还停止向土著大贵族支付早先约定的津贴。土地兼并使殖民当局不仅与印度教徒发生冲突，而且与伊斯兰教徒发生冲突，所有不同的群体迅速地结成一个反对英国统治的共同联盟。迪斯累里认为，这一切加上破坏当地宗教原则等情况，终于导致民族起义。马克思以迪斯累里所提供的材料肯定他所作的结论："印度目前的骚乱不是兵变，而是民族起义"③。印度不少土邦王公参加了起义，正是他们和英国入侵者存在一定矛盾的结果。起义者在德里拥立大莫卧儿巴哈杜尔—沙赫二世为印度皇帝，从一定意义上说，是民族斗争的标志。马克思恩格斯在研究印度起义的情况时，对这类事件也极为注意，并由此肯定斗争的民族性质。

有的土邦贵族在印度反英斗争中英勇奋战，直至牺牲。马克思恩格斯从阶

---

① 《马克思恩格斯全集》第12卷，人民出版社1962年版，第524页。
② 《马克思恩格斯全集》第16卷，人民出版社2007年版，第209页。
③ 《马克思恩格斯全集》第16卷，人民出版社2007年版，第209页。

级视角认识到这些王公贵族革命立场的不坚定性。他以印度起义为例，指出许多封建主或者站在殖民者一边，或者一度参加斗争后来又倒向殖民者。英国当局利用这些人的阶级弱点，把他们跟其他起义者分别对待，许诺不再侵犯他们的利益，进行拉拢。1857 年 6 月，马克思说过："罗马的 divide et impera〔分而治之〕是大不列颠大约一百五十年来用以保有它的印度帝国的重要准则"①。这种政策往往奏效，主要就在于这些上层人物的极大的阶级局限性。殖民者不断由此总结他们的统治经验，不断完善和强化对被压迫民族的统治。

关于印度民族运动的影响，马克思恩格斯从世界历史的总体角度，并与无产阶级革命运动联系起来，进行了深刻的分析。马克思恩格斯认为，在近代资本对外扩张使得各地政治、经济联系日益加强的大背景下，民族运动所产生的影响绝不会仅仅限于当地。首先，马克思恩格斯指出印度、中国和亚洲其他国家人民反殖民斗争之间是相互联系的。孟加拉军内的起义无疑与波斯战争和中国战争有密切的联系，表现出亚洲各国对英国殖民者的愤恨。由于印度起义，原定派往中国参加侵华战争的英国部队改调印度，这客观上形成了印中人民在斗争中的相互支持。其次，马克思恩格斯认为印度民族运动对英国的影响更为深远。这是因为印度民族运动具有鲜明的特殊性：第一，它直接联系着当时资本主义最发达的英国，而不是一般的殖民或压迫民族国家；第二，它出现在西方正处于资本主义繁荣的时期。19 世纪 50 年代初，欧洲革命运动刚被镇压，英国及其他国家工商业在发展，经济繁荣，加利福尼亚和澳大利亚发现黄金矿又吸引了大批人口，造成革命形势的危机没有出现。这时印度民族起义爆发，马克思感到，东方事件可能是对英国以至整个欧洲的社会冲突的巨大推动力。除了面对人民民族意识的高涨外，英国还得承受巨大的财政负担。单是为镇压起义而增加的债务就达 400 万至 500 万英镑。为巩固统治增加驻印军队，军费又增加一倍。对此，马克思指出："印度的财政混乱应看做是印度起义的实际的结果"②。马克思曾写信给恩格斯："印度使英国不断消耗人力和财力，现在是我们最好的同盟军"③。在这里，马克思恩格斯从印度在英国资本发展过程中的地位，从印度可能对英国产生的冲击作用来估计印度民族运动的影响，深刻

---

① 《马克思恩格斯全集》第 12 卷，人民出版社 1962 年版，第 251 页。
② 《马克思恩格斯全集》第 29 卷，人民出版社 1972 年版，第 397 页。
③ 《马克思恩格斯全集》第 29 卷，人民出版社 1972 年版，第 250 页。

地揭示了殖民地、半殖民地和资本主义宗主国政治、经济相互作用的辩证关系，把民族运动的历史作用提到新的重要位置上，把它和无产阶级革命运动联系起来。这显然是他们总的无产阶级革命思想的一个新的发展。由于各方面原因，英国后来没有很快出现经济危机，但是，他们的有关思想在以后时期不断为历史所证实。

对于印度民族起义的发展前景，马克思恩格斯从人类历史发展规律视角，将印度社会所经历的变化和资本的血腥扩张联结在一起，进行了深刻的分析和展望。他们认为，将会有两个方面的后果：一方面，印度在被殖民中遭受极大损失和痛苦，但是，印度人民反殖民斗争不会停止；另一方面，印度内部旧的社会结构的加速解体是不可避免的。英国为实现侵略的所作所为发自卑鄙的目的，但是亚洲的封闭状态毕竟结束了，而亚洲社会状况如果没有根本变革，人类也就不能完成自己的使命，即走向更高级社会的变化。他们看得更远，由此希望最终结果是从变化中为新的革命准备条件，即现代生产方式和现代阶级力量的条件。因而马克思在《不列颠在印度的统治》一文中引用歌德的诗句"我们何必因这痛苦而伤心，既然它带给我们更多欢乐？"[1]以为结语。马克思恩格斯的这些论断还说明他们对印度等亚洲国家在世界变化中所占地位的高度重视。当然，马克思恩格斯也充分认识到，对人民来说，只有通过奋争，通过革命，才能使这些变化给自己带来好处。"在大不列颠本国现在的统治阶级还没有被工业无产阶级取代以前，或者在印度人自己还没有强大到能够完全摆脱英国的枷锁以前，印度人是不会收获到不列颠资产阶级在他们中间播下的新的社会因素所结的果实的。"[2]对于印度的未来，马克思恩格斯充满信心：旧的印度终将结束，"无论如何我们都可以满怀信心地期待，在比较遥远的未来，这个巨大而诱人的国家将得到重建"[3]。

马克思恩格斯关于西方现代机器大工业瓦解和破坏东方传统社会结构、关于历史向世界历史转变过程中的矛盾和冲突的世界历史理论，极其鲜明而又深刻地体现在马克思恩格斯关于中国、印度问题的考察、研究和阐述中，并得到进一步丰富和发展。马克思恩格斯世界历史理论的一个鲜明特征，就是基于唯

---

① 《马克思恩格斯选集》第 1 卷，人民出版社 2012 年版，第 854 页。
② 《马克思恩格斯选集》第 1 卷，人民出版社 2012 年版，第 861 页。
③ 《马克思恩格斯选集》第 1 卷，人民出版社 2012 年版，第 861 页。

物史观，始终强调以机器大工业为物质技术基础、以资本逻辑为核心法则的现代生产方式，在侵略、进逼、统治落后民族的殖民主义扩张中所具有的根本性的作用。现代机器大工业与传统农业和家庭手工业存在着的巨大的历史差距，由此产生了"未开化和半开化的国家从属于文明国家"、"农民的民族从属于资产阶级的民族"、"东方从属于西方"[①] 的世界范围的历史变革。东方国家社会结构的解体和人民悲惨的生存命运就发生在这一"从属"的腥风血雨中。历史向世界历史转变的这一过程和逻辑，在马克思恩格斯关于中国、印度问题的考察中得到了丰富而完整的表达。

---

① 《马克思恩格斯选集》第 1 卷，人民出版社 2012 年版，第 405 页。

第五章　马克思"第二个伟大发现"的深入研究

19 世纪 60 年代是马克思主义经济思想的形成时期。以 1859 年出版的《政治经济学批判。第一分册》为基础，马克思关于《政治经济学批判（1861—1863 年手稿）》（本章中简称《61—63 年手稿》）、《政治经济学批判（1863—1865 年手稿）》（本章中简称《63—65 年手稿》）的写作，对剩余价值理论做出了进一步深入的研究。

第一节　政治经济学理论体系的探索

在写作《政治经济学批判（1857—1858 年手稿）》的过程中，马克思决定分册出版他的《政治经济学批判》著作。1859 年 6 月，《政治经济学批判。第一分册》正式出版。在《政治经济学批判。第一分册》的"序言"中，马克思对自己已经创立的政治经济学理论体系结构第一次公开地作了阐述。此后，一直到 1863 年这一时期，马克思对政治经济学理论体系的思考和探索，经历了从"五篇计划"演进到"六册计划"，再演进到"资本册"的基本过程。

一、从"五篇计划"到"六册计划"

在《政治经济学批判（1857—1858 年手稿）》的"导言"中，马克思提出了政治经济学理论体系的"五篇计划"。1857 年 11 月下旬，马克思在开始写作这一手稿的"资本"章时，又一次提及"五篇计划"。这时，马克思对第二篇中"资本"部分的结构作了较为详尽的说明。马克思打算从六个方面对资本范畴展开论述，这是马克思关于资本范畴的"六分结构"："I.（1）资本的一般概念。（2）资本的特殊性：流动资本，固定资本。（资本作为生活资料，作为原料，作为劳动工具。）（3）资本作为货币。II.（1）资本的量。积累。（2）用自身计量的资本。利润。利息。资本的价值；即同作为利息和利润的自身相区别的资本。（3）资本的流通。（α）资本和资本相交换。资本和收入相交换。资本和价格。（β）资本的竞争。（γ）资本的积聚。III.资本作为信用。IV.资本作为股份资本。V.资本作为货币市场。VI.资本作为财富的源泉。资本家。"①

之后不久，马克思重提"资本"部分的结构。这时，马克思把上述的六个方面，改为一般性、特殊性和个别性三个方面，这是在批判地吸收黑格尔《逻辑学》方法论的合理因素基础上形成的。马克思在 1858 年 1 月 14 日给恩格斯的信中提道："我又把黑格尔的《逻辑学》浏览了一遍，这在材料加工的方法上帮了我很大的忙。"② 显然，受黑格尔《逻辑学》的影响，马克思对原来包括六个部分的"资本"结构作了修改。马克思提出的新的结构就是："I.一般性：（1）（a）由货币生成资本。（b）资本和劳动（以他人劳动为媒介）。（c）按照同劳动的关系而分解成的资本各要素（产品、原料、劳动工具）。（2）资本的特殊化：（a）流动资本、固定资本。资本流通。（3）资本的个别性：资本和利润。资本和利息。资本作为价值同作为利息和利润的自身相区别。II.特殊性：（1）诸资本的积累。（2）资本的竞争。（3）资本的积聚（资本的量的差别同时就是质的差别，就是资本的大小和作用的尺度）。III.个别性：（1）资本作为信用。（2）资本作为股份资本。（3）资本作为货币市场。"③

---

① 《马克思恩格斯全集》第 30 卷，人民出版社 1995 年版，第 220—221 页。
② 《马克思恩格斯全集》第 29 卷，人民出版社 1972 年版，第 250 页。
③ 《马克思恩格斯全集》第 30 卷，人民出版社 1995 年版，第 233—234 页。

在形式上看，马克思对原先"资本"部分结构"六分法"的修改主要在于：原来"资本"部分的结构"六分法"中的第一部分，成为"三分法"中的"一般性"的内容；"六分法"中的第二部分，成为"三分法"中"特殊化"的内容；"六分法"的后四个部分，被合并为"三分法"中的"个别性"。

马克思在提出"资本"部分结构"六分法"和"三分法"的同时，都提到资本、土地所有制和雇佣劳动三大范畴的逻辑关系问题。在提出"六分法"的同时，马克思就得出了"在资本之后可以考察土地所有权。然后考察雇佣劳动"①的结论。这样，第二篇中三个主要范畴的次序，由原先的从资本到雇佣劳动，再到土地所有制的序列，改为从资本到土地所有权，再到雇佣劳动的序列。马克思还对"五篇结构计划"中的第三篇和第五篇作了补充说明。他认为，第三篇"国家"包括"国家和资产阶级社会。——赋税，或非生产阶级的存在。——国债。——人口。"原先的"殖民地"论题移入第四篇"国家对外"中，原先"向国外移民"论题没再提及。第五篇"世界市场"主要论述"资产阶级社会越出国家的界限。危机。以交换价值为基础的生产方式和社会形式的解体。个人劳动实际转化为社会劳动以及相反的情况。"②第五篇的"危机"指的是资本主义经济关系的解体，它要揭示资本主义经济制度灭亡的历史必然性。

在提出"资本"部分结构"三分法"时，马克思再次对从资本到土地所有权，再到雇佣劳动的逻辑的和历史的序列转化关系作了说明。马克思认为："毫无疑问，典型形式的雇佣劳动，即作为扩展到整个社会范围并取代土地而成为社会立足基地的雇佣劳动，起初是由现代土地所有权创造出来的，就是说，是由作为资本本身创造出来的价值而存在的土地所有权创造出来的。因此，土地所有权反过来导致雇佣劳动。从一方面来看，这不外是雇佣劳动从城市转到农村，即雇佣劳动扩展到社会的整个范围。"③

在这之后，马克思没再提及"五篇计划"，他只在一些附带的说明中提到"五篇计划"的某些内容。例如，大约在 1857 年 12 月中、下旬，马克思提道："在第一篇关于生产一般和第二篇第一部分关于交换价值一般中，应当包括哪

①　《马克思恩格斯全集》第 30 卷，人民出版社 1995 年版，第 221 页。
②　《马克思恩格斯全集》第 30 卷，人民出版社 1995 年版，第 221 页。
③　《马克思恩格斯全集》第 30 卷，人民出版社 1995 年版，第 235 页。

些规定，这只有在全部阐述结束时并且作为全部阐述的结果才能显示出来"①。这一提示一方面表明，马克思还没有放弃"五篇计划"，还坚持以"关于生产一般"作为《政治经济学批判》著作的开篇内容，所要修改的只是把原先属于第一篇中的交换价值论题移至第二篇的第一部分；另一方面也表明，马克思对"五篇结构计划"中各篇具体内容规定，还在作进一步的思考，认为有些问题"只有在全部阐述结束时并且作为全部阐述的结果才能显示出来"，从而预示着马克思对"五篇结构计划"作更大程度的修改。这一修改的结果，就是他在1858年初提出的《政治经济学批判》的"六册计划"。

1858年2月22日，马克思在给拉萨尔的一封信中指出："全部著作分成六个分册：（1）资本（包括一些绪论性的章节）；（2）地产；（3）雇佣劳动；（4）国家；（5）国际贸易；（6）世界市场。"② 这是我们现在发现的马克思经济学文献中最早的关于"六个分册"的设想，后来这一新的结构设想被称作"六册计划"。"六册计划"是在《政治经济学批判》"五篇计划"基础上形成的。

"六册计划"对"五篇计划"作了两个方面重要的修改：第一，"五篇计划"中的第一篇"一般的抽象规定"或"关于生产一般"不再独立成篇，成为"六册计划"中第一册《资本》的"绪论性的章节"。第二，对"五篇计划"中的第二篇"形成资产阶级社会内部结构并且成为基本阶级的依据的范畴。资本、雇佣劳动、土地所有制"等作了扩展，以资本、土地所有制（地产）和雇佣劳动三大范畴为主题，独立形成"六册结构计划"的前三册。"五篇计划"中后三篇与"六册计划"中后三册的主题基本上是一致的。

实际上，"六册计划"只是马克思准备写作的三部政治经济学著作中第一部著作的计划结构。1858年2月22日，马克思在给拉萨尔的信中提道："我想把我的经济学著作进行的情况告诉你……应当首先出版的著作是对经济学范畴的批判，或者，也可以说是对资产阶级经济学体系的批判。这同时也是对上述体系的叙述和在叙述过程中对它进行的批判……政治经济学和社会主义的批判和历史整个说来应当是另一部著作的对象。最后，对经济范畴或经济关系的发展的简短历史概述，又应当是第三部著作"③。马克思对经济学体系三部著作构

---

① 《马克思恩格斯全集》第30卷，人民出版社1995年版，第280—281页。
② 《马克思恩格斯全集》第29卷，人民出版社1972年版，第531页。
③ 《马克思恩格斯全集》第29卷，人民出版社1972年版，第530—531页。

思的叙述，同他在 19 世纪 50 年代初的最初构思基本一致。

1858 年 3 月 11 日，马克思在给拉萨尔的信中，对"六册计划"作了一些重要的补充说明。第一，关于"六册计划"总体布局的设想。马克思指出："整个著作将分成六分册，不过我并不准备每一分册都探讨得同样详尽；相反地，在最后三册中，我只打算作一些基本的叙述，而前三册专门阐述基本经济原理，有时可能不免要作详细的解释。"① 马克思把"六册计划"分为前后两部分，前三册（《资本》、《土地所有制》、《雇佣劳动》）"要作详细的解释"，后三册（《国家》、《国际贸易》、《世界市场》）"只打算作一些基本的叙述"。第二，强调了第一册《资本》的重要地位。马克思强调，这一册"无论如何应当是一部比较完整的著作"，"它包括整个叙述的基础"。第三，对第一册《资本》的内在结构作了初步思考，提出了《资本》册的主要章节划分。马克思提出，这一册应该包括："(1) 价值，(2) 货币，(3) 资本一般（资本的生产过程，资本的流通过程，两者的统一，或资本和利润、利息）。这将是一本独立的小册子"②。

1858 年 4 月，马克思在给恩格斯的一封信中重提"六册计划"，对第一册《资本》的内在结构作了进一步的说明。他把《资本》册分为四篇，形成了关于《资本》册的"四篇结构"。马克思指出："(a) 资本一般（这是第一分册的材料）；(b) 竞争或许多资本的相互作用；(c) 信用，在这里，整个资本对单个的资本来说，表现为一般的因素；(d) 股份资本，作为最完善的形式（导向共产主义的），及其一切矛盾。"③

对《资本》册的"四篇结构"的理解，首先要搞清"资本一般"和"许多资本"这两个概念的含义及其关系。"资本一般"是对《资本》册考察的起始范畴。在严格意义上，"资本一般"当是 "Das Kapital im allgemeinen"。在《政治经济学批判（1857—1858 年手稿）》中，马克思在最初提到"资本一般"时就作了如下论述："在这里作为必须同价值和货币相区别的关系来考察的资本，是资本一般，也就是使作为资本的价值同单纯作为价值或货币的价值区别开来的那些规定的总和。价值、货币、流通等等，价格等等，还有劳动等等也

---

① 《马克思恩格斯全集》第 29 卷，人民出版社 1972 年版，第 534 页。
② 《马克思恩格斯全集》第 29 卷，人民出版社 1972 年版，第 534 页。
③ 《马克思恩格斯全集》第 29 卷，人民出版社 1972 年版，第 299 页。

一样，都是前提。但是我们研究的既不是资本的某一特殊形式，也不是与其他各单个资本相区别的某一单个资本，等等。我们研究的是资本的产生过程。这种辩证的产生过程不过是产生资本的实际运动在观念上的表现。以后的关系应当看作是这一萌芽的发展"①。

在对"资本一般"的这一最初论述中，马克思已经明确地指出这一范畴的基本含义：第一，"资本一般"是同价值、货币等范畴相区别的关系来考察的资本，也是使作为资本的价值同单纯作为价值或货币的价值区别开来的那些规定的总和。因此，价值、货币等等是资本的"前提"，因此，在逻辑上，在价值（其载体是商品）、货币向资本的转化过程中，资本最先是以"资本一般"的形式出现的；在理论上，与价值、货币相区别的资本，最先也是总和的、一般的资本。第二，"资本一般"既不是资本的某一特殊形式，也不是与其他各单个资本相区别的某一单个资本。"资本一般"是社会总资本所具有的一般特征，或者说是撤开了各单个资本特殊的、相异的规定性，反映各单个资本所具有的共同的规定性的资本形式。因此，"资本一般"可以是社会总资本的形式，也可以是撤开了单个资本特殊性质的个别资本的形式。第三，"资本一般"也是使资本的内在矛盾得以进一步展开的资本的"萌芽"的形式，资本的具体形式应当看作是这一萌芽的发展。"资本一般"内在规定性的进一步展开，只是产生资本的实际运动在观念上的表现。

马克思对"许多资本"范畴的最初概括就是："从概念来说，竞争不过是资本的内在本性，是作为许多资本彼此间的相互作用而表现出来并得到实现的资本的本质规定，不过是作为外在必然性表现出来的内在趋势。""资本是而且只能是作为许多资本而存在，因而它的自我规定表现为许多资本彼此间的相互作用。"② 这里的"许多资本"（viele Kapitalien），一方面是竞争借以运动的资本形式，另一方面也是资本的内在规定性在众多资本的相互关系中的进一步展开。

在马克思看来，"资本一般"是资本存在的"整体"，它是"各种互不相关的独立要素而存在"的"许多资本"的"内在必然性"和"基础"。从"资本一般"到"许多资本"，是资本运动、资本形式由简单上升到复杂、由抽象上升到具体的发展过程。

---

① 《马克思恩格斯全集》第30卷，人民出版社1995年版，第269—270页。
② 《马克思恩格斯全集》第30卷，人民出版社1995年版，第394页。

在"资本"章关于"资本的流通过程"中，马克思进一步在"资本一般"概念相对应的意义上提到"许多资本"概念。马克思明确指出："按照资本的一般概念考察资本时，资本的一切要素是包含在资本中的，这些要素只有在资本以许多资本的形式真正表现出来时，才能获得独立的现实性，才能显示出来。因此，那个在竞争范围内并且通过竞争而存在的内在的活的组织，也只有这时候才得到更广泛的发展。"① 显然，马克思在这里指出：第一，"资本一般"中，资本的一切个别要素作为内在的整体包含在一般性中，它所表现的是这些要素的简单的、局部的规定性；第二，"许多资本"中，资本的内在规定性获得了外部的独立实现形式，展示出各个别资本自身的复杂的、全部的规定性；第三，"许多资本"是在竞争范围内、是竞争借以表现的资本形式。由此可见，在逻辑上，"许多资本"是"资本一般"内在规定性的进一步展开；在结构上，"许多资本"则在"资本一般"之后，作为"资本一般"更为具体的、现实的资本形式来考察的。

马克思提出的"资本一般"与"许多资本"，对他写作"资本"章有着十分重要的意义。特别是在马克思提出经济学著作的"六册计划"之后，"资本一般"与"许多资本"的范畴及其关系，成了他建立第一册《资本》结构的最基本、最重要的依据。

"四篇结构"和"三分结构"之间的区别主要表现在两个方面：

第一，"四篇结构"把"三分结构"重新划分为两大部分：第一部分是"资本一般"，在这一部分中，作为研究对象的是资本的一般性质，即撇开了不同资本间差异及其关系的"资本一般"。第二部分是"许多资本"及其具体形式。竞争作为"许多资本"的特征，我们在前面已经作了说明。信用和股份资本同样是"许多资本"的特征。马克思在《政治经济学批判（1857—1858年手稿）》中曾提到：信用是资本"能够取得的最高成就"，"信用仅仅表现为积聚的新要素，即各个资本被个别实行集中的资本消灭的新要素。"② 马克思也提到，在股份资本中，"资本达到了它的最后形式，在这里资本不仅按它的实体来说自在地存在着，而且在它的形式上也表现为一种社会力量和社会产物"③。

---

① 《马克思恩格斯全集》第30卷，人民出版社1995年版，第517页。
② 《马克思恩格斯全集》第31卷，人民出版社1998年版，第52页。
③ 《马克思恩格斯全集》第30卷，人民出版社1995年版，第528页。

第二，"四篇结构"中的"(a) 资本一般"对"三分结构"中的"I 资本的一般性"作了两个方面的重要扩展。一方面，马克思把"价值"、"货币"作为"四篇结构"中"资本一般"的导论性内容，成为整个《资本》册的开头部分。另一方面，马克思把"三分结构"中"II 资本的特殊性"的"资本积累"，移到"四篇结构"的"(a) 资本一般"中。根据马克思《1861—1863 年手稿》第IV笔记中的论述，"资本积累"已归入"资本的生产过程"部分。因此，"资本一般"与"许多资本"是理解"三分结构"到"四篇结构"的实际变化以及"四篇结构"内在逻辑的重要概念和关键所在。

二、《政治经济学批判》第一分册的出版

1859 年 6 月，《政治经济学批判。第一分册》正式出版。在这一分册中，马克思第一次对商品理论和货币理论作了详尽而系统的阐述。

马克思第一次阐明了劳动二重性学说。马克思关于劳动二重性学说是建立在他对商品使用价值和交换价值两个方面分析的基础之上的。马克思认为，商品是指生活上必需的、有用的东西，是人类需要的对象，是最广义的生活资料。商品的使用价值一是表现在质的方面，它作为使用价值的这种存在，与它的自然的、可捉摸的存在是一致的；二是表现在量的方面，不同的使用价值，按照它们的自然特征，具有不同的尺度。马克思指出："不论财富的社会形式如何，使用价值总是构成财富的内容"，并且"它直接是表现一定的经济关系即交换价值的物质基础。"[1] 所以，对商品来说，成为使用价值是必要的前提。交换价值首先表现为各种使用价值可以相互交换的量的关系，作为交换价值，只要比例适当，一个使用价值和另一个使用价值完全同值。"因此，不论商品的自然存在的样式怎样，不管商品作为使用价值所满足的需要的特殊性质怎样，商品总以一定的数量彼此相等，在交换时相互替代，当作等价物，因而尽管它们的样子形形色色，却代表着同一个统一物。"[2]

马克思对生产交换价值的劳动作了详细分析。他认为，生产交换价值的劳

---

[1] 《马克思恩格斯全集》第 31 卷，人民出版社 1998 年版，第 420 页。

[2] 《马克思恩格斯全集》第 31 卷，人民出版社 1998 年版，第 421 页。

动是抽象一般劳动，即构成交换价值实体的劳动，它是由劳动时间来衡量的。马克思这时虽然还未能从交换价值中抽象出价值来，但是，他已经看到生产交换价值的劳动的无差别性。他说："要按商品所包含的劳动时间来计量商品的交换价值，就必须把不同的劳动化为无差别的、同样的、简单的劳动，简言之，即化为质上相同因而只有量的差别的劳动。"①也就是说，表现在交换价值中的劳动是一般人类劳动，而一般人类劳动这个抽象存在于平均劳动中，这是一定社会中每个平常人所能完成的劳动，是人的筋肉、神经、脑等的一定的生产消耗，是每个平常人都能学会的而且是他必须以某种形式完成的简单劳动。马克思还认为，生产交换价值的劳动具有特殊的社会性。主要表现在：一是劳动的无差别的简单性是个人的劳动的相同性，是他们的劳动彼此作为相同的劳动的相互关系；二是在交换价值中，个人的劳动时间直接表现为一般劳动时间，而个别劳动的这种一般性直接表现为个别劳动的社会性；三是在交换价值中，人和人之间的社会关系表现为物与物之间的社会关系，社会生产关系采取了物的形式。

在作了以上分析的基础上，马克思强调，既然商品的交换价值实际上不过是个人劳动作为相同的一般劳动相互发生的关系，不过是劳动的一种特殊社会形式的物化表现，那么，说劳动是交换价值的因而也是财富的唯一源泉，就是同义反复，说自然物质本身由于不包含劳动也就不包含交换价值，说交换价值本身不包含自然物质，也是同义反复。作为交换价值源泉的抽象劳动，是创造交换价值的劳动，而作为物质财富源泉之一的具体劳动，是创造使用价值的劳动。因此，马克思指出："生产交换价值的劳动实现在作为一般等价物的商品的相同性上，而作为有目的的生产活动的劳动实现在商品的使用价值的无限多样性上。生产交换价值的劳动是抽象一般的和相同的劳动，而生产使用价值的劳动是具体的和特殊的劳动，它按照形式和材料分为无限多的不同的劳动方式。"②在这里，马克思不仅十分清晰地表达了抽象劳动和具体劳动的不同性质，而且还对劳动二重性同商品二要素之间的关系作了精辟的说明。这些论述是马克思劳动二重性学说发展的重要理论标志。

马克思十分珍视自己在劳动二重性学说上的理论创见，他曾经不无自豪地

---

① 《马克思恩格斯全集》第 31 卷，人民出版社 1998 年版，第 422—423 页。
② 《马克思恩格斯全集》第 31 卷，人民出版社 1998 年版，第 428 页。

指出："商品中包含的劳动的这种二重性，是首先由我批判地证明了的。"① 劳动二重性学说还是他政治经济学理论中"最好的地方"②。由于劳动二重性理论的提出，使"劳动创造价值"这一古老命题从此有了崭新的含义。"劳动创造价值"已精确为抽象劳动创造价值；而且，在社会商品再生产过程中，进一步精确为抽象劳动创造新价值和具体劳动创造使用价值并转移所消耗的生产资料中的旧价值这样两重性。劳动二重性成了理解政治经济学的枢纽，成了马克思剖析资本主义经济关系的最重要的理论武器之一。

马克思首次对价值形式理论做出了政治经济学说史上全面的阐述。这一理论是科学的劳动价值论中具有决定性意义的内容。马克思本人在谈到价值形式理论意义时曾经指出："劳动产品的价值形式是资产阶级生产方式的最抽象的、但也是最一般的形式，这就使资产阶级生产方式成为一种特殊的社会生产类型，因而同时具有历史的特征。"③ 因此，只有在认识到资本主义生产方式不是永恒的自然形式，而是历史的社会形式时，才可能对价值形式的本质作出科学的分析，才可能在对价值形式发展序列的研究中，揭示出货币的全部奥秘。

在《政治经济学批判（1857—1858 年手稿）》中，马克思在说明货币本质时，首次提到价值形式理论。马克思指出："金作为货币所表现的根本不是价值，而是自身物质的一定量，它在自己额头上标明的，是自己的量的规定性。"④ 马克思在这里已说明，金作为货币实际上是在自身的一定量的物质形式上表现了商品世界其他一切商品的价值，起着衡量其他商品价值量的作用，也就是起着一般等价物的作用。接着，马克思从分析"最原始的物物交换"出发，探讨了货币的本质规定性。他认为："产品作为交换价值的规定，必然造成这样的结果：交换价值取得一个和产品分离即脱离的存在。同商品界本身相脱离而自身作为一个商品又同商品界并存的交换价值，就是货币。"⑤ 马克思的这一初步的、但却蕴含了深邃思想的论述，在《政治经济学批判。第一分册》中得到进一步的发挥。

在《政治经济学批判。第一分册》中，马克思从自己的价值学说出发，第一次按价值形式发展的序列，简要地探讨了商品价值关系中所包含的价值表现

① 《马克思恩格斯文集》第 5 卷，人民出版社 2009 年版，第 54—55 页。
② 《马克思恩格斯全集》第 31 卷，人民出版社 1972 年版，第 331 页。
③ 《马克思恩格斯文集》第 5 卷，人民出版社 2009 年版，第 99 页注释。
④ 《马克思恩格斯全集》第 30 卷，人民出版社 1995 年版，第 81 页。
⑤ 《马克思恩格斯全集》第 30 卷，人民出版社 1995 年版，第 94 页。

是怎样从简单的最不显眼的样子，一直发展到炫目的货币形式，最先阐明了价值的货币形式的起源，揭示了货币的本质和发展过程。

首先，马克思在对商品交换的一般性质与简单形式的分析中，提出了等价物的概念。在马克思看来，商品交换的一般性质就在于："一种商品的交换价值在它自己的使用价值上是表现不出来的。但是，作为一般社会劳动时间的化身，一种商品的使用价值就同别的种种商品的使用价值形成各种比例。这样，一种商品的交换价值就在别种商品的使用价值上表现出来"①。由此马克思对价值形式理论中的最重要的概念——等价物作了明确的定义，这就是："等价物实际上就是在别的一种商品的使用价值上表现出来的某一种商品的交换价值"②。例如，1码麻布值2磅咖啡，麻布的交换价值就在咖啡的使用价值上表现出来，而且是在这种使用价值的一定量上表现出来。每一种别的商品的使用价值，在包含等量劳动时间的比例上，都是这1码麻布的等价物。

其次，马克思以商品交换的历史发展为经济关系背景，阐明了等价物自身逻辑展开的内在必然性。商品交换的不断发展，是等价物从简单规定性到复杂规定性发展的历史前提。马克思从商品交换发展的角度指出："这一个别商品的交换价值，只有在一切其他商品的使用价值成为它的等价物的无限多个等式中，才充分表现出来。它只有在这些等式的总和中，或者说，只有在一种商品同每种别的商品交换的各种不同比例的总体中，才充分表现为一般等价物。"③也就是说，1码麻布既可以值2磅咖啡，也可以值8磅面包，还可以值6码棉布，这个系列是无限的，它可以随着商品的范围而不断扩展。因此，在它们的比例彼此相等的情况下，麻布就成了咖啡、面包、棉布的交换价值的共同尺度。"每一种商品，作为对象化的一般劳动时间即作为一定量的一般劳动时间，依次用一切其他商品的使用价值的一定量来表现自己的交换价值，而一切其他商品的交换价值就反过来用这一种分离出来的商品的使用价值来计量自己。但是，每一种商品作为交换价值，既是这一种分离出来的商品，它作为一切其他商品的交换价值的共同尺度起作用，另一方面，它在每一种其他商品用来直接表现自己交换价值的许多种商品的总体中，又只是这许多种商品中的一种。"④

---

① 《马克思恩格斯全集》第 31 卷，人民出版社 1998 年版，第 431 页。
② 《马克思恩格斯全集》第 31 卷，人民出版社 1998 年版，第 431 页。
③ 《马克思恩格斯全集》第 31 卷，人民出版社 1998 年版，第 431 页。
④ 《马克思恩格斯全集》第 31 卷，人民出版社 1998 年版，第 432 页。

最后，马克思在对价值形式的历史发展的分析中，揭示了价值形式发展的主要阶段，阐明了货币的产生和货币的本质规定性。马克思以对简单的价值形式分析为起点，逐次对"每个作为一般等价物的商品的实际表现，是一个无限多的等式的总和"的交换价值形式、再对"一个特殊商品作为一般等价物的存在"的交换价值形式，最后对"一种分离出来的特殊商品的商品交换价值"即货币形式作了深刻的分析。[1] 马克思指出：货币"是商品在交换过程本身中形成的商品交换的结晶"，货币不是符号，反映的是生产交换价值的劳动的一切社会形式。[2] 最后，马克思得出的结论就是："商品交换是这样一个过程，在这个过程中，社会的物质变换即私人特殊产品的交换，同时也就是个人在这个物质变换中所发生的一定社会生产关系的产生。商品彼此间在过程中的关系结晶为一般等价物的不同的规定，因而，交换过程同时就是货币的形成过程。"[3]

马克思在对价值形式从简单的价值形式到扩大的价值形式，再到一般的价值形式，最后到货币形式发展序列的分析中，科学地揭示了货币的起源和本质。价值形式发展的事实，进一步使商品的二因素、劳动的二重性等理论在商品经济发展的历史序列中得到了证实，从而使劳动价值论内在结构具有高度的统一性。价值形式理论也是唯物史观和辩证法在政治经济学理论研究中运用的辉煌成果。马克思对价值形式所作的抽象的，有时甚至好像是纯粹演绎式的叙述，实际上是以商品生产和商品交换发展史的大量实际材料为依据的。

需要指出的是，在《政治经济学批判。第一分册》中，马克思还没能创立与这一崭新的价值形式理论相适应的一系列专门的科学术语。后来，在《资本论》第一卷德文第一版中，马克思才在历史和逻辑的统一上，在创立了一系列专门的科学术语的基础上，系统地阐述了价值形式发展的全部理论问题。

三、《资本论》"四卷结构"的构想

在《政治经济学批判》"六册计划"的基础上，马克思对政治经济学理论

---

[1]　参见《马克思恩格斯全集》第 31 卷，人民出版社 1998 年版，第 431—432 页。

[2]　参见《马克思恩格斯全集》第 31 卷，人民出版社 1998 年版，第 442 页。

[3]　《马克思恩格斯全集》第 31 卷，人民出版社 1998 年版，第 445 页。

体系的构思有了新的进展。1863 年下半年，马克思提出了《资本论》的写作计划，并开始以《资本论》为标题进行写作。在写作过程中形成了《资本论》四卷结构。

在《61—63 年手稿》的写作过程中，马克思对"六册计划"作了以下两个主要方面的变动：

第一，马克思决定以《资本论》为标题单独出版第二分册，而"政治经济学批判"只是作为《资本论》的副标题。马克思在 1862 年 12 月 28 日给库格曼的一封信中指出："第二部分终于已经脱稿……它是第一册的续篇，将以《资本论》为标题单独出版，而《政治经济学批判》这个名称只作为副标题。其实，它只包括本来应构成第一篇第三章的内容，即《资本一般》。这样，这里没有包括资本的竞争和信用。这一卷的内容就是英国人称为'政治经济学原理'的东西。这是精髓（同第一部分合起来），至于余下的问题（除了国家的各种不同形式对社会的各种不同的经济结构的关系以外），别人就容易在已经打好的基础上去探讨了。"① 在这里，《资本论》只构成"六册计划"中《资本》册第一篇"资本一般"第 3 章"资本"的内容。《资本》册中其他三篇的结构，以及"六册计划"其他几册的结构并没有变化。

第二，1863 年 1 月初，马克思开始把准备以《资本论》为题单独出版的著作分为三"篇"，并且重新拟定了第一篇"资本的生产过程"和第三篇"资本和利润"的结构计划。这时，马克思把第一篇"资本的生产过程"细分为 9 章，把第三篇"资本和利润"细分为 12 章。② 我们通常把这一计划称作"1863 年 1 月的计划"。这一计划是马克思提出的《资本论》的第一个结构计划，也是马克思对他经济学体系结构的新构思。

马克思对经济学体系的这一新的构思，突出地表现在以下三个方面：

第一，正式把自己的经济学著作的标题确立为"资本论"，但在著作的内容上，同之前给库格曼信中提到的著作的内容不完全一样，例如，原来《资本论》只是《政治经济学批判。第一分册》的"续篇"，只包括第三章"资本"部分的内容；而现在，在"资本的生产过程"的 9 章中，"商品"和"货

---

① 《马克思恩格斯全集》第 30 卷，人民出版社 1975 年版，第 636 页。

② 参见《马克思恩格斯全集》第 26 卷 I，人民出版社 1972 年版，第 446—447 页。

币"构成第 1 章的主要论题,《资本论》不再"只包括本来应构成第一篇第三章的内容",而是把本来构成"资本一般"的开头三章的内容都包括进来了。

第二,明确《资本论》的三篇结构,这一结构同马克思经济学体系第八次思考中《资本》册结构不尽一致,我们可以作一比较说明。通过比较可以看到,《资本论》相当于《资本》册中"资本一般"的内容,并没有改变《资本》册分作四篇的结构及其内容。

第三,探索理论原理到理论历史逻辑序列的新的表现形式。在《资本论》中,从第 2 章到第 7 章分别论述货币转化为资本、绝对剩余价值、相对剩余价值、绝对剩余价值和相对剩余价值的结合、剩余价值再转化为资本,以及生产过程的结果等问题,这些理论原理的核心论题就是剩余价值。剩余价值理论原理阐述之后,第一篇"资本的生产过程"设置了"剩余价值理论"、"关于生产劳动和非生产劳动的理论"关于理论历史的两章。马克思在这里构思的理论原理到理论历史的逻辑序列,是对 1859 年《政治经济学批判》第一分册理论原理到理论历史序列结构的赓续,也是之后《资本论》理论原理到理论历史序列结构形成的前提。

1863 年下半年,马克思开始以《资本论》为标题写作新的经济学手稿。自此一直到 1865 年底,马克思已经写出了《资本论》理论部分的手稿。马克思这时开始把《资本论》的"篇"改称作"册"。从现在留下的《资本论》第一册的最后一章"直接生产过程的结果"的手稿中,可以看到《资本论》四册体系形成的轨迹。

首先,尽管马克思在 1863 年 1 月就已决定把"商品"和"货币"收入《资本论》第一篇,但是,他在 1863 年下半年开始撰写的《资本论》第一册手稿中,还是从货币转化为资本的论述开始的。马克思在"直接生产过程的结果"中指出:"现在同时解决了第 I 章中所讲到的那个困难。假如成为资本的产物的商品,按照由它的价值决定的价格出售,从而整个资本家阶级都按照商品的价值出售商品,那么每一资本家也就实现了剩余价值"[①]。"第 I 章"显然是对货币转化为资本、剩余价值根源问题的最初论述,也就是 1863 年 1 月关于《资本论》第一卷计划中第 2 章"货币转化为资本"的内容。这样,1863 年 1 月关于《资

[①] 《马克思恩格斯全集》第 49 卷,人民出版社 1982 年版,第 32 页。

本论》第一卷计划中的第7章"生产过程的结果",实际上就成了这里的第6章"直接生产过程的结果"。

其次,马克思把"直接生产过程的结果"看作是《资本论》第一册的最后一章。这样,1863年1月关于《资本论》第一篇计划中的第8章"剩余价值理论"和第9章"关于生产劳动和非生产劳动理论",不再属于《资本论》第1册的内容,可能已被归入专门论述理论历史问题的《资本论》第四册,即如马克思在"直接生产过程的结果"中所提示的:"一切传统混乱观念都是与总产品和纯产品之间的这种区别相联系的。其中一部分来源于重农学派(见第Ⅳ册),一部分来源于亚·斯密;斯密还经常在这里或那里把资本主义生产和直接生产者的生产混为一谈"①。这里提到的"第Ⅳ册"是以理论历史批判为主题的。因此,1863年下半年,《资本论》四册中理论原理和理论史批判的体系结构已经形成。后来,1865年7月,马克思在给恩格斯的一封信中提道:"至于说到我的工作,我愿意把全部真情告诉你。再写三章就可以结束理论部分(前三册)。然后还得写第四册,即历史文献部分;对我来说这是最容易的一部分,因为所有的问题都在前三册中解决了,最后这一册大半是以历史的形式重述一遍"②。

在1863年到1865年间,马克思撰写的《资本论》第一册《资本的生产过程》的手稿,除了最后一章"直接生产过程的结果"之外,其余的部分成为马克思1866年初最后加工出版《资本论》第一卷德文第一版的基础。这一期间撰写的《资本论》第二册《资本的流通过程》的手稿,成为恩格斯后来编辑《资本论》第二册时所称的"第Ⅰ稿";《资本论》第三册《总过程的各种形式》,或者"资本和利润"手稿,是后来恩格斯编辑《资本论》第三卷时的唯一的一部初稿。

考虑到马克思后来实际上是以"卷"的方式正式出版《资本论》第一册的,所以我们也可以通俗地把马克思关于《资本论》四册三卷的构思直接地称作"四卷结构"。

---

① 《马克思恩格斯全集》第49卷,人民出版社1982年版,第112页。
② 《马克思恩格斯全集》第31卷,人民出版社1972年版,第135页。

第二节　《政治经济学批判（1861—1863 年手稿）》的写作

《政治经济学批判。第一分册》完稿后，马克思打算在短期内写出第二分册。由于一些其他原因，直至 1861 年初，马克思才恢复对经济学的研究。1861 年 8 月，马克思以"《政治经济学批判》续"为标题，开始写作第三章"资本"。但是，在写作过程中，马克思不断接触和发现新的理论问题，到 1863 年 7 月，马克思实际完成的并不是论"资本"的小册子，而是一部包括 23 个笔记本的近 1400 页的卷帙浩繁的手稿，其内容大大超出了原先计划写作的内容。这部手稿现在被称为《政治经济学批判（1861—1863 年手稿）》。在这部手稿中，马克思对劳动价值论、剩余价值论、社会资本再生产理论、生产价格理论等都作了极其重要的论述。

一、关于劳动价值论的进一步分析

《61—63 年手稿》中关于劳动价值论的研究，是以 19 世纪 50 年代对劳动价值论的研究为基础的。它在劳动价值论研究上的最突出的理论研究新成果，就是对劳动价值论的充分发展形式——平均利润和生产价格理论的探索。

生产价格理论科学地揭示了剩余价值转化为利润、利润转化为平均利润的全过程；而平均利润又分为产业利润和商业利润，产业利润（和商业利润）又分裂为企业主收入和利息；同时，产业利润又包含了工业资本家和农业资本家利润。因此，生产价格理论的形成，使得对商业资本、借贷资本等特殊资本形式及其特殊收入形式的考察成为必然。

在《61—63 年手稿》中，马克思从两个方面研究了剩余价值一般和剩余价值特殊的关系：一是马克思从"资本一般"转化为资本特殊的论述中，探讨了剩余价值一般向剩余价值的分支——利润、利息等等的转化过程。二是马克思在对价值转化为生产价格的论述中，探讨了剩余价值转化为利润，利润转化为平均利润的序列过程。这里着重对马克思后一方面的探讨作一些说明。在手稿中，马克思提出了剩余价值转化为利润和利润转化为平均利润的"两种转化"的理论。作为剩余价值第一种转化的利润——以及这第一种转化中的利润率——表现为剩余价值对产生剩余价值的全部单个资本的关系，而不管这个资本的各个组成部分与剩余价值的生产保持怎样的有机关系。在第一种转化的基础上，发生了利润到平均利润的第二种变化。"这第二种转化所涉及的不再只是形式，而是除形式外还涉及实体本身，也就是说，改变利润的绝对量，从而改变在利润形式上表现出来的剩余价值的绝对量。第一种转化并没有触及这个绝对量。"[①]经过这两种转化，剩余价值的内在规定性逐步地外化为利润、平均利润的外在规定性。这两种转化的结果使剩余价值和平均利润的内在联系在其外在化的形式上完成消逝了。

1862 年 6 月，马克思在写作《61—63 年手稿》第 X 笔记本时，第一次通过举例，系统地阐述了价值转化为生产价格的整体过程，揭示了"平均价格规律"（即生产价格规律）的本质。在 1862 年 8 月给恩格斯的信中，马克思再次概述了这一转化过程的要点。这些论述表明，60 年代初马克思的生产价格理论已经形成。

马克思生产价格理论的形成，顺利地解决了李嘉图理论体系的根本矛盾。马克思认为，由于"李嘉图把不依各个生产领域使用的劳动量为转移的费用价格的平均化看作是价值本身的变形，从而把整个原理推翻了"[②]。对于等量资本获得等量利润这一经济现象，"如果想不经过任何中介过程就直接根据价值规律去理解这一现象……就是一个比用代数方法或许能求出的化圆为方问题更困难得多的问题"[③]。通过对一系列中介环节的分析，通过对价值本身的质的转化关系的分析，马克思已经科学地证明：等量资本获得等量利润是在生产价格规律作用形式的基础上形成的。在生产价格规律中，各部门资本家都依据统一的平均利润率，获得与各自预付资本量大小成比例的平均利润。各部门中商品的价值和生产价格的差额，主要是由各部门创造的剩余价值和获得的平均利润的差额引起的，归根到底是由剩余价值在各生产部门之间重新分配引起的。因

---

① 《马克思恩格斯全集》第 48 卷，人民出版社 1985 年版，第 284—285 页。
② 《马克思恩格斯全集》第 26 卷 III，人民出版社 1974 年版，第 23 页。
③ 《马克思恩格斯全集》第 26 卷 III，人民出版社 1974 年版，第 90 页。

此，等量资本获得等量利润的现实，并不是对劳动价值论的否定，相反它是劳动价值论在资本主义经济关系一定发展阶段的具体表现。同样，生产价格理论的创立也绝不是劳动价值论的"终结"，而是劳动价值论内在生命力的体现。

在《61—63年手稿》中，马克思最初也不打算论述地租问题。1862年6月，马克思在对生产价格理论研究中涉及洛贝尔图斯的地租理论时，才顺便对地租理论作了一些探讨。但他仍然不打算作展开论述。但是，在1862年7月到8月间写作手稿第 XI 和第 XII 笔记本时，马克思在进一步搞清了生产价格理论之后，才一改初衷，打算把地租问题放在生产价格理论之后，作为价值和生产价格的区别的"例证"加以研究。作为价值与生产价格"例证"的就是地租理论。至于地租问题中"一切使问题复杂化的情况"，则在"专门考察土地所有权时我才详细论述"①。

在手稿中，马克思批判了李嘉图等人的地租理论，科学地说明了绝对地租产生的原因、条件及其实现形式。首先，马克思认为，李嘉图之所以否认存在绝对地租，同他对资本主义土地所有权性质的理解有关。事实上，因为存在着土地所有权，资本才不得不把价值超过生产价格的余额让给土地所有者，因此，凡是土地私有制不存在的地方，就不支付绝对地租。绝对地租的存在是土地所有权造成的结果。其次，马克思指出，李嘉图否认存在绝对地租，还和他不理解生产价格理论有关。正因为李嘉图把价值同生产价格混为一谈，所以他认为，如果存在绝对地租（即与各类土地的肥沃程度无关的地租），那么农产品等等的出售价格就会由于高于生产价格而经常高于价值，这就会推翻价值规律。所以，他否认绝对地租，只承认级差地租。再次，马克思还依据资本有机构成理论，揭示了绝对地租形成的条件。马克思认为，由于农业资本所推动的劳动量，就资本的不变部分而言，比非农业生产中的平均资本所推动的劳动量要多，即农业资本有机构成低于社会平均资本构成。由于土地私有权的垄断，使农业部门中高于平均利润的超额利润滞留在农业部门内，不能在全社会实现平均化。因此，农产品和别的产品不同，它不是按照自己的生产价格出卖，而是按照自己的价值出卖。这是资本主义生产下的正常现象，是土地所有权造成的后果。显然，构成农产品价值和农产品生产价格之间差额的超额利润，只是农业雇佣工人"无酬劳动量"的转化形式。

---

① 《马克思恩格斯全集》第26卷II，人民出版社1973年版，第300页。

　　尽管马克思认为，在作为价值和生产价格区别"例解"的限度内，"我必须从理论上证明的唯一的一点，是绝对地租在不违反价值规律的情况下的可能性"①。但是，他还是对级差地租作了一定程度的论述。他在批判李嘉图级差地租理论时，区分了级差地租形成的原因和条件，分析了级差地租的实体及其实现形式。

　　由此可见，马克思在《61—63年手稿》中关于生产价格理论的探讨，既是劳动价值论在资本主义经济关系发展到一定阶段的具体运用，同时又是考察资本的特殊形式、剩余价值的特殊形式，以及地租理论的重要前提。

二、关于剩余价值理论的深入研究

　　资本和剩余价值理论是《61—63年手稿》的主要内容。在手稿中，马克思不仅对资本和剩余价值本质及其关系作了探索，而且还研究了劳动对资本的从属问题，以及生产劳动和非生产劳动理论问题。

　　对资本和剩余价值本质及其关系的探索。马克思开始对"资本一般"的特殊形式，或者说"资本一般"的外在化形式作了探讨。马克思以"资本的最一般形式"G—W—G为基础，分析了产业资本和商业资本、借贷资本的产生、作用过程及相互转化关系。马克思认为，商业资本和生息资本尽管是历史上最古老的资本形式，但是在资本主义生产方式的基础上，它们都表现为产业资本的"派生的、第二级的形式"。这是因为，"产业资本是在资产阶级社会占统治地位的资本主义关系的基本形式，其他一切形式都不过是从这个基本形式派生的，或者与它相比是次要的，——派生的，如生息资本；次要的，也就是执行某种特殊职能（属于资本的流通过程）的资本，如商业资本。所以，产业资本在它的产生过程中还必须使这些形式从属于自己，并把它们转化为它自己的派生的或特殊的职能。"②对特殊资本形式关系的分析，是进一步揭示剩余价值一般到剩余价值特殊（产业利润、商业利润、利息）转化过程的基础。

① 《马克思恩格斯全集》第30卷，人民出版社1974年版，第276页。
② 《马克思恩格斯全集》第26卷Ⅲ，人民出版社1973年版，第518—519页。

在这三种资本形式的转化过程中，产业资本转化为商业资本，是资本的主要形式（生产过程）向资本的次要形式（流通过程）的转化；产业资本转化为借贷资本，则是职能资本（产业资本、商业资本）向非职能资本的转化。而且，在借贷资本 G—G 的运动形式上，资本的一般形式 G—W—G 获得了最外在化的表现，成了一种毫无内容的形式，不可理解的神秘的形式。在这一过程中，资本的形式越来越和它的内在本质相异化，越来越与资本的本质失去联系。在借贷资本运动中，资本取得了最神秘的拜物教形式。

马克思在揭示资本外在化形式的同时，对资本的内在结构作了探讨。马克思在提出固定资本和流动资本、不变资本和可变资本理论的基础上，首次提出了资本两种不同有机构成的理论。马克思认为，不变资本和可变资本的构成是从资本的直接生产过程中产生的，它是"生产过程内部的资本有机构成"；固定资本和流动资本虽然也是生产资本的构成部分，但是，它们借以划分的依据却是资本流通中的不同的价值转移方式，因而是流通过程产生的资本有机构成。因此，从资本主义再生产过程来看，"当我们说到不变资本和可变资本时，指的是资本最初的划分为活劳动和物化劳动，而不是流通过程或流通过程对再生产的影响所引起的这种比例的变化"①。严格区分两种不同的资本有机构成，是马克思对经济学理论发展的重大贡献。在马克思以前，古典经济学家的许多理论错误的原因，就是把由不变资本和可变资本构成造成的经济后果和由固定资本和流动资本构成造成的经济后果混为一谈。

在《61—63 年手稿》中，马克思还深入不变资本和可变资本构成（即马克思后来称作的"资本有机构成"）内部，区分了这一有机构成的两重形式：由活劳动量同所使用的生产资料量的对比关系决定的"资本的技术构成"；由资本各要素之间的价值比例关系决定的"资本的价值构成"。这是深入理解资本有机构成的两个"着眼点"。在这两重构成形式中，资本技术构成的变动起着决定性的作用。因此，马克思常常把仅仅是资本价值构成发生变化、资本技术构成没有发生变化的情况，称作资本的有机构成没有发生变动。在这两重构成形式中，资本技术构成是资本有机构成的内在规定，资本价值构成则是资本有机构成的外在表现形式。资本有机构成变化的这一严格限定，对理解马克思资本有机构成理论及其现实意义是极为重要的。

---

① 《马克思恩格斯全集》第 26 卷Ⅲ，人民出版社 1974 年版，第 429 页。

在《61—63年手稿》中，马克思对资本结构的探讨同对剩余价值生产形式的研究是紧密地结合在一起的。在《政治经济学批判（1857—1858年手稿）》中，马克思提出了剩余价值范畴，揭示了剩余价值的本质以及剩余价值的生产形式。在这部手稿中，马克思引入超额剩余价值范畴，第一次阐明了绝对剩余价值生产和相对剩余价值生产形式之间的历史的和逻辑的转化的"中介"。马克思认为，超额剩余价值实质就在于："用超过该生产阶段平均水平的更有生产效率的劳动方法作为例外生产出来的那个商品的个别价值，低于这个商品的一般的或社会的价值"①。在对超额剩余价值的阐述中，马克思认为，必须区分资本提高劳动生产力的直接目的与劳动生产力提高的最终结果之间的差别。资本提高劳动生产力的直接目的，是为了使个别资本生产的商品的个别价值低于社会价值。商品的个别价值和社会价值之间的差额就是超额剩余价值。但是，在资本的竞争中，个别资本较高的劳动生产力将转化为社会的一般的劳动生产力，这样，个别资本一时获得的超额剩余价值，结果却导致这种商品的社会价值的普遍降低，超额剩余价值消失。如果这种商品属于劳动力必要生活资料的范围，就会引起劳动力价值的降低，最终的结果就是所有的资本家都能获得相对剩余价值。显然，超额剩余价值和相对剩余价值之间有着密切的联系。首先，超额剩余价值是个别资本提高劳动生产力，使商品的个别价值低于社会价值的结果；相对剩余价值则是劳动生产力的普遍提高，劳动力价值降低的结果。其次，超额剩余价值是个别资本提高劳动生产力的直接目的，而相对剩余价值则是许多资本家追求超额剩余价值的结果。最后，超额剩余价值是由个别资本的剩余劳动时间相对增加的结果；相对剩余价值则是整个社会内剩余劳动时间相对增加的结果。

劳动对资本的形式从属和实际从属关系的研究。劳动从属于资本的理论是马克思在《61—63年手稿》中提出的重要的理论，与马克思剩余价值生产形式的理论有着密切的联系。剩余价值生产形式即绝对剩余价值生产和相对剩余价值生产形式，是劳动对资本从属性质变化的结果，也是劳动对资本从属形式发展的表现。

马克思一直关注劳动对资本从属性质和形式的研究。在《1844年经济学哲学手稿》中，马克思从劳动异化的角度，考察过"分工使工人越来越片

---

① 《马克思恩格斯全集》第48卷，人民出版社1985年版，第23页。

面化和从属化"的事实。在《雇佣劳动与资本》中，马克思已经把"雇佣劳动对资本的关系，工人遭受奴役的地位，资本家的统治"作为首位重要的问题提出来了。在《政治经济学批判（1857—1858年手稿）》中，马克思通过对资本主义生产方式发展阶段的研究，得出了资本是工人的对立面，所以文明的进步只会增大支配劳动的客观权力的结论。在《61—63年手稿》中，马克思从剩余价值生产形式的角度，首次系统地提出了劳动从属于资本的理论。

第一，作为资本主义生产方式存在和发展的一般形式，劳动对资本的形式从属和绝对剩余价值生产有着同等的意义。在劳动对资本的形式从属上，那种旧有的宗法的或以其他人身依附为基础的强制形式已经消除。劳动者和资本所有者在形式上都是自由人，他们之间除买者和卖者的关系外，实际上不存在任何其他关系。这种单纯"物质上的"从属关系，涉及的只是工人和资本家在生产过程本身中的地位。劳动对资本的实际从属是在相对剩余价值生产得到充分发展的基础上产生的。这时，雇佣劳动者的劳动，不仅在生产过程中完全从属于资本，成为发展起来的机器和机器的附属品；而且在消费过程中，他们的消费也从属于资本，成为资本再生产的必要要素。

第二，在劳动对资本的形式从属中，资本接受的还只是从封建社会沿袭下来的现存的"生产方式"。这里所谓的"生产方式"是指劳动过程中的劳动方式、工艺过程、劳动者的结合形式及生产资料运用的程度等方面的内容，也就是生产力的活动方式。但是，在这种从属形式中，劳动过程的性质已经发生了变化。这一变化的基本点就是：劳动过程是在资本的监督和管理下进行，劳动的更大的连续性也发展起来了。作为资本主义生产方式发展变化的结果，劳动对资本的实际从属是直接生产过程中更大规模应用自然力、科学和机器的结果，是科学技术的力量转化为资本力量的结果。

第三，劳动对资本形式从属的典型形式，发生在与资本主义经济关系相适应的社会化大生产还没能建立起来的阶段，即资本主义发展的初期。随着资本主义生产方式的实际发展，劳动对资本的形式从属也以相同的程度逐渐转化为劳动对资本的实际从属。马克思认为，在劳动对资本的实际从属阶段，资本家必须是某一社会规模的生产资料的所有者或占有者，这种生产资料的所有制形式，对劳动来说就是"劳动的异己的所有制"。劳动对资本的实际从属，潜藏着资本主义经济关系自我扬弃的因素。因此，劳动对资本从属的理论，不仅揭示了雇佣劳动从属于资本的经济实质，而且还揭示了资本所有制转化为"社会个人的所有制"的思想，揭示了资本所有制最终崩溃的历史必然性。

对生产劳动和非生产劳动理论的探索。在《61—63年手稿》中，马克思对资本的生产性和非生产性的探讨，是同批判斯密的生产劳动和非生产劳动理论联系在一起的。斯密对生产劳动的理解具有二重性：一方面，斯密把生产劳动看作是"把自己的生活费的价值和他的主人的利润，加到他所加工的材料的价值上"的劳动；另一方面，又把生产劳动同那种"固定和物化在一个特定的对象或可以出卖的商品中，而这个对象或商品在劳动结束后，至少还存在若干时候"的劳动联系在一起。马克思认为，斯密对生产劳动的前一方面理解是正确的，这是因为，"这里，从资本主义生产的观点给生产劳动下了定义，亚·斯密在这里触及了问题的本质，抓住了要领。他的巨大科学功绩之一……就在于，他下了生产劳动是直接同资本交换的劳动这样一个定义"①。斯密对生产劳动的后一方面的理解却是浅薄的、错误的，他只是从劳动的物质规定性，从劳动作为具体劳动形式及其结果上来定义生产劳动，因而从根本上混淆了从资本主义特殊生产方式来看的生产劳动同一般的生产劳动的区别。如马克思所指出的："这里就越出了和社会形式有关的那个定义的范围，越出了用劳动者对资本主义生产的关系来给生产劳动者和非生产劳动者下定义的范围。"②

在批判斯密理论的过程中，马克思提出了自己的生产劳动和非生产劳动理论。首先，马克思反复强调：劳动作为生产劳动的特性只表现一定的社会生产关系。劳动的这种规定性，不是从劳动的内容或劳动的结果产生的，而是从劳动的一定的社会形式产生的。如马克思后来在《资本论》第一卷中所强调的："生产工人的概念决不只包含活动和效果之间的关系，工人和劳动产品之间的关系，而且还包含一种特殊社会的、历史地产生的生产关系。"③因此，作为研究对象的生产劳动，被严格地限定在资本主义社会生产关系内。《61—63年手稿》从两个主要方面论述了资本主义生产劳动的性质：其一，从资本主义生产

---

① 《马克思恩格斯全集》第26卷I，人民出版社1972年版，第148页。
② 《马克思恩格斯全集》第26卷I，人民出版社1972年版，第153页。
③ 《马克思恩格斯文集》第5卷，人民出版社2009年版，第582页。

实质来看，生产劳动是给使用劳动的人生产剩余价值的劳动，或者说，是把客观劳动条件转化为资本，把客观劳动条件的所有者转化为资本家的劳动。所以，这是他自己的产品作为资本生产出来的劳动，其二，从资本主义生产过程的特征来看，生产劳动可以说是直接同作为资本的货币交换的劳动，或者说，是直接同资本交换的劳动。马克思对资本主义生产劳动性质的这两个方面的说明，彻底克服了斯密在这一理论上的错误，揭示了资本主义生产劳动和非生产劳动理论的核心问题。

其次，马克思在揭示资本主义生产劳动性质时多次强调：生产劳动和非生产劳动的这种区分，既同劳动独有的特殊性毫无关系，也同劳动的这种特殊性借以体现的特殊使用价值毫无关系。这就是说，在资本主义经济关系中，一定使用价值的物质产品，可以是生产劳动的结果，只要这一劳动是同资本相交换的；也可以是非生产劳动的结果，如果这一劳动只是同收入相交换。这也就是说，资本主义生产劳动的结果，可以表现为一定的物质产品形式，如雇佣工人为资本家生产的机床产品；也可以表现为一定的非物质产品形式，如被开设剧院的资本家所雇佣的歌剧演员，他的演唱使剧院资本家获得利润，但这种生产劳动的结果并不表现为有形的物质产品。这是马克思阐述资本主义生产劳动理论时一直坚持的思想。

但是，在马克思时代，在整个资本主义生产中，表现为非物质产品的生产劳动的比重还是微不足道的，因此，可以完全置之不理。只是在这一既定前提下，我们才可以认为，生产工人即生产资本的工人的特点，是他们的劳动物化在商品中，物化在物质财富中。也只是在这一界限内，才可以认为斯密提出的第二个定义是对他具有决定意义的第一定义的"补充"。

最后，《61—63年手稿》还对资本主义总体工人的生产劳动性质作了探讨。马克思指出，在资本主义生产方式中，由于商品是由许多工人共同生产的，因此，从单纯的劳动过程的结果来看，商品就表现为劳动者的总体进行生产的结果。这时，只要这些总体工人的劳动都是同资本交换的，他们就都是雇佣劳动者，就都是在这个特定意义上的生产工人。这实际表明，资本主义总体工人的劳动是否属于生产劳动，完全是由这一总体劳动本身是否为资本生产剩余价值，是否与资本相交换确定的；总体工人中单个工人劳动是否属于生产劳动，完全取决于总体工人劳动的性质。

三、资本积累和社会资本再生产理论的探讨

在《61—63 年手稿》中，马克思从资本主义经济运动趋势的高度，进一步发展了资本积累理论。首先，马克思认为，李嘉图把资本积累仅仅看作是资本收入转化为工资的观点，从一开始就是错误的。事实上，在资本积累过程中，既发生着剩余价值转化为可变资本，也发生着剩余价值转化为不变资本。其次，马克思证明资本积累是资本主义生产方式的条件，提出资本积累中资本和雇佣工人之间对立关系的发展存在着三个主要趋势：（1）劳动条件在作为资本的财产而"永恒化"的同时，也使工人成为雇佣工人的地位永恒化；（2）资本积累通过使资本家及其同伙的相对财富增多而使工人的状况相对恶化；（3）由于劳动条件以愈来愈庞大的形式，愈来愈作为社会力量出现在单个工人面前，所以，对工人来说，像过去在小生产中那样，自己占有劳动条件的可能性已经不存在的。马克思认为，这三个主要趋势就是资本积累的比其物质结果更为重要的结果。

在《61—63 年手稿》中，马克思社会资本再生产理论的创立，同对古典政治经济学理论，其中特别同对斯密和魁奈理论的批判密切相关。

马克思通过对"斯密教条"的批判，提出了社会资本再生产理论的两个基本前提。所谓"斯密教条"就是斯密所提出的商品价值由工资、利润和地租三种收入构成的理论教条，这一理论教条严重禁锢着斯密以后的经济学家的理论思维。和社会资本再生产理论发展相联系，马克思对"斯密教条"的批判集中在两个方面：

第一，"斯密教条"混淆了产品的价值和产品生产中劳动者新创造价值之间的区别。马克思认为，那种把年产品中所有作为收入或作为工资、利润消费的部分，都归结为新加劳动的看法是正确的；而把全部年产品只归结为收入或归结为工资、利润，即只归结为新加劳动中某些部分的总和的看法却是错误的。年产品中有一部分归结为不变资本，它按价值来说不代表新加劳动，而作为使用价值，既不加入工资，也不加入利润。

在《61—63 年手稿》中，马克思对产品价值和产品价值中新创造价值部分作了严格区分，提出了社会总产品中价值构成的基本原理：年产品中所有作为可变资本构成工人收入的部分和作为剩余产品构成资本家的消费基金的部分

都归结为新加劳动，而产品中其余所有代表不变资本的部分只归结为被保存的过去劳动，仅仅补偿不变资本。马克思依据劳动二重性原理，把商品价值区分为 c、v、m 三部分，说明了 c 和（v+m）之间的关系，从而科学地解决了社会资本再生产理论的一个基本前提。

第二，斯密不理解社会资本再生产中生产消费和生活消费的区别与联系，不理解与此相适应的生产资料实现和消费资料实现各自所具有的特殊规定性。斯密在提出他的"教条"的同时，也意识到商品价值中还应该包括不能归入个人消费收入的部分。为了弥补这一漏洞，斯密使用了"收入"这一含混的概念，并把这种"收入"分为"总收入"和"纯收入"。这里的"总收入"是指"土地和劳动的全部产物"，"纯收入"是指"总收入"中以工资、利润和地租形式存在的"消费基金"收入；同时，斯密又认为，对"收入"的这种划分，只适合于单个资本，不适合于社会资本；对于社会资本来说，通过层层类推，商品价值最终还是分解为工资、利润和地租三个收入部分。马克思认为，斯密的这一混乱的论述表明，斯密已经意识到社会总产品中生产资料和生活资料实现上的差异，但是，由于受"斯密教条"的限制，最后只能得出一切商品都可以作为供消费用的产品来消费掉，或者说，无论如何都可以这样或那样地用于个人生活消费（而不是用于生产消费）的错误结论。

马克思认为，社会总产品实际上可以分作两部分，一部分是用于个人消费的生活消费品，另一部分是用于生产消费的生产资料。作为收入进入个人消费领域的只是社会总产品中的一部分，其余一切生产部门的产品只能作为资本来消费，只能加入生产消费。因此，社会总产品可以按其最终用途分为用于生活消费的消费资料部分和用于生产消费的生产资料两大部分。与此相适应，社会生产部门也应该区分为两大部类：生产消费资料的"A 部类"和生产生产资料的"B 部类"。"A 部类"的产品按其使用价值来说，代表全部年产品中每年加入个人消费的整个部分。按其交换价值来说，它代表生产者在一年内新加的劳动总量；"B 部类"提供的是非个人消费的、只加入生产消费、作为生产资料加入生产过程的产品。这样，马克思科学地解决了社会资本再生产理论的另一个基本前提。

在《61—63 年手稿》中，马克思对社会资本再生产的实现过程作了初步考察。马克思考察了社会资本简单再生产的三个主要的交换过程：第一，收入同收入的交换。这一交换使"A 部类"内部归于工人和资本家的"收入"（v+m）得到实现；第二，收入同资本的交换，即由"B 部类"归于工人和资本家的"收入"（v+m）同"A 部类"作为不变资本的 c 相交换；第三，资本同资本的交换，这是"B 部类"内部各资本家之间实现各自不变资本 c 的过程。这一考察表明，马克思已经搞清了社会资本再生产实现过程的基本内容。

在《61—63 年手稿》中，马克思对社会资本再生产实现过程的总体理解，是在批判魁奈《经济表》的基础上完成的。魁奈在 18 世纪 50 年代末制定的《经济表》中，就已尝试着对社会资本再生产过程作出概要的描述。马克思认为，尽管魁奈的《经济表》还存在着一些错误前提，但是，《经济表》所作的"尝试"，还是给同时代人留下了"深刻印象"。马克思认为："这个尝试是在十八世纪三十至六十年代政治经济学幼年时期做出的，这是一个极有天才的思想，毫无疑问是政治经济学至今所提出的一切思想中最有天才的思想。"[1]《经济表》所作的有意义的"尝试"就在于，《经济表》把资本的整个生产过程表现为再生产过程，把流通表现为仅仅是这个再生产过程的形式；把货币流通表现为仅仅是资本流通的一个要素；同时，把收入的起源、资本和收入之间的交换、再生产消费对最终消费的关系等等，都包括到这个再生产过程中，把生产者和消费者之间（实际上是资本和收入之间）的流通表现为这个再生产过程的要素；而且把这一切总结在一张表上，这张表实际上只有五条线，连接着六个出发点或归宿点。

在对魁奈《经济表》作了深入研究的基础上，马克思在 1863 年 7 月间也提出了一个"包括全部再生产过程"的"经济表"，用以"代替"魁奈的《经济表》。从马克思对自己"经济表"的解释中可以看到，除了一些细节之外，马克思对社会资本简单再生产理论已有了总体性的理解。首先，马克思已确定了理解社会资本再生产理论的两个基本前提，即社会总产品在价值上划分为不变资本、可变资本和剩余价值三部分，在实物形式上划分为第 I 部类（生活资料）和第 II 部类（生产资料）两大部类。其次，马克思已准确地概述了社会资本简单再生产的三个主要的交换过程，即第 I 部类内部的交换、第 II 部类内部的交换和两大部类之间的交换。马克思还在"社会总产品"形式上，

---

① 《马克思恩格斯全集》第 26 卷 I，人民出版社 1972 年版，第 366 页。

表述了第 I 部类总产品等于两大部类中可变资本和剩余价值之和。第 II 部类总产品等于两大部类中不变资本之和的重要思路。最后，马克思还简要地阐明了社会资本再生产过程中货币回流运动的实质。进一步证明了他在对魁奈《经济表》分析中得到的那个重要的结论："货币流通在这里表现为完全是由商品流通和商品再生产决定的，实际上是由资本的流通过程决定的。"① 马克思的"经济表"是马克思社会资本再生产理论创立过程中的一个不容忽视的"历史路标"。

在《61—63 年手稿》中，马克思的资本主义经济危机理论得到进一步的发展。他不仅再次深入批判了萨伊、李嘉图等人否认资本主义存在普遍经济危机的错误观点，而且也指出了西斯蒙第和其他一些小资产阶级经济学家在证明资本主义经济危机必然性问题上的严重缺陷。通过对资产阶级政治经济学危机理论的批判，马克思明确指出，"要就危机来自作为资本的资本所特有的，而不是仅仅在资本作为商品和货币的存在中包含的资本的各种形式规定，来彻底考察潜在的危机的进一步发展。"②

在《政治经济学批判（1857—1858 年手稿）》中，马克思已指出在简单商品生产条件下，在货币作为交换手段和支付手段的职能中已经存在着危机的两种形式上的可能性。但是，危机的这两种形式上的可能性无非是危机的最一般的形式，不能说危机的抽象形式就是危机的原因。所谓"危机的原因"指的应该是，为什么危机的抽象形式，危机的可能性的形式会从可能性变为现实性，危机的可能性转变为现实性的根源，就在于资本主义基本矛盾的充分发展。

就资本主义商品生产的一般性而言，全部商品资本都要经历 W—G—W 的过程，因此，只要资本也是商品并且只是商品，那么包含在这个形式中的危机的一般可能性，即买和卖的分离，也就包含在资本的运动中，在相互联系和彼此交错的社会资本再生产过程中，简单商品经济中买和卖的分离，转换成了资本主义生产阶段和流通阶段的分离。事实上，生产阶段和流通阶段是资本主义社会再生产中互相补充、互相对立的两个方面，马克思强调："危机就是强制地使已经独立的因素恢复统一，并且强制地使实质上统一的因素变为独立的

① 《马克思恩格斯全集》第 26 卷 I，人民出版社 1972 年版，第 324 页。
② 《马克思恩格斯全集》第 26 卷 II，人民出版社 1973 年版，第 585 页。

东西"①。因此，危机还有许多因素、条件、可能性，只有在分析更加具体的关系，特别是分析资本的竞争和信用时，才能加以考察。只有在对资本的直接生产过程、资本的流通过程以及资本总过程作了充分阐述的基础上，才能全面地理解资本主义经济危机的内在必然性。

在《61—63 年手稿》中，马克思对资本积累的历史趋势问题也作了探讨。他在论述劳动对资本的形式从属到实际从属的历史发展时，对"个人所有制"的含义作了深入阐述。马克思认为，劳动形式上从属于资本向实际上从属于资本的过渡，与经济关系的两个必然的变革是联系在一起的。

第一，劳动对资本的实际从属，是生产力运动方式发生革命的结果，是直接生产过程中更大规模地应用自然力、科学和机器的结果，是科学技术力量转化为资本力量的结果。因此，"在这里不仅是形式方面发生了变化，而且劳动过程本身也发生了变化。一方面，只是现在才表现为特殊生产方式的资本主义生产方式，改变了物质生产的形态。另一方面，物质形态的这种变化构成资本主义关系发展的基础，所以与资本主义关系完全适合的形态只是与物质生产力的一定发展阶段相适应的"②。

第二，劳动对资本的实际从属已经潜伏了资本主义私有制自身被扬弃的因素。因为在劳动对资本的实际从属阶段，"资本家必须是某一社会规模的生产资料的所有者或占有者，必须是某一价值量，某一集中起来的财产的所有者或占有者"。这时，表现为资本家个人集中占有生产资料的所有制形式，而对劳动来说，它就是一种"劳动的异己的所有制"。③ 然而，劳动对资本实际从属关系的进一步发展则将得到证明。

第三，劳动的异己的所有制的否定，并不是回复到孤立的单个人的所有制，而是转化为联合起来的社会个人的所有制。马克思认为："资本家对这种劳动的异己的所有制，只有通过他的所有制改造为非孤立的单个人的所有制，也就是改造为联合起来的社会个人的所有制，才可能被消灭。"④ 这就是说，显然，马克思这里所说的"联合起来的个人所有制"，同后来所说的"个人所有制"具有同等的意义。只不过后者作了更为简要的表述。

① 《马克思恩格斯全集》第 26 卷 II，人民出版社 1973 年版，第 586 页。
② 《马克思恩格斯全集》第 48 卷，人民出版社 1985 年版，第 18 页。
③ 参见《马克思恩格斯全集》第 48 卷，人民出版社 1985 年版，第 19、21 页。
④ 《马克思恩格斯全集》第 48 卷，人民出版社 1985 年版，第 21 页。

在《61—63年手稿》中，马克思认为，随着社会生产力的巨大发展，资本主义经济中"个别人占有生产条件不仅表现为一种不必要的事情，而且表现为和这种大规模生产不相容的事情"。资本主义生产方式发展中的这一"对立形式"，必然导致"社会地占有而不是作为各个私的个人占有这些生产资料"的结果，由此而得出的结论就是："资本主义所有制只是生产资料的这种公有制的对立的表现，即单个人对生产条件的所有制（从而对产品的所有制，因为产品不断转化为生产条件）遭到否定的对立的表现。"①

在对于未来社会的生产力和科学技术发展的研究中，马克思关注的重要问题是人与自然的物质变换过程的转变，以及由此而产生的人对自然力的大规模的有效的利用问题。科学的因素独立出来，"发明成了一种特殊的职业"，从而实现了对自然力的大规模利用。"大生产——应用机器的大规模协作——第一次使自然力，即风、水、蒸汽、电大规模地从属于直接的生产过程，使自然力变成社会劳动的因素。"②对自然力的大规模利用，使劳动具有了更高的生产能力，手和脑实现了分离。科学作为生产的独立因素，使生产过程实际上成了科学的应用，科学成了生产过程的职能，"这样一来，科学作为应用于生产的科学同时就和直接劳动相分离"，科学分离出来成为与劳动相对立的、服务于资本的独立力量，一般说来属于生产条件与劳动相分离的范畴，"并且正是科学的这种分离和独立（最初只是对资本有利）成为发展科学和知识的潜力的条件"③。科学及其科学研究的独立有利于科学水平的快速提高，在未来的生产中科学和从事科学研究的人将越来越受到重视。未来社会为科学技术的发展提供了生产方式发展的新的空间，实现了人在生产过程中的新的解放。马克思作出了"与机器相适应的生产方式在自动工厂中获得最纯粹最典型的表现"的科学预测。在马克思看来，"自动工厂是适应机器体系的完善的生产方式，而且它越是成为完备的机械体系，要靠人的劳动来完成的个别过程越少……它也就越完善。"④

---

① 参见《马克思恩格斯全集》第48卷，人民出版社1985年版，第20—21页。
② 《马克思恩格斯全集》第47卷，人民出版社1979年版，第569页。
③ 《马克思恩格斯全集》第47卷，人民出版社1979年版，第570、598页。
④ 《马克思恩格斯全集》第47卷，人民出版社1979年版，第518页。

第三节　《政治经济学批判（1863—1865 年手稿）》的研究

从 1863 年 8 月开始，马克思开始以《资本论》为标题进行写作。从 1863 年 8 月到 1865 年年底，马克思完成了《63—65 年手稿》，这是马克思完成的关于《资本论》理论部分三卷的直接草稿。这一手稿是继《政治经济学批判（1857—1858 年手稿）》、《61—63 年手稿》之后，马克思关于资本问题研究的又一部手稿，因此，《63—65 年手稿》又被看作是《资本论》的第三稿。在这一手稿中，马克思第一次阐明了劳动对资本的形式从属向实际从属的过渡，以及它给工人阶级带来的影响，同时也对资本的流通过程和资本主义生产总过程作了全面系统的分析。

一、分析资本主义直接生产过程的结果

在《63—65 年手稿》中，马克思对构成《资本论》第一卷的最初手稿作了整理。但是，我们现在所见到的手稿并不完整，马克思当时所写的那部分手稿几乎没有保存下来。在《资本论》第一卷的全部手稿中，我们看到的只是未被收入正式出版的《资本论》第一卷中去的《第六章　直接生产过程的结果》。马克思当时是把这一章作为《资本论》第一卷的最后一章来写的。这一章包含了关于作为资本主义生产的产物的商品的详尽探讨、资本主义生产是剩余价值的生产的精辟概括，以及资本主义生产关系的生产和再生产的深入考察。

第一，关于作为资本产物的商品。马克思认为，当我们考察发达的资本主义生产的社会性时，商品既表现为资本产生的前提，又表现为资本主义生产过程的直接结果。"商品"这一历史范畴在资本主义生产中获得了特殊的历史性质。也就是说，从历史发展来看，商品交换、商品贸易是资本产生的条件，"资本的形成，除非在商品流通（包含货币流通）的基础上，从而除非在商业的既定的、发展到一定范围的阶段上，是不能发生的；相反，商品生产和商品流通却

决不以资本主义生产方式作为自己存在的前提"①。但是，发达的资本主义生产却使商品变为产品的一般形式，所有产品都必须采取商品的形式，买和卖不仅支配了生产的剩余，而且还支配了生产的实体本身，各种生产条件广泛地表现为从流通加入生产过程的商品。基于这一看法，马克思进一步强调：当劳动者不再是出卖自己的劳动产品，而是出卖自己的劳动能力时，"生产才在其整个范围内，在其整个深度和广度内，变成商品生产，一切产品才转化为商品，每个个别生产部门的物的条件本身才作为商品进入该生产部门"②。而从劳动力本身普遍地成为商品来看，商品生产必然会导致资本主义生产。

马克思分析了资本主义生产中商品所具有的规定性。一是物化在商品中的一定量的社会必要劳动。作为资本产物的商品包含着两个部分的劳动，一部分是工资的等价部分即有酬劳动部分，另一部分是被资本家不付等价而占有的部分即无酬劳动部分。在马克思看来，这两个部分都是物化的，因而都作为商品价值部分存在。二是单个商品表现为总产品的观念部分。马克思认为，表现为资本主义生产过程直接结果的商品，不是单个商品，而是再现着预付资本的价值加上剩余价值的商品量。"花费在单个商品上的劳动，只有作为属于它的和在观念上进行估价的总劳动的可除部分，才有意义。在规定单个商品的价格时，单个商品只是表现为总产品（资本在这些总产品中再生产出来）的观念部分。"③ 三是商品作为已经自行增殖的资本的转化形式。在资本主义生产中，商品已不同于最初独立地呈现在我们面前的商品，它已是资本总价值加上剩余价值的承担者，是资本的产物，是已经自行增殖的资本的转化形式。

商品的这种特有的规定性，说明商品的价格不仅要补偿生产商品时所消耗的预付资本的价值，而且还物化了生产商品时所消费的剩余劳动，即剩余价值。因此，这种商品，作为资本的产物就必须加入商品交换过程。在交换中，它不仅要加入现实的物质变换，而且还要通过商品转化为货币和货币转化为商品的形式转化。在资本主义生产中，由于这些商品是资本的承担者，是孕育着剩余价值的商品资本，因而这时商品的流通不同于简单流通，必须把它作为资

---

① 《马克思恩格斯全集》第 49 卷，人民出版社 1982 年版，第 4 页。
② 《马克思恩格斯全集》第 49 卷，人民出版社 1982 年版，第 5 页。
③ 《马克思恩格斯全集》第 49 卷，人民出版社 1982 年版，第 10 页。

本流通过程来考察。所以，马克思说："我们现在要把商品流通作为资本流通过程来考察。这将在下一册中进行。"①《资本论》第二卷的任务就是考察资本主义的流通过程。

第二，资本主义生产是剩余价值的生产。马克思首先运用数学的常量和变量规律分析了剩余价值生产。剩余价值生产表明，"现有价值不仅要保存自己，而且它还必须创造出一个增量，价值的△即剩余价值，从而使已知的价值即已知的货币额表现为流动量，使增量表现为流数"②。如果原来的资本等于 x 的价值额，那么，剩余价值生产的目的就是使这个 x 转化为 x+△x。总资本 C 起初作为一个已知的货币额，是一个常量，它的增量等于零。但在这个转化过程中，总资本 C=c+v，其中 c 是常量，v 是变量，于是总资本 C 也就成了变量。结果，c 作为常量不变，v 变成了 v+△v，总资本就变成了 C+△C，C+△C=C′。"因为总资本 C=c+v，其中 c 是常量，v 是变量，所以 C 可以看作是 v 的函数。如果 v 增加一个△v，则 C 就变成 =C′。"基于这一分析，马克思得出的结论是：（1）C=c+v；（2）C′=c+(v+△v)；（3）C′－C=c+v+△v−c−v=△v；（4）△c=△v。③ 也就是说，在研究剩余价值时，可以假设不变资本 =0，必须撇开不变资本不谈。"因此，资本作为资本所固有的特殊职能，是剩余价值的生产，……这不外是剩余劳动的生产，是在实际生产过程中对表现为和物化为剩余价值的无酬劳动的占有。"④

马克思还考察了直接生产过程内部的资本形式。从资本的使用价值和交换价值的二重形式入手，马克思分析了资本主义生产过程是劳动过程和价值增殖过程的统一。从使用价值来看，一方面，资本家购买的用于生产过程消费的生产资料，是他的财产，另一方面，生产资料作为一定的商品，是以它在进行流通时所具有的使用价值形态进入劳动过程的。"资本在生产过程结束时借以存在的使用价值形式，是产品的形式，而这种产品既以生产资料的形式存在着，又以生活资料的形式存在着，因此两者都同样是作为资本存在着，从而也都同活的劳动能力相对立而存在着。"⑤ 从交换价值来看，不仅"进入生产过程

---

① 《马克思恩格斯全集》第 49 卷，人民出版社 1982 年版，第 32—33 页。

② 《马克思恩格斯全集》第 49 卷，人民出版社 1982 年版，第 33 页。

③ 参见《马克思恩格斯全集》第 49 卷，人民出版社 1982 年版，第 35—36 页。

④ 《马克思恩格斯全集》第 49 卷，人民出版社 1982 年版，第 36 页。

⑤ 《马克思恩格斯全集》第 49 卷，人民出版社 1982 年版，第 43 页。

的资本的交换价值，比已经投入市场的或已经预付的资本的交换价值小，因为进入生产过程的资本仅仅是作为生产资料进入生产过程的商品的价值，即作为价值进入生产过程的不变资本部分的价值"，而且"进入价值增殖过程的是生产资料价值即不变资本价值本身，而可变资本价值却完全不加入价值增殖过程，它被创造价值的活动所代替，表现为作为价值增殖过程而存在的活因素的活动。"①马克思强调，在价值增殖过程中，并不是工人使用生产资料，而是生产资料使用工人；并不是活劳动实现在作为自己的客观机体的物化劳动中，而是物化劳动通过吸收活劳动来保存自己和增殖自己，"生产资料只表现为尽可能多的活劳动量的吸收器。活劳动只表现为增殖现有价值的手段，从而只表现为使现有价值资本化的手段"②。马克思通过分析雇佣劳动的性质，揭示了资本主义生产过程的实质，即"生产过程是劳动过程和价值增殖过程的直接统一，正像生产过程的直接结果即商品，是使用价值和交换价值的直接统一一样。可是，劳动过程只是价值增殖过程的手段，价值增殖过程本身实质上就是剩余价值的生产，即无酬劳动的物化过程"③。

《63—65年手稿》第六章关于"剩余价值生产"的论述中，特别值得我们关注的是，马克思关于劳动对资本的形式从属和实际从属的问题。马克思以"劳动对资本的形式上的从属"、"劳动对资本的实际上的从属或特殊资本主义生产方式"、"关于劳动对资本的形式上的从属的补充"、"劳动对资本的实际上的从属"四个小标题的论述，对《61—63年手稿》中关于这一问题的分析作了充分的发挥。马克思认为，劳动对资本的形式从属指的就是劳动过程从属于资本，资本家作为管理者、指挥者进入这个过程，这个过程对资本家来说，同时又是直接剥削他人劳动的过程。劳动对资本的形式从属是与绝对剩余价值生产相联系的。在劳动对资本的形式从属基础上，"一种在工艺方面和其他方面都是特殊的生产方式，一种在劳动过程的现实性质和现实条件上都发生了变化的生产方式——资本主义生产方式建立起来了。资本主义生产方式一经产生，劳动对资本的实际上的从属就发生了"④。劳动对资本的实际从属是在与绝对剩余价值不同的相对剩余价值得到发展中发展起来的。正因为如此，马克思说：

① 《马克思恩格斯全集》第49卷，人民出版社1982年版，第44、45—46页。
② 《马克思恩格斯全集》第49卷，人民出版社1982年版，第47页。
③ 《马克思恩格斯全集》第49卷，人民出版社1982年版，第50页。
④ 《马克思恩格斯全集》第49卷，人民出版社1982年版，第95页。

"正如绝对剩余价值的生产被看作是劳动对资本的形式上的从属的物质表现一样，相对剩余价值的生产也可以被看作是劳动对资本的实际上的从属的物质表现。"①

马克思分析了劳动对资本的实际从属所产生的影响。在劳动对资本的实际从属下，一方面，社会劳动生产力发展了，随着大规模劳动的发展，科学和机器在直接生产中的应用也发展了。这就形成了资本主义生产方式，创造出了物质生产的已经变化的形态，从而使资本关系的形态与劳动生产力的发展程度相适应；另一方面，资本与工人的关系发生了深刻的变化。马克思揭示了劳动对资本的实际从属在资本与工人的关系上所发生的双重影响，即资本加重了对工人的剥削和出现了工人阶级的普遍增长。工人的劳动能力的价值以及与这种价值相适应的平均工资，对整个阶级来说或多或少是不变的，但对单个工人来说，其工资是在变动的。"劳动的价格时而下降到劳动能力的价值以下，时而上涨到劳动能力的价值以上。工人个性有较广的活动场所（在狭隘的界限内），从而一方面在不同劳动部门中，另一方面在同一劳动部门中，由于工人的劳动本领、技巧、力气等的不同而形成了工资差别。"工资的差别"一方面给个人差别开辟了活动余地，另一方面给劳动能力本身的发展提供了刺激"②。单个的工人可以借助特殊的能力、天才等，上升到较高的劳动部门。马克思指出，在劳动对资本的实际从属下这些已经改变的关系，都会使工人的活动更紧张、更有连续性、更活动、更熟练。此外，马克思还强调，资本是具有社会性的，"资本家必须是具有社会规模的生产资料的所有者或占有者，他们必须拥有的价值的量，是个人或其家庭进行生产所必须拥有的价值量无法相比的"③。因此，资本是与个人相对立的，它抛弃一切个人的性质。正是这种资本主义生产方式所发展的劳动生产率、生产量、人口数、过剩人口数，又与游离出来的资本和劳动一起，不断产生出新的部门，在这些部门中资本又可以小规模地进行工作，一直发展到它具备社会的规模为止，这个过程是经常不断的。资本主义生产正是在不断征服存在着形式上从属的一切工业部门、不断采用机器和大规模生产方式发展大工业中发展的。而在这一发展过程中，"大工业会把手工

---

① 《马克思恩格斯全集》第 49 卷，人民出版社 1982 年版，第 84 页。
② 《马克思恩格斯全集》第 49 卷，人民出版社 1982 年版，第 92 页。
③ 《马克思恩格斯全集》第 49 卷，人民出版社 1982 年版，第 96 页。

业或形式上的资本主义小企业转化为大工业所需要的大批人口，投入到还不从属于自己的部门中，或者在这些部门中制造出这一转化所需要的相对过剩人口"①。可见，在劳动对资本的实际从属下，工人阶级普遍增长。

马克思还从劳动对资本的形式从属和实际从属的角度考察了生产劳动和非生产劳动的问题，这是对《61—63年手稿》关于这一问题论述的进一步阐述。在马克思看来，以劳动过程即生产过程的质料为分析角度，"凡是进行生产，以产品或某种使用价值为结果，总之，以某种成果为结果的一切劳动，都是生产劳动"②。以价值增殖过程即生产过程的形态为分析角度，"因为资本主义生产的直接目的和真正产物是剩余价值，所以只有直接生产剩余价值的劳动是生产劳动，只有直接生产剩余价值的劳动能力的行使者是生产工人，就是说，只有直接在生产过程中为了资本的价值增殖而消费的劳动才是生产劳动"③。也就是说，资本的生产过程有质料和形态两个方面，生产劳动也有质料和形态两个方面，质料是形态的物质承担者，正像劳动过程是价值增殖过程的物质承担者一样，生产劳动的质料也是其形态的物质承担者。马克思强调，"资本主义生产过程的特殊产物，剩余价值，只有通过与生产劳动相交换才能创造出来"④。生产劳动是直接增殖资本的劳动或直接生产剩余价值的劳动。从这个意义上说，生产劳动是直接为资本充当自行增殖的因素，充当生产剩余价值的手段的劳动。马克思指出，生产劳动与非生产劳动之间的区别仅仅在于："劳动是与作为货币的货币相交换，还是与作为资本的货币相交换"⑤。而这一区别对认识资本积累有重要意义。

第三，资本主义生产关系的生产和再生产。马克思认为，资本主义生产不仅是一个资本创造资本的过程，而且还是一个生产不断增长大量工人的过程。积累过程本身作为资本主义生产过程的一个内在要素，它包含着重新创造出雇佣工人，包含着实现和增大现有资本的手段。"因此，不仅劳动在日益扩大的规模上生产着作为资本同自己相对立的劳动条件，而且资本也在日益扩大的规模上生产着自己所需要的生产的雇佣工人。劳动生产着劳动的作为

① 《马克思恩格斯全集》第49卷，人民出版社1982年版，第97页。
② 《马克思恩格斯全集》第49卷，人民出版社1982年版，第100页。
③ 《马克思恩格斯全集》第49卷，人民出版社1982年版，第99页。
④ 《马克思恩格斯全集》第49卷，人民出版社1982年版，第105页。
⑤ 《马克思恩格斯全集》第49卷，人民出版社1982年版，第109页。

资本的生产条件，资本生产着把自己作为资本来实现的手段，作为雇佣劳动的劳动。资本主义生产不仅是这种关系的再生产，而且是这种关系在日益增长的规模上的再生产；社会劳动生产力随着资本主义生产方式的发展而发展，与工人相对立的已经积累起来的财富也作为统治工人的财富，作为资本，以同样的程度增长起来，与工人相对立的财富世界也作为与工人相异化的并统治着工人的世界以同样的程度扩大起来。与此相反，工人本身的贫穷、困苦和依附性也按同样的比例发展起来。工人的贫乏化和这种丰饶是互相适应的，齐头并进的。同时，资本的这种活的生产资料的数量即劳动无产阶级也在增长着。"① 资本主义生产实际上是资本和雇佣劳动之间关系的生产和再生产，是资本财富的增长和劳动无产阶级的增加之间关系的生产和再生产，是资本主义生产关系的生产和再生产。所以，马克思最后强调：走进了资本主义生产过程，"我们不仅看到资本是怎样进行生产的，而且看到资本本身是怎样被生产的，以及跟资本进入生产过程时相比资本又是怎样作为根本改变了的东西走出生产过程的。一方面，资本改造了生产方式，另一方面，生产方式的这种改变了的形态和物质生产力的特殊发展阶段，又是资本本身形成的基础和条件，即前提"②。

二、分析资本的流通过程

从 1863 年下半年开始，一直到马克思逝世，马克思曾为《资本论》第二卷写了 8 份草稿，其中第 I 稿和第 II 稿是两份完整的草稿，其他 6 份均为个别章节或片段的基本修改稿。《63—65 年手稿》中的《第二册。资本的流通过程》，就是《资本论》第二卷的第 I 稿，内容分为三章：第一章"资本流通"，第二章"资本周转"，第三章"流通和再生产"。《资本论》第二卷的第 I 稿在马克思恩格斯关于《资本论》的创作上，首次形成了从资本循环到资本周转、再到资本再生产的基本结构，接近于现在通行的《资本论》第二卷的"三篇结构体系"。《资本论》第二卷第 I 稿如恩格斯所说：它是"现在这样编排的第二册的最早的一

---

① 《马克思恩格斯全集》第 49 卷，人民出版社 1982 年版，第 123 页。
② 《马克思恩格斯全集》第 49 卷，人民出版社 1982 年版，第 127 页。

个独立的、但多少带有片断性质的文稿"①。

《资本论》第二卷第 I 稿的第一章"资本流通",研究了资本在流通过程中所采取的新的形式规定性,即资本相继采取的货币资本、生产资本、商品资本的形态变化。通过这种分析,说明了资本的循环过程。这一章共四节。第一节"资本的形态变化",假定商品按其价值出售,撇开一切同形式变换和形式形成无关的要素,分析了商品形态的变化,以此为基础分析了资本的循环。马克思把资本循环的公式列为四个:"(1) G—W…P…W′—G′ (W′——从生产过程中出来的商品。G′——得到实现的货币资本。)";"(2) W…P…W′—G′—W…P…Ck。(W 是流通的终点)";"(3) P—Ck—P";"(4) W′—G—W…P…W′。"② 这四种循环形式表现为资本循环的全过程。这四种循环形式,"一方面,只表现为形式上的差别,也就是说,它们彼此之间的差别仅仅在于观察者依次把资本所呈现的不同的形式规定性确定为出发点,因而也确定为复归点。但是另一方面,资本的整个循环过程,实际上是这四个不同循环的统一"③。马克思认为,要把这四种循环形式综合起来考察整个流通过程或资本形态变化的总系列,那么就会发现:第一,流通领域和生产领域是分开的,与此相适应,资本在生产阶段中被规定为生产资本,而在流通领域则作为流动资本,以商品资本形式和货币资本形式流通着。第二,生产阶段和流通阶段表现为资本所完成的同一过程的两个不同阶段,说明的是必须轮流地从一个阶段转入另一个阶段,彼此互为条件。第三,就资本循环来说,过程的一切前提都表现为过程的结果,而过程的一切结果又都表现为过程的前提;每个要素都表现为出发点、经过点和复归点。第四,资本循环的过程是一个实际的再生产过程,而"实际的再生产过程和流通过程只能理解为许多资本的过程,理解为分解成各个不同生产部门的资本的总资本的过程"④。我们看到,马克思在这里已经有了产业资本三种循环形式及其统一的思想。

第二节"流通时间",论述了资本流通的时间要素。马克思指出:流通时间是指"商品资本为了完成 W′—G—W,为了被出售,转化为货币,再从货币转化为自己再生产的各条件,转化为自己的各生产因素所需要的那段时

① 《马克思恩格斯文集》第 6 卷,人民出版社 2009 年版,第 7 页。
② 《马克思恩格斯全集》第 49 卷,人民出版社 1982 年版,第 259 页。
③ 《马克思恩格斯全集》第 49 卷,人民出版社 1982 年版,第 298 页。
④ 《马克思恩格斯全集》第 49 卷,人民出版社 1982 年版,第 302—303 页。

间","这种时间显然包含在流通领域本身范围内,包含在资本作为商品资本和货币资本执行职能的领域本身范围内。"①空间要素对时间要素也具有重要意义,"空间要素即作为这个过程的物理条件的位置变换,从这一点来看可以简单归结为时间要素。市场的遥远,商品出售地点和商品产地的分离在这里所以重要,只是因为在各阶段中有一个阶段的持续时间就是这样花费和确定的。空间的规定在这里本身表现为时间的规定,表现为流通时间的要素"②。马克思强调了流通时间不像劳动时间那样是创造价值的,它只是价值创造和资本价值自行增殖中断、间断的一段时间。如果流通时间等于零,资本就只是在想象中完成自己的形态变化,在这方面不花费时间,以致它在全部生产过程中的职能是连续不断的,资本便会最大限度地创造价值和自行增殖;如果流通时间等于无限,那么创造价值和自行增殖就会等于零。因此,"流通时间对价值的创造和资本价值的自行增殖只起消极作用,而劳动时间却起积极作用。流通时间对于劳动时间起界限的作用。如果流通时间等于零,那么这个界限就不存在。这个界限随着流通时间的扩大、增长、变得大于零的程度而不断扩大"③。

第三节"生产时间",论述了劳动时间、生产时间、劳动时间的中断、资本的周转和周转周期等。马克思认为,生产时间是资本在生产过程中,在直接领域中停留一段的时间。生产时间不同于劳动时间,在生产过程中,劳动时间并不是连续的,它会发生中断,除了偶然的或通常的中断外,最主要的会发生在产品制成前或制成后,必须经受自然过程的作用,例如在农业中种子播下以后、酿酒时的发酵过程、漂白和鞣皮时的化学过程等。所以,生产时间等于"劳动时间 + 非劳动时间",只有在非劳动时间等于零时,生产时间才等于劳动时间。④ 生产时间与流通时间一样,不能创造价值或剩余价值。马克思强调必须把生产某种产品时生产时间的缩短与劳动时间的缩短区分开来,因为劳动时间的缩短表明的是,通过劳动生产率的提高,花费较少的劳动时间可以生产同样数量的产品,而生产时间的缩短则表明,劳动时间中断的缩短、劳动过程中断的缩短,因而是资本在这段时期内所剥削的劳动量的增加。生产时间和流通时间之和等于资本为重新开始再生产过程所需的时间,"由资本的生产时

① 《马克思恩格斯全集》第 49 卷,人民出版社 1982 年版,第 324 页。
② 《马克思恩格斯全集》第 49 卷,人民出版社 1982 年版,第 323—324 页。
③ 《马克思恩格斯全集》第 49 卷,人民出版社 1982 年版,第 328 页。
④ 参见《马克思恩格斯全集》第 49 卷,人民出版社 1982 年版,第 336 页。

间和它的流通时间之和来计量生产和再生产之间的周期，换句话说，这样来计量生产周期性的资本整个生产过程，被称为资本周转。可见，资本周转就是作为周期性的过程来规定的资本再生产过程"①。

马克思在这一节所讨论的生产时间、劳动时间，以及资本周转等问题，从内容上看，应是《资本论》第二卷第 I 稿的第二章"资本周转"的内容。马克思在草稿写作中虽然将它放在了第 I 稿的第一章"资本流通"中，但是，马克思在写作中有了新的想法，这就是在这一节草稿的一个注释中谈道："发生一个问题，第一章的这整个第三节是否应当单纯考察生产时间，就像第二节考察流通时间一样？是否应当这样来叙述：被称为《资本周转》的第 II 章，包含关于资本流通的这种一定形式的全部内容，而同样被称为《资本流通》第 I 章，只限于分析资本的一般要素？这看来是最好的解决办法"。②

第四节"流通费用"，论述了资本在流通领域的停留和它的流通的实现花费的费用。马克思对流通费用问题作了较为周详的分析。首先，关于流通费用的性质。马克思指出："流通费用是从资本的纯粹形式上的形态变化产生的，完全与空间和时间中等等的实际流通无关。不论这纯粹观念上的流通的费用怎样，它们也不会给商品增添任何价值，相反，它们是商品价值的扣除，而因为假定工资等于劳动力的价值，等于最低额，所以它们是生产出来的剩余价值的必然扣除。"③ 其次，关于保管费用。马克思指出："如果拿不同商品的平均流通时间来说，那么，它们在贮藏、保管、防止遭受破坏性影响等方面的费用是不同的。在一定程度上，它们是生产的补充过程，因为它们与商品的使用价值有关，而不只是实现商品交换价值的过程。"第三，关于运输费用。马克思认为，"运输业虽然只发生在商品流通领域内，但它可以被看作特殊的工业。它不会增加被运输的商品的量，而且丝毫也不会改变商品作为独立的使用价值所固有的属性"。但是，"凡是在运输同作为使用价值的商品的实际流通发生关系而且绝对不是商品形式上的形态变化的简单行为，不是观念上的流通的简单行为的地方，运输所使用的劳动的结果就是使用价值的改变"④。

《资本论》第二卷第 I 稿的第二章"资本周转"，研究了资本周转，研究了

① 《马克思恩格斯全集》第 49 卷，人民出版社 1982 年版，第 333 页。
② 《马克思恩格斯全集》第 49 卷，人民出版社 1982 年版，第 338 页注释 a。
③ 《马克思恩格斯全集》第 49 卷，人民出版社 1982 年版，第 346 页。
④ 《马克思恩格斯全集》第 49 卷，人民出版社 1982 年版，第 350 页。

固定资本的周转对剩余价值生产的影响，以及对不同资本的利润率造成的影响。这一章共有三节内容。第一节"流通时间和周转"，首先，探讨了周转的一般概念和特征、周转速度等问题，提出了计算周转速度的公式，即 $n=U/u$。其次，探讨了预付资本及其与周转时间、剩余价值量之间的关系，说明了一定时间内所生产的剩余价值的量是由预付资本的量和周转时间的长短这两方面的结合决定的。最后阐述了可变资本周转的特点，以及年剩余价值率的计算方法。马克思指出，在周转长短已定的情况下，"剩余价值量和剩余价值率取决于同一可变资本在一年（周转尺度）内重复周转多少次，由此就应当更详细地把剩余价值率规定为年剩余价值率，规定为在生产过程不间断的进行、而可变资本较多或较少周转的情况下一年中所生产出来的剩余价值，也就是剩余价值率。因此，在日、周剩余价值率下表现出来的劳动剥削程度相同的情况下，年剩余价值率的表现形式不同，因为它是以一年中的周转次数为转移按较大的或预付期间较长的可变资本来计算的"①。

　　第二节"固定资本和流动资本。周转的周期。再生产过程的连续性"，首先区分了两种不同形式的资本，即固定资本和流动资本。由劳动资料构成的这部分资本在生产过程中，逐步地把自己的价值转移到新产品上去，随着它们失去自身的使用价值，并同时失去了自己的交换价值的过程，这就是"这部分资本在整个资本流通过程中不同于资本的其他组成部分而具有的独特形式，形式规定性。而在这种形式规定性中，在流通过程中，这部分资本被称为固定资本"②。不同于这种固定资本的任何其他资本，就被规定为流动资本。流动资本由三部分构成：一是不变资本的流动部分，即"原料，辅助材料，每个加工阶段上的半成品，最后，还有那些虽能以其现有形式加入个人消费，但又充当新产品的原料的商品"。二是可变资本，"它实际上归结为生活资料；形成已经生产出来的、处在商品市场上的即将加入个人消费的商品部分"。三是商品量，即"作为生产过程的结果而获得的，然后被抛到市场上，在那里作为等于流动资本的发挥职能的商品资本进行流通；它决不是只由不变资本的流通要素和可变资本的物质存在形式组成。它包括其他一切直接进入非劳动阶级的个人消费品的商品，或者只有通过交换才能获得进入个人消费的形式的商品。所有

---

① 《马克思恩格斯全集》第49卷，人民出版社1982年版，第368页。
② 《马克思恩格斯全集》第49卷，人民出版社1982年版，第371页。

这些商品形成流动资本部分"①。其次，探讨了固定资本的总周转周期，以及再生产过程的不间断性问题。马克思指出：固定资本在生产过程中执行职能，或多或少要持续若干年，因此，它不仅包含着全部资本的许多周转，而且如果全部资本周转所必需的资本流动部分的周转数一年中等于 n 次，而固定资本损耗的总价值流通的年数等于 x 年，那么执行职能的资本的总再生产过程就包含着全部资本的流动部分的 nx 次。马克思就把这种时期称作"资本周转周期"。资本周转周期反映了不间断的再生产过程的较长的生命周期。马克思说："固定资本所具有的不同的规模，——而这种不同的规模随着资本主义生产的发展而发展，——是资本主义生产的产物，可以说是延长了投入各工业部门的每一单个资本的生命期，从而使各工业部门中劳动和再生产过程的不间断性变成生产方式本身所要求的物质上的必要性……包含整个周转周期的再生产过程的不间断性意味着：生产的规模作为永恒的规律起作用，不是受偶然的、变化着的市场需求的支配，相反，必然使市场条件符合自己的需要，必然取得完全相当的市场。"②

第三节"价值的周转和形成"，考察了资本周转的时间及对价值形成的影响。在这一节中，马克思是通过分析三种情况阐明了资本周转速度的快慢对剩余价值生产的影响。第一种情况是："长时间停留在生产领域而劳动过程不中断。"这时，使用的资本推动全部劳动，从而也推动这个资本在现有剩余价值率下所能推动的全部剩余劳动，它不仅丝毫不会影响生产的剩余价值的绝对量，而且还会提高年剩余价值率。第二种情况是："长时间停留在生产过程中或劳动过程的中断。"这时，"处在劳动过程的同一期间内的资本所剥削的劳动，比劳动过程不发生中断所剥削的少。因此，在其他条件相同的情况下，在这里所生产的剩余价值减少了，因而剩余价值率的下降也就完全确定无疑了"。第三种情况是："由于资本流回的时间或流通时间（循环时间）很长而引起周转时间的延长。"这不仅意味着"生产时间的减少，即价值和剩余价值生产的减少"，而且也意味着"流通费用的增加，只要这种费用不应该简单地看作生产出来的价值的扣除，从而不应该简单地看作剩余价值的扣除，而应该看作形成价值的费用，那么这种费用的增加就等于劳动生产率下降而造成的价值

① 《马克思恩格斯全集》第49卷，人民出版社1982年版，第374、375页。
② 《马克思恩格斯全集》第49卷，人民出版社1982年版，第397页。

增加。"① 马克思的这些观点充分体现在后来出版的《资本论》第二卷的相关章节中。

《资本论》第二卷第 I 稿的第三章"流通和再生产",考察了社会资本再生产过程。马克思按照七个标题进行了写作。这七个标题是:(1)资本同资本交换,资本同收入交换以及不变资本的再生产。(2)收入和资本。收入和收入。资本和资本(它们之间的交换)。(3)积累或规模扩大的再生产。(4)对积累起媒介作用的货币流通。(5)再生产过程的平行性、相继性、增长、循环。(6)必要劳动和剩余劳动(剩余产品)。(7)再生产过程的破坏。在写完这一章以后,马克思感到这些标题具有不确切性,于是在草稿的基础上又重新设计了第三章的标题,"因此,这第Ⅲ章的各节如下:(1)流通(再生产)的现实条件。(2)再生产的伸缩性。(3)积累或规模扩大的再生产。(3a)对积累起媒介作用的货币流通。(4)平行性、上升序列的顺序性。再生产过程的循环。(5)必要劳动和剩余劳动?(6)再生产过程的破坏。(7)向第Ⅲ册过渡"②。马克思关于新标题的设计更加符合草稿的内容,并且更注重《资本论》三卷之间的内在逻辑联系。

马克思在第三章论述的问题主要有:

第一,社会资本再生产理论的研究对象和方法。马克思指出,前两章主要是从形式上考察资本所经历的环节或阶段,而第三章则主要是研究社会资本再生产过程能够进行的现实条件。而在研究中要先作一些假定:要假定不同生产部门的生产力不变;要暂时把剩余价值再转化为资本抽象掉;要暂时把再转化为资本的那部分剩余价值抽象掉;要暂时把货币流通抽象掉。

第二,社会资本简单再生产的基本原理。马克思认为,生产性商品资本可分为提供生活资料的资本、提供生产资料的资本、既提供生活资料又提供不变资本要素的资本。在这三种类型的资本中,"这第三种类型可以不必注意,因为它实际上总归是进入两个领域中的一个:或者进入生活资料,或者进入生产资料"③。所以,马克思着重考察的是前两种类型的资本之间的交换关系。在把产品价值分为不变资本、可变资本和剩余价值三个部分的基础上,马克思通过

---

① 参见《马克思恩格斯全集》第 49 卷,人民出版社 1982 年版,第 427、431、433 页。

② 《马克思恩格斯全集》第 49 卷,人民出版社 1982 年版,第 525 页。

③ 《马克思恩格斯全集》第 49 卷,人民出版社 1982 年版,第 440 页。

对前两种类型资本之间及其内部的产品交换，阐明了社会资本简单再生产的实现过程。

第三，积累或规模扩大的再生产。马克思认为，如果说简单再生产表现为圆圈，那么积累或规模扩大的再生产就表现为螺旋形。在扩大再生产条件下，剩余产品价值中，除用于资本家个人消费的部分外，"剩余产品的另一部分价值用来重新购买构成作为生产资本的资本的要素，而剩余产品的这部分价值为了作为生产资本执行职能，必须再转化为这种要素"①。马克思在假定劳动生产力不变的前提下，提出扩大再生产的实现条件，"应该转化为生产资本的那部分剩余价值，必须转化为可变资本和不变资本，而且要按照与不同生产部门相适应的比例"②。这两部分追加资本必须分别以工人的生活资料和生产资料的形式生产出来，在此基础上，进入交换过程。所以，马克思强调：任何积累或规模扩大的再生产是经常的相对的剩余价值生产。

第四，再生产过程的平行性、相继性及再生产过程的循环。马克思指出，再生产过程是在不断进行的，一部分商品处于生产过程中，另一部分商品处于流通过程中，同时又经历商品资本转化为货币资本、货币资本转化为构成生产资本各要素的商品两个阶段。再生产过程的平行性就是"整个再生产过程归结为给任何商品提供不同生产要素的各生产过程的彼此并存和同时性"。在马克思看来，"如果考察单个商品的再生产过程，那么它表现为循环"；"如果考察生产过程互相联系在一起并互相制约的那些不同的商品，那么我们看到的就是生产流程的逐步升级的相继性"③。可见，社会资本再生产中各个生产过程之间的相互制约、互为前提的复杂联系。

---

① 《马克思恩格斯全集》第 49 卷，人民出版社 1982 年版，第 498 页。
② 《马克思恩格斯全集》第 49 卷，人民出版社 1982 年版，第 499 页。
③ 《马克思恩格斯全集》第 49 卷，人民出版社 1982 年版，第 509 页。

第六章 《资本论》第一卷的出版

经过长期而艰辛的准备，1867年，《资本论》第一卷德文第一版终于在德国汉堡问世。为了适应资本主义发展的新情况，适应工人阶级斗争以及推动马克思主义理论在世界范围内的传播，马克思进一步修订了书稿并积极指导《资本论》第一卷的翻译工作。在《资本论》第一卷中，马克思考察了"资本的生产过程"，深刻地阐明了劳动和资本的关系，分析了利润发生的根源，揭示了资本主义生产方式的内在的对抗性矛盾和它必然被社会主义制度代替的客观规律。《资本论》是马克思主义体系的最深刻、最全面的论证，是马克思主义理论发展史上最重要的里程碑。

第一节 《资本论》第一卷德文第一版的出版

1860年，马克思打算将《政治经济学批判。第一分册》的续篇命名为《资本论》。五年后，马克思接受恩格斯的建议，决定分卷出版《资本论》。1865年6月《工资、价格和利润》出版后，马克思对《资本论》第一卷德文第一版进行了最后的准备工作。1867年3月完成定稿，4月12日汉堡出版商迈斯纳正式接受书稿。同年9月14日《资本论》第一卷德文第一版出版发行。

一、《资本论》第一卷德文第一版的问世

《政治经济学批判。第一分册》出版之后，马克思又积累了大量新材料，这大大超出了以前的写作计划，因此马克思不得不调整新著作的结构，包括新著作的名称。为此，1860 年 2 月 3 日马克思将《政治经济学批判。第一分册》的续篇命名为《资本论》。①

1861 年夏天，马克思重读了《政治经济学批判（1857—1858 年手稿）》中的"资本"章部分，并做了题为《我自己的笔记本的提要》②。之后，马克思拟定了写作第三章"资本一般"的提纲。在这份提纲中，马克思打算把"资本的生产过程"这一部分写成："货币转化为资本"、"绝对剩余价值"、"相对剩余价值"、"原始积累"、"雇佣劳动与资本"等章节。同年 8 月，马克思按照上述提纲开始写作。1862 年年底马克思决定将自己的著作正式命名为《资本论》并单独出版，而《政治经济学批判》则作为副标题。

1863 年下半年，马克思开始整理《资本论》第三稿。1863 年 8 月 15 日，马克思在致恩格斯的信中表示：手稿"一方面进行得很好"并"变得相当通俗了"；而"另一方面，虽然我整天整天地写，但是进展得并不像我久经磨炼的耐心所希望的那样快"③。在这一手稿中，马克思进一步将《资本的生产过程》分作九章撰写："导言：商品，货币"、"货币转化为资本"、"绝对剩余价值"、"相对剩余价值"、"绝对剩余价值和相对剩余价值的结合"、"剩余价值再转化为资本"、"生产过程的结果"、"剩余价值理论"以及"关于生产劳动和非生产劳动的理论"。

1864 年 6 月 3 日，在阅读了拉萨尔的《巴师夏·舒尔采—德里奇先生，经济的尤利安，或者：资本和劳动》一书之后，马克思在给恩格斯的信中指出拉萨尔的这本书是对自己《雇佣劳动与资本》的抄袭，为了不露声色地敲打一下拉萨尔，马克思决定把《雇佣资本与劳动》一书全文，作为"注解"刊印在《资本论》第一卷的"附录"里。④ 但是，马克思后来放弃了这个想法，只是在《资

① 参见《马克思恩格斯全集》第 30 卷，人民出版社 1975 年版，第 24 页。
② 参见《马克思恩格斯全集》第 31 卷，人民出版社 1998 年版，第 605 页。
③ 《马克思恩格斯全集》第 30 卷，人民出版社 1975 年版，第 364 页。
④ 参见李善明：《马克思恩格斯经济学创建纪实》，河北人民出版社 1984 年版，第 205 页。

本论》第一卷"第一版序言"的一个脚注中对拉萨尔进行了批判。1864 年上半年，马克思完成了《资本论》第一册"资本的生产过程"草稿的加工和誊清工作。①然而，整个 1864 年，马克思都在受痈和疖子的折磨，这也严重地影响到《资本论》的出版进程。

1865 年 1 月 30 日，威·施特龙写信告诉马克思：汉堡出版商迈斯纳已经同意按入股的原则出版《资本论》一书。②这对马克思而言是一件值得兴奋的事情。然而，1865 年 5 月 20 日马克思依然遭受痈的折磨，所以《资本论》的写作进展尚不乐观。直到 1865 年 7 月底还有三章内容未完成。正如 7 月 31 日马克思告诉恩格斯的那样，"再写三章就可以结束理论部分（前三册）"。由于马克思把《资本论》当成是"一个艺术的整体"，原本打算在《资本论》"没有完整地摆在"面前时便"不拿去付印"。③但是在恩格斯的不断劝说下，1866 年 2 月马克思终于同意"一当第一卷（《资本论》——作者注）完成，就立即寄给迈斯纳"④。1865 年 11 月 20 日，马克思请求恩格斯从诺耳斯那里弄到必要的资料，如果没有这些详细情况，"就无法着手抄写第二章"⑤。1865 年 12 月底《政治经济学批判（1863—1865 年手稿）》才得以完成。

直到《政治经济学批判（1863—1865 年手稿）》全部完成之后，马克思在 1866 年 1 月 1 日开始誊写和润色"1867 年印行的第一卷"。⑥虽然手稿已经完成，但由于手稿的篇幅十分庞大，马克思认为除了他自己之外，任何人甚至是恩格斯也不能编纂出版。除此之外，马克思又发现、研究并补充了新发表的著作和文献

---

① 这个手稿马克思自己并没有标明写作日期。现在推论该手稿写作于"1863 年夏—1864 年夏"是基于文本的内证：其一，第六章本身有几个地方提到第二册、第三册，但看不出后两册已经写了；而第二册手稿引证第六章，却可以清晰地看出当时第六章已经写了。就是说第一册写在二、三册的前面。其二，第六章只用"劳动能力"一词，而第三册（1864 年 8 月—1865 年 9 月）前五章非常经常地使用"劳动力"一词。而马克思在写第二册手稿时，这个过渡过程正在发生，经过 1865 年 5—6 月的《工资、价格和利润》和 1867 年出版的《资本论》第一册时，才最终定型为"劳动力"。外证有一条：《第六章直接生产过程的结果》等手稿所用纸张上有水印 1864 年、1863 年。参见：MEGAII/4.1, Apparat, S.451。
② 参见《马克思恩格斯全集》第 31 卷，人民出版社 1972 年版，第 623—624 页注释 62。
③ 参见《马克思恩格斯文集》第 10 卷，人民出版社 2012 年版，第 230 页。
④ 《马克思恩格斯文集》第 10 卷，人民出版社 2012 年版，第 235 页。
⑤ 《马克思恩格斯全集》第 31 卷，人民出版社 1972 年版，第 162 页。
⑥ 参见《马克思恩格斯文集》第 6 卷，人民出版社 2009 年版，第 4 页。

资料，再次修订了《资本论》第一卷的草稿。

按照原来马克思与出版商迈斯纳商定，《资本论》两卷（三册）一次誊清同时付印，并约定篇幅为六十个印张，但实际写成的《政治经济学批判(1863—1865年手稿)》篇幅十分庞大，远远超过约定的篇幅，因此必须重新编纂修订。1866年1月15日，马克思写信给库格曼和李卜克内西描述他的近况：他每天要花十二个小时誊写《资本论》，并希望在三月份亲自把第一卷的手稿带到汉堡去让迈斯纳排印。随着健康的恢复，马克思又继续着手修订《资本论》第一卷的手稿工作。在这期间马克思从历史角度对《工作日》一节进行了加工，使这一节大大超出了马克思原来的篇幅。由于过度劳累，马克思再次病倒，不得不暂时中断《资本论》第一卷手稿的誊写工作。在这种情况下，马克思接受了恩格斯2月10日来信中提出的建议，决定先出版《资本论》第一卷。①

1866年5月4日前后，尽管马克思的健康状况仍然不乐观，但强大的理想信念又支撑他回到书案旁，并开始重新着手《资本论》第一卷手稿付印的准备工作。同年7月，为完善《资本论》，马克思着手研究刚刚发表的有关英国工业中的童工劳动以及英国无产阶级居住条件的官方报告。10月13日马克思在给库格曼的信中叙述了《资本论》总的结构，他说这部著作打算分四册：

"第一册 资本的生产过程。

第二册 资本的流通过程。

第三册 总过程的各种形式。

第四册 理论史。

第一卷包括头两册。

我想把第三册编作第二卷，第四册编作第三卷。"②

经过马克思夜以继日地认真修订，《资本论》第一卷第一部分手稿于1866年11月中旬完成，紧接着马克思就给汉堡出版家迈斯纳寄去。收到书稿后，迈斯纳建议马克思在《资本论》的校样上不再作任何文字上的修改，只需要作一般的检查，马克思表示同意。1867年3月27日，马克思终于将《资本论》第一卷手稿誊写完毕。他写信告诉恩格斯：《资本论》第一卷现在"已经

---

① 参见《马克思恩格斯全集》第31卷，人民出版社1972年版，第181页。
② 《马克思恩格斯全集》第31卷，人民出版社1972年版，第535—536页。

写好了","下星期我必须亲自带手稿到汉堡去"①。恩格斯立即给马克思回信表达自己激动的心情。4月10日，马克思由伦敦出发赶赴汉堡，12日，马克思亲自将《资本论》最后一部分手稿交给出版商迈斯纳，并同他商妥了新的出版计划，《资本论》全书分成三卷出版：第一册作为第一卷，合并第二、三册作为第二卷，第四册作为第三卷。由于迈斯纳——贝勒汉堡出版社缺乏印刷和校对工人，4月16日，手稿转到莱比锡维干德出版社刊印。4月17日，马克思在给约翰·菲力浦·贝克尔的信中提到："书名是：《资本论。政治经济学批判》。"②4月30日，《资本论》第一卷开始在莱比锡的奥·维干德印刷所排印。5月上旬，库格曼建议马克思"对价值形式作更带讲义性的说明"，马克思接受了这个建议，决定在第一卷中以"附录"的形式对价值形式进行说明。同时，马克思把《资本论》第一卷的五个印张校样寄给恩格斯校阅，并请他指出在对价值形式的叙述中有需要在附录中作通俗说明的地方。此后，恩格斯在给马克思的信中阐述了自己读完《资本论》第一卷第一批校样后的意见，以及对第一卷附录中叙述有关价值形式问题的想法。马克思接受了恩格斯的建议，按照他的建议写作《资本论》第一卷第一章的附录"价值形式"。6月27日，马克思把附录的结构抄给了恩格斯。7月11日，马克思把"附录"邮寄给了印刷所。7月25日，马克思写完《资本论》第一卷的序言并邮寄给印刷所。

8月16日，马克思写信告诉恩格斯："序言"已经校完，《资本论》第一卷"就完成了"③。9月14日，马克思的主要经济学著作《资本论》第一卷在汉堡出版，印数为1000册。在《资本论》扉页上，马克思题词将《资本论》献给他的不能忘记的朋友，勇敢的忠实的高尚的无产阶级先锋战士威廉·沃尔弗。

二、《资本论》第一卷德文第一版的主要内容

1842年，马克思担任《莱茵报》编辑期间，遇到了涉及经济利益的一些

---

① 《马克思恩格斯全集》第31卷，人民出版社1972年版，第283页。
② 《马克思恩格斯全集》第31卷，人民出版社1972年版，第542页。
③ 《马克思恩格斯全集》第31卷，人民出版社1972年版，第328页。

事件，这促使他开始研究经济学。从 1843 年起，马克思在巴黎开始系统地研究经济学，为此他写了大量的读书笔记。从 1857 年到 1865 年，马克思写了 3 部庞大的经济学手稿。从马克思开始研究经济学到 1867 年《资本论》德文第一卷第一版正式出版，中间经历了 25 个年头。《资本论》德文第一卷第一版正式出版是马克思 25 年辛勤研究和革命实践的结晶。

第 1 版的篇章结构是 6 章 22 节。具体章节如下：

第一章　商品和货币

第二章　货币转化为资本

第三章　绝对剩余价值的生产

第四章　相对剩余价值的生产

第五章　对绝对剩余价值和相对剩余价值生产的进一步考察

第六章　资本的积累过程

第一册　注释的增补

第一章第一节附录价值形式①

恩格斯在看清样的时候，直言不讳地指出，"你怎么会把书的外部结构弄成现在这个样子"，并且对这样的篇章设置提出了意见。在他看来，每章包含的内容太多，不能让人明确地看出内容的转折。以第 4 章"相对剩余价值的生产"为例，恩格斯指出这一章大约占了 200 页，但只分了 4 个部分，如果不是全神贯注地读，甚至会感到有些混乱，因此，恩格斯建议"在这里题目分得更细一些，主要部分更强调一些是绝对合适的"。尽管如此，恩格斯对内部结构即理论内容的联系和写作方法却大加赞扬，他在信中写道："到现在为止我已经仔细读完了将近三十六个印张。我祝贺你，只是由于你把错综复杂的经济问题放在应有的地位和正确的联系之中，因此，完满地使这些问题变得简单和相当清楚。我还祝贺你，实际上出色地叙述了劳动和资本的关系，这个问题在这里第一次得到充分而又互相联系的叙述"②。

尽管恩格斯对《资本论》的外部结构（篇章结构）有意见，但对《资本论》的内部结构（理论结构）却大加赞赏。在资本主义生产发达的社会，各方面的关系纷繁复杂，要把它的生产运行和各种关系反映在理论体系中，使各种经济

① 参见《马克思恩格斯全集》第 42 卷，人民出版社 2016 年版，目录第 1—3 页。

② 《马克思恩格斯全集》第 31 卷，人民出版社 1972 年版，第 329 页。

学范畴都能安置在恰当的位置和正确的联系中，靠的就是崭新的唯物辩证法。按照这种方法建立起来的是一种崭新的从抽象上升到理论具体的结构。正如马克思在 1866 年 6 月 20 日致恩格斯的信中说："我亲爱的，你明白，在像我这样的著作中细节上的缺点是难免的。但是结构、整个的内部联系是德国科学的辉煌成就，这是单个的德国人完全可以承认的，因为这决不是他的功绩，而是全民族的功绩。"①

马克思把取得的成绩归功于批判地继承了德国古典哲学的优秀成果是有根据的。在当时的欧洲学术界，形而上学的研究方法尤为盛行，它孤立地研究每一个问题，而不知道它们的相互联系和发展变化。恩格斯把这种形而上学的方法比作在转折处不会拐弯的驾车的笨马，用这种方法当然建立不起什么科学的理论体系来。而德国古典哲学的优秀代表如黑格尔，他在前人成果的基础上创立了唯心主义辩证法。在《逻辑学》中，黑格尔认为，逻辑概念的展开是由抽象上升到具体，并且这种逻辑的发展是一个辩证的过程，它从简单的规定开始，在向上的发展过程中规定性越来越丰富，直到最后达到一种作为多样性统一体的具体总体。而且概念发展的每一个阶段都是通过矛盾的对立统一，经过肯定、否定、否定的否定（简称正、反、合）这样的三个层次，螺旋式地向上发展。这是黑格尔的辩证法的合理内核。但他的辩证法是唯心主义的，他认为"绝对精神"是主体，而客观世界的万事万物不过是这个绝对精神"外化"或"对象化"的结果。这显然是荒谬的。马克思指出，黑格尔的辩证法是"头脚倒置"的，只要把它再倒过来，建立在唯物主义的基础上，一切从客观现实出发，在逻辑的发展过程中不断用实践加以检验，就是一种非常科学的方法。恩格斯对马克思的唯物辩证法给予高度评价："马克思过去和现在都是唯一能够担当起这样一件工作的人，这就是从黑格尔逻辑学中把包含着黑格尔在这方面的真正发现的内核剥出来，使辩证方法摆脱它的唯心主义的外壳并把辩证方法在使它成为唯一正确的思想发展形式的简单形态上建立起来。马克思对于政治经济学的批判就是以这个方法做基础的，这个方法的制定，在我们看来是一个其意义不亚于唯物主义基本观点的成果。"②

---

① 《马克思恩格斯全集》第 31 卷，人民出版社 1972 年版，第 185 页。
② 《马克思恩格斯文集》第 2 卷，人民出版社 2009 年版，第 602—603 页。

马克思在研究和批判资产阶级政治经济学的过程中，一方面从原来的范畴体系中解救出来了一部分经济学范畴，并赋予了新的含义，另一方面根据历史的发展实际又抽象出新的经济学范畴。在建立《资本论》理论体系时，马克思根据经济发展的事实，按照唯物辩证法，使这些范畴流动起来，建立了一个历史和逻辑相统一的体系。

马克思在《政治经济学批判》"导言"中，详细论证了构建理论体系的方法，即从抽象上升到具体的方法。《资本论》三卷（第一卷《资本的生产过程》，第二卷《资本的流通过程》，第三卷《资本主义生产的总过程》）体系的构建正是运用了从抽象上升到具体的方法，表现为"三层次的结构"。就第一卷来说，它表现为"商品—货币—资本"的三个层次。而从论述资本的生产过程来说，第二章"货币转化为资本"是过渡性篇章，第三章"绝对剩余价值的生产"、第四章"相对剩余价值的生产"、第五章"对绝对剩余价值和相对剩余价值生产的进一步考察"，这三章是表现为三个层次正、反、合的结构，分析了资本如何生产剩余价值的问题。这三章和最后一章即第六章"资本的原始积累"的内容联在一起，又表现为三层次结构。第六章主要分析的是资本积累，而资本积累就是剩余价值如何产生资本的过程。第六章的最后部分分析的是资本的原始积累，说明的是资本在历史上如何产生和资本主义的必然灭亡。这里的三个层次就是资本生出剩余价值——剩余价值生出资本——资本的产生和灭亡。并且，每一章内部的理论也都是三层次的，例如，第四章"相对剩余价值的生产"中，很明显地是分为"协作"、"分工"和"机器"这三个层次。而有的章节表面上虽然看不出三个层次，例如第二章"货币转化为资本"这个过渡性篇章，其实，它也是一个三层次的结构，即"资本的总公式——总公式的矛盾——劳动力的买和卖"，如此等等。总之，《资本论》第一卷是一个从抽象上升到具体的科学理论的结构体系，而从抽象上升到具体的方式则是通过大大小小的三个层次的结构实现了螺旋式上升。

如果仔细考察《资本论》第一卷德文第一版各章的理论内容，我们会发现：马克思熟练地运用了唯物辩证法，写出了崭新的与前人不同的经济学理论。马克思自己说："我的书最好的地方是：（1）在第一章就着重指出了按不同情况表现为使用价值或交换价值的劳动的二重性（这是对事实的全部理解的基础）；（2）研究剩余价值时，撇开了它的特殊形态——利润、利息、地租等等。这一点将特别在第二卷中表现出来。古典经济学总是把特殊形态和一般形态混淆起来"。①

《资本论》第一卷第一章研究商品和货币问题，在这一部分，马克思制定了崭新的价值理论。第二章到第五章，分析资本如何生产剩余价值，马克思制定了崭新的剩余价值理论。最后一章论述资本的积累过程，马克思制定了崭新的资本积累理论。马克思的劳动价值理论不同于资产阶级古典经济学的地方，就在于它是建立在劳动二重性基础上的，因而是科学的，驳不倒的。马克思的崭新的价值理论又是其崭新的剩余价值理论和资本积累理论的基础。马克思以前的资产阶级古典经济学的代表人物如亚当·斯密和李嘉图，也都主张劳动价值论，但他们的理论很不彻底，夹杂着错误和庸俗的成分。例如，亚当·斯密曾经正确地把形成价值的劳动说成是劳动一般，但是他说这是人类社会初期的现象，资本主义生产到了发达阶段，价值就不再由劳动决定，而是由工资、利润和地租这三种收入构成了。所以，亚当·斯密是"半截子"的劳动价值论。李嘉图倒是自始至终坚持劳动价值论，他甚至批判过斯密的劳动价值论不彻底，主张劳动是价值的唯一源泉，但他不懂得劳动二重性，从来没有研究并说明过构成价值的是抽象劳动，所以，当面对论敌庸俗经济学的责难，如"既然商品都是等价交换，劳动也都得到了等价的报酬，那么利润从何而来呢？"这样的问题时，李嘉图就被逼入了死胡同，从而导致李嘉图学派的破产。只有马克思批判地继承了前人理论中的科学成分，克服了他们的缺点和错误，创造了自己崭新的科学的劳动价值理论，从而建立起了崭新的剩余价值理论，实现了政治经济学的革命。

马克思从资本主义社会财富的细胞——商品开始分析，一开始就指出商品具有二重性，一方面有使用价值，能满足人们的各种需要，另一方面又有交换价值，而交换价值只是价值的表现形式。因此，商品是使用价值和价值的对立统一体。而商品的二重性来源于体现在商品中的劳动的二重性。生产商品的劳动一方面是具体劳动，它体现在使用价值中；另一方面是抽象劳动，它体现在价值中。关于劳动的二重性，马克思写过一段精辟的话："一方面是人类劳动力在生理学意义上的耗费；就相同的或抽象的人类劳动这个属性来说，它形成商品价值。一切劳动，另一方面是人类劳动力在特殊的有一定目的的形式上的耗费；就具体的有用的劳动这个属性来说，它生产使用

---

① 《马克思恩格斯全集》第31卷，人民出版社1972年版，第331页。

价值"①。具体劳动是人类社会生存的条件，它反映人和自然的关系。抽象劳动是生产商品的劳动的社会属性，它反映人和人之间的经济关系，因而是一个历史范畴。劳动二重性理论是马克思的创造。他说："商品中包含的劳动也具有二重性。这一点首先是由我批判地阐明了的，这是理解政治经济学的枢纽。"②马克思指出，生产商品的劳动之所以具有二重性，其根源在于商品生产的社会条件。商品经济的存在一方面是因为社会分工，另一方面是因为生产是私人的。社会分工的存在要求每个生产商品的劳动都应该是社会总劳动的一部分，但每个人的劳动都是私人的。私人劳动能否变为社会劳动的一部分，取决于私人的产品能否卖得出去。这样，商品内部的使用价值和价值的矛盾反映的就是具体劳动和抽象劳动的矛盾，也就是私人劳动和社会劳动的矛盾，这种矛盾的结果，导致货币的产生。马克思再进一步分析货币的内在矛盾，最后又导致资本的产生。马克思在《资本论》第一卷中，曾经形象地把商品变成货币，货币变成资本的过程，比作昆虫的"变态"。他把商品的所有者比作"资本家蛹"，把货币所有者比作"资本家幼虫"，最后把"变态"的第三步变成的资本家比作蝴蝶。他们飞遍世界各地，到处去创业。关于资本的起源，马克思的理论和资产阶级经济学的理论是截然不同的，资产阶级经济学家，包括李嘉图在内，都认为"资本"早已有之，说什么原始人用来打猎的石头和采摘树上果子的棍子，都是"资本"，这当然太离奇了。只有马克思正确地指出，资本是由货币转化而来的。总之，劳动二重性学说，是科学的劳动价值论的核心，没有劳动二重性学说，也就没有科学的劳动价值论。

劳动二重性学说，也是建立崭新的剩余价值理论的关键。马克思在论述剩余价值的生产时，把资本主义生产过程分为劳动过程和价值增殖过程，这也是依据劳动二重性学说制定出来的。在劳动过程中，工人使用一定的生产资料，以自己的具体劳动创造出一个新的使用价值，同时也就把生产资料中的价值转移到新的商品中。而工人在转移旧价值的同时，在价值增殖过程中，由于花费了一定量的抽象劳动，必然形成一定量的新价值。这部分新价值，除了补偿劳动本身的价值以外，剩余的部分就是剩余价值。马克思指出，劳动力作为商品存在，在市场上和资本进行等价交换。资本家买到劳动力后，将他们带入生产

---

① 《马克思恩格斯文集》第 5 卷，人民出版社 2009 年版，第 60 页。
② 《马克思恩格斯全集》第 42 卷，人民出版社 2016 年版，第 28 页。

过程中，劳动力的使用价值是价值的源泉，劳动力的劳动创造的价值高于劳动力本身的价值，于是剩余价值创造出来了。马克思依据劳动二重性学说，把资本划分为不变资本和可变资本。投在生产资料上的那部分资本，只是把价值转移到新产品上，价值并未增殖，马克思把这部分资本叫作"不变资本"。投在劳动力上的那部分资本，由于创造出来的新价值包含着剩余价值，马克思把它叫作"可变资本"。资本真正增殖的部分，就是这个可变资本。马克思用剩余价值（m）和这个可变资本部分（v）相比，得出剩余价值率（m/v）。而剩余价值率所表示的是工人受剥削的真实程度。资本家采取两种生产剩余价值的办法，一种是延长劳动时间或增加劳动强度，这是绝对剩余价值的生产。另一种是靠提高劳动生产率，采取科学技术等手段，在工作日长度不变的前提下，靠降低工人生活资料的价值，来相对地缩小必要劳动时间，从而延长剩余劳动时间，这是相对剩余价值的生产。在论述相对剩余价值的生产时，马克思概括地说明了资本主义生产经历了"协作"、"分工"和"机器生产"这三个历史阶段，直到最后建立在机械化大生产的技术基础上，最终形成了世界市场。这实际上是分析了资本主义生产力和生产关系的发展和变化的过程。当然，随着这种发展，资本主义各方面的矛盾也不断发展和扩大起来。马克思的剩余价值理论，包括的"不变资本"、"可变资本"、"剩余价值"和"剩余价值率"这些范畴，都是马克思独创的。马克思揭示了资本内部的矛盾以及资本主义生产发展和变化的真相，为科学地揭示资本主义运行的客观规律打下了坚实的基础。

《资本论》第一卷最后一章论述的是资本的积累理论，以及资本主义积累规律对工人命运的影响。资本积累就是剩余价值再转化为资本，前面几章揭示的是资本怎样生产剩余价值，本章揭示的是剩余价值怎样再生产资本。资本积累是和资本主义再生产联系在一起的。马克思关于这一章的论述进一步揭示出了资本的本质，他指出，资本积累和再生产的分析说明，工人阶级的无酬劳动是资本的唯一来源。在前几章的论述中，还不能说明资本的最初来源，它也许是资本家自己积蓄的资金。但资本积累和再生产的分析说明，哪怕资本最初确实是资本家自掏腰包，但实质上也不过是以往工人阶级的无酬劳动，资本对工人阶级过去的无酬劳动的所有权，变成了今天以日益扩大的规模占有工人活的无酬劳动的唯一条件。资产阶级经济学在分析资本积累时，对它大加颂扬，说什么资本积累越多，工人的就业机会就越多，工人的生活也就越好，好像工人的人数和生活状况与资本积累直接成正比。但资本主义社会的现实状况并非如此。随着资本积累和资本主义生产的发展，工人的状况并不总是美好的，资本主义社会存在着大量的失业人口，工人的生活状况很不稳定，他们时而被生产所吸收，时而又被生产所排斥，生活动荡不安。只有马克思的资本积累理论科学地说明了这些问题。马克思指出，随着资本积累，资本的有机构成也在提高，资本有机构成是可变资本与不变资本之比（v/c）。资本有机构成反映的是资本的技术构成，随着生产的发展，资本不断地改进技术，资本家把越来越多的资本投在生产设备上，而想方设法减少雇佣工人的人数，这就造成有机构成不断提高。在这种条件下，劳动生产力不断提高，为推动一定量的生产资料所需要的劳动力越来越少。积累过程中新的追加资本的可变资本相对地越来越少，吸收的工人人数也就相对地越来越少。当然，随着资本主义的发展和扩大，总的来说，资本对劳动的需求会绝对地增大，但同增大了的资本量相比，可变资本相对地越来越小，工人就业的机会相对地越来越少。这样，就造成工人状况的不稳定，工人不断被排挤出生产领域，形成失业人口，即产业后备军，他们等待着生产繁荣以后，才能得到再就业的机会。而产业后备军的存在，又成为现役工人不能提高工资的条件。随着资本主义生产周期性的变化，工人的命运也不断动荡，时而就业，时而失业。这是资本主义特有的现象，产业后备军的存在，是资本主义生产本身内在规律必然产生的现象。这是马克思的资本积累理论不同于资产阶级经济学的崭新内容，资本积累对工人命运的影响，只有用资本有机构成理论才能说明，没有劳动二重性，就不可能形成资本有机构成理论，从而不可能形成科学的资本积累理论。

第六章中的"所谓原始积累"这一节，表面上看似乎是资本积累过程的结尾，其实从理论结构来看，这一节可以说是整个第一卷的结尾。前面几章讲清了资本如何产生剩余价值，剩余价值如何产生资本，资本的原始积累这部分则回答了资本最初在历史上到底是怎么产生的这个问题。资产阶级经济学家们把资本主义生产看作永恒的和自然的生产方式，因此，他们不可能研究资本的历史起源问题。但马克思的辩证法不同，马克思说："辩证法，在其合理形态上，引起资产阶级及其空论主义的代言人的恼怒和恐怖，因为辩证法在对现存事物的肯定的理解中同时包含对现存事物的否定的理解，即对现存事物的必然灭亡的理解；辩证法对每一种既成的形式都是从不断的运动中，因而也是从它的暂时性方面去理解；辩证法不崇拜任何东西，按其本质来说，它是批判的和革命的。"①

马克思以英国历史为例，论述了资本原始积累过程是用血和火的文字载入人类史册，他指出，在封建社会末期，个体小商品生产的分化，劳动者被强行剥夺生产资料，是资本主义的起点。在英国，通过圈地运动等方法使小农脱离土地，是形成大量无产阶级和国内市场的前提条件。但是，小生产分化这种方法像蜗牛爬行一样的进度，远不能适应 15 世纪以来扩大的世界市场的需求。于是资产阶级借助国家机器，使用暴力等手段来促进资本主义快速向前发展。总之，国家暴力对于加速确立资本主义生产方式起了"助产婆"的作用。"资本来到世间，从头到脚，每个毛孔都滴着血和肮脏的东西。"②资本的历史起源是直接生产者被剥夺生产资料的结果，即广大的个体农民被剥夺土地，广大的个体手工业者被剥夺劳动工具等的结果。人民大众遭受的可怕的残酷剥夺，形成资本的历史。结果，独立劳动者与其劳动条件相结合为基础的私有制，被资本主义私有制所取代，这是资本主义生产方式对独立经营的个体小生产者的否定。一旦资本主义生产方式站稳脚跟，通过它本身内在的规律的作用，促使生产迅速发展和扩大，特别是发展到机器大生产时代，生产资料日益成为供结合的社会劳动使用的生产资料，科学技术日益应用于生产，随着资本集中的过程，一个资本家打倒许多资本家，资本家人数减少而财富剧增，生产日益变成社会化的大生产，形成世界市场，全世界各国人民都卷入到世界市场之网。另一方面，由资本主义生产过程本身的机制所联合、训练和组织起来的工人阶级也日益壮大，他们的反抗也不断增长。生产的社会化和资本主义私人占有的矛盾成了严重的对立。"资本的垄断成了与这种垄断一起并在这种垄断之下繁盛起来的生产方式的桎梏。生产资料的积聚和劳动的社会化，达到了同它们的资本主义外壳不能相容的地步。这个外壳就要炸毁了。资本主义私有制的丧钟就要响了。剥夺者就要被剥夺了。"③

马克思作出结论说："资本主义生产方式和占有方式，从而资本主义的私有制，是对个人的、以自己劳动为基础的私有制的第一个否定。对资本主义生产的否定，是它自己由于自然过程的必然性造成的。这是否定的否定。这种否

① 《马克思恩格斯文集》第 5 卷，人民出版社 2009 年版，第 22 页。
② 《马克思恩格斯全集》第 42 卷，人民出版社 2016 年版，第 777 页。
③ 《马克思恩格斯全集》第 42 卷，人民出版社 2016 年版，第 780 页。

定重新建立个人所有制，然而是在资本主义时代的成就的基础上，在自由劳动者的协作的基础上和他们对土地及靠劳动本身生产的生产资料的公有制的基础上来重新建立。"① 这是马克思在《资本论》中作出的崭新结论。

1867 年，《资本论》第一卷的出版，是马克思主义发展史上划时代的伟大事件。

第二节 《资本论》第一卷法文版的独立价值

在 1875 年 4 月 28 日写的《资本论·法文版跋》中，马克思指出："不管这个法文版本有怎样的文字上的缺点，它仍然在原本之外有独立的科学价值"②。马克思所说的"原本"是指《资本论》第一卷德文第二版。1872 年《资本论》第一卷德文第二版已经出版。因此，马克思与出版商莫里斯·拉沙特尔谈妥，依据《资本论》德文第二版，由约瑟夫·鲁瓦担任《资本论》法文版的翻译，由拉沙特尔出版社出版。《资本论》第一卷法文版有着独立的研究价值。

一、《资本论》第一卷法文版的翻译与出版

《资本论》第一卷原稿是用德文写成的。早在写作初稿时，马克思已经考虑到用各国文字进行翻译的问题了。马克思最先想到的《资本论》译本就是法文版。为了清除蒲鲁东在法国的毒瘤，马克思非常重视《资本论》第一卷法文版的出版。还在写作德文版《资本论》的初稿时，马克思就希望他的《资本论》法文版能紧接着出版。正像 1867 年 5 月 1 日马克思写给路·毕希纳的信中所说："我认为，使法国人摆脱蒲鲁东用对小资产阶级的理想化把他们引入的谬

---

① 《马克思恩格斯全集》第 42 卷，人民出版社 2016 年版，第 780 页。
② 《马克思恩格斯全集》第 43 卷，人民出版社 2016 年版，第 841 页。

误观点，是非常重要的。不久前在日内瓦召开的代表大会上，以及在我作为国际工人协会总委员会委员同巴黎支部的联系中，经常遇到蒲鲁东主义的最恶劣的后果。"①

　　虽然马克思早就有出版《资本论》第一卷法文版的想法，但是翻译出版并不是非常顺利。为了尽早更好地完成这项工作，燕妮·马克思首先积极为寻找译者牵线搭桥。1862 年 12 月，燕妮·马克思亲自去巴黎联系《资本论》法文版的出版工作，她在巴黎通过阿巴伯尔内认识了一个懂德语的经济学家埃·勒克律，初步谈妥了翻译出版《资本论》法文版的问题。《资本论》第一卷德文版出版后，1867 年 11 月 27 日，维克多·席利写信给马克思说，赫斯建议同埃·勒克律一起翻译出版《资本论》第一卷法文版。不过由于勒克律是巴枯宁的社会民主同盟的领导成员之一，马克思与他们谈判了 3 年仍无结果。

　　1869 年 3 月，为了《资本论》第一卷法文版翻译出版，马克思甚至打算亲自去巴黎联系法文版的出版。他在 3 月 20 日写给恩格斯的信中说："我打算加入英国国籍，为的是能够安全地去巴黎。如果不去一趟，我的书的法文版永远也出不成。我到那里去是完全必要的。"②

　　1869 年 10 月，国际巴黎支部成员沙·凯累尔着手《资本论》第一卷法文版的翻译工作。到了第二年 4 月，凯累尔翻译了 400 页左右的译稿。马克思也对译稿作了修改。但在巴黎公社失败后，凯累尔流亡瑞士后与巴枯宁关系密切，于是马克思中断了与他的来往，同时取消了凯累尔《资本论》第一卷法文版的翻译资格。

　　1871 年 12 月，拉法格与在西班牙的公社逃亡者、巴黎的一个出版社负责人莫里斯·拉沙特尔取得联系，1872 年 2 月签订了合同，规定分 44 个分册出版，共 9 辑，每辑 5 分册（最后一辑为 4 分册），每分册一印张，每次同时出版两分册，1875 年出齐。马克思认为，定期分册出版《资本论》的译本，"更容易到达工人阶级的手里，在我看来，这种考虑是最为重要的"③。

　　法文译者约瑟夫·鲁瓦于 1872 年开始翻译《资本论》第一卷。鲁瓦虽然是精通德语和法语的大行家，但是由于他不懂得《资本论》第一卷的内容，翻

---

①　《马克思恩格斯全集》第 31 卷，人民出版社 1972 年版，第 546 页。
②　《马克思恩格斯全集》第 32 卷，人民出版社 1974 年版，第 264 页。
③　《马克思恩格斯文集》第 5 卷，人民出版社 2009 年版，第 24 页。

译很难到位。为了让法国读者读懂，马克思不得不对法文版整段整段地加以改写。马克思说："修改译文本身需要我进行非常艰巨的工作。如果我一开始就自己翻译，大概还会少花些力气。而且，这种用打补丁的方式作的修改，总是使一部著作显得很糟。"①

马克思在出版法文版时，还对《资本论》德文版作了大量的修订和补充，马克思在 1875 年 2 月 11 日写给彼·拉·拉甫罗夫的信中说："法文版中有很多修订和补充（例如，见第 6 册第 222 页，驳斥约·斯·穆勒，就是一个鲜明的例子，说明资产阶级经济学家即使怀着最良好的愿望，甚至在他们好像已经掌握真理的时候，也是本能地沿着错误道路走的）。但是法文版中最重要的修订，是在尚未出版的各部分里面，即在关于积累的几章里面"②。

马克思的身体本来就很差，法文版的繁重工作，使他病情恶化了。1874 年 7—8 月马克思病得很重。7 月中旬至 7 月底，马克思在威特岛上的赖德休养。回伦敦后，医生要他去卡尔斯巴德疗养。马克思很不愿放下工作去疗养。8 月 4 日他在写给弗·阿·左尔格的信中说："可恶的肝病发作得很厉害，以致使我完全不能继续校订法译本（实际上几乎等于全部改写），我非常不愿意遵照医嘱到卡尔斯巴德去。他们向我担保说，我回来以后会完全恢复工作能力的，而丧失工作能力对于任何一个不愿意当牲畜的人来说，事实上等于宣判死刑。"③

虽然面临重重困难，马克思还是于 1875 年 1 月 20 日"改完《资本论》尚未出版的各册的译文（法文）"，并于 1 月 30 日将《资本论》第一卷法文稿的最后部分（除跋、目录和勘误表外）寄往巴黎。然而，《资本论》法文版的出版并不顺利。在付排期间，拉羽尔印刷厂一再拖延排印。1875 年年中，法国政府把拉沙特尔在巴黎的出版社的管理权转给了反动分子阿道夫·凯，他不择手段地阻止这部著作的印刷和发行，但未能得逞。

《资本论》第一卷法文版于 1872 年 9 月开始出版，1875 年 11 月出齐，因篇幅上的限制（不能超过 44 个印张），马克思编的名目索引未附入。法文版扉页上印有全部经作者校订的字样，印 1 万册，其中 8000 册在第一分册出版前就预售出去了。

---

① 《马克思恩格斯全集》第 33 卷，人民出版社 1973 年版，第 561 页。
② 《马克思恩格斯全集》第 34 卷，人民出版社 1972 年版，第 117 页。
③ 《马克思恩格斯全集》第 33 卷，人民出版社 1973 年版，第 636 页。

　　法文版的《资本论》第一卷是按照《资本论》第一卷德文第二版进行翻译的，但是不仅在内容上作了大量的修订和补充，在篇章的安排上也作了很多调整。德文第二版只有7篇25章，法文版调整为8篇33章。和现在流行的包括7篇25章的德文第四版的中文译本相对照，我们可以看到，德文版的第二十四章"所谓原始积累"在法文版中独立成第八篇，题目简化为"原始积累"，因而多出了一篇。德文版第四章中的3节，第二十四章中的7节，都独立成章，这样，在法文版中又多出了8章。

　　由于马克思对《资本论》第一卷的法文版作了许多重要的修改和补充，许多问题的阐述比《资本论》第一卷德文第二版好得多，从而使这部法文版"对懂德语的读者也有参考价值"①。在对法文版进行了校正工作后，马克思就提出了根据法文版对德文版的修改意见："有些论述要简化，另一些要加以完善，一些补充的历史材料或统计材料要加进去，一些批判性的评注要增加，等等"②。对《资本论》第一卷其他的译文本，例如英译本和俄译本的第二版，马克思都提出了参照法文版进行翻译的意见。马克思逝世以后，恩格斯根据马克思的意见，出版了《资本论》第一卷的德文第三版和第四版，校订了《资本论》第一卷的英文版。

二、《资本论》第一卷法文版的修改内容

　　相对于《资本论》第一卷德文第二版，法文版主要对篇章结构、标题、段落、理论、修辞和范畴等方面做了修改，并对一些内容做了增补。

　　第一，法文版修改了整体的篇章结构。法文版的修改首先是篇章结构的变动。总的来说，马克思为了强调和突出德文第二版第四章和第二十四章，在修订法文版时，将德文第二版的七篇二十五章调整为八篇三十三章。增加的"一篇"主要是将德文第二版的第二十四章和二十五章独立成篇。增加的"八章"来自德文第二版的第四章和第二十四章，即将原本第四章三节提升为三章，将原本第二十四章七节提升为七章。节的标题自然就转化成章的标题。此外，法

① 《马克思恩格斯全集》第43卷，人民出版社2016年版，第841页。
② 《马克思恩格斯文集》第5卷，人民出版社2009年版，第27页。

文版在第七篇"资本的积累过程"前添加了"导言",更加利于阅读。这是法文版与德文第二版在总体的篇章结构上修改较大的地方。

第二,法文版更换了部分标题。主要有三个方面:其一,标题更加通俗。马克思为了更加符合法国人的阅读习惯,对标题进行修改,使语言更加通俗。例如,《资本论》第一卷法文版将德文第二版第一册的标题"资本的生产过程"修改为"资本主义生产的发展"。德文第二版第一章第一节的节标题由"商品的两个因素:使用价值和价值(价值实体和价值量)",修改为法文版的"商品的两个因素:使用价值和交换价值或价值本身(价值实体。价值量)"①。

其二,标题更加凝练。例如,法文版将德文第二版第二章的标题"交换过程"修改为"交换"②。德文第二版第十章"相对剩余价值的概念"改为法文版第十章"相对剩余价值"③。德文第二版第五章"劳动过程和价值增殖过程"改为法文版第七章的"使用价值的生产和剩余价值的生产"④,从劳动过程和价值增殖过程的结果的角度重新拟定标题,使其和第一章分析的商品的二因素即使用价值和价值对应起来。德文第二版第十五章"劳动力价值和剩余价值的量的变化"改为法文版第十七章的"剩余价值和劳动力价值之间量的比例的变化"⑤,这一修订使读者注意到该章不仅仅讨论劳动力价值和剩余价值的量的变化,更在于讨论劳动力价值和剩余价值之间量的比例的变化,标题更加聚焦,和正文的内容也更加契合。

其三,标题更加准确,从而避免产生歧义。例如,德文第二版第二十章"工资的国民差异"改为法文版第二十二章"国民工资率的差异"⑥。

第三,法文版调整和重新划分了部分段落。在法文版中,马克思为了突出内容,而重新划分段落。法文版相较于德文第二版的段落调整,使论述更加清楚,重点更加突出。例如,第一章第四节《商品的拜物教性质及其秘密》,德文第二版一共20个自然段,12条注释,法文版22个自然段,10条注释。在这一节,虽然总的段落数变化不大,但法文版调整段落、重新分段的情况却较

① 《马克思恩格斯全集》第43卷,人民出版社2016年版,第1页。
② 《马克思恩格斯全集》第43卷,人民出版社2016年版,第2页。
③ 《马克思恩格斯全集》第43卷,人民出版社2016年版,第4页。
④ 《马克思恩格斯全集》第43卷,人民出版社2016年版,第3页。
⑤ 《马克思恩格斯全集》第43卷,人民出版社2016年版,第5页。
⑥ 《马克思恩格斯全集》第43卷,人民出版社2016年版,第6页。

多。马克思把德文第二版的第三段的设问句单独拿出来形成法文版的第三段：
"可是，劳动产品一旦采取商品形式就具有的谜一般的性质究竟是从哪里来的
呢？显然是从这种形式本身来的。"① 显然是为了强调这个设问句的答案"显然
是从这种形式本身来的"这一结论。

　　第四，法文版完善了部分理论表述。例如，马克思有关未来社会表述主要
有两处修改。一处是关于自由人联合体的论述。从整个内容看，描述的是共产
主义社会第一阶段。在《资本论》第一卷德文第二版的第一章中，有这样的论
述："他们用公共的生产资料进行劳动，并且自觉地把他们许多个人劳动力当
做一个社会劳动力来使用。"② 在法文版中，将其中"自觉地"三个字改换成"按
照预先商定的计划"③。这种计划是"在社会范围内"进行的，表现在"劳动时
间在社会中的分配，精确地调节着各种职能同各种需要的比例"。④ 在共产主
义社会第一阶段，商品与货币已经消亡，上述计划经济也只有在商品经济消亡
之后才能实现。另一处是关于重建个人所有制的论述。从整个内容看，描述的
也是共产主义社会的第一阶段。在《资本论》第一卷德文第二版中，强调在资
本主义时代的成就基础上，重新建立生产资料公有制和个人所有制，为避免歧
义，法文版做了重要修改。在法文版中，马克思指出："在资本主义时代的成
就的基础上，在协作和共同占有包括土地在内的一切生产资料的基础上，重新
建立劳动者的个人所有制。"⑤ 这里的重要修改是将德文第二版中的"生产资料
的公有制"修订为生产资料的"共同占有"，生产资料的共同占有属于生产方
式范畴，因此，在生产资料共同占有的基础上重新建立的劳动者的个人所有制
理解为生产资料的公有制是完全合乎逻辑的。另外，马克思后来在一封书信中
对法文版中的这一段话也做了说明，他说："在那一章末尾，资本主义生产的
历史趋势被归结成这样：'资本主义生产本身由于自然变化的必然性，造成了
对自身的否定'；它本身已经创造出了新的经济制度的要素，它同时给社会劳
动生产力和一切生产者个人的全面发展以极大的推动；实际上已经以一种集体

①　《马克思恩格斯全集》第 43 卷，人民出版社 2016 年版，第 65 页。
②　参见《马克思恩格斯文集》第 5 卷，人民出版社 2009 年版，第 96 页。
③　《马克思恩格斯全集》第 43 卷，人民出版社 2016 年版，第 72 页。
④　《马克思恩格斯全集》第 43 卷，人民出版社 2016 年版，第 72 页。
⑤　《马克思恩格斯全集》第 43 卷，人民出版社 2016 年版，第 827 页。

生产方式为基础的资本主义所有制只能转变为社会所有制。"① 从这一说明中可以看出，马克思所要重建的个人所有制就是全社会范围的生产资料公有制，以重建的个人所有制否定资本主义所有制也就是以生产资料的社会公有制否定资本主义的私有制。

第五，法文版修改了部分表述，使表达更通俗、简洁。马克思对《资本论》的修辞特别重视。除了价值形式等相对专业的部分以外，马克思叙述的特点是通俗易懂、明确。他自己也认为，"除了价值形式那一部分外，不能说这本书难懂"②。即使这样，马克思对于《资本论》文字上的缺点，他本人的评判比任何人都更为严厉。在校阅法文版时，马克思"付出了艰苦的劳动"对文字论述进行了修改，以便使法国读者更容易理解。

其一，在校阅法文版时，根据法国人的特点，马克思十分重视法文版修辞的通俗化。例如，在《资本论》第一卷法文版正文第一段就有修辞上的改动。德文第二版是这样表述的："资本主义生产方式占统治地位的社会的财富，表现为'庞大的商品堆积'，单个的商品表现为这种财富的元素形式。因此，我们的研究就从分析商品开始。"③ 法文版将这段文字修改为："资本主义生产方式占统治地位的社会的财富，表现为'庞大的商品堆积'。因此，我们的研究就从分析商品这种财富的元素形式开始。"④ 这一修改，意思没有改变，但是表述更加形象和通俗，法国读者更容易理解。

其二，在校阅法文版时，根据法国人的特点，马克思在修订法文版的过程中经常将表达化冗长为简洁。例如，在分析商品生产和拜物教的关系时，马克思有一段重要论述，即"这种形式恰好形成资产阶级经济学的各种范畴。对于这个历史上一定的社会生产方式即商品生产的生产关系来说，这些范畴是有社会效力的，因而是客观的思维形式。因此，一旦我们逃到其他的生产形式中去，商品世界的全部神秘性，在商品生产的基础上笼罩着劳动产品的一切魔法妖术，就立刻消失了"⑤。这段论述在法文版中被修改为："资产阶级经济学的各种范畴，是具有客观真实性的思维形式，因为它反映着现实的社会关系，不

① 《马克思恩格斯文集》第 3 卷，人民出版社 2009 年版，第 465 页。
② 《马克思恩格斯文集》第 5 卷，人民出版社 2009 年版，第 8 页。
③ 参见《马克思恩格斯文集》第 5 卷，人民出版社 2009 年版，第 47 页。
④ 《马克思恩格斯全集》第 43 卷，人民出版社 2016 年版，第 23 页。
⑤ 参见《马克思恩格斯文集》第 5 卷，人民出版社 2009 年版，第 93 页。

过这些关系只属于商品生产成为社会生产方式的这个一定的历史时期。因此，如果我们考察其他的生产形式，我们就会看到，在当前时期使劳动产品模糊不清的一切神秘性都立即消失了。"① 这一修改使表述更加简洁，意思更加清楚，同时也更明确地说明商品生产是一定历史时期的社会生产方式，商品拜物教是当前时期即商品生产成为社会生产方式的历史时期的必然产物。

第六，法文版替换了部分范畴，使表达更精确。《资本论》第一卷法文版关键范畴的修改使表达更精确，使人们更容易理解马克思要表达的内容。这主要体现在"商品生产"和"这种生产方式"、"生产方式"和"生产技术方式"、"资本主义生产方式"和"资本主义生产"、"资本主义生产方式"和"资本主义经济制度"等这些范畴上。

其一，个别地方将德文第二版中的"商品生产"修改为法文版中的"这种生产方式"。商品生产存在于不同的社会，但在资本主义社会发展到了最高阶段。马克思在《资本论》第一卷中明确地把商品生产看成是一种历史的社会的生产方式。他认为，商品生产是和自由人联合体的生产、鲁滨逊的生产、古亚细亚的生产相并列的一种生产形式。在法文版中，马克思把个别地方的"商品生产"这一概念修改为"这种生产方式"。德文第二版中有这样一段论述，即"劳动产品一旦作为商品来生产，就带上拜物教性质，因此拜物教是同商品生产分不开的。"② 这段论述在法文版中被修改为"劳动产品一旦表现为商品，就带上拜物教的性质，拜物教是同这种生产方式分不开的"③。这一修改进一步证明，马克思在《资本论》第一卷中使用的生产方式的一种含义指的是物质生产所采取的社会形式，在"以物的依赖性为基础的人的独立性"的社会发展阶段，这种生产方式就是商品生产。资本主义社会的生产即资本主义生产首先是商品生产。商品生产是资本主义生产所采取"特殊的生产形式"，是一种历史上确定的"社会生产方式"。

其二，个别地方的"生产方式"修改为"生产技术方式"。"各种经济时代的区别，不在于生产什么，而在于怎样生产，用什么劳动资料生产。"④ 各个经济时代的劳动者怎样组织起来用不同的劳动资料生产产品的形式表现为不同的

---

① 《马克思恩格斯全集》第 43 卷，人民出版社 2016 年版，第 69—70 页。
② 参见《马克思恩格斯文集》第 5 卷，人民出版社 2009 年版，第 90 页。
③ 《马克思恩格斯全集》第 43 卷，人民出版社 2016 年版，第 66 页。
④ 《马克思恩格斯全集》第 43 卷，人民出版社 2016 年版，第 182 页。

生产方式。在分析相对剩余价值生产时，马克思把生产方式视为劳动生产条件和生产方法。在《相对剩余价值生产》这一篇，马克思对这种含义的生产方式进行了更深入、更具体的分析，他把协作、工场手工业、工厂制度看成是这种生产方式的具体形式。在马克思看来，协作、工场手工业和工厂制度只是以不同生产资料为基础的不同生产方式。《资本论》第一卷德文第二版在劳动生产条件意义上使用的生产方式在法文版的个别地方的修改，最典型的一处是将"生产方式"修改为"生产技术方式"。马克思在德文第二版中是这样说的："在农村和城市，雇主和工人在社会上是接近的。劳动对资本的从属只是形式上的，就是说，生产方式本身还不具有特殊的资本主义的性质。"①而在法文版中这段话被修改为"在农村和城市，雇主和工人在社会上是接近的。生产技术方式还没有特殊的资本主义性质，所以劳动对资本的从属只是形式上的"②。这一修改清楚地证明，马克思是在生产力和生产关系的中介上从技术角度考察的生产方式这一概念的。

其三，一些地方的"资本主义生产方式"修改为"资本主义生产"。"资本主义生产方式"是法文版第一卷修改比较多的一个概念。德文第二版有这样一段论述，即"资本主义生产的发展，使投入工业企业的资本有不断增长的必要，而竞争使资本主义生产方式的内在规律作为外在的强制规律支配着每一个资本家。"③而在法文版中，这段话被修改为："资本主义生产的发展，使投入企业的资本有不断增长的必要，而竞争使资本主义生产的内在规律作为外在的强制规律支配着每一个资本家"④。资本主义生产方式，从生产的社会形式看，采取的是商品生产这种生产方式或社会形式；从生产的技术形式看，经历了协作、工场手工业、手工业和家庭劳动到工厂制度的变革，采取的是工厂制度这种生产方式；从生产的社会性质看，以资本和雇佣劳动为基础，其目的是生产剩余价值。因此，资本主义生产方式指的是以资本和雇佣劳动为基础、以生产剩余价值为目的、以工场手工业和工厂制度为手段的商品生产。由于商品生产不再仅仅表现为生产使用价值和价值的劳动的统一，而且还表现为劳动过程和价值增殖过程的统一，所以资本主义生产方式就可以理解为资本主义生产，即

---

① 参见《马克思恩格斯文集》第5卷，人民出版社2009年版，第847页。
② 《马克思恩格斯全集》第43卷，人民出版社2016年版，第797页。
③ 参见《马克思恩格斯文集》第5卷，人民出版社2009年版，第683页。
④ 《马克思恩格斯全集》第43卷，人民出版社2016年版，第628页。

资本主义形式的商品生产。

其四，有些地方的"资本主义生产方式"修改为"资本主义经济制度"或"资本主义制度"。例如，《资本论》德文第二版第二十四章"所谓原始积累"中有这样一段表述，即"所有这些方法都利用国家权力，也就是利用集中的、有组织的社会暴力，来大力促进从封建生产方式向资本主义生产方式的转化过程，缩短过渡时间"①。这段论述在法文版中被修改为："所有这些方法都毫无例外地利用了国家权力，也就是利用集中的、有组织的社会暴力，来大力促进从封建经济制度向资本主义经济制度的转化并缩短过渡时期。"② 此外，"资本主义生产方式"在法文版中被修改为"资本主义制度"，从法文版的上述修改来看，德文第四版中使用的"资本主义生产方式"在反映社会经济性质的层面上具有资本主义制度的含义。

第七，法文版增补了部分内容。法文版第七篇的导言是较德文第二版增补的内容。它是以更加强调资本所经历的不同阶段，简要概述这些阶段开始的。马克思首先强调了市场的作用，货币额转化为生产资料和劳动力是在市场上进行的。生产资料生产出的产品大于其组成部分的价值，这时生产资料就必须重新转化为商品，即重新在流通领域中运动。因此，马克思在开始分析资本的积累过程时就立即强调了流通的意义，也就是资本家卖掉手中的商品，由此得到绝大部分货币再转化为资本的意义。在继续阐述之前马克思着重指出，下面对资本积累过程的分析是基于资本按正常的方式完成流通过程的这样一个假定。而对于流通过程的分析是在第二卷中进行的。因此，这一内容的增加为第二卷的阐述埋下了伏笔。

当1881年10月出版商迈斯纳通知马克思准备德文第三版时，马克思打算根据法文版的修订出版一个全新的德文版本。可是，马克思的健康状况日益恶化，已经使他不能再做这件工作了，加上他急于要完成《资本论》第二卷的定稿。于是，马克思改变了想法，打算把法文版中的内容补充进德文第二版，在此基础上出版第三版。不过，马克思没有实现这一计划就逝世了。这就成了恩格斯的任务。恩格斯在准备德文第三版和第四版时把法文版的许多修改都吸收进去了。但是，法文版同德文第四版依然存在着很多的差别，因此即使与德文

---

① 参见《马克思恩格斯文集》第5卷，人民出版社2009年版，第861页。
② 《马克思恩格斯全集》第43卷，人民出版社2016年版，第814页。

第四版相比法文版仍然具有独立的科学价值。

三、《资本论》第一卷法文版修改的启示

《资本论》第一卷法文版的翻译和出版，为《资本论》在法语世界的传播起到了非常关键的作用。《资本论》第一卷法文版的修改给我们的主要启示如下：

第一，体现了马克思主义与时俱进的理论品质。《资本论》第一卷法文版翻译依据的是德文第二版，距 1867 年《资本论》德文第一版的出版虽然只有5 年的时间，但是，马克思在校订法文版时依然发现，"作为依据的原本（德文第二版）应当作一些修改，有些论述要简化，另一些要加以完善，一些补充的历史材料或统计材料要加进去，一些批判性评注要增加，等等"[①]。马克思校订法文版的理论活动，实际上是其经济理论研究的进一步深化。法文版对篇章结构新的划分，对三分之一篇章节标题的改动，有些章节的带理论性的修改和补充，有些章节的改写，相当多地方文字的润色，统计材料和历史材料的补充，说明性注释的增加，名词术语的改动，等等，都体现了马克思研究资本的生产过程的最新成果，使法文版在原本之外具有独立的科学价值。

第二，体现了马克思主义理论传播需要贴近群众，注重理论的大众化。研究成果的出版传播必须以读者为本，从而实现科学理论的大众化。以读者为本，实现大众化，就必须让读者看得懂。《资本论》揭示了资本主义经济运动的规律，是工人阶级进行无产阶级革命的思想武器。作为"工人阶级的圣经"，《资本论》如何更容易地到达工人阶级的手中？《资本论》如何更容易地为工人阶级理解？在马克思看来，"这种考虑是最为重要的"[②]。当法国出版商莫里斯·拉沙特尔设想定期分册出版《资本论》的法文译本时，得到了马克思的赞同，因为如此一来可以让工人买得起，更容易到达工人阶级手中。为了使法国的读者更容易接受和理解，马克思做了大量艰巨的工作，在 1872 年 4、5 月间，他除了处理一些特别重要的事之外，还每天埋头于法文版的校样，进行大量的

[①] 《马克思恩格斯文集》第 5 卷，人民出版社 2009 年版，第 27 页。
[②] 《马克思恩格斯全集》第 33 卷，人民出版社 1973 年版，第 433 页。

校阅和修订。在翻译家约瑟夫·鲁瓦尽可能准确地，甚至逐字逐句进行翻译的基础上，马克思也修改了德文第二版的一些表达方式和内容，"对法译文整段整段地加以改写，以便使法国读者读懂"①。正如马克思所说，法译本的"扉页上印有全部经作者校订的字样，这绝不是毫无意义的空话，因为我确实付出了艰苦的劳动"②。

马克思关于《资本论》第一卷法文版的翻译、出版及其修改，给我们今天坚持和发展马克思主义理论，推进21世纪马克思主义、当代中国马克思主义的发展提供了重要启示。

第三节 《资本论》第一卷对马克思主义的整体阐述

《资本论》是马克思主义的百科全书。《资本论》第一卷既是一部伟大的哲学著作，也是一部伟大的政治经济学著作，还是一部科学社会主义的巨著。因此，《资本论》第一卷是马克思主义哲学、政治经济学、科学社会主义的有机结合。

一、对马克思主义哲学的证明和发展

在《资本论》中，马克思运用唯物辩证法和历史唯物主义分析了资本主义社会的经济形态，从而使《资本论》成为一部伟大的哲学著作。

首先，系统实现了辩证法的唯物主义革命。其一，从经济事实出发，完成对黑格尔辩证法的颠倒。自从《资本论》第一卷问世以来，资产阶级学者攻击《资本论》的一个主要论调就是，马克思在《资本论》中运用的是黑格尔的辩

---

① 《马克思恩格斯全集》第33卷，人民出版社1973年版，第478页。
② 《马克思恩格斯全集》第33卷，人民出版社1973年版，第492页。

证法。其实，马克思在《资本论》的研究中运用的辩证法，从根本上来说，与黑格尔的辩证法是不同的。马克思并非把资本主义社会看作是概念和范畴的发展，而是客观实际的发展。马克思从经济事实出发，深入而详细地研究了资本主义产生、发展和灭亡的过程，从而发现了资本主义发展的辩证法。列宁在《哲学笔记》中谈到《资本论》的辩证法时指出："马克思在《资本论》中首先分析资产阶级社会（商品社会）里最简单、最普通、最基本、最常见、最平凡、碰到过亿万次的关系：商品交换。这一分析从这个最简单的现象中（从资产阶级社会的这个'细胞'中）揭示出现代社会的一切矛盾（或一切矛盾的萌芽）。往后的叙述向我们表明这些矛盾和这个社会——在这个社会的各个部分的总和中、从这个社会的开始到终结——的发展（既是生长又是运动）。"① 资本主义经济发展过程自始至终充满着矛盾，马克思对它的研究和分析也始终贯穿着对矛盾的分析。在《资本论》中，马克思以对商品及其矛盾的分析作为自己研究的出发点。仅从他决定从商品入手来研究资本主义经济这一点，就说明了马克思辩证法的唯物主义性质。

其二，马克思对于资本主义经济细胞即商品的分析，为我们提供了以对立统一规律分析研究问题的典范。在马克思看来，构成商品的二因素——使用价值和价值既是相互对立的，又是统一的，它们之所以能够构成矛盾就是因为它们是相互联系的、互为前提和互相否定的。使用价值是商品价值的物质承担者，而价值则是人类劳动产品的特有的社会形式。固然不存在没有使用价值的价值，而没有价值的使用价值也不能成其为商品。人们要获得一个商品的使用价值，就要放弃它的价值，反之亦然。因此使用价值和价值是既相互联系又相互矛盾、既相互吸引又相互排斥的对立物。正因为它们的对立是相互联系中的对立，它们的联系是矛盾着的对立双方的联系，所以它们双方之间必然要发生激烈的"斗争"，这种斗争只有在运动和发展中才能得到解决。马克思对商品及其内部矛盾的分析已经预示了危机的可能性，已包含着资本主义生产方式的基本矛盾——生产的社会化和生产资料资本主义私人占有的矛盾冲突的萌芽。

马克思对价值形式的分析，表明事物发展的根源在于事物自身的内部矛盾的发展。马克思在《资本论》第一卷第一章第三节中对价值形式的分析十分出色地说明了这一点。马克思的分析表明，商品内部的矛盾并不是一开始就采取

---

① 《列宁全集》第 55 卷，人民出版社 2017 年版，第 307 页。

了尖锐的外部对立的形式，也并不是一开始就导致了矛盾双方的激烈冲突和经济危机。最初，在不同的原始公社间所发生的那种偶然的交换中，已经包含着价值和使用价值的重大差别，因为在这里产品对于它的生产者来说只有交换价值的意义，而没有使用价值的意义了。但是，这种交换毕竟只是偶然发生的，在这种简单的、个别的或偶然的价值形态中，价值和使用价值的矛盾仅仅还处于萌芽状况之中。随着商品内部矛盾的展开，价值形式便逐步由简单的、个别的或偶然的形式过渡到总和的或扩大的价值形式、一般价值形式，最后一直到货币形式。马克思说："货币结晶是交换过程的必然产物，在交换过程中，各种不同的劳动产品事实上彼此等同，从而事实上转化为商品。交换的扩大和加深的历史过程，使商品本性中潜伏着的使用价值和价值的对立发展起来。为了交易，需要这一对立在外部表现出来，这就要求商品价值有一个独立的形式，这个需要一直存在，直到由于商品分为商品和货币这种二重化而最终取得这个形式为止。"[①]货币的出现一方面固然是商品内部矛盾发展的结果和这一矛盾的暂时的解决，但是，另一方面它又加深了这一矛盾。

随着商品生产和流通的发展，商品的内部矛盾也在加深，货币的各种不同的职能也不断发展起来，特别是货币支付手段的产生，使商品货币间的矛盾更加尖锐起来，从而为爆发资本主义经济危机创造了更大的可能性。但是，使用价值与价值的矛盾发展并未到此结束。随着社会生产力的提高和劳动分工的日益发展，商品交换和商品流通也就逐渐侵入自然经济中，一方面，这就瓦解了自给自足的自然经济，摧毁了人们之间的那种旧的根深蒂固的社会联系和关系；另一方面，由于市场的扩大和在价值规律基础上的竞争造成了农民和手工业者的分化和雇佣劳动的产生。这样，简单商品生产也就发生了质的突变，它成了以生产剩余价值为目的的资本主义商品生产。马克思的分析表明，正是由于对剩余价值特别是对相对剩余价值的追求，造成了空前高的劳动生产力，使危机的爆发由可能变成了现实，同时为资本主义的灭亡和社会主义的胜利创造了物质前提。

其次，使历史唯物主义由假设变成科学。19 世纪 40 年代，马克思就已经提出了历史唯物主义的基本原理，而 19 世纪 50—60 年代马克思对政治经济学的研究，极大地促进了历史唯物主义的发展。马克思通过对资本主义生产方式

---

① 《马克思恩格斯文集》第 5 卷，人民出版社 2009 年版，第 106 页。

的全面分析，无可辩驳地证明了历史唯物主义的正确性，使历史唯物主义由假设变成科学。

其一，马克思在《资本论》中证明了关于经济的社会形态学说，揭示了物质生产在人们社会生活中的决定意义。马克思在《资本论》第一卷中为了阐述资本主义生产过程特点，曾撇开各种特定的社会形式来考察劳动过程。他指出，劳动首先是人和自然之间的过程，是人以自身的活动来引起，调整和控制人和自然之间的物质变换的过程。有目的的劳动活动，首先是劳动工具的生产是人区别于其他动物的标志，马克思说："蜘蛛的活动与织工的活动相似，蜜蜂建筑蜂房的本领使人间的许多建筑师感到惭愧。但是，最蹩脚的建筑师从一开始就比最灵巧的蜜蜂高明的地方，是他在用蜂蜡建筑蜂房以前，已经在自己的头脑中把它建成了"[1]。劳动是人类社会存在的基础和前提，是不以人类生活的任何形态为转移的永恒的条件。研究劳动过程，分析物质生产并阐明其对社会发展的决定性意义本身就属于历史唯物主义的重要组成部分，又是创立历史唯物主义必要的理论前提。按照马克思主义的辩证唯物主义观点，自然既不像黑格尔所说的那样是绝对观念的异化，也不像旧的形而上学的唯物主义者所认为的那样，仅仅是先于人类存在的永恒的与人类实践活动无关的客体，而是人类通过自己的劳动对其进行变革的实在的对象。人正是在这一变革自然的过程中，分析自然，认识自然，了解它的发展变化规律，让它为人类服务，并在这一过程中改造人类自身。

马克思认为有目的的活动或劳动本身，劳动对象和劳动资料是劳动过程的简单要素。其中劳动工具是生产发展水平的标志，是区别各个历史阶段的具有特征的东西。马克思指出"各种经济时代的区别，不在于生产什么，而在于怎样生产，用什么劳动资料生产。劳动资料不仅是人类劳动力发展的测量器，而且是劳动借以进行的社会关系的指示器"[2]。活的劳动力和生产资料是生产的必要因素，构成了一个社会的生产力，它标志着某一社会中的人们控制与征服自然的能力。生产力代表着人与自然的关系。在生产过程中，人不仅要同自然发生关系，而且人与人之间也必然要发生某种关系，如果人不首先以某种关系与其他人结合起来，便不能实现对自然的改造。马克思指出，人们在生产过程中

---

[1] 《马克思恩格斯文集》第 5 卷，人民出版社 2009 年版，第 207 页。
[2] 《马克思恩格斯文集》第 5 卷，人民出版社 2009 年版，第 209 页。

所发生的这种必然的不以人们思想意志为转移的关系的总和构成了一个社会的经济基础。

生产力和生产关系是构成社会生产方式的两个基本方面。马克思在《资本论》中通过对资本主义生产方式的分析阐明了生产力与生产关系的辩证统一，进一步证明了他在《德意志意识形态》和《〈政治经济学批判〉序言》中所提出的人类社会发展的普遍规律，证明了资本主义社会同其他一切社会一样，都是由生产力与生产关系、经济基础与上层建筑等各个方面构成的互相联系的完整的有机整体，这样马克思便提出了完整的关于经济的社会形态学说。经济的社会形态学说是历史唯物主义的重要组成部分。任何一个社会形态都是由生产力与生产关系、经济基础与上层建筑构成的统一体。

其二，马克思在《资本论》中证明了社会存在与社会意识及其辩证关系。马克思在批判资产阶级政治经济学和揭示资本主义制度下的各种拜物教产生的阶级根源和社会经济根源时，深刻阐明了资产阶级的思想意识对于资产阶级社会生活状况和资本主义经济关系的依赖性，由此证明了社会存在与社会意识之间的辩证关系。马克思指出，重商主义在资本主义发展的早期阶段，在产业资本还不够发达的条件下，表达了正在成长的资产阶级力图加速本国货币积累的要求，或者说是这种要求的理论表现。马克思指出，只要政治经济学还是资产阶级政治经济学，只要它把资本主义制度还看作是永恒的而不是过渡的发展阶段，那么，它"就只有在阶级斗争处于潜伏状态或只是在个别的现象上表现出来的时候"[1]，才能够是科学。他认为，英国古典政治经济学是属于阶级斗争不发展的时期的。"它的最后的伟大的代表李嘉图，终于有意识地把阶级利益的对立、工资和利润的对立、利润和地租的对立当做他的研究的出发点，因为他天真地把这种对立看做社会的自然规律。这样，资产阶级的经济科学也就达到了它的不可逾越的界限。"[2]一旦资产阶级夺得了政权，一旦阶级斗争采取了日益鲜明和带有威胁的形式，资产阶级政治经济学的丧钟也就敲响了。"现在问题不再是这个或那个原理是否正确，而是它对资本有利还是有害，方便还是不方便，违背警章还是不违背警章。无私的研究让位于豢养的文丐的争斗，不偏

---

[1] 《马克思恩格斯文集》第 5 卷，人民出版社 2009 年版，第 15 页。
[2] 《马克思恩格斯文集》第 5 卷，人民出版社 2009 年版，第 16 页。

不倚的科学探讨让位于辩护士的坏心恶意。"①这样，庸俗政治经济学便应运而生了。

在《资本论》第一卷中，马克思深刻地揭示了某些资产阶级思想意识的特点及其产生的社会经济根源。他指出，资产阶级的自由、平等、博爱，只不过是资本主义商品交换的等价原则观念的表现。马克思说："商品世界的这种拜物教性质……是来源于生产商品的劳动所特有的社会性质。""人们在自己的社会生产过程中的单纯原子般的关系，从而，人们自己的生产关系的不受他们控制和不以他们有意识的个人活动为转移的物的形式，首先就是通过他们的劳动产品普遍采取商品形式这一点而表现出来。因此，货币拜物教的谜就是商品拜物教的谜。"②而在资本主义私有制条件下，人们生产关系不得不采取的极隐晦的、不可理解的、神秘的、与人相敌对的"物"的形式，则是资本主义制度下各种拜物教的最根本的根源。

二、对资本主义经济关系的深入剖析

《资本论》第一卷研究的是资本的生产过程，即资本的直接生产过程，它是指在统一的生产过程和流通过程中抽象出来的生产过程。正如马克思所说，"在第一册中，我们研究的是资本主义生产过程本身作为直接生产过程考察时呈现的各种现象，而撇开了这个过程以外的各种情况引起的一切次要影响"③。而资本生产过程的实质是资本家剥削雇佣工人的剩余价值，资本主义生产过程就是剩余价值生产。

马克思以劳动价值理论科学地说明了作为资本主义财富形式的商品的社会实体是生产商品所耗费的劳动，从而为剖析资本主义社会的财富生产、分配和社会结构奠定了科学的基础。马克思指出："单个的商品表现为这种财富的元素形式。因此，我们的研究就从分析商品开始。"④资本主义生产过程是发达的、普遍的商品生产，商品是资本主义经济关系的细胞形式，因此，研究资本

---

① 《马克思恩格斯文集》第 5 卷，人民出版社 2009 年版，第 17 页。
② 《马克思恩格斯文集》第 5 卷，人民出版社 2009 年版，第 113 页。
③ 《马克思恩格斯文集》第 7 卷，人民出版社 2009 年版，第 29 页。
④ 《马克思恩格斯文集》第 5 卷，人民出版社 2009 年版，第 47 页。

主义经济关系要从商品开始。在《资本论》第一卷第一篇,马克思首先阐述了商品是使用价值和价值的统一体,价值是其社会属性;商品中包含着劳动二重性,作为相同的、无差异的或抽象的人类劳动,形成价值;作为具体的有用的劳动,生产使用价值;私人劳动和社会劳动构成商品内在矛盾的根源,因而是商品经济的基本矛盾;劳动产品采取商品形式就具有的谜一般的性质是从这种劳动形式本身来的,即商品拜物教性质产生于商品形式本身,而其实质是"把生产者同总劳动的社会关系反映成存在于生产者之外的物与物之间的社会关系"①。"只是社会必要劳动量,或生产使用价值的社会必要劳动时间,决定该使用价值的价值量。"②商品价值的货币表现是商品的价格。价格和价值不一致并不违反价值规律,反而是价值规律发生作用的唯一可能的形式。马克思指出:"价格和价值量之间的量的不一致的可能性,或者价格偏离价值量的可能性,已经包含在价格形式本身中。但这并不是这种形式的缺点,相反的,却使这种形式成为这样一种生产方式的适当形式,在这种生产方式下,规则只能作为没有规则性的盲目起作用的平均数规律来为自己开辟道路。"③马克思还建立了货币理论,指出价值形式是指商品价值的表现形式,价值形式的发展依次经历了简单的、个别的或偶然的价值形式、总和的或扩大的价值形式、一般价值形式和货币形式,货币是价值形式长期发展的结果。货币的本质是固定的充当一般等价物的特殊商品,它是商品交换发展的必然结果,是商品经济内在矛盾发展的必然产物,它体现的是一定社会生产关系。货币的职能有价值尺度、流通手段、贮藏手段、支付手段和世界货币,其中价值尺度与流通手段是货币的两种基本职能,贮藏手段、支付手段与世界货币则是伴随着商品流通的不断发展而逐渐产生的派生职能。货币的这五种职能形成一个有机联系的整体,体现了货币的本质。货币流通规律指出,商品流通所需要的货币数量取决于商品价格总额与单位货币的流通速度。马克思创立的科学的劳动价值论和货币理论,为之后揭示资本主义剩余价值规律以及其他规律奠定了牢固的理论基础。

在资本主义制度下,雇佣劳动只能在市场上出卖劳动力,资本给劳动者支付的工资由劳动力价值决定。劳动者的劳动时间大于劳动力价值所包含的劳

① 《马克思恩格斯文集》第 5 卷,人民出版社 2009 年版,第 89 页。
② 《马克思恩格斯文集》第 5 卷,人民出版社 2009 年版,第 52 页。
③ 《马克思恩格斯文集》第 5 卷,人民出版社 2009 年版,第 122 页。

动时间，劳动者劳动所形成的价值大于劳动力价值，两者之差就是剩余价值（m），这个剩余价值为资本家所占有。这就是资本主义制度的实质，也就是资本主义生产关系的实质。在《资本论》第一卷第二篇到第六篇中，马克思研究了剩余价值的生产，阐述了剩余价值生产理论，揭示了资本家和雇佣工人之间的剥削和被剥削关系。第一，随着商品经济的发展，商品流通和货币流通发展到一定程度，货币在市场上购买到劳动力商品时，货币就转化为资本，原来单纯的货币所有者就转化为资本家，货币转化为资本的关键是劳动力成为商品。这不仅为分析剩余价值的生产奠定了基础，而且解决了资产阶级古典经济学中资本和劳动相交换而产生的矛盾。第二，资本主义生产过程是劳动过程和价值增殖过程的统一，价值增殖过程是目的，劳动过程是价值增殖过程的手段。在价值增殖过程中，以生产资料形式存在的不变资本（c）只是转移而不创造价值，而以劳动力形式存在的可变资本（v）才创造出新的价值（包括相当于劳动力的价值和剩余价值），才是剩余价值（m）的真正源泉。判断资本对劳动力剥削程度的是剩余价值率（m′），即剩余价值和可变资本之比（m′=m/v）。而剩余价值量取决于预付的可变资本和剩余价值率。在预付可变资本和劳动力价值一定的条件下，提高剩余价值率的一种方法是延长工作日从而延长剩余劳动时间，即增加绝对剩余价值生产。第三，提高剩余价值率的另一种方法是相对剩余价值生产，它是以社会劳动生产率的提高从而劳动力价值下降为条件，在工作日不变的情况下，通过缩短必要劳动时间、相应地反向延长剩余劳动时间而实现的。每个资本家提高劳动生产率的直接目的是追逐超额剩余价值，社会劳动生产率的提高是个别资本家为了这种目的而竞争的必然结果。资本主义生产方式为了获得相对剩余价值而提高劳动生产率的发展过程依次经历了"协作"、"分工和工厂手工业"和"机器和大工业"三个主要阶段。第四，绝对剩余价值和相对剩余价值之间存在着辩证关系。剩余价值的产生不是靠自然条件而是历史发展的产物，是资本和劳动关系的产物。第五，工资是劳动力价值或价格的转化形式，但只要资本主义生产方式存在，工资就表现为劳动价值或价格，即表现为资本家支付给雇佣工人的全部劳动的报酬。资本主义工资的支付形式主要有计时工资和计件工资，计件工资是计时工资的转化形式。工资国民差异的比较必须考虑决定劳动力价值量变化的一切因素。雇佣劳动与资本制度条件下，生产的本质是剩余价值生产，这也就决定了资本主义经济的基本经济现象——生产相对过剩或者"有效需求不足"，即一方面，对剩余价值的追求，使得厂商具有无限扩大生产的趋势，表现为市场供给的扩张；另一方面，工资的市场定位，使得工资被定位于劳动力价值的水平，无法与生产扩大的趋势同步，表现为由工资形成的市场需求落后于市场供给的扩张。因此，雇佣劳动与资本制度必然导致生产相对过剩或者"有效需求不足"。

资本的生产过程，不仅是剩余价值的生产过程，而且是资本自身的生产过程，即剩余价值资本化的过程。因此，在分析资本家和雇佣工人之间关系的基础上，马克思在《资本论》第一卷第七篇阐述了资本积累理论，分析了资本家和雇佣工人之间关系的发展及其变化趋势，揭示资本主义必然被社会主义代替的客观规律。第一，资本主义再生产不仅是物质资料的再生产，同时也是资本主义生产关系的再生产。第二，资本积累的源泉是剩余价值。资本积累的必然性在于资本家追求剩余价值的内在动力和资本主义竞争的外在压力。资本积累的实质是资本主义的占有规律。影响资本积累的因素有：对劳动力的剥削程度，社会劳动生产率的水平，资本与资本之间的差额，预付资本的数额。第三，随着资本的积累，资本有机构成的提高，会形成资本主义相对过剩人口，这是资本主义生产方式所特有的人口规律。资本主义积累的绝对的、一般的规律是："社会财富即执行职能的资本越大，它的增长的规模和能力越大，从而无产阶级的绝对数量和他们的劳动生产力越大，产业后备军也就越大。可供支配的劳动力同资本的膨胀力一样，是由同一些原因发展起来的。因此，产业后备军的相对量和财富的力量一同增长。但是同现役劳动军相比，这种后备军越大，常备的过剩人口也就多，他们的贫困同他们所受的劳动折磨成反比。最后工人阶级中贫苦阶层和产业后备军越大，官方认为需要救济的贫民也就越多。"[1] 第四，在资本主义发展中，一方面"规模不断扩大的劳动过程的协作形式日益发展，科学日益被自觉地应用于技术方面，土地日益被有计划地利用，劳动资料日益转化为只能共同使用的劳动资料，一切生产资料因作为结合的、社会的、劳动的生产资料使用而日益节省，各国人民日益被卷入世界市场网，从而资本主义制度日益具有国际的性质"，同时，"随着那些掠夺和垄断这一转化过程的全部利益的资本巨头不断减少，贫困、压迫、奴役、退化和剥削的程度不断加深，而日益壮大的、由资本主义生产过程本身的机制所训练、联合和组织起来的工人阶级的反抗也不断增长。资本的垄断成了与这种垄断一起

---

[1] 《马克思恩格斯文集》第 5 卷，人民出版社 2009 年版，第 742 页。

并在这种垄断之下繁盛起来的生产方式的桎梏。生产资料的集中和劳动的社会化，达到了同它们的资本主义外壳不能相容的地步。这个外壳就要炸毁了。"①随着资本主义的发展，资本主义基本矛盾的尖锐化必然导致资本主义的灭亡和新社会的产生，这是资本主义积累的历史趋势。

三、对科学社会主义理论的重要论证

《资本论》第一卷的写作和出版，为社会主义的发展奠定了科学的基础。在《资本论》第一卷中，马克思并非设想一个尽可能完善的社会制度，而是在批判资本主义制度、揭示资本主义生产方式运动规律的基础上，论证了社会主义代替资本主义的历史必然性。恩格斯指出："社会主义在这里第一次得到科学的论述。"②列宁认为《资本论》是一部"叙述科学社会主义的主要的和基本的著作"③。

首先，对社会主义必然代替资本主义的论证。《资本论》第一卷以资本主义财富的元素形式即商品为逻辑起点，指出商品价值的生产与实现之间的矛盾根源于私人劳动与社会劳动之间的矛盾，这一矛盾进入资本主义生产方式，形成资本的逻辑，再通过资本的积累规律扩大为资本主义基本矛盾。资本主义基本矛盾促使平均利润率下降和人口相对过剩同时产生，于是在突破了一定限度之后产生了资本主义周期性的经济危机，资本主义生产方式为了赚取更多的剩余价值，不得不通过破坏生产力的方式缓和资本主义基本矛盾。因此，马克思认为，这种危机在资本主义生产方式内部是解决不了的，只要资本主义生产方式存在，资本主义的经济危机就不可避免。当生产资料的集中和劳动的社会化达到了资本主义外壳不能相容的地步的时候，资本主义的丧钟就敲响了。

在历史上，资本主义生产关系曾经起过促进生产力发展的积极作用。马克思对相对剩余价值生产的考察说明，资本主义生产从工场手工业时期到机器大工业时期，生产力水平有了显著提高，社会生产获得了超过以往任何时代的蓬

---

① 《马克思恩格斯文集》第 5 卷，人民出版社 2009 年版，第 873 页。

② 《马克思恩格斯全集》第 16 卷，人民出版社 1964 年版，第 412 页。

③ 《列宁专题文集 论辩证唯物主义和历史唯物主义》，人民出版社 2009 年版，第 203 页。

勃发展。这个过程同时又是资本的集中过程，少数资本家剥夺多数资本家的过程。庞大的社会财富愈来愈集中在资本巨头手中，资本主义生产方式的内在矛盾也就日益尖锐起来。一方面，资本对剩余价值的无限追求造成了生产扩大的趋势，各个资本家在竞争的压力下竭力扩大生产，生产有组织地进行；而另一方面整个社会生产又处于无政府状态，因而必然出现周期性的生产过剩、经济危机，使生产遭受重大破坏。一方面资本主义生产的扩大要求为实现全部产品提供广阔的市场，另一方面，劳动人民的购买力又由于资本主义剥削加重而远远落后于这种要求。这些矛盾都来自于更为深刻的资本主义基本矛盾，即生产的社会化和生产资料资本主义占有形式之间的矛盾。马克思在《资本论》中对资本主义基本矛盾及其表现所做的分析充分说明，资本主义所固有的内在矛盾造成了对自身的否定。一方面，资本主义生产的高度发展，为以生产资料公有制为基础的新社会创造了物质前提；另一方面，它还训练出资本主义的掘墓人和新社会的创造者——无产阶级。"这个阶级的历史使命是推翻资本主义生产方式和最后消灭阶级。""资本的垄断成了与这种垄断之下繁盛起来的生产方式的桎梏，生产资料的集中和劳动的社会化，达到了同它们的资本主义外壳不相容的地步。这个外壳就要炸毁了。资本主义私有制的丧钟就要响了。剥夺者就要被剥夺了。"① 由此可见，资本主义生产方式的灭亡同它的产生和发展一样是一个不以人的意志为转移的自然历史过程。

　　其次，对社会主义斗争方式的论证。在《资本论》第一卷中，马克思用大量的篇幅总结了国际工人运动的经验，并对指导工人斗争有巨大意义的策略原则作了理论上的论证。在分析绝对剩余价值生产时，马克思概括地总结了工人阶级为争取正常工作日而进行的长期斗争。通过延长工作日来生产剩余价值是资本家剥削工人的基本方法之一。在资本主义生产发展的初期阶段，工作日往往超过十四五个小时。但是，工作日的长度不仅要受到工人生理界限的限制，而且过度延长工作日还遭到工人的反抗。资本家坚持他作为劳动力购买者的权利，工人坚持他作为出卖者的权利。"于是这里出现了二律背反，权利同权利相对抗，而这两种权利都同样是商品交换规律所承认的。在平等的权利之间，力量就起决定作用。所以，在资本主义生产的历史上，工作日的正常化过程表现为规定工作日界限的斗争，这是全体资本家即资本家阶级和全体工人即工人

---

① 《马克思恩格斯文集》第 5 卷，人民出版社 2009 年版，第 873 页。

阶级之间的斗争。"①围绕着用立法的形式规定工作日长度而进行的斗争是这两个阶级经济利益根本对立的反映。这场长达几个世纪的斗争史，经历了两个截然相反的阶段。在英国，从 14 世纪起一直到 18 世纪中叶的劳工法都是强制延长工作日。"资本在它的萌芽时期，由于刚刚出世，不能单纯依靠经济关系的力量，还要依靠国家政权的帮助才能确保自己榨取足够的剩余劳动的权利。"在 18 世纪最后三十多年，随着大工业的出现，资本家更加肆无忌惮地延长劳动时间。"习俗和自然、年龄和性别、昼和夜的界限，统统被摧毁了。甚至旧法规中按农民的习惯规定的关于昼夜的简单概念，也变得如此模糊不清，以致一位英国法官还在 1860 年为了对昼和夜作出'有判决力的解释'，就不得不使出真正学究式的聪明。"② 资本家的残酷剥削激起了工人的反抗。

在分析相对剩余价值生产时，马克思专门研究了采用机器和实行工厂制度对工人阶级的直接影响和工人为反对使用机器而进行的自发斗争。在资本主义制度下采用机器生产进一步加重了对工人的剥削：它带来的第一个后果是大量使用童工、女工，使工人的全部家庭成员都受资本家的直接剥削，并降低了男劳动力的价值，机器生产还延长了劳动时间，提高了劳动强度，机器生产排挤了手工劳动，造成大批手工业工人失业、破产，机器还成为资本家对付工人反抗的有力手段。实行工厂制度，使工人成为机器的被动的附属物。"一切资本主义生产既然不仅是劳动过程，而且同时是资本的增殖过程，因此都有一个共同点，即不是工人使用劳动条件，相反地，而是劳动条件使用工人，不过这种颠倒只是随着机器的采用才取得了在技术上很明显的现实性。""工人在技术上服从劳动资料的运动以由各种年龄的男女个体组成的劳动体的特殊构成，创造了一种兵营式的纪律。这种纪律发展成为完整的工厂制度。"③ 雇佣工人反对资本家的斗争，从资本主义生产关系形成就开始了。在工场手工业时期工人是为工资而斗争。随着机器的出现，才第一次发生工人对劳动资料的暴烈的反抗。

马克思对工人阶级在资本主义发展的一定阶段上所进行的争取提高工资和争取正常工作日所进行的经济斗争给予了很高的评价。他把英国工人阶级经过长期斗争而使十小时工作日法案得以确立看作是英国工人阶级的一个胜利。这

---

① 《马克思恩格斯文集》第 5 卷，人民出版社 2009 年版，第 271—272 页。
② 《马克思恩格斯文集》第 5 卷，人民出版社 2009 年版，第 320 页。
③ 《马克思恩格斯文集》第 5 卷，人民出版社 2009 年版，第 488 页。

一斗争成果对工人阶级在政治上也有很大意义。马克思指出："在工厂大亨们被迫服从不可避免的东西并且同它和解之后，资本的抵抗力量就逐渐削弱了，而同时，工人阶级的进攻力量则随着他们在没有直接利害关系的社会阶层中的同盟者的增加而大为加强。"①

马克思通过英国工人阶级的斗争经历说明要取得斗争的胜利，必须抛弃自发的、分散的反抗，必须联合起来进行阶级的斗争。某些生产部门中规定工作日的历史以及另一些生产部门中还在继续争取这种规定的斗争，清楚地证明：孤立的工人，自由出卖劳动力的工人，在资本主义生产的一定成熟阶段上，是无抵抗地屈服的。因此正常工作日的确立是资本家阶级和工人阶级之间长期的多少隐蔽的内战的产物。资本家对工人的压榨是无止境的，为了反抗资产阶级的奴役，工人必须联合起来，作为一个阶级来强行争得一项国家法律，一个强有力的社会屏障，使自己不致再通过自愿与资本缔结的契约而把自己和后代卖出去送死和受奴役。

最后，对社会主义社会特征的论证。在《资本论》第一卷中，马克思虽然没有直接论述社会主义社会，但是，他却是在批判资本主义社会中发现新社会的特征的。马克思关于社会主义、共产主义的一般论述的主要内容是：一是生产资料公有制。马克思指出，在社会主义、共产主义社会，实行生产资料公有制，劳动者与生产资料直接结合，人们用公共的生产资料进行劳动。这是生产社会化的客观要求，也是社会主义、共产主义的最根本的特点。二是消灭了剥削。生产的目的是为了满足劳动者的需要。随着生产资料公有制的确立，生产资料不再是资本家阶级剥削劳动人民的工具，而成了不断满足劳动人民物质方面和精神方面的需要的条件和手段。马克思指出，在这一阶段"必要劳动将会扩大自己的范围。一方面，是因为工人的生活条件日益丰富，他们的生活需求日益增长。另一方面，是因为现在的剩余劳动的一部分将会列入必要劳动，即形成社会准备基金和社会积累基金所必要的劳动"②。三是经济的计划性。随着生产资料公有制的确立，必然使社会经济成为自觉控制的经济。从微观上看，社会劳动时间的有计划分配，调节着各种劳动职能同各种需要的适当的比例。从宏观上看，只有当社会生活过程即物质生产过程的形态，作为自由结合

---

① 《马克思恩格斯文集》第 5 卷，人民出版社 2009 年版，第 341 页。
② 《马克思恩格斯文集》第 5 卷，人民出版社 2009 年版，第 605 页。

的人的产物，处于人的有意识有计划的控制之下的时候，它才会把自己的神秘的纱幕揭掉。四是按劳分配。在社会主义社会，社会总产品的分配是这样的：这个联合体的总产品是社会的产品。这些产品的一部分重新用作生产资料。这一部分依旧是社会的。而另一部分则作为生活资料由联合体成员消费，因此，这一部分要在他们之间进行分配。在社会主义社会初期，劳动时间又是计量生产者个人在共同劳动中所占份额的尺度，因而也是计量生产者个人在共同产品的个人消费部分中所占份额的尺度。在那里，人们同他们的劳动和劳动产品的社会关系，无论在生产上还是在分配上，都是简单明了的。

第七章　恩格斯对马克思主义经济学创立的主要贡献

　　恩格斯先于马克思对资产阶级政治经济学进行了批判，他所完成的《国民经济学批判大纲》对马克思主义经济学的创立产生了极大的影响。恩格斯在与马克思认识之前，他们经过各自的努力，为创立马克思主义政治经济学奠定了共同研究的基础。在《共产主义原理》、《卡尔马克思〈政治经济学批判。第一分册〉》等著作，以及与马克思的系列通信中，恩格斯在马克思主义经济学研究的对象、方法、体系结构等方面都形成了自己的研究成果。与此同时，恩格斯对《资本论》第一卷德文版的出版和传播也作出了不可磨灭的贡献。

第一节　对马克思最初研究经济学的主要贡献

　　马克思可能是恩格斯《国民经济学批判大纲》的第一读者，他称之为"批判经济学范畴的天才大纲"，① 恩格斯在这部著作中所阐述的观点对马克思最初研究经济学产生了很大的影响，对马克思主义经济学的创立作出了重要贡献。

---

① 参见《马克思恩格斯文集》第 2 卷，人民出版社 2009 年版，第 592 页。

一、对资产阶级政治经济学的批判

要建立无产阶级政治经济学，就必须对资产阶级政治经济学进行批判。在《国民经济学批判大纲》中，恩格斯运用唯物主义观点对资产阶级政治经济学的产生和发展，以及它的阶级本质和历史局限性作了分析。

首先，恩格斯把国民经济学的产生和发展同经济发展联系起来，指明了它由以产生的经济基础。恩格斯认为，"国民经济学的产生是商业扩展的自然结果"。资产阶级经济学家总是把自己的理论标榜为关于国民财富增长的学说，其实，在资本主义私有制下，国民财富绝对不是国民的，国民经济学也不过是资本家发财致富的科学，因此，"随着它的出现，一个成熟的允许欺诈的体系、一门完整的发财致富的科学代替了简单的不科学的生意经"[①]。而这种从商人的彼此妒忌和贪婪中产生的国民经济学或发财致富的科学，在额角上就带有最令人厌恶的自私自利的烙印。正因为资产阶级政治经济学是商业扩张的结果，从重商主义发展到斯密、李嘉图的自由贸易学说也就是必然的。

其次，恩格斯把国民经济学的演化过程同私有制联系起来，揭示了资产阶级政治经济学的阶级性。重商主义体系主张商品输出超过输入，即争取贸易顺差，商业的贪婪性多少有所遮掩，但是，他们仍然是为了获得更大的利润，在实质上还是"贪财和自私"，而且这种基于"贪财和自私"的商业角逐引起的战争，表明了"贸易和掠夺一样，是以强权为基础的"[②]。当资本主义生产的进一步发展要求把世界的每个角落都卷入资本主义之中，把各国的自然经济都变为资本主义商品经济，使资本主义的统治遍布于全世界时，重商主义体系的贸易差额理论就被自由贸易理论所取代了。所以，恩格斯说："18 世纪这个革命的世纪使经济学也发生了革命。"[③]资产阶级古典政治经济学的产生既是商业扩展的自然结果，也是产业革命的自然结果，既是资产阶级社会革命的需要，也是社会经济发展和资产阶级利益相结合的产物。

---

① 《马克思恩格斯文集》第 1 卷，人民出版社 2009 年版，第 56 页。
② 参见《马克思恩格斯文集》第 1 卷，人民出版社 2009 年版，第 57 页。
③ 《马克思恩格斯文集》第 1 卷，人民出版社 2009 年版，第 57 页。

恩格斯对资产阶级古典政治经济学的历史局限性作出了分析。他认为，18世纪资本主义经济发展所引起的"一切革命都是片面的并且停留在对立的状态中"，经济学的革命也是如此，它"没有想去过问私有制的合理性的问题。因此，新的经济学只前进了半步；它不得不背弃和否认它自己的前提，不得不求助于诡辩和伪善，以便掩盖它所陷入的矛盾，以便得出那些不是由它自己的前提而是由这个世纪的人道精神得出的结论"①。新的经济学仍然是私有制的理论，在这种学说的背后，资产阶级的人道主义和唯物主义虽然反对了神权，甚至反对了重商主义，但它仍然将私有制当作一种自然的东西接受下来了，"新的经济学，即以亚当·斯密的《国富论》为基础的自由贸易体系，也同样是伪善、前后不一贯和不道德的。这种伪善、前后不一贯和不道德目前在一切领域中与自由的人性处于对立的地位"②。可见，新的经济学至多是"前进了半步"。与此同时，恩格斯还严厉地批判了马尔萨斯的"人口论"，认为"这种理论是迄今存在过的体系中最粗陋最野蛮的体系，是一种彻底否定关于仁爱和世界公民的一切美好言词的绝望体系"③。

最后，恩格斯对资产阶级政治经济学的发展趋势作了分析，说明了资产阶级政治经济学的阶级本质及其历史局限性决定其必然走向庸俗化。恩格斯指出，"自由主义经济学达到的唯一肯定的进步，就是阐述了私有制的各种规律。这种经济学确实包含这些规律，虽然这些规律还没有被阐述为最后的结论，还没有被清楚地表达出来。由此可见，在涉及确定生财捷径的一切地方，就是说，在一切严格意义的经济学上的争论中，贸易自由的捍卫者们是正确的。"恩格斯强调，新经济学之所以是正确的，是相对于那些支持垄断的人来说的，而不是相对于反对私有制的人来说的。"因为正如英国社会主义者早就在实践中和理论上证明的那样，反对私有制的人能够从经济的观点比较正确地解决经济问题。"④自由主义经济学仍然是私有制的理论表现。

就资产阶级政治经济学而言，亚当·斯密的理论体系是一个进步，是一个必要的进步。因为"为了使私有制的真实的后果能够显露出来，就有必要摧毁

---

① 《马克思恩格斯文集》第 1 卷，人民出版社 2009 年版，第 57 页。
② 《马克思恩格斯文集》第 1 卷，人民出版社 2009 年版，第 58 页。
③ 《马克思恩格斯文集》第 1 卷，人民出版社 2009 年版，第 58 页。
④ 《马克思恩格斯文集》第 1 卷，人民出版社 2009 年版，第 59—60 页。

重商主义体系以及它的垄断和它对商业关系的束缚；为了使当代的斗争能够成为普遍的人类的斗争，就有必要使所有这些地域的和国家的小算盘退居次要的地位；有必要使私有制的理论抛弃纯粹经验主义的、仅仅是客观主义的研究方法，并使它具有一种也对结果负责的更为科学的性质，从而使问题涉及全人类的范围；有必要通过对旧经济学中包含的不道德加以否定的尝试，并通过由此产生的伪善——这种尝试的必然结果——而使这种不道德达于极点。"① 因此，恩格斯认为，只有通过对贸易自由的论证和阐述，才有可能超越私有制的经济学。但是，恩格斯也强调，这种贸易自由并没有任何的理论价值和实践价值。恩格斯由此揭示了资产阶级政治经济学发展的必然历史趋势。他指出："经济学家离我们的时代越近，离诚实就越远。时代每前进一步，为把经济学保持在时代的水平上，诡辩术就必然提高一步。"② 因此，"我们所要评判的经济学家离我们的时代越近，我们对他们的判决就必定越严厉。"③ 恩格斯当时虽然还未能区分资产阶级古典政治经济学和资产阶级庸俗政治经济学，但是，他通过对政治经济学演化过程的分析，已经说明了随着资本主义的发展和阶级对立的尖锐化，资产阶级政治经济学最终必然要走上庸俗的道路，越来越堕落为辩护论和诡辩论。

恩格斯还明确指出，自由主义经济学的特点就是前后不一贯和具有两面性，它不仅"不能对重商主义体系作出正确的评判"，而且"还受到重商主义体系的各个前提的拖累"，贸易自由的捍卫者是一些比旧的重商主义者本身更为恶劣的垄断者。因此，在资产阶级政治经济学各派中，任何一派都不可能对另一派作出正确的评价，任何一派也都不可能只责备对方而自己不受到同样的责备，"我们在批判国民经济学时要研究它的基本范畴，揭露自由贸易体系所产生的矛盾，并从这个矛盾的两个方面做出结论"④。显然，恩格斯已经把批判资本主义私有制和资产阶级经济学作为无产阶级政治经济学的任务，已经把资本主义私有制经济关系所表现的经济范畴及其资本主义经济规律作为无产阶级政治经济学的研究对象。

---

① 《马克思恩格斯文集》第 1 卷，人民出版社 2009 年版，第 59—60 页。
② 《马克思恩格斯文集》第 1 卷，人民出版社 2009 年版，第 59 页。
③ 《马克思恩格斯文集》第 1 卷，人民出版社 2009 年版，第 58—59 页。
④ 《马克思恩格斯文集》第 1 卷，人民出版社 2009 年版，第 60 页。

二、关于政治经济学基本范畴的分析

在《国民经济学批判大纲》中，恩格斯对资本主义私有制的矛盾和资本主义经济范畴作了初步的批判和分析，揭示了资本主义私有制及其经济范畴的社会性和历史性。恩格斯对政治经济学基本范畴的分析是以私有制的本质为前提的。他认为，私有制是资本主义经济制度和社会制度的基础，要研究政治经济学的基本范畴就必须研究它们是如何从私有制中产生的，又是如何在私有制这个基础上建立起来的。因此，恩格斯正是从私有制的本质来阐明和分析价值、竞争等经济范畴的。

关于价值范畴。恩格斯主要在针对当时欧洲经济学界的两大主流价值理论（即萨伊的效用价值论和李嘉图的劳动价值论）进行分析批判的基础上，对价值范畴作了研究。恩格斯认为，萨伊的效用价值论忘掉了生产费用或劳动，李嘉图的劳动价值论则忽视了"效用"或使用价值。恩格斯的评价是："物品的价值包含两个因素，争论的双方都要强行把这两个因素分开，但正如我们所看到的，这是徒劳的。"[1]恩格斯试图从劳动或"生产费用"与效用的统一性上来考察价值范畴，他提出"价值是生产费用对效用的关系。价值首先是用来决定某种物品是否应该生产，即这种物品的效用是否能抵偿生产费用。然后才谈得上运用价值来进行交换。如果两种物品的生产费用相等，那么效用就是确定它们的比较价值的决定性因素"[2]。显然，恩格斯关于价值范畴的解释存在许多不正确的地方。例如，在对价值范畴内涵的理解中，恩格斯试图把萨伊效用价值论中的"效用"，同李嘉图劳动价值论中的"劳动"或"生产费用"结合起来，说明物品的价值包含这两个因素，是由这两个因素共同决定的。

在价值范畴的性质上，恩格斯否认了价值的客观性。他认为，价值只有在资本主义生产方式之外即在私有制之外才能得到实现。因为私有制通过竞争，破坏着一切物品所固有的任何价值，而且还改变着一切物品相互的价值关系。在恩格斯看来，竞争是私有制的必然产物，它到处存在并决定一切。在竞争的统治下，抽象价值是不存在的，只存在着交换价值或市场价格，并且由于

---

① 《马克思恩格斯文集》第 1 卷，人民出版社 2009 年版，第 65 页。
② 《马克思恩格斯文集》第 1 卷，人民出版社 2009 年版，第 65 页。

竞争的作用，在交换过程中形成的价格与生产费用决定的价值是不相一致的。因此，在竞争统治下是不存在价值的。恩格斯指出："不消灭私有制，就不可能消灭物品固有的实际效用和这种效用的规定之间的对立，以及效用的规定和交换者的自由之间的对立；而私有制一旦被消灭，就无须再谈现在这样的交换了。到那个时候，价值概念的实际运用就会越来越限于决定生产，而这也是它真正的活动范围。"① 尽管恩格斯否认了价值在竞争统治之下存在的客观性，但是，他却认识到了在未来社会中，价值则会被人们有意识地用来作为在各部门间分配社会劳动和进行经济核算的工具。

在恩格斯看来，实际价值和交换价值是存在差别的。"物品的价值不同于人们在买卖中为该物品提供的那个所谓等价物，就是说，这个等价物并不是等价物。这个所谓等价物就是物品的价格。"价格是由生产费用和竞争的相互作用决定的，这是"私有制的一个主要的规律"②。由此可见，恩格斯是认为在私有制条件下，价值在交换中是毫无意义的，而只有交换价值才会有意义。

恩格斯关于价值范畴的分析，尽管存在一些不正确的地方，但是，他却说明了价值与价格的区别、价值与实际价值的不同。他指出：经济学家们称为的实际价值，"其实也只是价格的一种规定性。"③

关于竞争范畴。恩格斯认为，"竞争是经济学家的主要范畴，是他最宠爱的女儿"。他分析了竞争从私有制中产生并受到私有制制约的问题。恩格斯指出："私有制的最直接的结果是生产分裂为两个对立的方面：自然的方面和人的方面，即土地和人的活动。"土地是人的活动的首要条件，而人的活动又会分解为劳动和资本，私有制使土地、劳动和资本这三种要素中的每一种都发生分裂，带来的结果就是：一块土地与另一块土地对立，一个资本与另一个资本对立，一个劳动力与另一个劳动力对立。也就是说，"因为私有制把每一个人隔离在他自己的粗陋的孤立状态中，又因为每个人和他周围的人有同样的利益，所以土地占有者敌视土地占有者，资本家敌视资本家，工人敌视工人。在相同利益的敌对状态中，正是由于利益的相同，人类目前状态的不道德已经达到极点，而这个极点就是竞争"④。只要私有制存在一天，一切终究都会归结为竞争。

① 《马克思恩格斯文集》第1卷，人民出版社2009年版，第65页。
② 《马克思恩格斯文集》第1卷，人民出版社2009年版，第66页。
③ 《马克思恩格斯文集》第1卷，人民出版社2009年版，第66页。
④ 《马克思恩格斯文集》第1卷，人民出版社2009年版，第72—73页。

恩格斯通过揭示竞争的规律，说明了消灭私有制、进行社会变革的不可避免性。"竞争的规律是：需求和供给始终力图互相适应，而正因为如此，从未有过互相适应。双方又重新脱节并转化为尖锐的对立。供给总是紧跟着需求，然而从来没有达到过刚好满足需求的情况；供给不是太多，就是太少，它和需求永远不相适应，因为在人类的不自觉状态下，谁也不知道需求和供给究竟有多大。如果需求大于供给，价格就会上涨，因而供给似乎就会兴奋起来；只要市场上供给增加，价格又会下跌，而如果供给大于需求，价格就会急剧下跌，因而需求又被激起。情况总是这样：从未有过健全的状态，而总是兴奋和松弛相更迭——这种更迭排斥一切进步——一种达不到目的的永恒波动。"① 恩格斯认为，这个规律是一个纯自然的规律，是一个产生革命的规律。由于生产的分散性和竞争的作用，商业危机就会爆发，并且每一次接踵而来的商业危机必定比前一次更普遍、更严重，也必定会使失业、贫困等状况更为加剧，最后必定会引起一场社会革命。

恩格斯还分析了竞争所产生的后果。他认为，竞争使资本与资本、劳动与劳动、土地占有者与土地占有者发生对立，同时也使这些要素中的每一个要素与其他两个要素发生对立，使力量较强的一方在斗争中获胜，从而产生了财产的集中。并且，财产的集中是一个规律，"它与所有其他的规律一样，是私有制所固有的"。随着财产的集中，"中间阶级必然越来越多地消失，直到世界分裂为百万富翁和穷光蛋、大土地占有者和贫穷的短工为止。"② 恩格斯还认为，竞争的对立面是垄断。每一个竞争者都希望取得垄断地位，以此来对付其他人，因此，垄断是由竞争转化而来的。另一方面，垄断也挡不住竞争的洪流，它也会引起竞争。可见，恩格斯在这一分析中已经看到了竞争和垄断之间的辩证关系，说明了竞争和垄断的相互依赖、相互斗争和相互转化，并且还进一步揭示了这一辩证关系运动的基础即私有制，强调在私有制基础上，垄断引起了自由竞争，自由竞争又引起了垄断。此外，恩格斯还强调，竞争贯穿于全部生活关系之中，造成了人们所处的相互奴役状态，造成了社会生产的无秩序状态，也导致了社会的堕落和各种犯罪等。

恩格斯的这些论述，深刻地揭示了这样一个道理，即私有制是资本主义社会各种矛盾的根源。在资本主义社会，"不管我们转向哪里，私有制总会把我

---

① 《马克思恩格斯文集》第 1 卷，人民出版社 2009 年版，第 73—74 页。

② 《马克思恩格斯文集》第 1 卷，人民出版社 2009 年版，第 83—84 页。

们引到矛盾中去"①。因此，只有消灭了私有制，资本、劳动、土地占有者内部的对立及相互对立才会消失。

　　恩格斯关于资产阶级政治经济学的批判和对政治经济学基本范畴的分析，不仅促进了马克思对政治经济学的研究，而且还对刚开始研究政治经济学的马克思有过一定的启迪作用，对马克思主义经济学的形成和发展产生着一定的影响，正如列宁所做的深刻而精辟的概括：《大纲》这一著作，"从社会主义的观点考察了现代经济制度的基本现象，认为那些现象是私有制统治的必然结果。同恩格斯的交往显然促使马克思下决心去研究政治经济学，而马克思的著作使这门科学发生了真正的革命。"②

第二节　恩格斯关于马克思主义经济学的研究

　　伴随着唯物史观的创立，恩格斯对政治经济学的研究有了进一步的深化。1850 年开始，马克思和恩格斯分别定居于伦敦和曼彻斯特，在马克思研究政治经济学过程中，恩格斯经常以通信的方式与马克思探讨经济学理论和现实问题，提出了许多重要的观点和建议，并在马克思的《政治经济学批判。第一分册》和《资本论》第一卷出版之时对其进行解读，倾力宣传马克思主义经济学的主要内容。总之，在马克思主义经济学的创立过程中，恩格斯的贡献是不可磨灭的。

一、政治经济学的研究对象

　　马克思在《〈政治经济学批判〉序言》中回忆他的政治经济学研究历程时

---

① 《马克思恩格斯文集》第 1 卷，人民出版社 2009 年版，第 69—70 页。
② 《列宁专题文集　论马克思主义》，人民出版社 2009 年版，第 56 页。

说："自从弗里德里希·恩格斯批判经济学范畴的天才大纲（在《德法年鉴》上）发表以后，我同他不断通信交换意见，他从另一条道路……得出同我一样的结果。"① 在《国民经济学批判大纲》中，虽然恩格斯只是初步研究政治经济学，并没有明确提出"政治经济学的研究对象"这一基本理论问题，但是在恩格斯的研究和叙述中，显然资本主义私有制经济关系所表现的经济范畴与资本主义经济规律是他研究政治经济学的主要对象。这一焦点的汇聚为之后恩格斯与马克思一起研究以至确立政治经济学的对象打下了基础。

第一，唯物史观创立时期恩格斯关于政治经济学研究对象的阐述。在《德意志意识形态》中，马克思恩格斯认为，一般来说政治经济学研究的是"经济关系""作为一门独立的专门的科学，它还得包括其他一些关系，如政治关系、法律关系等等"②。不过由于政治法律关系等从属于经济关系，因此政治经济学的主要聚焦点是经济关系，而经济关系中最主要的是生产方式，它在整个社会结构中起决定性作用。马克思恩格斯认为，只要说明了生产方式，与之相适应的其他关系便可得到合理的解释："从直接生活的物质生产出发阐述现实的生产过程，把同这种生产方式相联系的、它所产生的交往形式即各个不同阶段上的市民社会理解为整个历史的基础，从市民社会作为国家的活动描述市民社会，同时从市民社会出发阐明意识的所有各种不同的理论产物和形式"③。这样，在唯物史观的创立时期，"生产方式"作为政治经济学的主要研究对象凸显出来了，并且恩格斯与马克思针对这一对象做了初步的研究。

一是明确了生产在人类社会中的基础地位、在政治经济学研究中的起点意义。在《德意志意识形态》中，马克思恩格斯指出生产是一切人类生存的第一个前提，包括物质资料的生产与人自身的再生产。人们生产物质资料是为了满足自己的需要，满足自己需要的过程即是人的消费过程，而这种消费本身是由物质资料的生产所决定的。不过在这一过程中，一方面，由生产所决定的消费又会产生新的需要，而新的需要本身又会促进新的生产；另一方面，人的消费又表现为自己生命和家庭关系的生产，而这种生产实际上是人自身的再生

---

① 《马克思恩格斯文集》第 2 卷，人民出版社 2009 年版，第 592—593 页。
② 《马克思恩格斯全集》第 3 卷，人民出版社 1960 年版，第 483 页。
③ 《马克思恩格斯文集》第 1 卷，人民出版社 2009 年版，第 544 页。

产，它会在历史过程中不断地产生新的社会关系。因此，从生产出发，政治经济学需要研究物质资料生产与其所决定的需要、消费共同构成的整体化的经济过程。

二是研究了资本与雇佣劳动的关系问题。恩格斯与马克思把对生产方式的研究着重放在了资本主义社会。在《共产党宣言》中，他们指出，"资产阶级生存和统治的根本条件……是资本的形成和增殖；资本的条件是雇佣劳动"①。"工人只有当他们找到工作的时候才能生存，而且只有当他们的劳动增殖资本的时候才能找到工作。这些不得不把自己零星出卖的工人，像其他任何货物一样，也是一种商品……机器越推广，分工越细致，劳动量也就越增加，这或者是由于工作时间的延长，或者是由于在一定时间内所要求的劳动的增加，机器运转的加速，等等。"②虽然马克思恩格斯在这里沿用了资产阶级政治经济学的术语，认为工人出卖的是"劳动"，但是他们已经从"劳动"的出卖中看到了资本增殖的秘密，看到了资本主义生产方式的本质。马克思恩格斯进一步发现，劳动量的增加是由"工作时间的延长"或者"在一定时间内所要求的劳动的增加，机器运转的加速"所造成的，这表明他们已经初步窥探到了资本主义生产方式中绝对剩余价值和相对剩余价值生产的方法。

三是论证了资本主义生产方式的历史过渡性。在《德意志意识形态》中，马克思恩格斯就已经阐明了生产力与交往关系（生产关系）的矛盾会决定社会生产方式的根本变革。在承续这一思想的基础上，恩格斯在《共产主义原理》中从资本主义生产规律的角度，证明了资本主义生产方式的历史过渡性。恩格斯指出，资本主义大工业一方面极大地促进了生产力的发展，但是另一方面也使得越来越多的人成为无产阶级，无产阶级与资产阶级的对立关系日趋明显和紧张；更为深刻的矛盾是，虽然"大工业创造了像蒸汽机和其他机器那样的工具，这些工具使工业生产在短时间内用不多的费用便能无限制地增加起来"，但是"由于生产的扩展这样容易……大批资本家都投身于工业，生产很快就超过了消费。结果，生产出来的商品卖不出去，所谓商业危机就来到了"③。而要从根本上解决这一危机，就必须革除资本主义生产方式，其主体就是无产阶

---

① 《马克思恩格斯文集》第 2 卷，人民出版社 2009 年版，第 43 页。
② 《马克思恩格斯文集》第 2 卷，人民出版社 2009 年版，第 38 页。
③ 《马克思恩格斯全集》第 4 卷，人民出版社 1958 年版，第 363 页。

级。在稍后合著的《共产党宣言》中，恩格斯与马克思关于"资产阶级的灭亡和无产阶级的胜利是同样不可避免的"这一经典阐述正是以恩格斯在此处的论证为蓝本的。

总的来说，在唯物史观创立时期，恩格斯与马克思关于资本主义生产方式的阐释，为政治经济学对象的确立和进一步研究打下了基础。

第二，19世纪50—60年代恩格斯关于政治经济学研究对象的阐释。1848年欧洲革命失败以后，50年代初，恩格斯开始定居于曼彻斯特。这一时期恩格斯虽然忙于自己在工厂中的工作，但是他依然对政治经济学研究对象的确立和阐释作了重要的贡献。

一是对资本主义生产、交换、分配、消费之间的关系及其历史性的阐释。1851年蒲鲁东出版了《十九世纪革命的总观念》一书，在这本著作中，蒲鲁东又重复了他在《贫困的哲学》中形而上学式的唯心主义做法，即对资本主义生产方式中的各个环节——生产、交换、分配、消费——以范畴的形式任意排列，而不根据经济范畴在社会现实过程中的作用和联系来理解。在和马克思探讨之后，恩格斯写了《对蒲鲁东的〈十九世纪革命的总观念〉一书的批判分析》来抨击蒲鲁东的观点。恩格斯指出，在蒲鲁东形而上学的思维下，"贸易"成了决定性的"经济力量"："不管运输的物质条件所提供的服务如何，贸易本身是消费的直接刺激者，因而是生产的原因之一，是创造价值的起因，是形而上学的交换行动，和劳动一样是实物和财富的生产者"；"贸易"在蒲鲁东的语境中就是"交换"，而交换是"纯道德的活动……也是创造性的活动"，因而"靠没有任何投机倒把的生意而发财的商人，完全有权享受已获得的财产；这种财产同劳动得来的财产一样合法"。[①] 蒲鲁东以交换促进消费、消费带动生产这样一种简单的逻辑认定交换是生产的原因，从而是价值的创造过程——表现为一种道德的活动，在这条逻辑下蒲鲁东论证了资本家在分配中获取财富和利益的合理性。恩格斯认为，一方面蒲鲁东错误地理解了交换和生产、消费、分配之间的有机关系，他以消费为中介从而把交换理解为生产和分配的决定因素，而不是把生产理解为交换、消费和分配的决定因素，"这样吹捧商人实在太妙了"[②]；另一方面，蒲鲁东实际上把他所概念化的资本主义生产与交换

---

① 参见《马克思恩格斯全集》第44卷，人民出版社1982年版，第173—174页。

② 《马克思恩格斯全集》第44卷，人民出版社1982年版，第174页。

理解为永恒的合乎道德的生产方式，恩格斯认为这种理解是超历史的和狭隘的。"蒲鲁东称之为'经济力量'的东西，直截了当地说，是这样一些对他有利的资产阶级生产和交换 [Verkehr] 方式的形式……甚至交换和生产的最一般的形式……蒲鲁东也只是按照它们的资产阶级面貌去理解。"①因此，恩格斯在反驳蒲鲁东对生产和交换的形而上学的理解时，阐明了生产和交换是人类的社会历史活动，这些经济范畴只不过是人类社会一定历史阶段的经济关系的理论抽象，离开现实的经济关系根本不可能说明这些经济范畴的本质规定和有机联系，从而说明了资本主义生产方式的特殊性和历史性。恩格斯在此对资本主义生产、交换、分配、消费之间的关系及其历史性的阐释成为马克思在《政治经济学批判（1857—1858 年手稿）》中确立政治经济学研究对象的前奏。

二是对《政治经济学批判。第一分册》中政治经济学研究对象的阐释。1859 年 6 月，马克思的《政治经济学批判。第一分册》在柏林出版，应马克思的要求，恩格斯为该书写了一份书评，即《卡尔马克思〈政治经济学批判。第一分册〉》。在该书评中，恩格斯正面阐述了马克思关于政治经济学研究对象的观点。一方面，从经济活动的运行规律来看，政治经济学立足于社会经济关系的总体来研究资本主义生产和交换的基本规律。恩格斯指出，马克思的《政治经济学批判》并不是针对资产阶级政治经济学的细枝末节进行零碎的批判，也不是对某些经济学问题进行孤立的研究，而是"以系统地概括经济科学的全部复杂内容，并且在联系中阐述资产阶级生产和资产阶级交换的规律为目的"②。由于资产阶级政治经济学是资本主义条件下生产与交换的代言人和辩护者，因而这一研究也是对整个资产阶级政治经济学的批判。另一方面，从经济活动的本质关系来看，政治经济学研究的是人与人之间、阶级与阶级之间的生产关系和社会关系。恩格斯认为，政治经济学的研究是从商品开始的，而商品是用来交换的劳动产品，在交换过程中它以物的表象和使用价值呈现出来，但是商品的本质却并非如此，"在这个物中、在这个产品中结合着两个人或两个公社之间的关系，即生产者和消费者之间的关系，在这里，两者已经不再结合在同一个人身上了。在这里我们立即得到一个贯穿着整个经济学并在资产阶级经济学家头脑中引起过可怕混乱的特殊事实的例子，这个事实就是：经济学

---

① 《马克思恩格斯全集》第 44 卷，人民出版社 1982 年版，第 174 页。
② 《马克思恩格斯文集》第 2 卷，人民出版社 2009 年版，第 600 页。

研究的不是物，而是人和人之间的关系，归根到底是阶级和阶级之间的关系，可是这些关系总是同物结合着，并且作为物出现"①。因此，政治经济学要解开生产关系中的物的表象，就要研究其中人与人之间的生产关系和社会关系。在资本主义社会中，商品生产占据着主导地位，人与人之间的关系一方面表现为工人都是作为无产阶级而存在，另一方面更加突出地表现为无产阶级与资产阶级之间的阶级对抗关系，即资产阶级对无产阶级的剥削和压迫。由于资产阶级政治经济学研究陷入物的表象中，不可能正确揭示资本主义生产中人与人以至阶级与阶级之间的生产关系和社会关系，从而不可能确立科学的研究对象；而马克思主义经济学站在正确的立场上，使用科学的方法，因而能揭示资本主义生产中的各种关系、确立科学的研究对象。

三是对《资本论》中政治经济学研究对象的阐释。1867 年 9 月，马克思的《资本论》第一卷正式出版，出版以后恩格斯为宣传马克思多年以来呕心沥血的杰作写了多份书评，在这些书评中，恩格斯对《资本论》的研究对象做了精辟的概括和阐释。在《资本论》第一卷第一版序中，马克思指出，"我要在本书研究的，是资本主义生产方式以及和它相适应的生产关系和交换关系"②，这是《资本论》因而也是马克思主义经济学的研究对象。恩格斯在《资本论》的一系列书评中并没有完全照搬马克思关于政治经济学研究对象的具体说法，而是做了进一步的概括："这里放在我们面前的这部著作的作者，却以无可争辩的罕见的博学，在与整个经济科学的联系中，考察了资本与劳动之间的全部关系，把'揭示现代社会的经济运动规律'作为自己的终极目的，并且根据以无可怀疑的知识所作的绝对认真的研究，得出了这个结论：整个'资本主义生产方式'必定要被消灭"③；"自地球上有资本家和工人以来，没有一本书像我们面前这本书那样，对于工人具有如此重要的意义。资本和劳动的关系，是我们现代全部社会体系所依以旋转的轴心，这种关系在这里第一次作了科学的说明，而这种说明之透彻和精辟，只有一个德国人才能做得到"④。恩格斯认为"资本和劳动的关系"是资本主义生产方式的根本表现，从而把这一关系确定为马克思《资本论》因而是马克思主义经济学的研究对象。在《资本论》即将

① 《马克思恩格斯文集》第 2 卷，人民出版社 2009 年版，第 604 页。
② 《马克思恩格斯文集》第 5 卷，人民出版社 2009 年版，第 8 页。
③ 《马克思恩格斯全集》第 16 卷，人民出版社 1964 年版，第 237 页。
④ 《马克思恩格斯全集》第 16 卷，人民出版社 1964 年版，第 263 页。

付梓的时候，恩格斯就致信马克思信说：你"出色地叙述了劳动和资本的关系。这个问题在这里第一次得到充分而又互相联系的叙述"①。总的来说，"资本和劳动的关系"是资本主义生产方式的根本表现，这既是恩格斯对资本主义生产方式的进一步理解和阐释，也是恩格斯对马克思《资本论》因而是马克思主义经济学研究对象的进一步概括和界定。

二、政治经济学的方法

马克思主义之所以能使政治经济学领域发生根本变革，主要推动力就在于科学的世界观——唯物史观——的创立和指导。唯物史观是由恩格斯与马克思一起创立的，在唯物史观创立以后，二者的政治经济学研究都遵循着唯物史观的基本原理，并且对黑格尔的逻辑学进行了彻底的改造，形成了唯物辩证法。在《卡尔·马克思〈政治经济学批判。第一分册〉》以及《资本论》第一卷一系列书评中，恩格斯集中概述了马克思主义经济学的方法。

第一，唯物史观是马克思主义经济学的基础。恩格斯指出，马克思主义经济学"本质上是建立在唯物主义历史观的基础上的"②，"这个划时代的历史观是新的唯物主义世界观的直接理论前提，单单由于这种历史观，也就为逻辑方法提供了一个出发点"③。唯物史观既是世界观，也是方法论，因此，唯物史观是政治经济学研究必须要遵循的基础和根本出发点。

恩格斯在《卡尔·马克思〈政治经济学批判。第一分册〉》中从三个层面阐释了唯物史观对于政治经济学的方法论意义：其一，物质生活的生产方式是整个社会发展的基础，要求政治经济学的研究确立科学的起点。恩格斯指出，"物质生活的生产方式制约着整个社会生活、政治生活和精神生活的过程"这一原理"不仅对经济学，而且对于一切历史科学都是一个具有革命意义的发现"④。人类社会是由经济基础、政治上层建筑、意识形态等构成的整体，而这一整体结构是以物质资料的生产为基础的，因此政治经济学的研究必须要从

① 《马克思恩格斯全集》第 31 卷，人民出版社 1972 年版，第 329 页。
② 《马克思恩格斯文集》第 2 卷，人民出版社 2009 年版，第 597 页。
③ 《马克思恩格斯文集》第 2 卷，人民出版社 2009 年版，第 602 页。
④ 《马克思恩格斯文集》第 2 卷，人民出版社 2009 年版，第 597 页。

作为整体社会结构基础的物质生活的生产方式出发，这也是对《德意志意识形态》相关思想的直接继承。其二，社会存在决定人们的意识，要求政治经济学的研究站在正确的立场上。资产阶级政治经济学是站在资产阶级的狭隘立场上来考虑问题的，其思想和论证都带有唯心主义的色彩。恩格斯指出，"这个原理的最初结论就给一切唯心主义，甚至给最隐蔽的唯心主义当头一棒。关于一切历史的东西的全部传统的和习惯的观点都被这个原理否定了。政治论证的全部传统方式崩溃了"①。而马克思主义经济学是基于对资本主义社会经济关系冷静钻研的科学研究，是站在无产阶级和全人类的立场上来考虑问题的。在恩格斯看来，随着以马克思主义为指导的德国无产阶级政党的建立，科学的、独立的、德国的政治经济学也就产生了。因此，社会存在决定人们的意识这条原理不仅对于理论，而且对于实践都是最革命的理论。其三，生产力与生产关系的矛盾运动表明了资本主义生产方式的历史阶段性，要求政治经济学的研究具有批判性和革命性。资本主义生产方式是在历史发展过程中产生的，随着机器大工业所带来的生产力的发展，资本主义生产方式占据了整个社会的主导地位。但是生产力和生产关系的矛盾运动使得资本主义生产方式出现了不可避免的内在危机，这种危机只有通过革除整个资本主义生产方式才能得到根本的解决。恩格斯指出，"由此可见，只要进一步发挥我们的唯物主义论点，并且把它应用于现时代，一个强大的、一切时代中最强大的革命远景就会立即展现在我们面前"②。因此，政治经济学的研究必须要有批判性和革命性。

第二，唯物辩证法是马克思主义经济学的根本方法。恩格斯认为，唯物辩证法采取了逻辑的研究方式，但又不纯然是逻辑的演绎，而是以历史和现实为基础的逻辑抽象，是抽象的逻辑与现实的历史的统一。在《卡尔·马克思〈政治经济学批判。第一分册〉》中，恩格斯阐明了德国思想界两种不同的研究方法。一种是沃尔弗式的形而上学方法，这种方法机械地整合材料，排列概念和范畴，抛开了材料以及概念、范畴之间现实的内在联系，资产阶级政治经济学家在写他们那些"缺乏内在联系的大部头著作"时经常采用此方法，而蒲鲁东就是这方面的能手。因此恩格斯认为沃尔弗式的形而上学方法除了为政治经济学的研究提供一些自然科学类的材料以外，别无实用之处。另一种是黑格尔的

---

① 《马克思恩格斯文集》第 2 卷，人民出版社 2009 年版，第 598 页。
② 《马克思恩格斯文集》第 2 卷，人民出版社 2009 年版，第 597—598 页。

辩证法，它是基于概念内在联系和发展过程的逻辑运作，具有抽象的思辨形式。黑格尔的辩证法在本质上是唯心的、从纯粹思维出发的，而政治经济学的研究"要求发展一种比从前所有世界观都更加唯物的世界观"，"这里必须从最过硬的事实出发"，故黑格尔辩证法的思辨外观和理论体系也是不可用的。①虽然如此，但是恩格斯认为黑格尔的辩证法是目前为止一切现有的逻辑方法中唯一可以用来利用加工材料的方法，因为他的思维方式不同于所有其他哲学家的地方，就在于有巨大的历史感作为基础。这种历史感表现为三个方面：其一，绝对精神的运动过程"与世界历史的发展平行着"；其二，绝对精神运动过程中，"实在的内容到处渗透到哲学中"；其三，绝对精神运动过程中，概念、范畴之间有着"内在联系"。②总之，虽然现实的历史在黑格尔看来是自我意识、概念和范畴的外化，而不是自我意识、概念和范畴产生的原因，但他的思维方式毕竟具有历史的内容，这是其他哲学家所不具备的，而马克思则进一步超越了黑格尔。

马克思在写《政治经济学批判（1857—1858年手稿）》的过程中曾致信恩格斯说，黑格尔的逻辑学为他的政治经济学研究提供了很大的帮助，马克思甚至表示，如果他有时间，"很愿意用两三个印张把黑格尔所发现、但同时又加以神秘化的方法中所存在的合理的东西阐述一番，使一般人都能够理解"③。恩格斯指出，马克思在政治经济学的研究中正是汲取了黑格尔辩证法的有益内核，抛弃了其唯心主义外壳，把"头脚倒置"的辩证法重新翻转过来，建立在历史和现实的基础之上，从而使得唯物辩证法成为政治经济学的根本方法："马克思对于政治经济学的批判就是以这个方法做基础的，这个方法的制定，在我们看来是一个其意义不亚于唯物主义基本观点的成果"④。恩格斯把唯物辩证法在政治经济学中的运用概括为以下两个方面：

一是逻辑与历史相统一的方法。恩格斯认为，对政治经济学的批判，按照已有的方法可以归为两种方式：一种是按照历史的顺序，一种是按照逻辑的关系。一般来说，政治经济学的发展与资本主义经济的历史发展大致是一致的，"大体说来，发展也是从最简单的关系进到比较复杂的关系，那么，政治经济

---

① 参见《马克思恩格斯文集》第2卷，人民出版社2009年版，第601页。
② 《马克思恩格斯文集》第2卷，人民出版社2009年版，第602页。
③ 《马克思恩格斯文集》第10卷，人民出版社2009年版，第143页。
④ 《马克思恩格斯文集》第2卷，人民出版社2009年版，第603页。

学文献的历史发展就提供了批判所能遵循的自然线索"①，因此按照历史的方法也可以呈现对政治经济学范畴及其发展脉络的批判。恩格斯认为这种方法从表面上看虽然有其合理之处，因为这是随着历史现实的发展而展开的，但是这种方法同时也是比较简单的，因为历史的发展往往不是"直线式的"，而常常是"跳跃式的和曲折前进的"，因此，如果完全按照这种历史考证式的方法，就会需要大量的资料搜集和处理的工作，这样势必会把精力过多地放在许多细枝末节和无关紧要的材料上面，从而干扰甚至打乱思想的进程，"并且，写经济学史又不能撇开资产阶级社会的历史，这就会使工作漫无止境，因为一切准备工作都还没有做。因此，逻辑的方式是唯一适用的方式"②。不过这里逻辑的方法已经不是黑格尔唯心主义思辨式的方法了，而是建立在历史唯物主义的基础上了，这种方法无非是历史的方法，但是已经摆脱了对历史材料烦琐机械的堆砌以及对政治经济学研究起干扰作用的无谓偶然性。"历史从哪里开始，思想进程也应当从哪里开始，而思想进程的进一步发展不过是历史过程在抽象的、理论上前后一贯的形式上的反映；这种反映是经过修正的，然而是按照现实的历史过程本身的规律修正的，这时，每一个要素可以在它完全成熟而具有典型性的发展点上加以考察。"③这就是逻辑与历史相统一的方法，即：其一，历史的起点是逻辑的起点；其二，逻辑是对历史的抽象，是对历史规律及其总体过程的反映；其三，逻辑可以对具体历史的某些反复过程进行修正，而这种修正是建立在历史发展必然规律基础之上的，从而能更好地用逻辑上的必然性展现历史规律。因此，对于经济范畴和经济关系，不能通过考证它们在历史上出现的具体时间，从而按照它们在历史上先后出现的次序来机械地排列研究，而是要考察它们在资本主义社会中发展的完全成熟的形式，从而根据它们在资本主义社会结构内部的地位和关系来研究。对此，在《资本论》第一卷的书评中，恩格斯特别指出："作者在那里用完全新的唯物主义的自然历史的方法考察了经济关系。可以作为例子的是对于货币问题的叙述，以及对下面这个问题的详细的、非常内行的论证：各个不同的相互接续的工业生产形式，——在这里是协作、分工以及狭义的工场手工业，以至机器、大工业和与它相适应的社会联系

---

① 《马克思恩格斯文集》第 2 卷，人民出版社 2009 年版，第 603 页。
② 《马克思恩格斯文集》第 2 卷，人民出版社 2009 年版，第 603 页。
③ 《马克思恩格斯文集》第 2 卷，人民出版社 2009 年版，第 603 页。

和关系，——如何自然而然地一个接着一个发展出来"①。

二是矛盾分析法和范畴辩证转换法。在《卡尔·马克思〈政治经济学批判。第一分册〉》中，恩格斯指出，政治经济学以发达的资产阶级关系为前提，在资本主义社会中这种关系突出表现为经济上的生产关系，它以"资产阶级生产和资产阶级交换的规律"呈现出来。面对"关系"这一对象，首先要解决的是如何分析"关系"，即分析"关系"的方法。恩格斯指出，"我们采用这种方法，是从历史上和实际上摆在我们面前的、最初的和最简单的关系出发"②。既然是一种关系，就表明关系内部包含着两个相互联系的方面，对此应该分别考察这两个方面，分析它们之间的相互联系和相互作用，在这种条件下，这两个方面同时也会出现需要解决的矛盾。但是由于这种矛盾不是抽象思维天马行空式的想象，而是植于历史过程的现实运动，因此矛盾本身会随着历史和现实的发展变化而运动、改变，以至于得到解决。这种解决的方式，是靠建立新的统一的关系来完成的，而新的关系又会产生对立、矛盾的两个方面，因而需要进一步展开说明。如此，矛盾总是向着更高的阶段发展，对立统一的"关系"也不断地以新的面貌出现。对每一种关系内部对立、矛盾的两个方面的分析属于矛盾分析法，而对解决矛盾、向新的矛盾着的关系的转化的分析属于范畴辩证转化法。

恩格斯指出，马克思在他的政治经济学研究中综合使用了这两种方法。以《政治经济学批判。第一分册》中马克思对商品向货币转化的分析为例，政治经济学的研究首先从商品开始，不过这里的商品是充分发展了的商品，只有从充分发展了的商品中才能更好地看到商品的内在关系。在发达的商品交换社会中，生产商品的目的主要是用来交换，商品在这一过程中明显表现为两个不同的方面，即使用价值和交换价值，"在说明了使用价值和交换价值之后，商品就被按照它进入交换过程时那样作为使用价值和交换价值的直接统一来叙述"③。但是在普遍的交换过程中，商品的使用价值和交换价值不断地对立和换位，"如果说商品只有在实现为交换价值时才能变成使用价值，那么另一方面，商品只有在它的转让中证实为使用价值时才能实现为交换价值……对于别

---

① 《马克思恩格斯全集》第 16 卷，人民出版社 1964 年版，第 254—255 页。
② 《马克思恩格斯文集》第 2 卷，人民出版社 2009 年版，第 603—604 页。
③ 《马克思恩格斯文集》第 2 卷，人民出版社 2009 年版，第 605 页。

的商品所有者来说，它只有对他是使用价值的时候才成为商品，而对于它自己的所有者来说，它只有对别的商品所有者是商品的时候才成为交换价值"①。因此，使用价值和交换价值之间的不断对立和换位，对于交换本身而言产生了内在的矛盾，它表现为"商品怎样作为使用价值在交换内部出现"、交换价值是如何被衡量的、商品作为使用价值和交换价值的统一体是如何转让的。从现实上来看，商品的交换过程，"既是这些矛盾的展开，又是这些矛盾的解决"②。恩格斯阐释道，"解决这种不可能性的办法，就是把代表一切其他商品的交换价值的特性转给一种特殊的商品——货币"③，即货币通过成为交换价值的代表而与一切商品发生普遍的关系。这样恩格斯就阐明了马克思关于商品向货币转化的分析中所使用的矛盾分析法和范畴辩证转化法。

在 1868 年 3 月所写的《资本论》第一卷书评中，恩格斯进一步指出，马克思把矛盾分析法和范畴辩证转化法也运用到对整体的社会形态的分析中："他极力证明，现代社会，从经济上来考察，孕育着另一个更高的社会形态"④。资本主义生产方式内部孕育着相互对立、矛盾的两个方面，即生产力与生产关系，生产力与生产关系矛盾的激化，使得资本主义社会发生不可避免的经济危机，极大地破坏了生产力的发展，而要从根本上解决这一矛盾和危机，必须实现资本主义生产方式的整体革命，建立新的生产方式，从而形成新的社会形态。

三、政治经济学的主要观点

在政治经济学的研究过程中，恩格斯在与马克思的相互交流和探讨中提出了许多重要的观点和建议，为马克思主义经济学的创立作出了重要的贡献。

19 世纪 40 年代末至 60 年代中后期，恩格斯对马克思主义经济学主要观点的贡献集中于经济危机问题和政治经济学体系结构两个方面。

关于经济危机问题的研究。早在《国民经济学批判大纲》中，恩格斯就已

---

① 《马克思恩格斯全集》第 31 卷，人民出版社 1998 年版，第 436—437 页。
② 《马克思恩格斯全集》第 31 卷，人民出版社 1998 年版，第 437 页。
③ 《马克思恩格斯文集》第 2 卷，人民出版社 2009 年版，第 605 页。
④ 《马克思恩格斯全集》第 16 卷，人民出版社 1964 年版，第 255 页。

提出"商业危机"是资本主义私有制必然产物的论断。在《共产主义原理》以及与马克思合著的《共产党宣言》中，恩格斯从生产力与生产关系的角度阐述了"商业危机"的必然性。1848 年欧洲革命失败以后，为了进一步指导和预测未来世界范围内无产阶级的革命运动，马克思加紧了政治经济学的研究，其中一个重要方面就是搞清楚资本主义经济危机。在这一段时间内，围绕这一问题，恩格斯与马克思不断探讨，为马克思的研究提供了重大的帮助，也形成了自己的一些理论观点。

马克思在 1851 年 12 月 27 日致斐迪南·弗莱里格拉特的信中表示："据恩格斯对我讲，现在西蒂区的商人也同意我们的看法：由于各种事件（例如也包括由于政治上的担忧，去年棉花的高价等等）而被抑制的危机，最迟在明年秋天一定爆发。根据最近一些事件，我比任何时候都更确信，没有商业危机，就不会有重大的革命事件。"[1] 恩格斯在 1852 年 8 月 24 日致马克思的信中指出，"至于危机是否马上会导致革命……这取决于危机的强度。法国的歉收给人一种那里会出什么事的印象；但是，如果危机成为慢性的，而收成终究比预期的要好一些，那末，这可能还要拖到 1854 年。我承认，我希望还有一年的时间来啃书本，我还有很多事情要做"[2]。欧洲的经济危机在 19 世纪 50 年代中后期开始爆发，这为恩格斯分析经济危机特点、完善经济危机理论提供了重要的材料。

在这一段时间内，恩格斯对经济危机的研究主要表现在以下几个方面：

其一，关于殖民地市场对经济危机的影响。19 世纪 50 年代，恩格斯在诸多书信中着重论述了殖民地市场的开拓对资本主义经济危机的影响。50 年代初，澳大利亚、加利福尼亚和印度等殖民地新市场的不断开辟，扩大了资本主义市场的容量。恩格斯敏锐地判断到，殖民地市场的开拓是一种新的经济现象，是资本主义发展的新的表现形式："加利福尼亚和澳大利亚——这是在《宣言》中没有预见到的两个场所：从无到有建立起来了新的大市场。这是必须注意到的"[3]。在恩格斯看来，这些市场中人们的消费量十分庞大，有些地区已经远远大于已有的资本主义市场，市场容量的扩大会从某种程度上延缓经济危机

---

① 《马克思恩格斯全集》第 27 卷，人民出版社 1972 年版，第 620 页。
② 《马克思恩格斯全集》第 28 卷，人民出版社 1973 年版，第 115 页。
③ 《马克思恩格斯全集》第 28 卷，人民出版社 1973 年版，第 115 页。

的爆发，但是不会从根本上消除经济危机。对此，恩格斯在 1852 年 4 月 20 日致马克思的信中明确说道："照一切常规来看，危机今年必定到来，情况大概也是这样。但是当人们考虑到东印度市场目前完全出乎意料的容量，考虑到加利福尼亚和澳大利亚所造成的混乱，同时考虑到大部分原料价格低廉和引起工业产品降价，并考虑到没有任何大的投机活动，人们几乎会引起错觉，预言目前的繁荣时期将罕有地持续下去。不论怎样，这种情况可能持续到春天。但是，归根到底旧的常规在大约六个月的期间内仍然会起某种支配作用，这是肯定无疑的。"① 恩格斯对这种新变化的揭示也促使马克思重新梳理资本主义的新情况、新材料，在《〈政治经济学批判〉序言》中，马克思表示要"从头开始"，用批判的精神来透彻地研究资本主义经济运动的规律。

　　其二，关于经济危机的普遍性。1857 年初，经济危机首先开始于美国纽约的银行系统和保险、信贷公司，很快便从纽约蔓延到美国大部分地区以及欧洲，这在很大程度上激发了马克思和恩格斯的工作动力。恩格斯在 1857 年 11 月 15 日致马克思的信中指出，这次危机有了一些新的特点：一是股票投机活动造成了金融危机的普遍性。欧洲大陆的股票投机已经长时间处于危机状态，美国的股票投机活动很快就会与大陆接触，这种接触将会进一步恶化大陆的金融活动，产生破坏性的影响。二是投机活动扩大化造成了生产危机的普遍性。恩格斯指出，"除股票以外，投机活动已涉及所有的原料和殖民地商品，因而也涉及所有那些价格受原料价格很大影响的工业品；同时，产品越接近于原料，这种原料越贵，投机活动涉及的程度也就越大。在纱方面涉及的程度比毛坯布方面大，毛坯布比染织品和色纱织品大，丝织品比棉织品大。在我们这里，丝纺织业从 8 月起就出现危机前状态"②。三是经济危机的蔓延性和持久性。恩格斯指出，1857 年以来的经济危机具有相当强的蔓延性和持久性，波及的地区之广、时间之长是以前的经济危机所不具备的。"到目前为止，还没有过一次危机这样迅速地一下子停止，而当前的危机是在十年繁荣和投机之后出现的，就更不可能这样。同时，现在已不再有新的澳大利亚和加利福尼亚来挽救局势了，而且中国约有二十年陷在泥坑里。但是这第一次打击的力量表明，事态发展到多么大的规模。在采金量大大增长和工业相应地大大扩展以

① 《马克思恩格斯全集》第 28 卷，人民出版社 1973 年版，第 49 页。
② 《马克思恩格斯全集》第 29 卷，人民出版社 1972 年版，第 200 页。

后，也不可能有另一种情况。"①因此恩格斯最后指出，应当在经济危机的持久过程中培养群众的革命意识和积极性，从而为无产阶级革命做充分的准备。

其三，关于固定资本更新对经济危机周期的制约。这是恩格斯在50年代与马克思所讨论的一个重要问题。恩格斯指出，资本家规避经济危机的一个重要方法就是扩大资本投资，尤其是扩大固定资本的投资。但即使是扩大固定资本投资，经济危机也是不可避免的，因为经济危机与固定资本如机器设备的平均更新时间有着密切的关联。1858年3月2日，马克思曾写信给恩格斯，要求恩格斯提供工业部门机器设备更新的时间。恩格斯经过细致的考察，得出结论："十年到十二年的时间足够改变大部分机器设备的性能，因而多多少少使它更新。在十三年零四个月的时间里自然会发生破产事件、修理费极贵的重要部件的损坏等等，这一类的偶然事件会使得这个期限缩短一些，但无论如何不会少于十年"②。3月5日，马克思就给恩格斯回信说，恩格斯的考察与经济危机爆发的周期相符合，"在大工业直接的物质先决条件中找到一个决定再生产周期的因素对我是很重要的。在机器设备的再生产不同于流动资本的再生产这个问题上，使人不禁想起摩莱肖特派，他们像经济学家那样，也是非常不重视骨骼更新周期的长短"③。这样，恩格斯与马克思在讨论中，解决了资本主义经济危机和再生产中一个十分重要的问题，即固定资本更新的周期与经济危机周期的内在关联。

关于政治经济学的体系结构。从《政治经济学批判（1857—1858年手稿）》的写作一直到1867年《资本论》第一卷的正式出版，马克思前后数次对政治经济学理论体系及其细节安排进行计划和调整。在这一过程中，马克思多次与恩格斯交流、探讨，恩格斯的研究和建议对马克思确立政治经济学体系结构有着十分重要的意义和价值。

1858年4月2日，马克思在致恩格斯的信中谈到了他关于《政治经济学批判》著作结构的计划，并希望能听听恩格斯的意见，恩格斯收到信之后，便紧张研究马克思的纲要。在复信中，恩格斯指出，马克思的六册结构计划是非常恰当的，他表示赞成，但是"这个纲要的确非常抽象，这在简短的叙述中

---

① 《马克思恩格斯全集》第29卷，人民出版社1972年版，第203页。
② 《马克思恩格斯全集》第29卷，人民出版社1972年版，第283页。
③ 《马克思恩格斯全集》第29卷，人民出版社1972年版，第284页。

是难免的，我常常要费力地去寻找辩证转化，因为我对一切抽象的推理很不习惯"①。从思维和写作风格上来说，马克思比较偏重也习惯于使用抽象法，因而不免带上一些抽象的痕迹，理解起来较为困难，而恩格斯则更偏重于逻辑抽象和历史经验相结合的方法，语言较为平易，对于普通读者来说，恩格斯的风格更易理解一些。恩格斯的这一建议对马克思的帮助非常大，马克思在其后写作《政治经济学批判。第一分册》的过程中吸收了恩格斯的建议。在 1859 年11 月 12 日致拉萨尔的信中，马克思就提到了这一点，表示他现在所追求的不是优美的叙述，而只是写出平素的风格了。1859 年 11 月 29 日，马克思致信恩格斯，说明了在恩格斯的建议下，《政治经济学批判。第一分册》"第一篇内容更充实了，因为头两章比原来计划的要写得更详细"，而在之前的纲要中，"其中第一章《商品》，在草稿里根本没有写，第二章《货币或简单流通》只有一个简单的轮廓"。② 在《政治经济学批判。第一分册》即将出版之前，马克思致信告诉恩格斯，"它一共只有两章：（1）商品。（2）货币或简单流通。你可以看到，已经仔细加工（5 月间我在你家里的时候）的那一部分还完全没有出来。这从两方面来看都是好的"③。

《政治经济学批判。第一分册》出版之后，恩格斯为马克思的这部著作写了书评，对其结构进行了概述，指出：该著作不是对经济学个别章节的零碎批判，也不是对政治经济学某些争论的孤立研究，而是系统概括经济学的全部复杂的内容，形成一个有机的整体；马克思的研究首先从商品开始，分析商品内部的交换价值和使用价值的矛盾，从这一矛盾的解决中又产生出货币，"然后，在第二章中阐述货币或简单流通，即（1）作为价值尺度的货币，并且在这里，用货币计量的价值即价格得到了更贴近的规定，(2)作为流通手段的货币，(3)作为两个规定的统一体，作为实在的货币，作为资产阶级一切物质财富的代表。第一分册的叙述到此为止，从货币到资本的转化留待第二分册叙述"④。可以看出，恩格斯对马克思《政治经济学批判》的体系结构的研究、确立和宣传都作了非常大的贡献。

1863 年下半年，马克思开始以《资本论》为题进行写作，在此过程中马

---

① 《马克思恩格斯全集》第 29 卷，人民出版社 1972 年版，第 306 页。
② 《马克思恩格斯全集》第 29 卷，人民出版社 1972 年版，第 358 页。
③ 《马克思恩格斯全集》第 29 卷，人民出版社 1972 年版，第 369 页。
④ 《马克思恩格斯文集》第 2 卷，人民出版社 2009 年版，第 605 页。

克思与恩格斯不断探讨写作的进度和结构问题，并形成了四卷结构。在恩格斯
的建议和帮助下，马克思全力写作《资本论》第一卷。马克思还邀请恩格斯为
《资本论》写"生产资料决定劳动组织"这一理论部分，并说："如果这样做的话，
那就应当放在专门探讨这个题目的第一卷里。你可以了解，如果你能在我的主
要著作（到目前为止，我只写了些小东西）中直接以合著者的身份出现，而不
只是被引证者，这会使我多么高兴。"①1867 年 4 月 2 日，马克思致信恩格斯说，
《资本论》第一卷已经完成，可以付印。在排版、校对的过程中，马克思依旧
与恩格斯保持着通信以交换意见，在 5 月底到 6 月初，马克思亲赴曼彻斯特同
恩格斯商量《资本论》第一卷的结构和定稿问题。马克思回到伦敦后，6 月 3
日便给恩格斯致信，想请恩格斯提出关于"价值形式"部分的意见。恩格斯在
仔细研究之后，于 6 月 16 日回信说："你造成了一个很大的缺陷，没有多分一
些小节和多加一些小标题，使这种抽象阐述的思路明显地表现出来。这一部分
你应当用黑格尔的《全书》那样的方式来处理，分成简短的章节，用特有的标
题来突出每一个辩证的转变，并且尽可能把所有的附带的说明和例证用特殊的
字体印出来。"②马克思很快便汲取了恩格斯的建议，写了一篇附录用来阐述价
值形式的问题，并且把每一个阐述上的段落都变成章节，加上特有的小标题。
8 月 23 日，在《资本论》第一卷即将出版之时，恩格斯致信马克思，对马克
思能把复杂的经济问题放在应有的地位和正确的结构的联系中，因而使这些问
题变得简单和清楚表示祝贺，但同时恩格斯也指出了《资本论》第一卷在总体
结构上所存在的问题："你怎么会把书的外部结构弄成现在这个样子！第四章
大约占了二百页，才只分四个部分，这四部分的标题是用普通字体加空排印
的，很难找到。此外，思想进程经常被说明打断，而且所说明之点从未在说明
的结尾加以总括，以致经常从一点的说明直接进入另一点的叙述。这使人非常
疲倦，在没有密切注意的情况下，甚至会使人感到混乱。"③1868 年，恩格斯
为马克思《资本论》第一卷写了提纲，这个提纲是按概述的形式写作的，简明、
扼要而又通俗地介绍了《资本论》第一卷，为第一卷结构的完善起了积极的作
用。此后，马克思在进一步修订《资本论》第一卷德文第二版时，充分考虑了

---

① 《马克思恩格斯全集》第 31 卷，人民出版社 1972 年版，第 236 页。
② 《马克思恩格斯全集》第 31 卷，人民出版社 1972 年版，第 308 页。
③ 《马克思恩格斯全集》第 31 卷，人民出版社 1972 年版，第 329—330 页。

恩格斯的意见和建议，对全卷的结构、章节做了重大的修改和补充，由第一版的六章改为七篇二十五章，恩格斯指出的第四章改为第四篇，共包括四章，即第十至十三章，第十二、十三章又进行了细化。

　　恩格斯为《资本论》第一卷体系结构和内容的完善作出了重要贡献。正如马克思所说："没有你，我永远不能完成这部著作。坦白地向你说，我的良心经常像被梦魇压着一样感到沉重，因为你的卓越才能主要是为了我才浪费在经商上面，才让它们荒废，而且还要分担我的一切琐碎的忧患。"①

第三节　恩格斯对《资本论》第一卷 出版和传播的主要贡献

　　《资本论》第一卷德文版出版以前，恩格斯不仅为马克思经济学研究提供大量理论和实证材料，帮助他翻译和整理大量研究文献，敦促其尽快完成政治经济学研究，而且还为《资本论》第一卷的篇章结构和理论分析的修改和完善提供重要建议。马克思逝世后，恩格斯接过马克思尚未完成的创作任务，组织编辑修订校对翻译《资本论》第一卷多个版本，促进《资本论》第一卷版本的定型。《资本论》第一卷德文版出版以后，恩格斯还身体力行组织多方人士发表多篇书评，组织和指导各国人员撰写《资本论》第一卷的通俗宣传册，打破资产阶级庸俗经济学家们的沉默抵制和恶意攻击，不断推进《资本论》精髓和要义与工人阶级运动的深度融合。

一、协助马克思出版《资本论》第一卷

　　恩格斯不仅为马克思提供理论研究和实证材料支持，而且还为马克思安心撰写《资本论》提供物质保障。1858 年 5 月，刚从疾病中勉强恢复过来的马

---

① 《马克思恩格斯全集》第 31 卷，人民出版社 1972 年版，第 301 页。

克思在《经济学家》杂志上看到麦克莱伦出版的《通货简史》，希望能看到这本书，可是因为当时图书馆还没有，自己又买不起，就写信请求恩格斯帮忙寻找。恩格斯很快就把邮局汇票寄给马克思，同时还决定每月再给马克思寄去 5 英镑。1866 年 2 月 10 日，马克思在一份工厂检查员的报告中得知约翰·瓦茨的《工会和罢工。机器。合作社》，年底又发现了罗杰斯的《英国农业史和价格史》，请求恩格斯设法帮助他找到。1867 年 4 月，马克思在把《资本论》第一卷书稿整理好后联系汉堡出版商奥托·迈斯纳和莱比锡的奥托·维干德付印时，旅程费用得到恩格斯资助。除帮助马克思获取理论资料外，恩格斯为他提供大量实践材料，其中有些材料被马克思直接或间接吸收到《资本论》中。由于恩格斯长期生活在英国工业大城市曼彻斯特，且担任工厂企业职务，对资本主义经济生活比较熟悉，所以，马克思曾在多封信件中向恩格斯了解工厂内部管理、资本周转及其在各个不同经济部门中的特点以及对利润和价格的影响、流动资本的分配、固定资本的更新年限等问题。1862 年 3 月 6 日，马克思向恩格斯了解他工厂里工人的各个工种数量比例。1863 年 1 月 24 日和 28 日，马克思向恩格斯了解走锭精纺机发明以前纺织工人的工作方法和走锭精纺机对纺纱过程的影响等问题。1865 年 11 月 20 日，马克思提醒恩格斯尽快帮他从诺尔斯那里找到"走锭精纺机的男纺纱工或环锭精纺机的女纺纱工的平均周工资；一个人平均每周纺纱多少，需要多少中等的（或任何等的）棉花（包括纺纱过程中的损耗）；此外，自然还要棉花的任何一种（和工资相适应的）价格以及纱的价格"[①]。1867 年 8 月 24 日，马克思给恩格斯写信向他了解固定资本折旧和补偿的实际问题，恩格斯专门为他制作一个详细的计算表。此外，恩格斯还为《资本论》的写作提供了意大利簿记的细节、英国和其他国家棉业危机的实际材料，对《资本论》各卷次的写作产生重要影响。

恩格斯还协助马克思整理和翻译部分研究文献，减轻马克思的研究负担。19 世纪 50 年代，马克思在英国大不列颠博物馆从事政治经济学研究。在此期间，恩格斯帮助马克思将部分稿件译成英文，有时还会替马克思撰写单篇或连载文章。1852 年 10 月 12 日，马克思请求恩格斯帮助他翻译"卢格—隆格塞进《晨报》的文件《德国债星协会》"[②]，"从魏德迈的《石印通讯》上剪下来的

---

① 《马克思恩格斯〈资本论〉书信集》，人民出版社 1976 年版，第 198 页。
② 《马克思恩格斯全集》第 28 卷，人民出版社 1973 年版，第 156 页。

关于这个危险的'协会'在其惠林代表大会上的活动的评论"和"为德纳写的文章"① 等资料，而恩格斯收到信后在百忙之中加班熬夜帮他翻译稿件，并及时分批寄给他。在马克思长期勤奋的努力和恩格斯等人的协助下，马克思对资本主义经济发展过程进行了深入研究。此外，恩格斯为马克思《资本论》的传播提供人才支持。在《资本论》第一卷德文版尚未出版以前，恩格斯就开始琢磨为这本著作寻找英文翻译者。1867 年 6 月 24 日，恩格斯给马克思的信中指出穆尔是《资本论》英文版比较好的翻译者，"他现在的德文水平能够毫不费劲地阅读海涅的作品，并且会很快地熟悉你的风格（价值形式和术语除外，这我必须大力给以帮助）。自然，全部工作将在我的直接监督下进行。只要你一找到能对他的劳动（注意）付给一些报酬的出版者，他就会很乐意去做"②。

恩格斯为《资本论》第一卷德文版的理论构建作出了重要的基础性贡献。19 世纪 40 年代中期，恩格斯运用历史唯物主义观点分析了资产阶级生产方式，写作了《英国工人阶级状况》，对马克思《资本论》第一卷的创作产生了重要影响。1866 年 2 月 10 日，马克思给恩格斯写信向其说明《英国工人阶级状况》一书对其《资本论》写作有重要启发。在《资本论》第一卷《工作日》章中，马克思用附录的形式高度评价了恩格斯《英国工人阶级状况》，认为它"对资本主义生产方式的精神了解得多么深刻""对工人阶级状况的详细入微的描写是多么令人惊叹。"此外，《资本论》第一卷第 8 章、第 13 章和第 23 章都引用了该著作的相关材料和观点。恩格斯提醒马克思注意剩余价值理论研究中被忽视的问题。1867 年 6 月 26 日，恩格斯注意到，工厂主和庸俗经济学有种论调认为资本家用六个小时换来十二小时劳动时间，相当于工人劳动者每一小时的劳动仅付给了半小时劳动，因此庸俗经济学认为，加入劳动生产物价值内的也只是这半个小时劳动的价值，剩余价值是不成立的。恩格斯提醒马克思注意，这是一种"把交换价值和价格，把劳动价值和工资完全等同起来"③ 的可怕论调，这一点应当是剩余价值成立之前"应当预先解决的"，并恳请马克思下次回信解决这种顾虑。1867 年 6 月 27 日（手稿上写的是 7 月 27 日），马克思在给恩格斯的回信中认为，恩格斯指出的庸俗经济学家提出的疑问可以被科学地

① 《马克思恩格斯全集》第 28 卷，人民出版社 1973 年版，第 157 页。
② 《马克思恩格斯〈资本论〉书信集》，人民出版社 1976 年版，第 217 页。
③ 《马克思恩格斯〈资本论〉书信集》，人民出版社 1976 年版，第 218 页。

表述为：商品的价值转化为它的生产价格过程中，全部劳动似乎是以工资的形式得到报酬，而剩余劳动和剩余价值则在利息、利润名称的代替下，表现为成本价格（不变资本的价格＋工资）的增加部分的形式。由此，马克思看到了那些庸俗经济学家产生的疑问是"由于反映在他们头脑里的始终只是各种关系的直接表现形式，而不是它们的内在联系"① 所造成的。但是马克思也不打算直接把以上这些疑问都预先打消了，"那我就会损害整个辩证的阐述方法。相反地，这种方法有一种好处，它可以不断地给那些家伙设下陷阱，迫使他们早早地暴露出他们的愚蠢"②。这体现出马克思对运用辩证法所证实的结论充满自信。马克思在解答这些疑问的过程中还流露出对《资本论》第一卷和第二卷的设想。他指出，关于劳动力的日价值转化为工资或日劳动的价格在第一卷德文版第五章已论述到，而对于剩余价值如何转化为利润，利润如何转化为平均利润，则在第二卷（原计划第二册和第三册合编成第二卷）中予以论述。

马克思和恩格斯都对资本主义经济危机表现出浓厚的兴趣。恩格斯经常提醒马克思注意最新报刊资料，与马克思就时局交换意见。1852 年 9 月 23 日，恩格斯给马克思写信提醒他注意《泰晤士报》和《每日新闻》报刊登载的"工厂视察员霍纳关于棉纺织工业增长的统计资料"③，以此来观察繁荣时期追加资本的去处，判断危机的可能性。1853 年 6 月到 9 月，马克思围绕英国工人罢工斗争问题写了 5 篇文章。在 1853 年 9 月 17 日和 30 日的信中，马克思提到他曾利用恩格斯关于罢工问题的一般评论撰写《伦敦交易所的恐慌。——罢工》一文，描述了普雷斯顿和威根等地发生的罢工事件，但是没有观照曼彻斯特的罢工情况。马克思提醒恩格斯注意帮他搜集工业区和罢工方面的材料。1856 年 9 月 26 日，马克思就金融市场和危机发生的可能性与恩格斯通信，与其交换意见。马克思根据金融市场上贴现率的提高和巨额投机的加速等情况作出判断："我不认为，一场大的金融危机的爆发会迟于1857年冬天"④，而恩格斯也认为，金融市场的这种不正常现象很有可能诱发危机。"这一次将是从来没有过的末日审判：全欧洲的工业完全衰落，一切市场都被充斥（现在就已不能再运什么东西到印度去了），一切有产阶级都被卷入漩涡，资产阶级完全破产，

① 《马克思恩格斯文集》第 10 卷，人民出版社 2009 年版，第 266 页。
② 《马克思恩格斯文集》第 10 卷，人民出版社 2009 年版，第 266 页。
③ 《马克思恩格斯〈资本论〉书信集》，人民出版社 1976 年版，第 73 页。
④ 《马克思恩格斯〈资本论〉书信集》，人民出版社 1976 年版，第 94 页。

战争和极端的混乱。我也认为，这一切将会在 1857 年出现"。①

　　恩格斯帮助马克思创作和出版《资本论》的同时，还注意维护马克思的核心观点。1859 年 6 月，马克思《政治经济学批判》在柏林敦克尔出版社出版面临被沉默扼杀的境况。7 月 23 日，马克思在给恩格斯的信中问他是否愿意为此书写书评，并且为此事提出两点意见：一是要注意阐明"蒲鲁东主义被连根铲除了"，二是要"通过最简单的形式，即商品形式，阐明了资产阶级生产的特殊社会的，而决不是绝对的性质。"②恩格斯为这本书写了两篇书评，即《卡尔·马克思〈政治经济学批判〉。——一》和《卡尔·马克思〈政治经济学批判〉。——二》。但是，恩格斯也并非完全赞同马克思的观点，他有时还勇于纠正马克思的认识错误。1862 年 9 月 9 日，恩格斯给马克思的信中指出他对地租理论和机器损耗的认识太抽象，尤其是关于机器损耗问题，"在这个问题上你走入了歧途。要知道，损耗期并不是一切机器都相同的"③。

　　恩格斯对马克思《资本论》第一卷篇章结构布局提出修改意见。1867 年 6 月，居住在库格曼家中的马克思收到了《资本论》第一个印张的校样，他把校样寄给恩格斯校阅。6 月 16 日，恩格斯给马克思回信，对马克思样稿中关于经济问题的分析表示高度评价和衷心祝贺，同时也提出修改意见：关于《资本论》第一卷德文第一版第一章第一节价值形式的发展说明不够详细；需要增加历史事实来证明辩证法已经证明的观点，例如，"用历史方法向庸人证明货币形成的必然性并表明货币形成的过程"；需要"多分一些小节和多加一些小标题，使这种抽象阐述的思路明显地表现出来。这一部分你应当用黑格尔《全书》那样的方式来处理，分出简短的章节，用专门的标题来突出每一个辩证的过渡，并且尽可能把所有的补充说明和纯粹的例证用特殊的字体印出来。这样，看起来可能有点像教科书，但是对广大读者来说要容易理解得多"④。

　　此外，恩格斯还为马克思提供自然科学研究的最新成果信息。他在信中与马克思交流了阅读威·霍夫曼《现代化学入门》的心得体会。他认为霍夫曼的化学理论与以前原子理论相比是一大进步。"作为物质的能够独立存在的最小部分的分子，是一个完全合理的范畴，如黑格尔所说的，是在分割的无穷系列

---

① 《马克思恩格斯〈资本论〉书信集》，人民出版社 1976 年版，第 96 页。
② 《马克思恩格斯〈资本论〉书信集》，人民出版社 1976 年版，第 149 页。
③ 《马克思恩格斯〈资本论〉书信集》，人民出版社 1976 年版，第 169 页。
④ 《马克思恩格斯文集》第 10 卷，人民出版社 2009 年版，第 260—261 页。

中的一个'关节点'，它并不结束这个系列，而是规定质的差别。从前被描写成可分性的极限的原子，现在只不过是一种关系，虽然霍夫曼先生自己经常回到旧观念中去，说什么存在着真正不可分的原子。另外，这本书中所证实的化学的进步的确是巨大的，肖莱马说，这种革命还每天都在进行，所以人们每天都可以期待新的变革。"①

恩格斯的建议对马克思《资本论》的编排修改工作产生重要影响。1867年6月22日，马克思对恩格斯的意见做了辩证的接纳。一方面，他指出，为了保证其辩证法立场在全书的决定性作用，他对"价值形态"问题的说明是采取"附录"和"单纯的教科书"式的方法呈现出来的。同时，他接受了恩格斯对文体编排的建议，"把每一个阐述上的段落都变成章节等等，分别加上小标题"。② 另一方面，马克思向恩格斯解释为什么要注重对价值表现形式作详细分析。"经济学家先生们一向都忽视了这样一件极其简单的事实：20 码麻布=1 件上衣这一形式，只是 20 码麻布 =2 英镑这一形式的未经发展的基础，所以，最简单的商品形式——在这种形式中，商品的价值还没有表现为对其他一切商品的关系，而只是表现为和它自己的天然形式不相同的东西——就包含着货币形式的全部秘密，因此也就包含着萌芽状态中的劳动产品的一切资产阶级形式的全部秘密。在第一次的叙述（由敦克尔出版）中，只是当价值表现已经以发展的形式即作为货币表现出现时，我才对价值表现作应有的分析，从而避免了阐述中的困难。"③

二、整理出版《资本论》第一卷的其他版本

恩格斯为《资本论》第一卷德文第二版所做的工作主要体现在篇章结构调整上。马克思在第二版中做了大量的修改和补充，并对全书结构做了重大改动。他采纳了恩格斯在 1867 年 8 月 23 日给他的信中提出的《资本论》清样外部结构过于庞大，需要"把题目分得更细一些"，"把主要部分更强调一些"④

---

① 《马克思恩格斯文集》第 10 卷，人民出版社 2009 年版，第 261—262 页。
② 《马克思恩格斯文集》第 10 卷，人民出版社 2009 年版，第 263—264 页。
③ 《马克思恩格斯文集》第 10 卷，人民出版社 2009 年版，第 264 页。
④ 《马克思恩格斯文集》第 10 卷，人民出版社 2009 年版，第 267 页。

的建议，在德文第二版和以后的版本中，不再分为六章，而是分为七篇，共二十五章。

恩格斯对《资本论》第一卷德文第三版的修订主要体现在对马克思本人原意和科学引证方法的强调和遵循上。1883 年 11 月，《资本论》第一卷德文第三版出版。在该版序言中，恩格斯说明了他对马克思尚未完成工作的努力方向。第一，关于修订的原因，恩格斯交代清楚马克思本人的打算和意愿。关于第三版，"马克思原想把第一卷原文大部分改写一下，把某些论点表达得更明确一些，把新的论点增添进去，把直到最近时期的历史材料和统计材料补充进去。由于他的病情和急于完成第二卷的定稿，他放弃了这一想法。他只作了一些最必要的修改，只把当时出版的法文版（《Le Capital》, par Karl Marx. Paris, Lachâtre, 1873）中已有的增补收了进去。"[①]第二，关于修订的原则，恩格斯在修订第三版时，尽量遵循马克思原意，"凡是我不能确定作者自己是否会修改的地方，我一个字也没有改。我也没有想到把德国经济学家惯用的行话弄到《资本论》里面来"[②]。第三，关于度量衡换算问题，恩格斯反对"把原文中到处使用的英制货币和度量衡单位换算成新德制单位"的做法，保留了马克思《资本论》前几版惯用的英制计量单位的度量衡规则，这是因为《资本论》第一卷德文第一版中选取的材料完全是从英国的工业状况中取得实际例证，符合英国本地的使用习惯，更符合世界市场度量衡的通用规则。第四，关于引证方法，恩格斯区分了两种引证方法，即单纯的引证和对其他经济学家理论的引证。"在单纯叙述和描写事实的地方，引文（例如引用英国蓝皮书）自然是作为简单的例证。而在引证其他经济学家的理论观点的地方，情况就不同了。这种引证只是为了确定：一种在发展过程中产生的经济思想，是什么地方、什么时候、什么人第一次明确地提出的……因此，这些引证只是从经济科学的历史中摘引下来作为正文的注解，从时间和首倡者两方面来确定经济理论中各个比较重要的成就。这种工作在这样一种科学上是很必要的，这种科学的历史著作家们一直只是以怀有偏见、不学无术、追名逐利而著称。"[③]这两种引证方法的区别也能够说明马克思为什么只有在非常特殊的情况下才会引用德国经济学家

---

① 《马克思恩格斯文集》第 5 卷，人民出版社 2009 年版，第 28 页。
② 《马克思恩格斯文集》第 5 卷，人民出版社 2009 年版，第 29 页。
③ 《马克思恩格斯文集》第 5 卷，人民出版社 2009 年版，第 30 页。

言论。

恩格斯在编辑第三版时，纠正了马克思《资本论》之前版本的个别错误。《资本论》第一卷德文版在论述关于商品和货币占有者的手工业师傅如何成为资本家时，马克思认为，只有当前者"在生产上预付的最低限额大大超过了中世纪的最高限额时，才真正变为资本家"①。这正应验了黑格尔《逻辑学》中量的变化发展到一定程度就会转变为质的区别的观点。马克思认为这也是最早由洛朗和热拉尔创立的现代化学分子说的基础。他在 1867 年 6 月 22 日给恩格斯的信中提到维尔茨是分子学说的"真正创始人"②，而在《资本论》第一卷德文第一版正文中认为奥·洛朗和沙·热拉尔创立了分子说，沙·维尔茨最早科学阐述了分子说，但在第一卷德文第二版中却不再提维尔茨，而将前两人视为最早科学阐述分子说的人。恩格斯认为马克思过高估计了洛朗和热拉尔的贡献。在《资本论》第一卷第三版注解中，恩格斯认为："作者在这里所指的是最初由沙·热拉尔在 1843 年命名的碳氢化合物的'同系列'，其中每一个系列都有自己的代数组成式。例如：烷烃系列是 C_nH_{2n+2}；正醇系列是 $C_nH_{2n+2}O$；正脂肪酸系列是 $C_nH_{2n}O_2$ 以及其他等等。在上面的例子中，CH_2 在分子式中单纯的量的增加，每次都形成一个不同质的物体。关于洛朗和热拉尔在确定这个重要事实上的贡献（马克思对他们的贡献估计过高），可参看柯普《化学的发展》1873 年慕尼黑版第 709、716 页和肖莱马《有机化学的产生及其发展》1879 年伦敦版第 54 页。"③

1886 年 11 月 5 日，《资本论》第一卷英文版出版。在该版序言中，恩格斯指出了他为《资本论》第一卷英文出版做的主要工作，即寻找合适的翻译者、组织翻译，校订和审查译文等。第一，恩格斯指出，《资本论》英文版是由穆尔和艾威琳翻译，英文版在内容上依据德文第三版，在篇章结构上依据法文版结构，分为 8 篇 33 章。第二，恩格斯和艾威琳分别负责全卷译文校订和引文核定工作。1886 年 4 月 28 日，恩格斯在写给劳拉·拉法格的信中说："把《资本论》翻译成英文是一项非常艰巨的工作。先由他们翻译。然后我来审查译文并用铅笔写上我的意见。再把译稿退给他们。然后进行协商，解决有争论的问

---

① 《马克思恩格斯文集》第 5 卷，人民出版社 2009 年版，第 357—358 页。

② 《马克思恩格斯文集》第 10 卷，人民出版社 2009 年版，第 264 页。

③ 《马克思恩格斯文集》第 5 卷，人民出版社 2009 年版，第 358 页。

题。然后我得再通看一遍，从文体和技术角度检查一下，看是否准备好可以付印，同时还要检查一下杜西在英文原著中找到的引文是否正确。"①在校订译文时，恩格斯还慎重地参考了马克思遗留下来的英文版出版意见。1877年9月5日，弗里德里希·阿道夫·左尔格给马克思写信希望帮其找一名译者把《资本论》第一卷翻译成英文在美国出版，马克思写下了关于《资本论》未来版本出版的三个手稿：《〈资本论〉第1卷德文第2版修改意见表》、《〈资本论〉第1卷美国版编辑说明草稿》和《〈资本论〉第1卷美国版编辑说明》。②10月19日，马克思将《美国版编辑说明》和《资本论》法文版寄给了左尔格，但是《资本论》美国版最终没有出版，这些材料就留在了左尔格那里。马克思逝世后，左尔格得知恩格斯正在编辑出版英文版，1886年2月15日，他就把《美国版编辑说明》寄给了恩格斯。恩格斯参考这些手稿对《资本论》第一卷英文版全卷作了修订，但是恩格斯在使用这些手稿材料时还是很谨慎的，他在第一卷英文版序言中提到，"因为这份手稿是早在马克思对第三版作最后指示的前几年写的，所以我不敢随便利用它，除非在个别情况下，并且主要是在它有助于我们解决某些疑难问题的情况下才加以利用。而大多数有疑难问题的句子，我们也参考了法文本，因为它指出了，原文中某些有意义而在翻译中不得不舍弃的地方，作者自己也是打算舍弃的"③。第三，除了对翻译和校订工作作出说明外，恩格斯还积极推进《资本论》的研究。例如，他强调了两类经济学研究术语使用的区别，指出那种"把现代资本主义生产只看做是人类经济史上一个暂时阶段的理论所使用的术语，和把这种生产形式看做是永恒的、最终的阶段的那些作者所惯用的术语，必然是不同的"④。他还强调了《资本论》第一卷具有独立价值，它在制定工人阶级运动基本原则和具体行动方面扮演着"工人阶级的圣经"作用。

　　1890年6月25日，恩格斯在《资本论》第一卷第四版序言中交代了核对注释和引文的细节，回应那些质疑《资本论》某些引文准确性的观点。一方面，恩格斯"再一次对照法文版和根据马克思亲手写的笔记……又把法文版的

一些地方补充到德文原文中去""还补加了一些说明性的注释"，① 并以恩格斯本人的姓名加以标注，以示区别。另外，他又再次校对修正了马克思的引文。在整理出版《资本论》第一卷德文第四版时，恩格斯参考了此前出版的英文版。其中，发现了引文中的一些"细小的不确切的地方"，如"引文页码弄错了"、"引号和省略号放错了位置"、"翻译时用字不很恰当"以及"转译的引文多少有些走了原意"等等，恩格斯都进行了改正，并用的都是英文原文，但他同时指出："所有这些细微的改正，并没有使本书的内容有丝毫值得一提的改变"②。正是因为恩格斯如此严肃认真的工作，才使德文第四版成为国际上通行的版本。

另一方面，恩格斯还集中阐述了马克思引证方法的科学性问题。在《资本论》第一卷德文第四版序言中，他指出当时流行一种曲解马克思引证方法的观点。1872 年德国工厂主联盟机关刊物《协和》杂志以匿名的方式刊登德国资产阶级庸俗经济学家和讲坛社会主义者路约·布伦坦诺的《卡尔·马克思是怎样引证的》一文。该文指责马克思歪曲了格莱斯顿 1863 年 4 月 16 日预算演说中关于财富和实力增长所覆盖的阶级范围问题，认为马克思在《资本论》第一卷"财富和实力这种令人陶醉的增长……完全限于有产阶级"的这段引文是他"在形式上和实质上增添了"，③ 而《汉萨德》的速记记录中却根本找不到马克思引用的这句话。对此，恩格斯指出马克思曾经连发两篇文章回应这种质疑。1863 年 6 月 1 日，马克思在《人民国家报》上发表《答布伦坦诺的文章》，通过列举 1863 年 4 月 17 日《泰晤士报》等报纸的报道向布伦坦诺说明格莱斯顿确实说过这样的话，只不过他"非常明智地从事后经过炮制的他的这篇演说中删掉了无疑会使他这位英国财政大臣声誉扫地的一句话；不过，这是英国常见的议会传统，而决不是小拉斯克尔反对倍倍尔的新发明"④。1863 年 8 月 7 日，马克思为了回应布伦坦诺等人对上次回应的恶意攻击，在《人民国家报》上发表了《答布伦坦诺的第二篇文章》，并引用 1863 年 4 月 17 日《晨星报》和《晨报》关于格莱斯顿演说的报道，再次证明他之所以在《汉萨德》中没有这句话，是格莱斯顿"事后隐瞒了"。1883 年 11 月 29 日，剑桥三一学院的资产

① 《马克思恩格斯文集》第 5 卷，人民出版社 2009 年版，第 36—37 页。
② 《马克思恩格斯文集》第 5 卷，人民出版社 2009 年版，第 37 页。
③ 《马克思恩格斯文集》第 5 卷，人民出版社 2009 年版，第 38 页。
④ 《马克思恩格斯文集》第 5 卷，人民出版社 2009 年版，第 38—41 页。

阶级经济学家和讲坛社会主义拥护者赛德利·泰勒在《泰晤士报》上刊登一封信，信中不再将上述那句话理解为马克思的"增添"和"伪造"，而是将其理解为马克思的"狡猾的断章取义"。对此，爱琳娜·马克思在1884年2月的《今日》月刊中将争论的问题集中到是不是马克思"增添"了这句话这一问题上，她通过列举证据得出结论："马克思既没有删掉任何值得一提的东西，也绝对没有'增添'任何东西。他只是把格莱斯顿在演说中确实说过、而又用某种方法从《汉萨德》的报道中抹掉的一句话重新恢复，使它不致被人们遗忘。"[1] 恩格斯在1890年6月《资本论》第一卷德文第四版序言中，在1891年《布伦坦诺攻击马克思》中对泰勒进行了彻底揭露，得出结论："第一，马克思没有'增添'任何东西。第二，他没有'删掉'任何东西，足以使格莱斯顿先生有权报怨。第三，布伦坦诺之流在马克思著作中的成千上万条引文里只是像水蛭那样紧紧地吸住这唯一的一条引文，这一情况证明，他们非常清楚地知道'卡尔·马克思是怎样引证的'，——也就是说，他引证的是正确的"[2]。

三、积极宣传和通俗解读《资本论》第一卷

《资本论》第一卷德文版出版后，资产阶级庸俗经济学家对其"绝口不谈"。马克思曾在1867年12月7日致库格曼的信中，对《资本论》第一卷德文版出版后可能会面临的境况做了客观估计，他对库格曼说"如果在德国有六个像您这样的人，那就能够克服庸人群众的抵抗，专家和报界的贱骨头的沉默的阴谋，至少能开展一场严肃的辩论。但是必须等待"[3]。在这封信中，马克思也暗示了恩格斯为打破《资本论》受冷遇情况做的工作。"波克罕昨天问我，《未来报》上的文章是谁写的（他是该报的订户）。他认为，这篇文章是我们写的，因为您曾把清样寄给他。我回答说，我不知道这件事。请注意：不要让人过多地看到我的底牌！"[4]

为了打破资产阶级的沉默封杀和恶意攻击，恩格斯采取"明贬暗褒"的策

---

[1] 《马克思恩格斯文集》第5卷，人民出版社2009年版，第44页。
[2] 《马克思恩格斯全集》第22卷，人民出版社1965年版，第154页。
[3] 《马克思恩格斯全集》第31卷，人民出版社1972年版，第578页。
[4] 《马克思恩格斯全集》第31卷，人民出版社1972年版，第578页。

略积极宣传《资本论》。《资本论》第一卷德文版出版后，恩格斯想起《政治经济学批判。第一分册》在德国出版时面临资产阶级经济学者沉默抵制的情况，他与马克思商量，是不是可以尝试以不署名的方式对《资本论》予以介绍，以此引起社会关注，此建议得到马克思的同意。除了在德国《未来报》上发表评论，恩格斯还以不署名的方式在《莱茵报》、《埃尔伯费尔德日报》、《杜塞尔多夫日报》、《观察家报》、《维尔腾堡工商业报》、《新巴登报》、《民主周刊》、《双周评论》等代表资产阶级观点的报纸和杂志上发表 9 篇评论文章，同时还组织路德维希·库格曼、卡尔·济贝耳、迈耶耳、李卜克内西、劳拉等宣传人员，与十多家德文报纸和杂志沟通，发表宣传《资本论》的相关文章，打破资产阶级的"沉默"阴谋。1867 年 10 月 12 日，恩格斯在《为〈未来报〉作》中指出，"庸俗经济学"仅仅是维护资产阶级和谐和权威的御用政治经济学，而马克思《资本论》把"庸俗经济学"与其古典的先驱者（到李嘉图和西斯蒙第止）对立起来，并且对古典派也采取批判的态度，同时始终力图不离开严格科学研究的道路，创造了一个充满辩证的科学经济学体系。该体系涉及对货币如何作为自在地存在的东西被表述出来和货币如何转化成资本的揭示，对劳动力在市场上成为商品的揭示，对剩余价值取代利润的修改，对把历史规律看成永恒规律观念的破除，对历史暂时性的强调，还有对"奴隶制的经济条件和规律，农奴制和依附农制的各种不同形态，自由工人的产生"、"协作、分工和工场手工业、机器和大工业的历史的和经济的相互联系和相互作用"①问题的研究等。恩格斯就此指出尽管"庸俗经济学"还没有观点与以上观点对抗，但这并不是说，马克思《资本论》的结论是无可反驳的，也不是说他已经充分论证了自己的结论，而是指"庸俗经济学家"还没有人能把这些结论驳倒。恩格斯认为《资本论》揭示出当时全部经济学家的"庸俗性"，这些"庸俗经济学家""为了眼前的声誉，拿自己的科学作卖淫的勾当，背弃了科学的古典大师。他们高谈'和谐'，却纠缠在最平庸的矛盾中。"而《资本论》恰恰告诉他们，"经济学不是一头供给我们黄油的奶牛，而是一门需要人们认真地热心地投入其中的科学。"②

　　同日，在《为〈莱茵报〉写的〈资本论〉第一卷书评》中，恩格斯指出拉

---

① 《马克思恩格斯全集》第 21 卷，人民出版社 2003 年版，第 306 页。

② 《马克思恩格斯全集》第 21 卷，人民出版社 2003 年版，第 307 页。

萨尔的主要论据仅限于不断重复李嘉图的工资律，而马克思《资本论》无可争辩地论述了资本与劳动的全部关系，揭示现代社会的经济运动规律，并且根据毋庸置疑的现实真实材料得出了整个资本主义生产方式必定要被消灭的结论。其次，恩格斯指出马克思《资本论》向人们揭示出政治经济学"等价交换"产生不等价值的秘密，这种秘密只有劳动力成为商品，才能解开。恩格斯还强调了获取剩余价值的主要方式在于"把劳动时间延长到超过生产必需的生活资料或生活资料的价值所需要的时间"，在于"通过缩短生产必需的生活资料所需要的劳动时间来达到"①。恩格斯向人们呈现资本积聚和积累的趋势问题。"与资本的积聚和积累同时并进的是工人过剩人口的积累，而这两个积累过程归根到底一方面使社会变革成为必要，另一方面使社会变革成为可能。"②

1867 年 10 月 22 日，恩格斯在《为〈埃尔伯费尔德日报〉写的〈资本论〉第一卷书评》中开篇就指出《资本论》第一卷的核心要义，即"这部 50 印张的学术著作是要向我们证明：我们的银行家、商人、工厂主和大土地占有者的全部资本，不过是工人阶级的积累起来的无酬劳动！……既然有产阶级全部积累起来的资本不过是'无酬劳动'，那么显然可以由此直接得出结论：这种劳动应该在事后得到偿付，这就是说，这里所指的全部资本应该交给劳动"③。同年 11 月 3 日和 8 日，恩格斯在《为〈杜塞尔多夫日报〉写的〈资本论〉第一卷书评》中着重回应了那些尝试从《资本论》第一卷德文版中寻找到社会革命后所实现的"共产主义的千年王国"具体方案的观点，指出"谁指望得到这种乐趣，谁就大错特错了"④，《资本论》第一卷德文版所揭示的社会革命目标"不是像已故的拉萨尔所说的拥有国家资本的工人合作社"，而是"根本消灭资本"。恩格斯认为马克思《资本论》只是从最一般层面上揭示社会革命后的社会发展原则。一方面，大工业"使生产过程的资本主义形式的矛盾和对抗成熟起来，因此也同时使新社会的形成要素和旧社会的变革要素成熟起来"⑤。另一方面，资本主义生产形式的消灭要"重新建立个人所有制，然而是在资本主义时代的成就的基础上，在自由劳动者的协作的基础上和他们对土地及靠劳动本

① 《马克思恩格斯全集》第 21 卷，人民出版社 2003 年版，第 311 页。
② 《马克思恩格斯全集》第 21 卷，人民出版社 2003 年版，第 312 页。
③ 《马克思恩格斯全集》第 21 卷，人民出版社 2003 年版，第 313 页。
④ 《马克思恩格斯全集》第 21 卷，人民出版社 2003 年版，第 316 页。
⑤ 《马克思恩格斯文集》第 5 卷，人民出版社 2009 年版，第 576 页。

身生产的生产资料的公有制上来重新建立。以自己劳动为基础的分散的个人私有制转化为资本主义私有制，同事实上已经以社会生产为基础的资本主义私有制转化为社会所有制比较起来，自然是一个长久得多、艰苦得多、困难得多的过程"①。第二，恩格斯指出，马克思一个不可抹杀的功绩在于他结束了把政治经济学原理看成是永恒真理和抽象普遍的科学看法，而将政治经济学看作是一定历史发展的结果。《资本论》的出现，改变了那种从经济上把奴隶劳动、农奴劳动和自由的雇佣劳动等量齐观的看法，它"把对于以自由竞争为特征的现代大工业有效的规律，直截了当地搬到古代社会或中世纪的行会上去，或者当这些现代的规律不适合于先前的状况时，就简单地宣布先前的状况为异端"②的做法变成不可能的了。

在 1867 年 12 月 12—13 日《为〈观察家报〉写的〈资本论〉第一卷书评》中，恩格斯从论题和结论两个方面解读了《资本论》。就论题来说，他认为马克思在《资本论》中运用了完全的新唯物主义的自然历史方法科学考察了协作、分工、工场手工业、机器大工业及其相适应的社会联系和关系是如何联系起来。就作者的结论倾向来说，他指出马克思的双重倾向：马克思为了证明"现代社会，从经济学上来考察，孕育着另一个更高的社会形态"③，把对社会关系规律的理解确立为自然的逐渐变革的过程，从而否定了自由主义者们包办社会历史进步的观点。恩格斯指出这种把社会进步看成自然的历史过程是马克思的主要功绩，也是区分马克思与拉萨尔等人的社会主义观点重要依据。拉萨尔的全部社会主义在于辱骂资本家，而向落后的普鲁士容克献媚，并且幻想俾斯麦能承担起实行社会主义千年王国的重任。而马克思则明确指出资本主义生产方式具有历史必然性，那些仅仅依靠消费并且占有土地的容克阶级是多余的。"现在在法国和普鲁士占统治地位的制度，如果不及时制止的话，很快就会导致俄国的鞭子对欧洲的统治。"④ 同期，恩格斯写了《为〈符腾堡工商业报〉写的〈资本论〉第一卷书评》，着重向德国的工厂主工商实业者们介绍了阅读《资本论》"协作、工场手工业和大工业"章对理解中世纪以来近代工业史基本特征的重要意义。首先，恩格斯向人们解释马克思研究近代工业史方法的科学性。他指

---

① 《马克思恩格斯全集》第 26 卷，人民出版社 2014 年版，第 138 页。
② 《马克思恩格斯全集》第 21 卷，人民出版社 2003 年版，第 318 页。
③ 《马克思恩格斯全集》第 21 卷，人民出版社 2003 年版，第 336 页。
④ 《马克思恩格斯全集》第 21 卷，人民出版社 2003 年版，第 337 页。

出马克思"没有在任何地方以事实去迁就自己的理论，相反地，他力图把自己的理论作为事实的结果加以阐述。这些事实他总是取自最好的来源，而涉及最新形势时，则取自目前德国还不知道的真实的来源，即英国议会的报告"①。其次，马克思根据官方报告，详细分析了英国工厂立法及其结果的历史，这对关税同盟新的立法将可能导致保护税降低背景下，思考德国工厂主如何应对问题具有重要借鉴意义。"如果新的关税同盟条约很快就会造成迄今为止的保护关税的减低（这大概是可能的），那么大体上熟悉一下现代工业史，以便从中预先学会在这样的变动中如何采取最适宜的行动，对于我们所有的工厂主就成为必要的了。迄今为止，尽管政治上四分五裂，却一再拯救了我们德国人的高度素养，在这种情况下也会成为用来反对粗俗的实利主义的英国人的最好的武器。"② 因此，恩格斯呼吁人们不要被马克思《资本论》的社会主义倾向所吓倒，应认真研究该书。

此外，恩格斯 1868 年 1 月 21 日在《新巴登报》着重强调《资本论》在研究工人状况方面的价值，1868 年 3 月 21 日和 28 日在《民主周报》高度评价了马克思对揭示现代社会体系所做的杰出贡献。恩格斯还为《资本论》第一卷德文第一版前四章撰写提纲，用比较简洁明快的语言提纲挈领梳理了《资本论》商品和货币、货币转化为资本、绝对剩余价值生产和相对剩余价值生产机器与大工业等章节，有助于人们快速了解和掌握《资本论》。这些书评总体上是从资产阶级视角审视《资本论》第一卷，有的甚至看起来像在批评《资本论》，但是这种表述最终都没有偏离《资本论》第一卷所要强调的价值目标，这就为扩大《资本论》第一卷德文版影响，激发资产阶级发言欲望，打破资产阶级的沉默起到了重要推动作用。

由此可见，恩格斯对《资本论》第一卷德文版的出版、修订和传播作出了不可磨灭的贡献。

---

① 《马克思恩格斯全集》第 21 卷，人民出版社 2003 年版，第 339 页。
② 《马克思恩格斯全集》第 21 卷，人民出版社 2003 年版，第 339 页。

第八章　第一国际的成立及反对
机会主义的斗争

　　19 世纪中期，欧洲工人运动的高涨推动了工人的联合，1864 年，国际工人协会即第一国际的成立就是无产阶级运动自然发展的结果。马克思为第一国际起草了纲领和章程，并把科学社会主义贯穿其中，对第一国际的发展产生了重要影响。在革命斗争中，马克思恩格斯对民族解放斗争理论进行了新的探讨，对无产阶级加强国际团结作了新的论述。在建立和发展第一国际的过程中，马克思恩格斯同蒲鲁东主义、拉萨尔主义、巴枯宁主义等机会主义思潮进行了坚决的斗争。

第一节　第一国际的成立及马克思恩格斯
对革命前景的考察

　　19 世纪 50 年代到 60 年代，随着欧洲主要资本主义国家经济的发展，资本主义基本矛盾被进一步激化，欧洲工人运动也随之高涨，无产阶级要求建立自己独立的政治组织的愿望也更加强烈。在这样的背景下，1864 年 9 月，欧洲各国工人成立了国际工人协会，即第一国际。马克思和恩格斯在深入分析 1848 年革命后欧美资本主义经济社会发展状况的基础上，认为欧洲革命进入了低潮阶段，但他们深刻地论证了无产阶级革命具有不可避免性，并坚信革命高潮一定会来临。

一、欧洲工人运动的高涨

　　1848 年欧洲革命失败后，欧洲各国资产阶级利用封建势力的削弱和让步，对无产阶级展开了疯狂反攻，欧洲无产阶级处境十分艰难，欧洲工人运动暂时转入了低潮。马克思在回顾 19 世纪 50 年代欧洲工人运动时指出："在 1848 年革命失败后，大陆上工人阶级所有的党组织和党的机关报刊都被暴力的铁腕所摧毁，工人阶级最先进的子弟在绝望中逃亡到大西洋彼岸的共和国去，短促的解放梦已随着工业狂热发展、道德败坏和政治反动的时代的到来而破灭了。"①

　　19 世纪 50 年代到 60 年代，欧洲的资产阶级竭尽全力发展生产力，使资本主义生产力又大大向前发展了。这一时期，尽管英国的工业革命已经完成，但西欧其他国家，如德国的工业革命正步入鼎盛阶段，50 年代到 60 年代出现了工业特别是重工业的高速增长，同时，法国的工业革命也方兴未艾。英国、法国、德国、美国等主要资本主义国家，煤的产量由 1850 年的 6730 万吨增加到了 1860 年的 11 950 万吨，铁的产量由 1850 年的 342 万吨增加到了 1860 年的 612 万吨，铁路里程由 1850 年的 3.85 万公里增加到了 1860 年的 10.8 万公里。恩格斯曾指出："从 1848 年起经济革命席卷了整个欧洲大陆，在法国、奥地利、匈牙利、波兰以及最近在俄国刚刚真正确立了大工业，并且使德国简直就变成了一个头等工业国"。② 这一时期的世界资本主义经济正处在如恩格斯所评介的"经济革命"阶段。伴随着资本主义经济的发展，无产阶级队伍也得到了发展壮大，到 19 世纪 60 年代，欧洲产业工人已达到 874 万多人，手工业工人达到 1123 万多人。

　　但是，资本主义经济的增长，只是给资产阶级带来了财富，而工人阶级的生活仍然处于贫困状态，这就进一步加深了社会的两极分化，使资产阶级和无产阶级之间的阶级矛盾更为尖锐。在英国，1850 年资产阶级的一些报刊煞有介事地宣称，只要英国的进出口贸易增加 50%，英国的贫困现象就会消

---

① 《马克思恩格斯选集》第 3 卷，人民出版社 2012 年版，第 7 页。
② 《马克思恩格斯选集》第 4 卷，人民出版社 2012 年版，第 384—385 页。

灭。但事实上,英国的进出口贸易增长幅度在 1850 年到 1860 年的 10 年间大大高于 50%,其中进口贸易额从 1.005 亿英镑增加到 1.819 亿英镑,增长了 80.9%,出口贸易额则从 0.714 亿英镑增加到 1.359 亿英镑,增长了 90.3%。但是,英国的贫困现象不仅依然存在,而且还日趋严重。不仅在英国是这样,欧洲其他国家也是如此。从 1850 年到 1856 年,德国工人的实际工资下降了 32%,法国则下降了 20%。马克思通过分析大量的事实后指出:"工人群众的贫困在 1848 年到 1864 年间没有减轻,这是不容争辩的事实。"[1]同时,欧洲主要资本主义国家经济高涨带来了周期性经济危机的爆发,特别是 1857 年从美国开始波及欧洲主要资本主义国家的经济危机,引起世界性的经济衰退和萧条,在危机阶段,大批企业倒闭,失业人口急剧增长,工人的生活状况更为恶化,进一步加剧了资产阶级和无产阶级之间的矛盾。恩格斯在反思这一时期欧洲资本主义社会经济关系发展的实际时,曾经指出:"正是这个工业革命才到处都使各阶级之间的关系明朗化起来;它排除了从工场手工业时期遗留下来,而在东欧甚至是从行会手工业中遗留下来的许多过渡形式,造成了真正的资产阶级和真正的大工业无产阶级,并把它们推到了社会发展的前台。因此,在 1848 年除英国之外只在巴黎以及充其量在几个大工业中心发生的这两大阶级之间的斗争,现在已经遍及全欧洲,并且达到了在 1848 年还难以想象的激烈程度"[2]。

资产阶级和无产阶级之间矛盾的不断加深,使得 1848 年欧洲革命失败后处于低潮的工人运动,在 19 世纪 50 年代末又重新发展起来。继 1857 年英国建筑工人大罢工之后,法国、德国、意大利、比利时等国的罢工运动也蓬勃发展起来,从而结束了欧洲工人运动的低潮时期。这一时期的欧洲工人运动表现出了鲜明的特点。

第一,各国无产阶级纷纷打破狭隘的行会和保守观念,强烈要求建立自己的独立的政治组织,逐步走向了政治斗争的道路。在英国,1860 年各行业工人成立了"伦敦职工会委员会",各主要工业城市也相继成立了各种工会联合会的市委员会,后来又成立了一些专业工会组织,如木工联合会,全英矿工同盟等,这些组织成了这一时期英国工人运动的领导中心。在法国,60 年代初

---

① 《马克思恩格斯选集》第 3 卷,人民出版社 2012 年版,第 1 页。
② 《马克思恩格斯选集》第 4 卷,人民出版社 2012 年版,第 385 页。

期巴黎、土鲁斯、马赛等城市先后成立了互助会，1863 年巴黎、马赛等地相继建立了细木工会、炼铁工人联合会等组织；它们为这一时期法国工人运动的再度兴起起到了重要的领导作用，迫使波拿巴政府不得不宣布废除 1791 年颁布的禁止工人罢工和集会结社的《霞不列法》。在德国，1863 年先后成立了全德工人联合会和德意志工人协会联合会。在美国，1857 年在纽约组建了共产主义者俱乐部，1863 年又建立了全国性的工人联合会。在欧洲其他一些国家，如意大利、比利时、瑞士、西班牙等，60 年代也出现了各种形式的工人组织。这些工人组织成为反对资产阶级的有力组织者，在与资产阶级的斗争中显示出了强大的力量。

第二，各国无产阶级在斗争中意识到加强国际合作和国际联合行动的重要性。1848 年革命失败后，欧洲各国资产阶级经常在政治上和经济上联合镇压工人运动，特别是 1857 年世界性经济危机之后，资本家经常采取从国外招雇劳动力的办法来阻止和破坏本国工人的罢工斗争，从而更加增强了各国无产阶级要求国际合作、共同反对资产阶级斗争的愿望。19 世纪 60 年代，随着工人运动的深入发展，欧洲各国工人相互支持，开始把联合反对资产阶级的愿望变为行动，形成了与资产阶级斗争的新局面。伦敦建筑工人的罢工得到了多国工人的广泛同情和支持，德国和法国工人还寄去了捐款。美国北方反对南方奴隶主的斗争得到了欧洲工人的支持，英国工人坚决阻止了英国政府援助南方奴隶主的计划。英国、法国等国的工人广泛同情波兰起义，多次召开群众大会，谴责沙俄的残酷统治，赞扬波兰人民的正义斗争。国际工人的联合行动成为这一时期工人运动发展的重要特点，为国际性工人组织的建立奠定了基础。马克思指出："无产阶级运动又是由现代社会自然的和不可抗拒的趋势所产生的。"[①]但是，这些联合还处在自发阶段，需要经过正确的理论指导和艰苦的组织工作，才能形成稳定的强大的国际力量。

与此同时，欧美各国资本主义经济的发展，也进一步推动了这些国家反封建的人民革命运动和反对民族压迫的革命斗争。例如，1859 年德国和意大利重新兴起了民族统一运动，1863 年初波兰爆发了反抗沙皇统治争取民族独立的大规模的武装起义，1861 年到 1865 年美国爆发了反对奴隶制的南北战争，1867 年爱尔兰爆发了争取民族解放的武装起义，等等。同时，资本主义经济

---

① 《马克思恩格斯全集》第 21 卷，人民出版社 2003 年版，第 466 页。

的扩张，也使各资本主义国家之间争夺殖民地和势力范围的斗争日趋尖锐，从而进一步激起东方国家反对殖民主义，争取民族解放的斗争。在中国、印度、缅甸、朝鲜等国，掀起了反对殖民主义和封建主义的风暴，1851 年到 1864 年中国爆发了反对封建专制制度和外国殖民主义统治的太平天国革命，1857 年到 1859 年印度爆发了反对英国殖民主义统治的人民起义，等等。这些席卷欧洲、美洲和亚洲的革命运动，对当时欧洲国家工人运动的高涨起着十分重要的推动作用。

马克思和恩格斯密切关注 19 世纪 50 年代末开始的不断高涨的欧美工人运动，为维护各国工人阶级的利益和促进工人阶级的国际团结做了大量工作。从 19 世纪 50 年代起，马克思和恩格斯为美国进步报纸《纽约每日论坛报》和其他报刊撰写了大量文章，就德国和意大利的民族统一运动、美国国内战争、波兰人民起义、中国太平天国运动以及印度人民的反英斗争等，表明了他们的态度和观点。他们支持用革命的方法实现德国和意大利的统一，声援美国北方军民反对南方奴隶制的斗争，斥责法国波拿巴政府阻挠德国、意大利统一的政策，揭露沙皇俄国充当欧洲反动势力的堡垒，抨击英国政府对中国、印度的殖民政策，称颂中国人民、印度人民反对殖民主义的英勇斗争，从而为欧洲工人运动和世界各国人民的斗争指明了方向，促进了欧洲工人运动的国际联合。

二、第一国际的成立

19 世纪 60 年代初期，欧洲高涨的工人运动，使得各国无产阶级迅速会合起来，建立国际无产阶级组织成为他们的共同愿望。1863 年欧洲各国工人支持波兰人民反对沙俄的民族起义，是国际工人协会，即第一国际成立的直接原因。马克思和恩格斯指出："这次起义成为在波兰流亡者参与下创立的国际的起点。"①

当时的波兰处于俄国、普鲁士、奥地利三国奴役之下，并遭到了三次瓜分。1863 年 1 月，沙俄占领区的波兰人民举行了震动全欧洲的大规模武装起义，沉重打击了沙俄的霸权野心和普鲁士王朝对波兰的殖民统治，但起义遭

---

① 《马克思恩格斯全集》第 25 卷，人民出版社 2001 年版，第 445 页。

到了沙俄和普鲁士的联合镇压。沙俄的血腥屠杀引起了欧洲无产阶级的强烈反响。1863 年 4 月 28 日，英国工联召开了声援波兰起义的工人集会。7 月 22 日，英国工人再次在伦敦召集群众大会声援波兰人民的正义斗争，并邀请法国工人代表团和流亡在英国的其他国家的工人代表参加。在这次集会上，英国工联领导人提出"我国劳动人民希望同法国劳动人民联合起来给波兰人民以最热烈的支持"的主张，法国工人代表也表示："为了文明，必须制止俄国的侵略，整个欧洲都应该一致援助波兰。"在这次集会后，英国工人又举行了隆重的欢迎法国工人代表的大会。会后，英国和法国代表很快形成了一个比支持波兰民族独立目标更为广泛的、旨在建立国际工人联合组织的协议，并选出英国工联首领组成的筹备委员会。经过英国工联领导人几个月的准备，英国工人会议于 1863 年 11 月 10 日召开，并正式通过了《英国工人致法国工人》的呼吁书。呼吁书主张"建立各国人民之间的团结"，以达到争取缩短工作日、提高工资及改善工人的社会状况等目标。1864 年 5 月，法国工人对英国工联的主张做出强烈反应，形成了《法国工人致英国工人兄弟》的复信。这封复信提出，全世界工人要团结成一条不可逾越的防线，改变"科学成为资本的特权"、"工人成为机器的工具"、"自由贸易创造工业奴隶制"等不合理的社会现象和社会制度。法国工人还派出代表，就召开国际联合组织成立会议问题与英国工联进行具体协商。

　　1864 年 9 月 28 日，英国工人为了进一步声援波兰起义，加强国际无产阶级的联系和团结，再次发起召开了无产阶级的国际会议，会议在伦敦圣马丁堂举行。参加会议的除英国工人代表外，法国工人代表以及侨居在英国的德国、意大利、波兰、爱尔兰工人代表也参加了大会，参加大会的工人至少有 2000 名。会前，英国工联领袖克里默专门给马克思发了请柬和邀请书。马克思在得知参加这次会议的代表主要是真正工人运动的领导者时，认为"这是一桩可以取得显著成效的事业"[1]，于是他决定参加大会，并被选入大会主席团。大会由英国激进的慈善事业家比斯利教授主持，英国工人代表奥哲尔宣读了 1863 年《英国工人致法国工人》的呼吁书，法国工人代表托伦宣读了答辞。这两个文件表达了国际无产阶级为反对资产阶级而加强国际团结和联合斗争的共同愿望，受到大会的欢迎。经大会讨论，决定成立国际性工人组织，并选出了一

---

[1]　《马克思恩格斯全集》第 31 卷，人民出版社 1972 年版，第 435 页。

个由英、法、德、意等国 21 位工人代表组成的临时委员会作为领导机构。奥哲尔和克里默分别被选为主席和总书记，埃卡留斯被选为副主席，马克思以德国工人代表身份当选为临时委员，并兼任德国通讯书记。在 10 月 11 日的临时委员会会议上，宣布正式成立国际工人协会，简称国际（1889 年第二国际成立后，史称第一国际）。马克思后来在谈到该组织建立的条件和特点时说："国际工人协会并不是某一个宗派或某一种理论的温室中的产物。它是无产阶级运动自然发展的结果"①，"国际的新颖之点就在于它是工人们自己为自己建立的。"② 在伦敦圣马丁堂举行的这次大会，实际上成了第一国际的成立大会。

　　1864 年 9 月 28 日在伦敦圣马丁堂的成立大会并未制定出国际工人协会的纲领和章程。在 10 月 5 日临时委员会第一次会议上，推选出了 9 人组成的小委员会，由小委员会负责制定协会的纲领性文件。参加小委员会的除马克思外，还有英国工联主义者、法国蒲鲁东主义者和意大利马志尼主义者的代表。在起草宣言和章程过程中，各派都力图在宣言和章程中打上自己的派别烙印。在马克思因病缺席的情况下，小委员会在最初的几次会议上提出了一份文件，这份文件由两部分组成，一部分是由欧文主义者起草，并经法国小资产阶级民主主义者校阅的作为引言的宣言，另一部分是意大利工人团体起草的章程。然而，这些宣言和章程的内容杂乱无章，理论模糊不清，错误百出。这个文件受到了马克思的批评。10 月 18 日，马克思抱病参加了临时委员会会议，并接受小委员会委托，承担起了修改宣言和章程草案的任务。马克思在 10 月 20—27 日，用英文拟定了《国际工人协会成立宣言》和《国际工人协会临时章程》两个文件。这两个文件在 10 月 27 日得到了小委员会的赞同，并在 11 月 1 日被临时委员会一致通过。依据《国际工人协会临时章程》，临时委员会被确认为国际工人协会的领导机关，通称中央委员会，1866 年 9 月 8 日以后改称总委员会。

三、马克思恩格斯对革命前景的考察

　　1848 年上半年，马克思和恩格斯通过对欧美资本主义社会经济和政治发

---

① 《马克思恩格斯全集》第 21 卷，人民出版社 2003 年版，第 466 页。
② 《马克思恩格斯选集》第 3 卷，人民出版社 2012 年版，第 1006 页。

展态势及前景的分析，认为革命高潮很快就会到来。马克思和恩格斯认为，1847 年经济危机的严重后果，以及早期工业资产阶级对工人的残酷剥削，手工业的大量破产和农民的困难处境，是社会主义革命临近的征兆和新的革命迅速胜利的保证，是无产阶级革命的前提条件。他们认为法国已成熟的革命危机将以无产阶级的胜利而告终，因此期待着法国革命将推动整个欧洲的革命。在 1850 年 3 月的《共产主义者同盟中央委员会告同盟书》中，马克思和恩格斯指出："如果说德国工人不经过较长时间的革命发展过程，就不能掌握统治权和实现自己的阶级利益，那么这一次他们至少可以确信，这一出即将开始的革命剧的第一幕，将与他们本阶级在法国取得直接胜利同步上演，因而第一幕的进展一定会大大加速"[1]。他们还一再告诫人们，革命已经迫近，这次革命不管将来是由法国无产阶级的独立起义引起的，还是由神圣同盟对革命的巴比伦的侵犯引起的，都会加速革命发展。马克思和恩格斯还预料，"只要法国发生任何一次新的无产阶级起义，都必然会引起世界战争。新的法国革命将被迫立刻越出本国范围去夺取欧洲的地区，因为只有在这里才能够实现 19 世纪的社会革命"[2]。他们断言，1849 年法国革命将重新爆发，接着欧洲大陆和英国势必被卷入革命的洪流。他们还认为，在英国，即将爆发的商业危机就其影响来说，比以往的任何一次都严重得多，而且商业危机是会同农业危机一起爆发的，因此，英国的商业危机、农业危机和革命一并产生的现象也愈来愈不可避免，而且，英国的双重危机由于大陆即将发生动荡而将会来得更快、更广泛和更危险，而大陆的革命由于英国危机对世界市场的影响而将会具有比以前鲜明得多的社会主义性质。马克思和恩格斯从即将来临的欧洲革命高潮的前景出发，认为各国工人阶级革命代表的国际联合将有助于革命的胜利，于是 1850 年春，他们引导宪章派的左翼和布朗基派流亡者代表，建立以共产主义者同盟为核心的更广泛的国际无产阶级组织，以促进科学社会主义思想在英国和法国工人运动中的传播。显然，在 1850 年上半年，马克思和恩格斯过早地预测了新的革命高潮即将来临，过高地估计了欧洲资本主义社会的成熟性和无产阶级的成熟程度，从而错误地认为无产阶级革命已经接近胜利。

　　1850 年夏天，马克思和恩格斯通过对欧美资本主义社会前景的新分析，

---

① 《马克思恩格斯选集》第 1 卷，人民出版社 2012 年版，第 564 页。

② 《马克思恩格斯选集》第 1 卷，人民出版社 2012 年版，第 470 页。

很快就改变了革命高潮很快就会到来的论断和预测。他们通过深入研究世界市场的情况、欧美资本主义经济迅速发展对革命的影响等问题，觉得过去这种欧洲新的经济危机即将来临，新的无产阶级革命很快就会爆发的预测是不准确的，并对欧美资本主义社会前景的新分析，对欧洲社会发展即将出现的前景，得出了与过去不同的结论。马克思和恩格斯在研究了整个 19 世纪 40 年代欧美经济发展以后，认为导致 1848 年欧洲革命爆发的经济危机的后果已经完全消失了，新的工业繁荣已经在革命时期开始了。马克思和恩格斯在 1850 年秋写的第三篇国际述评中，对这些结论又作了进一步的阐述，指出在英国和美国这次新的繁荣时期在 1848 年、1849 年、1850 年三年当中已经明显地表现出来了，而且工业繁荣已经达到了很高的水平，英国和美国的繁荣还很快地影响了欧洲大陆，使德国和法国的工业也呈现繁荣景象，工业繁荣巩固了欧洲反动势力的阵地。马克思和恩格斯从经济繁荣造成革命停滞不前的状况出发，指出："在这种普遍繁荣的情况下，即在资产阶级社会的生产力正以在整个资产阶级关系范围内所能达到的速度蓬勃发展的时候，也就谈不到什么真正的革命。只有在现代生产力和资产阶级生产方式这两个要素，互相矛盾的时候，这种革命才有可能。大陆秩序党内各个集团的代表目前争吵不休，并使对方丢丑，这决不能导致新的革命；相反，这种争吵之所以可能，只是因为社会关系的基础在目前是那么巩固，并且——这一点反动派并不清楚——是那么明显地具有资产阶级特征。一切想阻止资产阶级发展的反动企图都会像民主派的一切道义上的愤懑和热情的宣言一样，必然会被这个基础碰得粉碎。新的革命，只有在新的危机之后才可能发生。"①

马克思和恩格斯在认真考察了欧洲各国经济迅速发展的趋势对革命形势的影响后，认为革命运动已经处于低潮。他们指出："在工业普遍活跃、商业周转加速以及人们对政治漠不关心的气氛下"，"目前笼罩着整个反对党阵营的是一片分崩离析、萎靡不振、束手无策的景象。"② 因此，他们坚决反对共产主义者同盟内的冒险主义分子关于马上夺取政权的主张，指出在条件还不成熟的时候，企图人为地制造革命，完全是徒劳的。马克思和恩格斯认为，1848 年的革命已经结束，新的革命高潮不会迅速到来，无产阶级也还没有成熟到可以夺

---

① 《马克思恩格斯选集》第 1 卷，人民出版社 2012 年版，第 541 页。

② 《马克思恩格斯全集》第 11 卷，人民出版社 1995 年版，第 460、464 页。

取政权的程度，为了改变现存条件和使自己具有进行政治统治的能力，无产阶级或许不得不再经历 15 年、20 年、50 年的内战。马克思和恩格斯还认为，在新的革命高潮到来之前，共产主义者同盟的成员要利用暂时的休战时期，钻研革命理论，总结 1848—1849 年革命的经验教训，加强共产主义者同盟的建设，使无产阶级对未来的战斗做好准备。后来，恩格斯在 1895 年回顾他们当时预测欧美资本主义社会发展前景问题时更明确地提到："历史表明，我们以及所有和我们有同样想法的人，都是不对的。历史清楚地表明，当时欧洲大陆经济发展的状况还远没有成熟到可以铲除资本主义生产的程度。"①

革命进入了低潮时期后，马克思和恩格斯深刻地论证了无产阶级革命的不可避免性，坚信革命高潮一定会来临。马克思和恩格斯一方面反对共产主义者同盟内要求马上夺取政权的冒险主义主张，正确地指出在欧洲工业普遍繁荣的情况下，根本谈不上什么真正的革命，另一方面也反对一些过去的革命者因革命失败而灰心丧气，采取消极的随波逐流的态度，号召工人阶级坚定革命的信心，把无产阶级革命的任务坚持到底。马克思和恩格斯辩证地揭示了资本主义社会两种相反的趋势并存而又尖锐对立的事实，指出在这种社会里"每一种事物好像都包含有自己的反面"②：机器具有减少人类劳动和使劳动更有成效的神奇力量，然而却引起了无产阶级的饥饿和过度的疲劳；随着人类愈益控制自然，个人却似乎愈益成为别人的奴隶或自身的卑劣行为的奴隶；现代工业，科学与现代贫困衰颓之间，资本主义生产力与社会关系之间的对抗，是显而易见的、不可避免的和毋庸争辩的事实。他们坚信"新的革命，只有在新的危机之后才可能发生。但新的革命正如新的危机一样肯定会来临"③。

其一，资本主义矛盾尖锐化必然导致无产阶级革命。在 1848 年革命前和革命中，马克思和恩格斯揭示了资本主义矛盾，指出在资本和雇佣劳动的关系这个范围内，资本的利益和雇佣劳动的利益是截然对立的。只要雇佣劳动和资本的关系继续存在，只要资产阶级还在更有效地运用资本，使资产阶级和无产阶级的对立更加显著，资本主义社会就一直是在资产阶级和无产阶级对立的范围内发展的。在 1848 年革命失败之后，马克思和恩格斯从现实的资本主义制

---

① 《马克思恩格斯选集》第 4 卷，人民出版社 2012 年版，第 384 页。
② 《马克思恩格斯选集》第 1 卷，人民出版社 2012 年版，第 776 页。
③ 《马克思恩格斯选集》第 1 卷，人民出版社 2012 年版，第 541 页。

度出发，对资本主义矛盾作了进一步的论证。马克思指出："不论是机器的改进，科学在生产上的应用，交通工具的改良，新的殖民地的开辟，向外移民，扩大市场，自由贸易，或者是所有这一切加在一起，都不能消除劳动群众的贫困；在现代这种邪恶的基础上，劳动生产力的任何新的发展，都不可避免地要加深社会对比和加强社会对抗。"[1] 由于资本家必然要尽可能多地剥削劳动力，而随着雇佣人队伍的扩大，他们的反抗也加强了，因此资本为压制这种反抗所施加的压力也必然增加。1857 年 4 月，马克思根据英国工厂视察员的报告，认为英国的工厂主与工人之间的对立已迅速接近爆发真正社会战争的程度。马克思还提出：英国工业的发展过去迫使资产阶级起来反对贵族阶级，而现在它又在推动工人阶级去反对资产阶级，正像资产阶级正在打击贵族阶级一样，资产阶级也将受到工人阶级的打击。

其二，资本主义经济危机促使无产阶级革命运动高涨。在 19 世纪 40 年代后半期，马克思和恩格斯已经探讨了资本主义经济危机的必然性和重复性问题。他们指出，在资本主义社会，由于自由竞争达到了十分剧烈的地步，大批资本家都投身于工业，生产很快就超过了消费，结果生产出来的商品卖不出去，出现了商业危机，工厂倒闭，工人挨饿，到处出现可怕的贫困现象。不久以后，过剩的产品卖出去了，生产发展逐步加快了，但不久又重新出现新的经济危机。因此，"从本世纪初以来，工业经常在繁荣时期和危机时期之间波动。这样的危机几乎定期地每五年到七年发生一次，每一次它都给工人带来极度的贫困，激起普遍的革命热情"[2]。到了 19 世纪 50 年代，马克思和恩格斯对经济危机理论作出了更深入的研究，认为资本主义普遍的生产相对过剩的经济危机，不仅揭示了资本主义经济关系的历史性，而且还预示了新的社会经济关系产生的必然性。

其三，全世界各种矛盾尖锐化，也必将导致欧洲无产阶级革命运动的高涨。马克思和恩格斯提醒人们，要注意考察这样一个事实，每当西方革命风暴暂时平息的时候，一定同时会出现两个一直存在着的"东方问题"。随着资本主义的迅速发展，争夺东方殖民地的斗争也必然加剧起来，不仅西方各国统治者和他们的臣民之间国家和社会之间、阶级和阶级之间发生冲突的迹象日趋严

---

[1] 《马克思恩格斯选集》第 3 卷，人民出版社 2012 年版，第 6 页。
[2] 《马克思恩格斯选集》第 1 卷，人民出版社 2012 年版，第 301 页。

重，而且西方的列强相互之间也在发生冲突，这种冲突正在一步步尖锐化，以致剑拔弩张，非诉诸武力不可，由此而发生了克里木战争、意大利战争、印度人民大起义和中国太平天国革命等。马克思和恩格斯指出，19世纪五六十年代民族解放运动的兴起，极大地推动了欧洲的无产阶级革命运动，当英国引起了中国和印度等国革命的时候，这一个个革命将会对英国并且通过英国对整个欧洲发生重大影响。

在革命处于低潮的时期，马克思和恩格既反对对革命悲观失望的情绪，也反对因革命失败而对革命采取横加指责的革命虚无主义态度。他们在总结法国革命经验教训时，旗帜鲜明地指出："1848—1849年的革命编年史中每一个较为重要的章节，都冠有一个标题：革命的失败！"[1]，"在这些失败中灭亡的并不是革命，而是革命前的传统的残余，是那些尚未发展到尖锐阶级对立地步的社会关系的产物，即革命党在二月革命以前没有摆脱的一些人物、幻想、观念和方案，这些都不是二月胜利所能使它摆脱的，只有一连串的失败才能使它摆脱"[2]，"二月革命对于旧社会是一个突然袭击，是一个意外事件，而人民则把这个突然的打击宣布为具有世界历史意义的壮举，认为它开辟了一个新纪元"[3]。马克思和恩格斯认识到，不管这次革命低潮将延续多长的时间，都应该积极引导无产阶级从分析资本主义社会固有矛盾和全世界各种矛盾入手，揭示资本主义自身不可克服的矛盾，阐明新的革命的不可避免性，从而为欧洲革命的前景指明了正确的方向。

第二节　马克思恩格斯在革命斗争中的理论贡献

马克思在起草第一国际纲领和章程时，既坚持科学社会主义理论原则，又

---

[1] 《马克思恩格斯选集》第1卷，人民出版社2012年版，第445页。
[2] 《马克思恩格斯选集》第1卷，人民出版社2012年版，第445页。
[3] 《马克思恩格斯选集》第1卷，人民出版社2012年版，第671—672页。

与当时工人运动发展的现实水平和工人阶级的实际接受能力相联系，把原则性与灵活性成功地结合起来。马克思和恩格斯高度关注这一时期相继发生的东西方的民族解放运动，并对他们在 19 世纪 40 年代末和 50 年代初提出的关于民族解放斗争的理论作了新的发展。马克思和恩格斯还结合工人运动的新情况，对加强无产阶级的国际团结作了新的论述。

一、关于第一国际纲领和章程的阐述

1864 年 10 月 18 日，第一国际纲领和章程的起草权转到马克思手中。马克思发现第一国际已有的纲领和章程的初稿是极不成熟的，在内容上极其混乱，文字表达上异常冗长，包含了许多极不成熟的说法和思想。马克思在给恩格斯的信中谈到纲领和章程的初稿时说："导言到处都带有马志尼的色彩，而且披着法国社会主义的轮廓不清的破烂外衣。此外，意大利的章程大体上被采用了，这个章程追求一个事实上完全不可能达到的目的，即成立欧洲工人阶级的某种中央政府（当然是由马志尼在幕后操纵），至于其他错误就更不用说了。"① 因此，马克思认为已经起草的纲领和章程既不符合国际工人运动发展的实际，也不利于今后国际工人运动的健康发展。

马克思在起草新的纲领和章程时，意识到要澄清这些混乱的思想，只有坚持在《共产党宣言》中所阐明的科学社会主义基本原则，才能贯彻"成立国际是为了用工人阶级的真正的战斗组织来代替那些社会主义的或半社会主义的宗派"② 的目的。同时，马克思也清楚意识到，当时的国际工人运动虽已呈现不断高涨的走势，但是工人运动本身还刚刚从资产阶级民主运动中分离出来，马克思主义仅仅在少数先进工人中传播，还没有在工人运动中占主导地位。当时，形形色色的社会主义思潮对各国工人运动还产生着程度不同的影响，例如，在英国工联主义者控制着工人运动的领导权，在法国蒲鲁东主义广为流传，在德国拉萨尔主义还居支配地位，在意大利马志尼主义有广泛的影响。在这种条件下，如果马克思直接宣布《共产党宣言》的原则为国际的原则，就不

① 《马克思恩格斯选集》第 4 卷，人民出版社 2012 年版，第 451 页。
② 《马克思恩格斯选集》第 4 卷，人民出版社 2012 年版，第 496 页。

可能实现团结国际无产阶级的目的，因此，马克思说："要把我们的观点用目前水平的工人运动所能接受的形式表达出来，那是很困难的事情"①。马克思在起草国际的两个纲领性文件时，既考虑到工人运动的实际水平和广大工人的接受能力，又贯穿了《共产党宣言》早已宣布的科学社会主义基本原则，"这就必须做到实质上坚决，形式上温和"②，把无产阶级革命理论的原则性与无产阶级革命实际策略的灵活性成功地结合起来，维护了第一国际的无产阶级性质，为第一国际确立正确的政治路线、组织路线及策略路线作出了极其重要的贡献。

马克思起草的《国际工人协会成立宣言》，贯穿了科学社会主义原理，特别注重把《共产党宣言》中的一系列基本原则同60年代初资本主义社会和工人运动实际密切地结合起来，主要包括以下内容。

第一，揭示了无产阶级利益和资产阶级利益的根本对立。在《国际工人协会成立宣言》中，马克思以资本主义最发达的英国为例，在列举了大量的工人熟悉的事实的基础上指出，自1848年以来，欧洲主要资本主义国家的经济都有了"空前的发展"，特别是对外贸易方面得到了"梦想不到的扩大"，但是，应该看到，所有这些由生产力，特别是科学在生产力上的运用所带来的后果，都是和资本主义这种"邪恶的基础"结合在一起的。生产力被异化为资本的生产力，科学的力量则成了资本的力量。其结果必然是，所有的"令人陶醉"的经济成就，只是表现为有产阶级的财富与实力的增长，对于广大劳动群众来说，"工人阶级的广大群众的生活水平到处都在深深地下降，下降的程度至少同那些站在他们头上的阶级沿着社会阶梯上升的程度一样。"③在资本主义社会，"不论是机器的改进，科学在生产上的应用，交通工具的改良，新的殖民地的开辟，向外移民，扩大市场，自由贸易，或者是所有这一切加在一起，都不能消除劳动群众的贫困"，相反地，"劳动生产力的任何新的发展，都不可避免地要加深社会对比和加强社会对抗。"④马克思用资本主义社会中的大量事实来表达《共产党宣言》的思想，深刻地揭示了无产阶级和资产阶级这两大阶级的矛盾，强调资本主义不论经济多么发达，也无法消除无产阶级和资产阶级的

① 《马克思恩格斯选集》第4卷，人民出版社2012年版，第453页。
② 《马克思恩格斯选集》第4卷，人民出版社2012年版，第453页。
③ 《马克思恩格斯选集》第3卷，人民出版社2012年版，第6页。
④ 《马克思恩格斯选集》第3卷，人民出版社2012年版，第6页。

利益对立，无产阶级只有推翻资本主义制度，才能获得解放。

第二，强调了夺取政权是无产阶级的伟大历史使命。马克思在《国际工人协会成立宣言》中，对1848年革命后，无产阶级在白色恐怖的条件下的工人运动进行了评价。他认为一方面，革命低潮挫伤了工人阶级对自己事业的信心，工人阶级中原先的先进分子发生分化，一部分被迫"逃亡"，另一部分受暂时增加工作和工资的诱惑而蜕变成"政治工贼"。但另一方面，在革命低潮中无产阶级坚持以各种形式开展斗争，并取得了一定的成就，工人运动还是出现了许多"好的方面"，例如，英国工人阶级通过斗争使十小时工作日法案获得通过，以及合作运动中涌现出的合作工厂。马克思认为，"十小时工作日法案不仅是一个重大的实际的成功，而且是一个原则的胜利；资产阶级政治经济学第一次在工人阶级政治经济学面前公开投降了"[1]。而由工人独立创办的合作工厂则是一项"伟大的社会实验"，证明大规模的生产没有雇主阶级也能够进行，资本家对劳动工具的垄断和对工人的掠夺阻碍了生产的有效进行，雇佣劳动"注定要让位于带着兴奋愉快心情自愿进行的联合劳动"，其意义"不论给予多么高的估价都是不算过分的"[2]。马克思认为成就的取得，对改善工人的劳动条件和提高工人生活水平都有一定的作用，在这些合法形式的斗争中，也能锻炼工人阶级，显示工人阶级的力量和才智，"但是土地巨头和资本巨头总是要利用他们的政治特权来维护和永久保持他们的经济垄断的"[3]，不管合作制多么优越，也不能使无产阶级获得解放。无产阶级只有推翻资本主义制度，夺取政权，才能得到彻底的解放。马克思在《国际工人协会成立宣言》中宣布："夺取政权已成为工人阶级的伟大使命"[4]。马克思在这里以揭露资产阶级的反动本质和总结无产阶级合法斗争的历史经验教训，表达了《共产党宣言》中夺取政权，建立无产阶级专政的思想。

第三，阐明了工人阶级的组织和团结在工人阶级革命斗争中的重要意义。马克思审视欧洲工人运动的实际，认为西欧国家工人运动中，已经产生了"努力从政治上改组工人政党"的要求，工人运动也越来越迫切要求"为知识所指导"，因为组织起来的工人阶级，只有在"为知识所指导时"，人数众多才成为

---

① 《马克思恩格斯选集》第3卷，人民出版社2012年版，第8页。
② 《马克思恩格斯选集》第3卷，人民出版社2012年版，第8—9页。
③ 《马克思恩格斯选集》第3卷，人民出版社2012年版，第9页。
④ 《马克思恩格斯选集》第3卷，人民出版社2012年版，第10页。

起决定作用的因素。他在《国际工人协会成立宣言》中指出："工人的一个成功因素就是他们的人数；但是只有当工人通过组织而联合起来并获得知识的指导时，人数才能起举足轻重的作用"①。马克思在这里所强调的"组织起来"和用"知识指导"的思想，正是《共产党宣言》中所阐明的无产阶级建党思想原则的巧妙表述，也就是说，工人运动只有同科学社会主义思想相结合，组织成无产阶级政党，并在自己政党的领导下才能取得胜利。马克思还强调了无产阶级加强国际团结的重要意义："忽视在各国工人间应当存在的兄弟团结，忽视那应该鼓励他们在解放斗争中坚定地并肩作战的兄弟团结，就会使他们受到惩罚——使他们分散的努力遭到共同的失败。"②马克思告诫工人运动要从组织上和理论上作好准备，迎接无产阶级革命的新高潮，满怀激情地用《共产党宣言》的结束语——"全世界无产者，联合起来！"作为《国际工人协会成立宣言》的结束语。

马克思起草的《国际工人协会临时章程》，规定了国际工人协会的目的、任务和基本组织原则，强调了工人阶级的解放应该由工人阶级自己去争取，无产阶级在反对有产阶级的斗争中必须建立与一切旧政党不同的政党，才能作为一个阶级来行动，保证社会革命的胜利，主要包括以下内容。

第一，规定了建立国际工人协会的目的。《国际工人协会临时章程》明确规定，建立国际工人协会的"目的是要成为追求共同目标即工人阶级得到保护、发展和彻底解放的各国工人团体进行联络和合作的中心"③。马克思认为1848年革命时期，欧洲的工人运动也出现了高潮，但是，那时工人运动中的最大缺陷是缺乏互相支持，在实际行动和理论指导上缺乏统一。各国的工人运动处在分散的状态之中，那时的工人阶级没有充分地认识到"亲密的联合"和"实践上和理论的合作"的重要性，因而工人阶级的斗争失败了。《国际工人协会临时章程》指出，当前欧洲各个发达的工业国工人阶级运动的新高涨，在鼓起新的希望的同时，不要重犯过去的错误，应该立刻把各个仍然分散的运动联合起来。国际工人协会就是为了适应工人运动重新走向高涨的需要，从实践上和理论上加强对工人运动的指导而建立的国际无产阶级的战

---

① 《马克思恩格斯选集》第 3 卷，人民出版社 2012 年版，第 10 页。
② 《马克思恩格斯选集》第 3 卷，人民出版社 2012 年版，第 10 页。
③ 《马克思恩格斯选集》第 3 卷，人民出版社 2012 年版，第 172 页。

斗组织。

第二，规定了无产阶级的斗争任务。《国际工人协会临时章程》指出：无产阶级在新的历史条件下的斗争，应该充分认识到"夺取政权已成为无产阶级的伟大使命"①，而实现这个历史任务，也应该知道"工人阶级的解放应该由工人阶级自己去争取"②。在资本主义制度下，只有通过政治斗争，才能达到工人阶级的经济解放。《国际工人协会临时章程》指出，无产阶级在这场伟大的斗争中，不能把自己的战斗任务看作是谋取自己的阶级特权和垄断权，而要把它看作是争取平等权利、消灭阶级的斗争，实现没有剥削、没有压迫的社会。

第三，强调了无产阶级建立自己政党的必要性。《国际工人协会临时章程》指出：工人阶级在经济斗争中已经取得了很大的成就，同时也增强了团结，但是，当无产阶级要进一步去反对剥削者政权的时候，建立自己的政党就十分必要了。因为只有在自己政党的领导下，才能"保证社会革命获得胜利和实现革命的最终目标——消灭阶级"③。

第四，规定了国际工人协会的民主集中制的组织原则。《国际工人协会临时章程》中，虽然没有民主集中制的提法，但是，就它所规定的组织结构和活动程序来看，它是实行民主集中制原则的。例如：国际的基层组织是支部，它的最高权力机关是代表大会。在代表大会休会期间由大会产生的总委员会负责处理日常工作，领导各支部的活动，对地方各级组织实行集中统一的领导。在国际的各级会议上，它的成员和代表都可以自由发表意见，但是，一旦形成大会决议之后，每个成员和各级组织都必须执行。国际工人协会的组织原则，后来成为马克思主义政党的组织原则。

马克思为国际工人协会制定的《国际工人协会成立宣言》和《国际工人协会临时章程》是国际无产阶级组织的纲领性文献。这两个历史文献贯穿着《共产党宣言》的基本思想，使国际无产阶级的第一个组织摆脱了资产阶级主派的影响，成为国际无产阶级的战斗组织，为国际工人协会的存在和发展奠定了牢固的基石。

---

① 《马克思恩格斯选集》第3卷，人民出版社2012年版，第174页。
② 《马克思恩格斯选集》第3卷，人民出版社2012年版，第171页。
③ 《马克思恩格斯选集》第3卷，人民出版社2012年版，第173页。

二、对民族解放斗争理论的新探讨

19 世纪 50—60 年代，西欧资本主义国家在经历其"经济进步时代"的同时，不仅加深了这些国家国内的阶级矛盾和各国间的民族矛盾，而且还在世界范围内，激化了西方社会和东方社会的民族矛盾。马克思和恩格斯对这一时期相继发生的波兰和爱尔兰民族解放运动，以及中国的太平天国革命和印度的民族起义给予极大的关注，并对他们 40 年代末和 50 年代初提出的关于民族解放斗争的理论作了新的发展。

1863 年 1 月，波兰爆发了大规模的反对沙皇统治的武装起义，这场起义虽然失败了，但对马克思和恩格斯关于民族解放理论的发展产生了重要的影响。早在 1847 年，马克思和恩格斯就对波兰的民族独立问题予以深切的关注。他们在《论波兰》的演说中，针对俄国、普鲁士和奥地利三国瓜分波兰，导致普鲁士、奥地利都置于俄国控制之下的痛苦经验，第一次提出"一个民族当它还在压迫其他民族的时候，是不可能获得自由的"[1] 重要论断，提出了民族解放斗争中"就应当以各国工人的兄弟联盟来对抗各国资产者的兄弟联盟"[2] 的重要原则。当时，他们强调了被压迫民族解放事业对无产阶级革命斗争的依从性。例如，马克思曾指出："不应该在波兰解放波兰，而应该在英国解放波兰。"[3]

面对 1863 年爆发的波兰起义，马克思和恩格斯对民族解放斗争与欧洲无产阶级斗争之间的关系的认识有了新的飞跃。通过对波兰民族同欧洲关系的历史与现状的考察，他们清楚地认识到，波兰的民族独立实际上已成为欧洲和平、民主和进步的前提条件之一，正是在这一意义上，可以认为，"自由欧洲要靠自由和独立的波兰来支撑"[4]。对于欧洲工人运动来说，在波兰民族独立这个涉及全欧洲的重要问题没有解决之前，欧洲工人运动总会遇到障碍，遭受失败，发展也将是迟缓的。马克思和恩格斯已把波兰的民族解放斗争看作是整个欧洲无产阶级革命的中心环节。基于这一认识，他们高度评价了英、法工人阶

---

① 《马克思恩格斯选集》第 1 卷，人民出版社 2012 年版，第 314 页。
② 《马克思恩格斯选集》第 1 卷，人民出版社 2012 年版，第 316 页。
③ 《马克思恩格斯选集》第 1 卷，人民出版社 2012 年版，第 314 页。
④ 《马克思恩格斯全集》第 21 卷，人民出版社 2003 年版，第 148 页。

级对波兰起义的援助；他们把这看作是国际工人运动发展的有机组成部分，是无产阶级为求得自身解放的斗争的重要环节之一。

19 世纪 60 年代，震惊欧洲的民族解放斗争，除了波兰起义外，还有 1867 年再度爆发的爱尔兰人民为争取民族解放的武装起义。爱尔兰民族解放斗争由来已久，早在 1848 年，旨在争取民族独立的"爱尔兰同盟"就组织过武装起义，试图建立独立的爱尔兰共和国。19 世纪 50 年代末，自称为"芬尼党人"的"爱尔兰革命兄弟会"成立，他们也主张通过武装起义建立独立的爱尔兰共和国。1867 年爆发的起义，就是由"芬尼党人"组织领导的。

通过对 1848 年到 1867 年这 20 年间爱尔兰民族解放斗争历史的考察，马克思和恩格斯不仅深刻剖析了爱尔兰问题的实质，而且还以爱尔兰民族解放斗争为典型例证，丰富了民族解放斗争和无产阶级革命斗争的理论。起初，马克思和恩格斯都认为，爱尔兰的解放只有借助于英国无产阶级革命才能实现，没有英国工人阶级在本土上给资产阶级以毁灭性的打击，爱尔兰的民族独立及建立独立的爱尔兰共和国都是不可能的。在 1867 年起义后，马克思和恩格斯对这一观点作了重要的修正。1867 年 11 月，在爱尔兰起义爆发后不久，马克思在给恩格斯的一封信中就已指出："过去我认为爱尔兰从英国分离出去是不可能的。现在我认为这是不可避免的，即使分离以后还会成立联邦"[1]。1869 年，马克思再次指出："我长期以来认为可以借英国工人阶级的崛起来推翻统治爱尔兰的制度。我在《纽约论坛报》上总是维护这种观点。但是我更加深入地研究了这个问题以后，现在又得出了相反的信念。只要英国工人阶级没有摆脱爱尔兰，那就毫无办法。杠杆一定要安放在爱尔兰。因此，爱尔兰问题才对整个社会运动有这样重大的意义。"[2] 一年以后，马克思在一封信中又一次指出："不是在英国，而是只有在爱尔兰才能给英国统治阶级以决定性的打击（而这对全世界的工人运动来说是有决定意义的）。"[3]

马克思和恩格斯对爱尔兰民族解放斗争意义认识上的变化和他们对当时英国，乃至资本主义世界社会发展态势及工人运动现实的科学分析有着密切的联系。首先，从英国社会发展态势来看，爱尔兰实际上是英国大地主所有制的

---

① 《马克思恩格斯全集》第 31 卷，人民出版社 1972 年版，第 381 页。
② 《马克思恩格斯文集》第 10 卷，人民出版社 2009 年版，第 316 页。
③ 《马克思恩格斯选集》第 4 卷，人民出版社 2012 年版，第 483 页。

支柱，"如果大地主所有制在爱尔兰崩溃了，它在英国也必定要崩溃"①。其次，从整个资本主义世界来看，爱尔兰问题蕴含了一些主要资本主义国家之间的深刻的矛盾。例如，"英国人和爱尔兰人之间的对立是美国和英国之间的冲突的隐秘的基础。它使两国工人阶级之间不可能有任何认真的和真诚的合作。它使两国政府能够在它们认为合适的时候用互相恐吓的手段，必要时用两国之间的战争去缓和社会冲突。"②最后，通过支持爱尔兰民族解放斗争，也利于消除当时弥漫在英国工人运动中的工联主义和沙文主义倾向，在英国工人阶级中树立起无产阶级国际主义的思想，使英国工人运动得到健康的发展。因此，对英国工人阶级来说，"爱尔兰的民族解放对他们来说并不是一个抽象的正义或博爱的问题，而是他们自己的社会解放的首要条件。"③

19世纪50—60年代，马克思和恩格斯开始从世界历史的整体关系上，对东方社会的经济、政治、社会、历史等问题表现出越来越浓厚的兴趣。当然，引起他们兴趣的并不是东方社会的神秘性，而是东方社会中蕴含的巨大的社会革命和社会进步的力量。他们从世界历史发展的全新视角，对东方社会和西方社会的关系问题作了深入的探讨。

1853年5月，马克思在《中国革命和欧洲革命》一文中，已对当时中国社会经济结构的基本性质、对已席卷中国南方省份的太平天国革命作了深刻的论述。马克思当时着眼于中国革命产生重大影响这一问题的分析。他认为："可以有把握地说，中国革命将把火星抛到现今工业体系这个火药装得足而又足的地雷上，把酝酿已久的普遍危机引爆，这个普遍危机一扩展到国外，紧接而来的将是欧洲大陆的政治革命。"④

第二次鸦片战争（1856—1860）期间，马克思和恩格斯更加注重对中国社会问题的研究。他们认为，西方列强，特别是英国对中国的骇人听闻的掠夺，充分显露了资产阶级的残忍性；但是，在表面上，西方列强都装出一副基督教的伪善面孔，利用文明来投机；因而在以中国没落的封建王朝同英国文明世界的较量中，"陈腐世界的代表是激于道义，而最现代的社会的代表却是为了获得贱买贵卖的特权——这真是任何诗人想也不敢想的一种奇异的对联式

---

① 《马克思恩格斯全集》第16卷，人民出版社1964年版，第473页。
② 《马克思恩格斯选集》第4卷，人民出版社2012年版，第485页。
③ 《马克思恩格斯选集》第4卷，人民出版社2012年版，第485页。
④ 《马克思恩格斯选集》第1卷，人民出版社2012年版，第783页。

悲歌"①。在这一较量中，代表封建王朝的陈腐力量，是难以单纯地用"道义"来抵御文明力量的冲击的。但是，另一点也是毫无疑义的，即"过不了多少年，我们就会亲眼看到世界上最古老的帝国的垂死挣扎，看到整个亚洲新纪元的曙光"②。

就在第二次鸦片战争期间，在东方的另一个大国——印度，以西帕依土著雇佣兵的暴动为起点，引发了印度历史上第一场全民族规模的反对英国殖民统治的大起义。从这场大起义的直接导因来看，它似乎只是一场土著士兵的叛乱，或者是一场宗教冲突。马克思认为，这种理解是错误的。实际上，大起义的进程已经表明，不同宗教信仰、不同种姓、不同部落的人们，已忘却了他们之间曾经有过的仇隙，联合起来反对他们的共同统治者——英国殖民主义者。因此，印度出现的骚动不是军事叛乱，而是"民族起义"。

马克思和恩格斯还从世界历史发展的高度，对印度大起义的意义作了深入阐述。一方面，印度大起义深受当时亚洲国家反对殖民主义统治，争取民族解放斗争的影响，另一方面，它也成为这股强大的革命潮流的组成部分，推动了东方社会的民族解放斗争，同时，也极大地削弱了英国统治阶级力量，支援了英国和欧洲无产阶级的革命斗争。在这一意义上，印度人民的民族解放斗争成为国际工人运动的"最好的同盟者"。

三、关于无产阶级加强国际团结的新论述

马克思根据当时工人斗争的实际需要，阐明了加强工人阶级团结在工人阶级革命斗争中的重要意义。马克思考察了欧洲工人运动的实际后，认为19世纪70年代的西欧国家工人运动中，已经产生了"努力从政治上改组工人政党"的要求，工人运动也越来越迫切要求"为知识所指导"，因为组织起来的工人阶级，只有在"为知识所指导"时，人数众多才成为起决定作用的因素。马克思在《国际工人协会成立宣言》中再次强调了《共产党宣言》中所阐明的无产阶级建党思想，即工人运动只有同科学社会主义思想相结合，组织成无产

---

① 《马克思恩格斯选集》第1卷，人民出版社2012年版，第804页。
② 《马克思恩格斯选集》第1卷，人民出版社2012年版，第800页。

阶级政党，并在自己政党的领导下才能取得胜利。马克思指出："工人的一个成功因素就是他们的人数；但是只有当工人通过组织而联合起来并获得知识的指导时，人数才能起举足轻重的作用。"①马克思还强调无产阶级加强国际团结的重要意义："过去的经验证明：忽视在各国工人间应当存在的兄弟团结，忽视那应该鼓励他们在解放斗争中坚定地并肩作战的兄弟团结，就会使他们受到惩罚——使他们分散的努力遭到共同的失败。"②马克思告诫工人运动要从组织上和理论上做好准备，迎接无产阶级革命的新高潮，再次号召"全世界无产者，联合起来！"

马克思在与蒲鲁东主义的斗争中，针对蒲鲁东主义力图把无政府主义引入国际工人运动的组织原则和以"社会革命"为核心的纲领，马克思提出了"实现劳资斗争中的国际联合行动"的理论与策略。1866 年 8 月，马克思在《给临时中央委员会代表的若干问题的指示》中指出：第一国际全部活动的目的，"就在于把各国工人阶级分散进行的求解放的斗争联合起来、普遍地开展起来"③。因此，在确定各国工人、阶级具体斗争策略时，协会"要使各国工人在求解放的大军中，不仅在感情上是，而且在行动上也是兄弟和同志"④。

同时，马克思在提出"国际联合行动"时，还十分强调对各国工人阶级实际状况的调查研究，注重各国工人运动的特殊性与独创性，据此，他指出："我们建议的一项伟大的'国际联合行动'，就是由工人阶级自己对所有国家的工人阶级状况进行统计调查"⑤。各国工人阶级要把自己的命运掌握在自己手中，必须以对本国工人阶级实际状况的"熟悉"为起点。马克思把"全体工人参加收集工人阶级情况的统计材料的工作"，列入开展各国工人运动的必要任务之一，在提出这一调查研究的具体内容时，马克思再次强调"每个地区均可有所修改"的原则⑥，走具有各国特色的工人运动之路，同各国工人阶级争取自身解放斗争中的联合具有内在的统一性。在很大程度上，国际工人运动"统一大军"的形成，正是以具有各国特色的工人运动的发展为前提的。

---

① 《马克思恩格斯选集》第 3 卷，人民出版社 2012 年版，第 10 页。
② 《马克思恩格斯选集》第 3 卷，人民出版社 2012 年版，第 10 页。
③ 《马克思恩格斯全集》第 21 卷，人民出版社 2003 年版，第 266 页。
④ 《马克思恩格斯全集》第 21 卷，人民出版社 2003 年版，第 266 页。
⑤ 《马克思恩格斯全集》第 21 卷，人民出版社 2003 年版，第 266 页。
⑥ 参见《马克思恩格斯全集》第 21 卷，人民出版社 2003 年版，第 267 页。

第三节 马克思主义同机会主义思潮的斗争

第一国际是由各种社会主义派别联合起来的国际性无产阶级组织。在成立初期，马克思的科学社会主义在国际工人运动中并没有占据主导地位，在第一国际内部讨论重大问题时，各种派别都力图用自己的思想指导工人运动。蒲鲁东主义、拉萨尔主义、巴枯宁主义等机会主义思潮，是19世纪中期对工人运动产生重要影响的错误思潮。马克思和恩格斯同这些机会主义思潮进行了坚决的斗争，深入分析了它们的错误根源，明确指出了它们对于工人运动的伤害，提高了马克思主义在工人运动中的地位，保证了国际工人运动的正确方向，促进了工人运动水平的提高。

一、马克思主义同蒲鲁东主义的斗争

蒲鲁东主义形成于19世纪40—50年代，是第一国际初期有较大影响的小资产阶级社会主义思潮。蒲鲁东主义，在经济上主张建立以小私有制为基础的互助制社会，反对资本主义大私有制，也反对消灭私有制的共产主义；在政治上，设想建立一种无政府的社会，主张"打倒政党、打倒政权"；在实现未来社会道路的问题上，主张通过建立"人民银行"发放无息贷款，帮助人民直接开办合作社、小工厂等手段，对资本主义进行改造，以实现互助制的无政府社会。

早在19世纪40年代末，马克思在《哲学的贫困》等著作中，就曾对蒲鲁东主义的改良主义思潮作过深入的批判。1865年2月，马克思在《论蒲鲁东》一文中，对蒲鲁东的主要著作和理论作了概要的评述，在谈到蒲鲁东的第一部著作《什么是财产?》时，马克思指出，尽管这是蒲鲁东"最好的著作"，但也显著地暴露了蒲鲁东理论上的矛盾的取向："蒲鲁东一方面以法国小农的（后来是小资产者的）立场和眼光来批判社会，另一方面他又用社会主义者流传给他的尺度来衡量社会"①。恩格斯也曾指出:"整个蒲鲁东主义都渗透着一种反动的特性:厌恶工业革命,时而公开时而隐蔽地表示希望把全部现代工业、蒸汽机、纺纱机以及其他一切坏东西统统抛弃,而返回到旧日的规规矩矩的手工劳动。"②但是,蒲鲁东主义的影响并没有消除,到19世纪60年代,蒲鲁东主义在国际工人运动中仍然有着重要的影响,在第一国际成立初期,蒲鲁东主义成为误导国际工人运动的最主要的机会主义流派。因此,同蒲鲁东主义的斗争,成为确立马克思主义在第一国际中指导思想地位的重要一环。在第一国际内部,马克思主义和蒲鲁东主义的斗争主要围绕以下问题展开。

第一,关于对待波兰民族解放运动的问题。蒲鲁东主义者反对支持波兰人民争取民族独立的斗争,在第一国际1865年9月在伦敦代表会议和1866年9月日内瓦的代表会议上,他们阻挠讨论波兰问题,反对通过支持波兰民族解放斗争的决议。蒲鲁东主义者认为民族问题是一个长期纠缠不清的"陈腐观念",波兰的民族解放运动是同无产阶级根本无关的"纯粹政治问题",无产阶级所注重的"社会革命",既不必涉及民族问题,也不必挑起政治斗争,支持波兰民族解放斗争是一种倒退。从表面上看,这场冲突是由波兰问题是否要列入计划召开的第一国际第一次代表大会的议事日程引起的,但实质上,这一冲突反映了马克思主义和蒲鲁东主义在对待民族解放斗争和无产阶级革命关系问题上的尖锐对立。经过马克思以及战友们与蒲鲁东主义者的激烈辩论,在日内瓦的代表会议上,马克思关于民族解放斗争是无产阶级革命重要组成部分的观点得到大多数代表的支持,支持波兰恢复民主的决议也得以通过。

第二,关于第一国际的性质和组织原则问题。1866年9月,国际在日内瓦召开了代表大会,主要是讨论通过《国际工人协会共同章程》和制定第一国际的行动路线。在讨论《国际工人协会共同章程》时,蒲鲁东主义者提出,要把第一国际变成世界合作协会,变成国际性的工人职业介绍所,还主张在国际中央机构下设立商店和交换银行,为会员国之间交换提供方便。蒲鲁东主义者的主张,遭到了与会代表的批判,总委员会通过了马克思起草的《国际工人协会成立宣言》和《国际工人协会临时章程》,规定了国际工人协会的无产阶级性质和无产阶级国际的组织原则,实际上形成了马克思主义在国际内部的主导

---

① 《马克思恩格斯选集》第3卷,人民出版社2012年版,第14页。
② 《马克思恩格斯选集》第3卷,人民出版社2012年版,第200页。

地位。在1865年伦敦代表会议和1866年日内瓦代表大会上，蒲鲁东主义者为了改变国际的组织原则并达到控制国际的目的，提出所谓的脑力劳动者不能成为国际负责人的提案，极力排斥马克思和恩格斯对国际的影响。经过与会工人代表的斗争，会议否决了蒲鲁东主义者的提案。在1867年洛桑代表大会上，蒲鲁东主义者企图把总委员会迁往他们势力较大的瑞士的提案也遭到了失败。

1868年9月初，在布鲁塞尔代表大会上，马克思宣读了他自己完成的《国际工人协会总委员会第四年度报告》。在这一报告中，马克思首先概述了1867—1868年间第一国际在反对资本主义制度斗争中取得的重要进展，再次强调了第一国际坚持"正确的道路"的必要性，从而为这次代表大会最终战胜蒲鲁东主义奠定了重要的理论基础。他指出："国际工人协会并不是某一个宗派或某一种理论的温室中的产物。它是无产阶级运动自然发展的结果，而无产阶级运动又是由现代社会自然的和不可抗拒的趋势所产生的。国际工人协会深知自己所负使命的伟大意义，它既不容许别人恫吓自己，也不容许别人把自己引入歧途。今后，它的命运将同孕育着人类新生的那个阶级的历史发展不可分割地联系在一起。"①

第三，关于工人解放的根本道路问题。蒲鲁东主义者在1866年的日内瓦代表大会上，提出了一个《备忘录》，鼓吹通过建立合作社和组织平等交换的方式使无产阶级获得解放，反对工人进行罢工和参加政治斗争。针对蒲鲁东主义者的观点，马克思在《临时中央委员会就若干问题给代表的指示》中，强调要把符合工人阶级切身利益的斗争，看作是谋求工人的解放和工人运动发展的先决条件。马克思认为，法国的一些社会主义者"满脑袋都是蒲鲁东的空洞词句。他们高谈科学，却什么也不懂。他们轻视一切革命的、即产生于阶级斗争本身的行动，轻视一切集中的、社会的、因而也是可以通过政治手段（例如，从法律上缩短工作日）来实现的运动；在自由和反政府主义或反权威的个人主义的幌子下，这些先生们——他们16年来竟泰然自若地忍受并且现在还在忍受着最可耻的专制制度！——实际上在宣扬庸俗的资产阶级的生意经，只不过按蒲鲁东的精神把它理想化了！蒲鲁东造成了很大的祸害"②。

马克思反对蒲鲁东主义把工人争取正常工作日的斗争排除出工人运动范

---

① 《马克思恩格斯全集》第21卷，人民出版社2003年版，第466页。
② 《马克思恩格斯文集》第10卷，人民出版社2009年版，第243页。

围的主张。他十分强调限制工作日的斗争的重要性，认为没有限制工作日这一先决条件，"一切进一步谋求改善工人状况和工人解放的尝试，都将遭到失败"①。马克思及时总结了1866年美国工人运动的新鲜经验，提出"建议通过立法手续把工作日限制为8小时"的斗争目标。从更长远的意义来看，马克思认为，限制工作日"不仅对于恢复构成每个民族骨干的工人阶级的健康和体力是必需的，而且对于保证工人能够发展智力，进行社交活动以及社会和政治活动，也是必需的"②。

针对蒲鲁东主义错误地认为实行"互惠"的合作制度，就足以改变工人阶级受剥削的经济地位，足以改变资本主义商品生产性质的主张。马克思鲜明地提出，国际决不能指使或强迫工人运动接受任何"空论主义的制度"，也不应当片面渲染任何"特殊的合作制度"作用及对合作运动和工会作用问题的新探讨。马克思认为，在一定程度上，合作运动当然是改造以阶级对抗为基础的资本主义社会的各种力量之一，因为"这个运动的巨大价值在于它能实际证明：现在这种使劳动附属于资本的制造贫困的残暴制度，可以被自由平等的生产者联合的造福人民的共和制度所代替"③。但是，应该清醒地看到，不论怎样的合作制度，都不能"改造"资本主义社会，"为了把社会生产变为一个由合作的自由劳动构成的和谐的大整体，必须进行全面的社会变革，也就是社会的全面状况的变革。除非把社会的有组织的力量即国家政权从资本家和地主手中转移到生产者自己手中"④。可见，马克思并不全然否定合作运动的积极意义，相反还十分注重其"重大功绩"；即使是这种改良形式的合作运动，也已从理论与实践上证明"共和的、带来繁荣的、自由平等的生产者联合的制度"产生的可能性。马克思自己也曾"建议"，在合作运动中，与其从事流通领域的"合作贸易"，还不如从事与直接生产过程相联系的"合作生产"。马克思对合作运动的性质及其意义的科学说明，揭露了蒲鲁东主义者迷信信用制度的作用，反对的是那种把合作运动当作改造资本主义制度的唯一方式或唯一力量的机会主义主张。

第四，关于工会问题。马克思还针对蒲鲁东主义（也包括英国工联主义）

---

① 《马克思恩格斯全集》第21卷，人民出版社2003年版，第268页。
② 《马克思恩格斯全集》第21卷，人民出版社2003年版，第268页。
③ 《马克思恩格斯全集》第21卷，人民出版社2003年版，第271页。
④ 《马克思恩格斯全集》第21卷，人民出版社2003年版，第271页。

在工会问题上的错误主张，对工会在国际工人运动中的作用及其发展前景问题作了深刻论述。马克思认为，在资本主义社会中，资本是作为一种集中的社会力量存在的。同时，工人尽管也是作为一种社会力量存在的，但是，由于工人各自只拥有自己的劳动，而劳动力之间不可避免的竞争，必然削弱这种社会力量的集中发挥。因此，在这种力量对比状况下，劳资之间永远不可能在公平的条件下缔结协定。而工会最初就是由工人们为消除或至少削弱这种竞争，以便在劳资协定中取得一些有利条件而自发地组织起来的。因此，马克思认为，"工会的直接任务仅限于日常的需要，设法阻止资本的不断侵权，一句话，仅限于工资和劳动时间的问题。工会的这种活动不仅是合法的，而且是必要的。只要现在的生产制度还存在，就不能没有这种活动"①。马克思对工会产生的根源及其重要作用作了科学的阐述。

同时，马克思也认为，工会在其发展中，不能仅仅限于其产生的自发性及其作用的有限性上。工会的发展实际上成为各国工人运动普遍展开的重要纽带，并不知不觉地成为工人阶级的"组织中心"了。据此，马克思认为，"如果说工会对于进行劳资之间的游击式的斗争是必需的，那么它们作为彻底消灭雇佣劳动制度和资本统治的一种有组织的力量"②，使工会成为消灭资本主义制度的"一种有组织的力量"，是马克思当时对工会发展前景问题论述的中心观点。但是，当时欧洲各国的工会，还几乎完全不过问一般的社会运动和政治运动，没有充分意识到工会在反对雇佣劳动制度中的重要作用。马克思的这些论析，显然是针对第一国际中蒲鲁东主义及英国工联主义的机会主义理论而言的。

在马克思看来，不管工会最初成立的目的是什么，在现实中，各国的工会"现在它们必须学会自觉地作为工人阶级的组织中心、为工人阶级的彻底解放的最大利益而行动"③。据此，马克思认为，工会在未来发展中，将面临两方面的重要任务：一是工会应该以实际行动表现出自己是整个工人阶级的代表和为工人阶级利益而斗争的战士，应该支持反对资本主义制度本身的"社会运动"和"政治运动"；二是工会不仅有义务把没有组织起来的工人吸收到已有的队伍中来，要特别关怀像农业工人这样一些处于孤立无援境地的工人的利

---

① 《马克思恩格斯全集》第 21 卷，人民出版社 2003 年版，第 272 页。
② 《马克思恩格斯全集》第 21 卷，人民出版社 2003 年版，第 272—273 页。
③ 《马克思恩格斯全集》第 21 卷，人民出版社 2003 年版，第 273 页。

益，而且还应该进一步摆脱"狭隘的利己主义"的利益界限，使工会能"为了使千百万被压迫者获得解放"①。马克思提出的工会的这两方面的任务，不仅对蒲鲁东主义和工联主义的关于工会任务的观点作了驳斥，而且也为第一国际各自工会的健康发展提供了正确的路线和方针。

第五，关于土地所有制问题。蒲鲁东主义者反对实行公有制，主张小生产者私有制，并力图把他们这种观点强加于第一国际。在 1867 年洛桑代表大会和 1868 年布鲁塞尔代表大会上，他们力争通过符合其观点的决议。由于马克思主义者的斗争，在洛桑代表大会上没有形成决议。在布鲁塞尔大会上，蒲鲁东主义者在所有制问题上，继续坚持他们的错误主张，其间竭力宣扬他们的所谓解决所有制问题的公式，即"土地归农民，贷款给产业工人"，他们认为工人农民既是自由的拥护者，又是"私有制的拥护者"，国际应该以此为公式，形成大会关于所有制的决议。蒲鲁东主义者的观点，遭到了大会多数代表的批判。布鲁塞尔代表大会通过了关于实行土地和生产资料公有制的决议，认为消灭私有制，实现生产资料公有制，是无产阶级为之奋斗的目标，也是国际活动的方向，并指出：经济的发展将使土地公有制成为社会的必需，一切生产资料、森林、土地以及交通运输业都应归全社会所有。大会通过的决议从根本上否定了蒲鲁东主义，在国际内部确立的关于生产资料公有制的原则，沉重地打击了蒲鲁东主义者，标志着第一国际时期马克思主义完全战胜了蒲鲁东主义。此后，蒲鲁东主义的影响日趋削弱，最后被工人群众抛弃。在批判蒲鲁东主义的同时，第一国际选择马克思主义为其"正确的道路"的指导思想。例如，1868年 9 月 11 日，布鲁塞尔代表大会一致通过了由德国代表团提出的一项议案，建议所有国家的工人都要学习马克思的《资本论》，从而确立了马克思《资本论》在工人运动中的重要理论指导意义。在第一国际的倡导下，《资本论》成为在欧洲工人中传播最广的著作之一，推动了马克思主义与工人运动的结合。

二、马克思主义同拉萨尔主义的斗争

拉萨尔主义是 19 世纪德国工人运动中的机会主义思潮，后来又成为影响

---

① 《马克思恩格斯全集》第 21 卷，人民出版社 2003 年版，第 274 页。

第一国际的主要理论流派之一。斐迪南·拉萨尔在 1848 年欧洲革命中，就不止一次地表示"忠于"德国工人运动的信念，但实际上，他很长一段时间都远离工人运动实际。60 年代在德国工人运动的新高潮中，拉萨尔一反常态，表现出对政治运动的异乎寻常的关注，1863 年 5 月全德工人联合会成立，拉萨尔当选为联合会主席。拉萨尔主义关于工人运动的核心理论就是倡导建立一种"普鲁士王国政府的社会主义"，即在保留普鲁士王国专制主义前提下，实现某些有限度的改良的所谓"社会主义"；同时，拉萨尔主义认为，在资本主义制度下，工人阶级的贫困是由所谓"铁的工资规律"造成的，而废除铁的工资规律的唯一道路，是依靠国家帮助发展工人合作社，使工人获得全部劳动所得，而这只有通过普遍的直接的选举才能实现，否认无产阶级进行经济和政治斗争的必要性。尽管拉萨尔在担任全德工人联合会主席一年后，就在一次决斗中死去，但以他的理论为核心的拉萨尔主义却日益严重地滋蔓开来，成为影响德国工人运动和第一国际的机会主义思潮。马克思和恩格斯对拉萨尔主义进行了深入的批判，这些批判在很大程度上澄清了德国工人运动和第一国际内迫切需要解决的一些理论是非问题。

在拉萨尔出任全德工人联合会主席之前，马克思和恩格斯已注意到拉萨尔主义可能对工人运动产生的危害。1862 年 4 月，拉萨尔在给柏林城郊一个工人协会作的题为《论目前历史时期同工人等级思想的特殊联系》的讲演中，提出了一种"普鲁士王国政府的社会主义"的主张，认为包括普鲁士政府在内的国家，"目的是把人的本性导向积极的成长和进步，它教育人民，使人类发展并获得自由。"他的这一主张，不久之后就受到马克思的谴责。马克思后来提到，1862 年 7 月在伦敦时，他就向拉萨尔详细解释和"证明"过："所谓'普鲁士国家'实行直接的社会主义干涉是荒谬的"①。

恩格斯对拉萨尔主义幻想依靠普鲁士政府的力量、依据争得"普选权"的途径建立"社会主义"的理论主张作了深入的批判。1865 年 2 月，恩格斯在《普鲁士军事问题和德国工人政党》的小册子中，结合当时德国社会、政治、军事发展态势，在提到"普鲁士反动派能给工人政党提供什么"这一问题时，恩格斯指出，普鲁士政府——不管是容克地主还是资产阶级掌握实际政权，都不可能让工人阶级真正地参加政权。这是因为：第一，"在近代历史上，无论在英

---

① 《马克思恩格斯选集》第 4 卷，人民出版社 2012 年版，第 454 页。

国还是在法国，还没有一个反动政府这样做过"①；第二，当时德国地主阶级和资产阶级围绕着普鲁士军队改组问题进行着激烈的斗争，但无产阶级不可能指望在这一斗争中获得对自己有利的东西，因为这一斗争的实质在于，现存的反动政府"是应当把全部实权集中在自己手里呢，还是说它应当同议会分享权力。政府不会真的采用一切手段，剥夺资产阶级的权力，仅仅为了以后把这种权力赠送给无产阶级！"②

恩格斯对拉萨尔主义指望以进入议会代议机关而取得政权的主张作了批判。恩格斯通过对德国阶级力量对比和政治斗争格局的剖析认为，德国的现实表明，即使没有议会代议机关，封建贵族和官僚制度也能保持它们在普鲁士的实权；相反，资产阶级和工人却只有通过议会代议制度，才可能有组织地利用政权。即便是这种议会代议机关，也只有在得到参加讨论和表决的保证时才有一点价值，而普鲁士反动政府，一直阻挠给予这种保证。恩格斯指出，"对工人是有利的吗？动员一切宣传力量以加入这样一个归根到底会是毫无用处的机构，对工人是有利的吗？当然，不是！"③恩格斯进一步认为，"假定"政府"恩赐"给工人直接的普选权，"那么它事先定会用一些保留条件来限制它，使它不再成其为直接的普选权"④。普鲁士反动政府能"恩赐"给工人的权利，决不可能超越这一政权性质所容许的范围，更不能达到危及这一政权存在的程度。可见，拉萨尔主义者指望把直接的普选权当作掌握"钱柜的钥匙"的手段，十足是一种幻想。当然，这并不排除普鲁士政府对工人作出某些"社会性让步"，如缩短工厂的工作日、遵守工厂法、承认联合权等，但是，在德国，这种"让步"只是为了使资产阶级"苦恼"。普鲁士政府为对付资产阶级而对工人作出的这些"让步"，根本不可能带来拉萨尔期待的那种"社会主义"。正是在这个意义上，恩格斯后来曾提到："拉萨尔的全部社会主义在于辱骂资本家，向普鲁士土容克献媚……拉萨尔头脑中充满了幻想，以为俾斯麦能承担建立社会主义千年王国的使命"⑤。

马克思和恩格斯还对拉萨尔"铁的工资规律"进行了深刻的批判。拉萨尔

---

① 《马克思恩格斯全集》第 21 卷，人民出版社 2003 年版，第 108 页。
② 《马克思恩格斯全集》第 21 卷，人民出版社 2003 年版，第 108—109 页。
③ 《马克思恩格斯全集》第 21 卷，人民出版社 2003 年版，第 109 页。
④ 《马克思恩格斯全集》第 21 卷，人民出版社 2003 年版，第 109 页。
⑤ 《马克思恩格斯全集》第 21 卷，人民出版社 2003 年版，第 336—337 页。

主义一方面竭力把德国工人运动引向"普鲁士王国政府的社会主义"的幻想之中，另一方面又规劝工人运动放弃为争取自身实际利益而进行的日常的经济斗争。拉萨尔在19世纪60年代初提出的"铁的工资规律"，就是为"此目的服务的一种庸俗经济理论"。

1863年3月，拉萨尔为即将成立的全德工人联合会撰写了题为《给筹备全德工人代表大会的莱比锡中央委员会的公开答复》的小册子。他在这一小册子中指出："决定工资的铁的经济规律是这样的：平均工资始终停留在一国人民为维持生存和繁殖后代按照习惯所要求的必需的生活水平上。"因此，"实际的月工资不能长期地高于这个平均数，因为否则由于工人的状况有所改善，工人结婚和繁殖后代就会增加，工人人口就会增加，从而人手的供应就会增加，结果把工资压低到原来的水平。"同样，"工资也不可能长期地，大大低于这个必要的生活水平。因为，那时就会发生人口外流、独身生活、节制生育、以致最后由于贫困而造成工人人数减少等现象，这样，就会使工人人手供应短缺，从而使工资重新回到它原来的水平。"拉萨尔把这看作是"在现今条件下支配着工资的严酷的铁的规律"。马克思和恩格斯对拉萨尔的这种庸俗的工资理论作出了深刻的批判。

第一，马克思和恩格斯指出，拉萨尔根本不懂资本主义经济中工资的本质，更不理解工资的决定因素的规定性。他只是跟在资产阶级经济学家后面，把工资的外在现象当作内在本质。马克思在1865年所作的题为《工资、价格和利润》的报告中，阐明了资本主义工资是劳动力价值或价格的转化形式这一本质规定。在马克思看来，资本主义社会的工资不是单纯地由生理上必需生活资料的价值决定的。马克思一直强调，"劳动力的价值由两种要素构成：一种是纯生理的要素，另一种是历史的或社会的要素"[①]。拉萨尔撇开决定劳动力商品价值中特殊的历史的或社会的道德因素，抹杀工资所反映的资本主义经济关系的性质，把工资及其运动看作是与社会生产关系相分离的纯自然的永恒的规律。拉萨尔正是在对资本主义工资本质作了以上歪曲理解的基础上，杜撰出他的"铁的工资规律"的。

第二，马克思和恩格斯认为，拉萨尔对资本主义经济中工资实际运动规律的理解也是错误的。在拉萨尔的庸俗工资理论中，"平均工资"被看作是呆滞

---

① 《马克思恩格斯选集》第2卷，人民出版社2012年版，第64页。

不变的，而实际工资围绕"平均工资"波动的现象则被看作是由工人人口的绝对量的变动引起的；由此而引起的工资波动进一步被引申为无产阶级贫困化和资本主义相对过剩人口形成的根本原因。拉萨尔根本不懂得，资本主义工资本身并不是固定不变的，而是具有弹性的，是可变的。即如马克思所强调的：工资本身"不是一个固定的量，而是一个变化的量，即使假定其他一切商品的价值不变，它也是变化的"①。马克思在这一时期完成的《资本论》第一卷中，更是把工资规律描述成各种可变量的函数，描述成有极大的弹性的，因而绝不是"铁的"规律。

实际上，工资作为资本主义经济范畴，它受到存在于资本主义经济总体运动中多种经济规律的作用，因而实际的工资波动是由多方面的因素引起的。例如，价值规律、剩余价值规律、资本积累规律等等的作用，都能影响实际的工资波动。同时，实际工资波动还同资本家阶级和雇佣工人阶级之间阶级斗争的发展、阶级力量的对比，以及资本主义社会再生产的周期变化有着密切的联系。把工资运动仅仅归结为人口绝对数量的变动，甚至把工资变动看作是资本主义相对过剩人口形成的原因，实际上就抹杀了资本主义工资运动的根本性质，歪曲了资本主义积累的一般规律的性质。

第三，马克思和恩格斯还深刻揭露了拉萨尔提出的"铁的工资规律"理论对工人运动的危害性。如果承认"铁的工资规律"，就等于承认工人的贫困和失业不在于资本主义制度本身，而在于工人人口自身的增长，因而也就等于承认工人为争取提高工资的斗争是毫无意义的。"铁的工资规律"要人们相信，工资提高会引起工人人口增长，而工人人口增长又会导致新一轮的工资下跌与工人贫困化。

在《工资、价格和利润》的报告中，马克思针锋相对地指出：其一，工人为提高工资水平进行的斗争，不仅维护了工人的切身利益，而且也是对资本家阶级进行斗争的必要组成部分。他指出，资本主义生产总趋势表现为平均工资趋向下降，但"这是不是说，工人阶级应当放弃对资本的掠夺行为的反抗，停止利用偶然的时机使生活暂时改善的尝试呢？如果他们这样做，他们就会沦为一群听天由命的，不可挽救的可怜虫。我想我已经说过：他们为工资水平而进行的斗争，同整个雇佣劳动制度有密切的联系；他们为提高工资所做的努力，

_____

① 《马克思恩格斯选集》第 2 卷，人民出版社 2012 年版，第 65 页。

在一百回中有九十九回都只是为了维持现有的劳动价值；他们必须就劳动价格与资本家讨价还价，因为他们已经把自己当做商品出卖了。他们在和资本的日常冲突中如果畏缩让步，他们就没有资格发动更大的运动。"①其二，工人阶级的斗争又不能仅仅停留在争取提高工资水平这一日常斗争中，还要进一步把这一日常斗争同反对整个资本主义制度的斗争结合起来。马克思指出，在进行争取提高工资水平的这一日常斗争中，应该使工人阶级认识到："在日常斗争中他们反对的只是结果，而不是产生这种结果的原因；他们延缓下降的趋势，而不改变它的方向；他们服用止痛剂，而不祛除病根。所以他们不应当只局限于这些不可避免的、因资本永不停止的进攻或市场的各种变动而不断引起的游击式的搏斗。他们应当懂得：现代制度给他们带来一切贫困，同时又造成对社会进行经济改造所必需的种种物质条件和社会形式。他们应当摒弃'做一天公平的工作，得一天公平的工资！'这种保守的格言，要在自己的旗帜上写上革命的口号：'消灭雇佣劳动制度！'"②

显然，马克思和恩格斯对拉萨尔"铁的工资规律"的批判，并不只是一般的政治经济学理论是非之争。这一批判涉及无产阶级为争取自己利益斗争的现实问题，更涉及无产阶级革命的历史使命的大问题。

三、马克思主义同巴枯宁主义的斗争

巴枯宁主义形成于19世纪60年代后期，是小资产阶级无政府主义思潮，第一国际后半期，马克思对小资产阶级社会主义思潮的批判，主要体现在对巴枯宁主义的批判上。巴枯宁无政府主义理论，是蒲鲁东主义和魏特林的空想主义的混合物，是破产的小生产者和流氓绝望心理的表现，马克思在批判巴枯宁主义时曾指出"他的纲领是东一点西一点地草率拼凑起来的大杂烩"③。巴枯宁抄袭和拼凑起来的无政府主义的大杂烩，在工人运动中产生了极坏的影响。马克思和恩格斯围绕这些问题，与混入无产阶级革命队伍中的小资产阶级无政府

---

① 《马克思恩格斯选集》第2卷，人民出版社2012年版，第68页。
② 《马克思恩格斯选集》第2卷，人民出版社2012年版，第68—69页。
③ 《马克思恩格斯选集》第4卷，人民出版社2012年版，第497页。

主义展开了尖锐的斗争，历时大约七年之久。在这期间，马克思和恩格斯先后写作了《政治冷淡主义》（1873）、《巴枯宁〈国家制度和无政府状态〉一书摘要》（1874—1875）、《总委员会关于继承权的报告》（1869）、《论权威》（1872—1873）、《行动中的巴枯宁主义》（1873）和《关于工人阶级的政治行动》（1871）等一系列著作。这些著作对巴枯宁主义的批判主要围绕以下问题展开。

第一，对巴枯宁在"继承权"问题上的批判。巴枯宁认为，私有财产继承权是造成经济、政治和社会方面不平等的根源，因此，要实现各阶级和个人在政治、经济和社会方面的平等，就"应从废除继承权开始"，通过废除继承权，把财产交给全社会，使私有制度变为"集产制"，即将财产交给由人们自愿组合起来的协作社，而协作社不受任何权力的限制与监督，从而实现各阶级的平等。

马克思在1869年《总委员会关于继承权的报告》中，批判了巴枯宁这种颠倒因果关系的做法。他指出："继承法不是现存社会经济组织的原因，而是这种经济组织的结果，是这种经济组织的法律结果，这种经济组织是以生产资料即土地、原料、机器等的私有制为基础的"，"我们应当同原因而不是同结果作斗争，同经济基础而不是同它的法律的上层建筑作斗争。"① 这就是说，继承权作为一种法权是建立在私有制经济基础之上的，继承权不能先于私有财产而存在，相反，恰恰是因为有了私有财产，才可能以法律的形式来确定私有者的权力，因此，要改变继承权这种法权关系，首先不在于废除继承权本身，而在于消灭产生这种法权的所有制。而且继承权只是私有权的一部分，即享有私有财产权利的人的更换，所以，即使废除了继承权也无碍于私有财产的存在，因为，只要私有制度不改变，私有财产就不可能消灭。

马克思认为，关于继承权的问题并不是可以简单地废除的事情，"如果有可能通过全民投票在一天之内完成社会革命，那么马上就会废除土地所有权和资本，因而也就根本没有必要研究继承权"②。相反，继承权的消亡是废除生产资料所有制的自然结果，所以，关于继承权的研究应当从生产资料的所有制中来寻找答案。马克思指出："假定生产资料从私有转变为社会所有，那么继承权（就它有某种社会意义来说）就会自行消亡"③，"继承权的消亡将是废除生

① 《马克思恩格斯文集》第3卷，人民出版社2009年版，第88页。
② 《马克思恩格斯选集》第4卷，人民出版社2012年版，第488—489页。
③ 《马克思恩格斯文集》第3卷，人民出版社2009年版，第88页。

产资料私有制的社会改造的自然结果；但是废除继承权决不是这种社会改造的起点。"① 马克思进一步指出："我们的伟大目标应当是消灭那些使某些人生前具有攫取许多人的劳动果实的经济权力的制度。在社会处于相当高的发展水平而工人阶级又拥有足够力量来废除这种制度的地方，工人阶级就应当直接这么做。"② 马克思认为，巴枯宁关于废除继承权的设想是极其浅薄无知的，"宣称废除继承权是社会革命的起点，只会导致工人阶级偏离对现今社会的真正攻击点"，因此"这在理论上是错误的，在实践上是反动的"③。

第二，对巴枯宁反对一切国家理论的批判。反对和消灭一切国家是巴枯宁无政府主义的理论核心。巴枯宁认为，国家是少数几个人物为维护自己的特权而产生的，一切国家都是扼杀自由和对人性的彻底否定，是产生和存在私有制以及各阶级之间不平等的根源，因而，他不仅主张要消灭资本主义国家，而且也反对无产阶级推翻资本主义制度后建立无产阶级专政，反对用无产阶级的国家权力去镇压资产阶级的反抗。他认为无产阶级专政和任何国家一样，"都是一种羁绊，它一方面产生专制，另一方面产生奴役"④。因此，他主张在一天之内废除国家，代之以无政府主义的社会。

马克思认为，无产阶级革命的最终目的是要消灭阶级，进而消灭阶级统治的工具——国家，这是毫无疑义的。但是它首先要通过实现社会变革，打碎资产阶级的国家机器，建立无产阶级专政，在消灭生产资料私有制和消灭阶级的基础上，实现国家的自行消亡。马克思认为，国家的消亡和国家的产生一样，都是历史的必然，在缺乏相应的客观条件的情况下，要求废除国家政权，同要求建立国家政权一样，都是不可能的。马克思在《巴枯宁〈国家制度和无政府状态〉一书摘要》中指出："只要其他阶级特别是资本家阶级还存在，只要无产阶级还在同它们进行斗争（因为在无产阶级掌握政权后无产阶级的敌人和旧的社会组织还没有消失），无产阶级就必须采用暴力措施，也就是政府的措施；如果无产阶级本身还是一个阶级，如果作为阶级斗争和阶级存在的基础的经济条件还没有消失，那么就必须用暴力来消灭或改造这种经济条件，并且必

---

① 《马克思恩格斯文集》第 3 卷，人民出版社 2009 年版，第 89 页。

② 《马克思恩格斯文集》第 3 卷，人民出版社 2009 年版，第 88 页。

③ 《马克思恩格斯文集》第 3 卷，人民出版社 2009 年版，第 89 页。

④ [俄] 巴枯宁：《国家制度和无政府主义》，转引自《马克思恩格斯选集》第 3 卷，人民出版社 2012 年版，第 343 页。

须用暴力来加速这一改造的过程。"①恩格斯也指出，在无产阶级取得革命胜利之后决不能立即废除国家去搞无政府状态，而必须建立强大的无产阶级专政，否则，"就是破坏胜利了的无产阶级能用来行使自己刚刚夺取的政权、镇压自己的资本家敌人和实行社会经济革命的唯一机构，而不进行这种革命，整个胜利最后就一定归于失败，工人就会大批遭到屠杀，巴黎公社以后的情形就是这样"②。

马克思恩格斯认为，实现人人平等、自由的社会是一个过程，在这个过程中包含着一系列的中介环节，那就是通过无产阶级实际的革命斗争取得革命政权，建立无产阶级专政，"其首要条件就是无产阶级的大军"③，即用革命的暴力来加强，无产阶级国家政权的政治和经济统治，从而促使阶级的消灭，才能最终废除国家。"工人阶级必须在战场上争得自身解放的权利"，即运用无产阶级专政，来保证"把一切劳动资料转交给从事生产的劳动者，从而消灭现存的压迫条件，并由此促使每一个身体健康的人为生存而工作，这样，阶级统治和阶级压迫的唯一的基础就会消除。"④巴枯宁妄图取消无产阶级革命和无产阶级专政，直接实现个人之间和阶级之间的无条件的平等，这是不可能的。马克思指出，巴枯宁"一方面要保留现存的阶级，另一方面又要使这些阶级的成员平等——这种荒谬见解一下子就表明这个家伙的可耻的无知和浅薄"⑤。

第三，对巴枯宁反对一切权威的观点批判。与反对一切国家理论相适应，巴枯宁认为一切权威都是虚假的、专横的和极其有害的，一切权威都会变成压迫和虚伪，有了权威和集中就不可能有自由，权威是自由的对立物，因此，要保证人的绝对自由，就必须反对一切权威，包括无产阶级的革命权威。对于巴枯宁这套反对一切权威的谬论，马克思恩格斯给予了严厉的驳斥。恩格斯指出，巴枯宁主义首先是在滥用"权威"这个字眼，"巴枯宁派对什么一不如意，他们就说，这是权威的，以为这样一来他们就作出了永远的判决"⑥。马克思恩格斯依据人类社会发展的经验，依据现代大生产以及科学技术、文化发展的经

---

① 《马克思恩格斯选集》第 3 卷，人民出版社 2012 年版，第 337 页。
② 《马克思恩格斯选集》第 4 卷，人民出版社 2012 年版，第 559 页。
③ 《马克思恩格斯选集》第 3 卷，人民出版社 2012 年版，第 1006 页。
④ 《马克思恩格斯选集》第 3 卷，人民出版社 2012 年版，第 1006 页。
⑤ 《马克思恩格斯选集》第 4 卷，人民出版社 2012 年版，第 489 页。
⑥ 《马克思恩格斯文集》第 10 卷，人民出版社 2009 年版，第 372 页。

验，依据无产阶级革命斗争胜利或挫折的经验教训，对权威作了精辟的论述。恩格斯专门写作了《论权威》一文，阐明权威在社会生活中的地位和作用。

恩格斯指出，一定的权威总是同一定的社会经济基础相联系的，在相应的经济基础没有变化之前要求消灭权威也是不可能的。恩格斯认为，在现代社会中，权威是从现代大工业的需要中产生出来的。权威的实质就是以服从为前提的思想意志的集中统一。这种权威，在人类社会生活中，特别是在现代社会是绝对不能缺少的，不论是在以生产资料私有制为基础的资本主义社会，还是在以生产资料公有制为基础的社会主义社会，都不能没有权威。恩格斯以纺纱厂、铁路和航海为例说明，机器的开动，火车的运行，轮船的航行，这一切都离不开权威。恩格斯说："能最清楚地说明需要权威，而且是需要专断的权威的，要算是在汪洋大海上航行的船了。那里，在危急关头，大家的生命能否得救，就要看所有的人能否立即绝对服从一个人的意志。"[1]恩格斯进一步指出，由于生产和流通的物质条件随着大工业和大农业的发展而复杂化，权威不仅不会被消灭，它的范围反而会进一步扩大。

恩格斯着重研究了政治权威的存在与消失。恩格斯认为，政治国家和政治权威虽然将会由于未来的社会革命而逐渐走向消失，从社会的政治职能转变为维护社会利益的简单的管理职能，但这个变化是在社会革命以后，而不是在这以前。在旧的社会关系废除以前，不可能也不应该彻底消除政治权威。巴枯宁主义要求在产生权威的政治国家的社会关系变革以前，就一举废除权威的政治国家，这在理论上是荒谬的，而且在实践上也是有害的和行不通的。无产阶级为了推翻资产阶级的政治，必须进行革命斗争，而"革命无疑是天下最权威的东西。革命就是一部分人用枪杆、刺刀、大炮，即用非常权威的手段强迫另一部分人接受自己的意志。获得胜利的政党如果不愿意失去自己努力争得的成果，就必须凭借它以武器对反动派造成的恐惧，来维持自己的统治。要是巴黎公社面对资产者没有运用武装人民这个权威，它能支持哪怕一天吗？反过来说，难道我们没有理由责备公社把这个权威用得太少了吗？"[2]恩格斯还分析了权威与自治的关系，指出权威与自治是相对的东西，它们应用的范围是随着社会发展阶段的不同而改变的。在剥削阶级社会中，权威的存在是以牺牲个人自

---

① 《马克思恩格斯选集》第 3 卷，人民出版社 2012 年版，第 276 页。
② 《马克思恩格斯选集》第 3 卷，人民出版社 2012 年版，第 277 页。

由为前提的，权威与自治是矛盾的；在未来的社会中，权威与自治是统一的，权威的行使以个人自治为基础，并通过个人的自治来实现，同时自由的个人又必须服从一定的权威。

第四，对巴枯宁"完全放弃一切政治"的谬论批判。为了尽快建立"无政府主义的社会"，巴枯宁主张无产阶级"应当完全放弃一切政治"，无产阶级不应该参加选举和参加争取民主自由的政治斗争，无产阶级也不应当建立自己的政党。在他看来，工人阶级如果从事反对资本主义国家的斗争，就是承认了这种国家；如果从事罢工斗争，就是承认了这种雇佣劳动制度；工人阶级建立了工会，就会使资产阶级社会中的社会分工永世长存，而工人阶级一旦革命成功，建立了无产阶级专政，就更不可能废除国家了。他认为，"任何政治运动都是反动的"，"进行政治活动，尤其是参加选举，那是背叛原则的"。

马克思认为，放弃政治斗争是不可能的，"一切阶级运动本身必然是而且从来就是政治运动"①。在无产阶级反对资产阶级的斗争中，并不存在无产阶级政治和资产阶级政治之外的第三条非政治的道路。恩格斯指出：巴枯宁"向工人鼓吹放弃政治，就等于把他们推入资产阶级政治的怀抱。特别是在巴黎公社已经把无产阶级的政治行动提到日程上来以后，放弃政治是根本不可能的"②。

马克思恩格斯认为，从事政治斗争，是工人阶级获得解放的重要手段。恩格斯说："我们要消灭阶级。用什么手段才能达到这个目的呢？这就是无产阶级的政治统治。"③马克思指出，无产阶级如果放弃在政治领域中同敌人进行斗争，就是放弃了一种"最有力的行动手段"，"工人阶级的政治运动自然是以夺得政权作为最终目的"。马克思分析了工人运动的历史，认为进行政治斗争是工人运动发展的必然要求，是在工人阶级在自发的经济斗争中逐渐发展起来的一种更为高级、更为有效的斗争形式，是工人阶级成熟的表现。政治斗争是"用一种普遍的形式，一种具有普遍的社会强制力量的形式来实现本阶级利益的阶级运动"④，是一种从思想上和组织上把工人阶级组织起来的手段。恩格斯指出："革命是政治的最高行动；谁要想革命，谁就要有准备革命和教育工人进行革命的手段，即政治行动，没有政治行动，工人总是在战斗后的第二天就会

① 《马克思恩格斯选集》第4卷，人民出版社2012年版，第489页。
② 《马克思恩格斯选集》第3卷，人民出版社2012年版，第169页。
③ 《马克思恩格斯选集》第3卷，人民出版社2012年版，第169页。
④ 《马克思恩格斯选集》第4卷，人民出版社2012年版，第498页。

受到法夫尔和皮阿之流的愚弄。"① 工人放弃政治行动，无疑是要工人阶级面对资产阶级束手待毙。

马克思恩格斯进一步指出，无产阶级决不能轻易地放弃任何一个向资产阶级展开政治斗争的机会。工人阶级首先应当组织起与有产阶级建立的一切旧政党对立的独立政党，组织起工人阶级，使其摆脱一切旧政党的影响而作为一个整体而行动；其次，工人阶级在现代社会中获得了政治自由，集会结社的权利和出版自由等，这些都是工人阶级手中的武器，这些武器决不能被资产阶级从手中夺走。恰恰是这些武器帮助教育和提高了工人阶级的觉悟，为最后摧毁这种资本主义制度作了准备。

马克思恩格斯与巴枯宁主义的斗争，从理论上清算了巴枯宁主义，划清了马克思主义与无政府主义的界限，捍卫和发展了马克思主义的国家学说，对于澄清工人运动的指导思想，最终从组织上彻底清除巴枯宁主义在第一国际以至于整个无产阶级革命运动中的影响起着重大的作用。

---

① 《马克思恩格斯选集》第 3 卷，人民出版社 2012 年版，第 169—170 页。

第九章 工人运动理论家对马克思主义的贡献

马克思主义的出现，吸引了许许多多在黑夜中摸索的革命者，这些革命者在马克思和恩格斯的指导下，有的成长为马克思主义的优秀理论家和宣传能手，有的则成长为用马克思主义理论武装起来的革命实践家。19世纪中期马克思主义杰出的工人运动理论家主要有威廉·沃尔弗、约瑟夫·魏德迈、罗兰特·丹尼尔斯、约瑟夫·狄慈根等，他们在传播、宣传和发展马克思主义等方面作出了重要贡献。

第一节 沃尔弗对马克思主义的贡献

沃尔弗被马克思称为"勇敢的忠实的高尚的无产阶级先锋战士"，他较早地接受了马克思主义的理论，对工人运动十分关注，并为工人运动呼吁。沃尔弗参与了马克思恩格斯创建共产主义通讯委员会的工作，并发挥了卓越的作用，为共产主义者同盟作出了重要的宣传和理论贡献。

一、勇敢的忠实的高尚的无产阶级先锋战士

威廉·沃尔弗（1809—1864），是德国工人运动早期最重要的人物之一，是最早接受马克思主义，并直接参与创建世界上第一个马克思主义政党——共产主义者同盟的一小批勇敢无畏的无产阶级先锋战士之一。沃尔弗在 1846 年转向马克思主义以后，不仅是马克思和恩格斯解放全人类学说的最忠实的追随者和最杰出的阐释者，也是才能出众的宣传家和热情的政论家，而且还一直是马克思和恩格斯的最亲密的战友和最知己的朋友，直到 1864 年去世。马克思恩格斯在与沃尔弗交往期间，几乎所有重要问题都与沃尔弗进行过商量，可以说，沃尔弗是与马克思和恩格斯这对"无双联盟"最亲近的第三人，马克思恩格斯通常友好地称他为"鲁普斯"。恩格斯在 1876 年 6 月到 11 月为沃尔弗这位极有名的德国无产阶级革命家写了传略，马克思在自己的重要著作《资本论》第一卷的扉页上郑重地写下献词："献给我的难以忘怀的朋友，勇敢的忠实的高尚的无产阶级先锋战士威廉·沃尔弗"①。

沃尔弗，1809 年 6 月 21 日出生于西里西亚的施魏尼茨县塔尔瑙村②。他的父亲是一个世袭依附农民，同时兼营一家小饭店，但他还得和妻子儿女一起为老爷服徭役，所以，沃尔弗从小就知道东普鲁士农奴的悲苦命运。沃尔弗出身农奴阶层，本来是没有资格读书的，只是由于他成绩优异和吃苦耐劳才有了上学的机会，直至后来考入大学。沃尔弗 1829 年 10 月从施魏尼茨文科中学毕业，随即进入布勒斯劳大学文学院哲学系就读。1831 年底，他加入布勒斯劳大学生协会，从事反对专制制度的活动。1833 年担任协会首席书记员。在上大学期间，沃尔弗作为布勒斯劳大学生协会的激进分子，积极参与了布勒斯劳地区发生的几起骚乱。骚乱被镇压之后，大学生协会遭到反动当局的迫害。1834 年 2 月，沃尔弗被迫离开大学，在斯特里高当了一名家庭教师，5 月，普鲁士警方在对布勒斯劳大学生协会的调查中开始注意到沃尔弗，7 月，沃尔弗被逮捕入狱。严酷的环境和潮湿的囚室，以及长期的营养缺乏，严重损害了沃

---

① 《马克思恩格斯文集》第 5 卷，人民出版社 2009 年版，第 5 页。

② 参见 [德] 瓦尔特·施密特：《威廉·沃尔弗传》，邹福兴等译，人民出版社 1984 年版，第 10 页。恩格斯在《威廉·沃尔弗》一文中误写为"弗兰肯施泰因附近的塔尔瑙"，参见《马克思恩格斯全集》第 25 卷，人民出版社 2001 年版，第 66 页。

尔弗的健康，1838 年 7 月 30 日，沃尔弗因健康严重恶化而被赦免出狱①。年
轻的沃尔弗在狱中整整度过了四年，经受了他人生中的第一次重大考验，但漫
长的监狱生活丝毫没有动摇他的革命意志，在他迈出监狱时，他已经成为了一
个民主主义者了。正如他的难友弗立茨·罗伊特后来在《狱中生活》中所写的
那样："大家都感到惊讶，那里可以说是一个培养民主主义者的场所！我们进
去的时候还都不是民主主义者，而当我们出来的时候，就都已经成为民主主义
者了"②。

　　19 世纪 40 年代初，沃尔弗回到家乡当家庭教师。1843 年开始，他重新开
始在舆论界活动，同年 11 月 18 日，他在德国西里西亚的《布勒斯劳报》上登
载了一篇题目为《地堡》的文章，反映了布勒斯劳穷人的一个栖身之地——地
堡的状况。由于沃尔弗的文章，以及由此引起的长达几个月的有关地堡问题的
大论战在公众中引起的强烈的反应，沃尔弗的名字在西里西亚乃至整个德国都
广为人知，人们称他为"地堡沃尔弗"。1844 年 6 月，西里西亚爆发著名的织
布工人起义，这是欧洲近代史上著名的三大工人运动之一。沃尔弗先后写作了
《西里西亚织布工人的起义》、《西里西亚的贫困和骚乱》、《西里西亚状况》等
文章，高度评价了这次起义，对资本主义和封建主义的罪恶作了无情的揭露和
批判，深刻指出了工人起义的原因，指出了工人阶级的利益和资产阶级的利益
的根本对立性，并阐明只有通过革命斗争的道路，才能摆脱自己贫困的处境。
沃尔弗 1844 年发表的文章表明，虽然他还有不少乌托邦的想法，但他已经开
始向共产主义的立场转变。

　　1846 年初，沃尔弗因"违犯出版法"，而被普鲁士政府追缉，被迫流亡到
国外。在朋友的帮助下，他先到了伦敦，并在那里第一次加入了社会团体，即
德意志工人共产主义教育协会。1846 年 4 月，他转赴布鲁塞尔，并拜访了马
克思和恩格斯。恩格斯后来在回顾他初次见到沃尔弗的情景时写道："如果我
没有记错，这大约是 1846 年 4 月底的事情。当时马克思和我住在布鲁塞尔郊
区的一处地方，我们正好在合写一本书，有人告诉我们说，一位德国来的先生

---

① 参见［德］瓦尔特·施密特：《威廉·沃尔弗传》，邹福兴等译，人民出版社 1984 年版，
　第 80 页。恩格斯在《威廉·沃尔弗》一文中认为沃尔弗是 1839 年被赦免出狱，参见《马
　克思恩格斯全集》第 25 卷，人民出版社 2001 年版，第 68 页。
② 转引自［德］瓦尔特·施密特：《威廉·沃尔弗传》，邹福兴等译，人民出版社 1984 年版，
　第 80—81 页。

想同我们谈话。我们看到了一个身材矮小、但很健壮的人；他的面部表情显得和蔼可亲而又沉着坚定；一副德国东部农民的样子，穿着一身德国东部小城市市民的衣服。这就是威廉·沃尔弗。"① 沃尔弗与马克思和恩格斯见面的时候，正是马克思主义发展史和共产主义建党运动中值得关注的时刻：马克思恩格斯共同完成了《德意志意识形态》，描绘了科学社会主义的基本轮廓；1846年2月共产主义通讯委员会的成立，使共产主义运动有了比较固定的组织形式。在马克思和恩格斯的影响下，沃尔弗很快彻底转变到了科学社会主义的立场上，勇敢地站到了无产阶级的前列，成为一个马克思主义者，同时，沃尔弗与马克思和恩格斯建立了终生不渝的友谊，并成为马克思和恩格斯最得力的助手。1847年，沃尔弗作为马克思的全权代表与恩格斯一起参加了共产主义者同盟的创建大会，随后他受同盟委派在伦敦担任同盟的月刊《共产主义者杂志》的主编。后来，他又接受恩格斯的建议，在布鲁塞尔参加《德意志—布鲁塞尔报》的编辑工作，同时他还在报纸上发表了一批政论文章。

1848年，法国二月革命在布鲁塞尔引起了强烈反响，由于沃尔弗参加当地民主派的欢庆活动而被布鲁塞尔当局逮捕，并在几天后被押送出境，来到了法国，但他很快就又回到了德国。1848年4月，马克思恩格斯回到科伦筹建《新莱茵报》，6月1日起《新莱茵报》在科伦出版，马克思任主编。不久，沃尔弗也来到科伦并担任《新莱茵报》"国内新闻"栏编辑，写下大量的文章，深受公众的欢迎。此外，沃尔弗还参加科伦工人联合会、科伦民主协会和莱茵地区民主主义者委员会的活动，还经常在群众中进行演说，并很快就成为最受人爱戴和最有影响的演讲人之一。

1849年3月22日到4月25日之间，沃尔弗在《新莱茵报》上发表了题为《西里西亚的十亿》的一组文章，深刻揭示和批判了贵族对农民的各种形式的剥削，吹响了为号召德国人民最后扫荡封建制度的战斗号角。1849年4月，沃尔弗当选为法兰克福德国联邦议会议员，他利用议会的讲坛，痛斥帝国摄政王和各邦反动统治者拒绝接受宪法的卑鄙行径，把他们说成是人民的叛徒和人民的敌人。1849年5月19日，《新莱茵报》在用红色油墨印了最后一号以后被封闭了，沃尔弗和全体编辑人员都被迫离开了科伦和普鲁士。沃尔弗开始了新的流亡生涯。

---

① 《马克思恩格斯全集》第25卷，人民出版社2001年版，第65页。

沃尔弗先是流亡到瑞士，后来到了英国，继续和马克思恩格斯并肩战斗。沃尔弗在共产主义者同盟反对维利希—沙佩尔集团的分裂活动中，坚定地拥护马克思和恩格斯的立场。1851—1852 年间，普鲁士反动政府在科伦制造了迫害共产党人的案件，沃尔弗与马克思恩格斯一起，发表声明揭露科伦当局法庭的捏造、陷害革命者的种种罪行。1859—1860 年，在马克思与福格特的斗争中，沃尔弗起了很大的作用，马克思在揭露福格特的伪善面目的长篇文章《福格特先生》中，曾全文引用了沃尔弗的一篇声明。

普鲁士的监狱生活以及流亡生活的艰辛，使沃尔弗的健康受到严重的摧残，在流亡英国期间，他更是饱受痛苦生活的折磨。1864 年 4 月，沃尔弗在曼彻斯特病情加重，恩格斯天天陪伴着他，并随时向远方的马克思通报病情，5 月 2 日，沃尔弗进入昏迷状态，马克思急忙从伦敦赶到曼彻斯特，看望他临危的朋友。1864 年 5 月 9 日，沃尔弗因脑出血去世，时年不到 55 岁。马克思和恩格斯陪伴这位朋友度过了人生的最后几天。在沃尔弗逝世那天，马克思写信告诉燕妮说："我们为数不多的朋友和战友中的一个，就这样离开我们去了。他是一个最完美的人"①。恩格斯后来也说：由于沃尔弗的逝世，"马克思和我失去了一位最忠实的朋友，德国革命失去了一位价值无比的人"②。沃尔弗去世后，马克思亲自起草了讣告，并在葬礼上致悼词。

二、关于工人运动问题的研究

自 1843 年 11 月沃尔弗在西里西亚《布勒斯劳报》上发表《地堡》一文后，以沃尔弗为核心的西里西亚社会主义小组，以《布勒斯劳报》和《西里西亚纪事报》为主要阵地，发表了大量关于"社会问题"的文章，这些文章很大一部分出自沃尔弗的手笔。沃尔弗的这些文章几乎都是关于实际政治问题的文章，而不是狭义上的理论性文章，他文章的重点是同各种有关如何消除贫困和解决人民普遍贫困的乌托邦的观点展开斗争。沃尔弗的这些文章不仅向公众揭露无产阶级的某些贫困状态，而且对所谓"社会问题"开始进行探讨，阐明现代社

---

① 《马克思恩格斯全集》第 30 卷，人民出版社 1974 年版，第 652 页。
② 《马克思恩格斯全集》第 25 卷，人民出版社 2001 年版，第 108 页。

会状况的深刻原因和内在联系。

1844 年 4 月 12 日,《布勒斯劳报》上发表一篇出自沃尔弗的关于自由竞争问题的社论。该社论认为,与充满劳役和行会的封建时代不同,"现在自由竞争提上了议事日程,它是当今社会赖以建立的原则"①。在消灭封建依赖关系和实行职业自由以来,自由竞争得到了大踏步的发展。自由竞争,一方面同中世纪的行会垄断直接对立,并打破了行会垄断,但另一方面自由竞争最终也将导致垄断。沃尔弗还进一步阐明了资本主义竞争的影响和后果,并明确指出,自由竞争既不能给"中产阶级"也不能给"最下层的社会阶级"带来益处,因为"竞争导致少数人的垄断和独裁",这将更会严重地打击一无所有的无产阶级。同时,由于自由竞争造成的社会越来越大的无政府状态,必然会引起"不可避免的生产过剩",从而导致解雇工人和大幅度地降低工资。沃尔弗还指出,自由竞争最终还将使反映"人类精神进步的"机器"不但不赐福于人类,反而变成人类的灾难,成为贫困和成千上万人死亡的原因"②。在该社论中沃尔弗所阐述的关于自由竞争和垄断关系的观点,以及对社会分化和生产无政府状态,以及他在该文和以后一些文章中阐述的竞争和私有财产内在联系,都与恩格斯在《政治经济学批判大纲》中的某些段落有相似之处。

事实上,沃尔弗的这些观点是深受马克思和恩格斯的文章影响的。马克思主编的《德法年鉴》1844 年 2 月在巴黎出版后,很快就传播到了布勒斯劳,马克思和恩格斯在《德法年鉴》上的观点在西里西亚社会主义者中广泛流传并在他们的文章中加以引用。沃尔弗 4 月 12 日在《布勒斯劳报》上发表的社论,就是对恩格斯发表在《德法年鉴》上的《政治经济学批判大纲》一文观点的运用。除此之外,沃尔弗在 1844 年 4 月的另一篇文章,以及 6 月和 11 月的文章中,也都引用了马克思发表在《德法年鉴》上的关于犹太人的文章。这表明,从 1844 年春开始,沃尔弗通过《德法年鉴》上马克思和恩格斯的文章,已经接受了马克思主义的理论,并能运用马克思主义在政治经济学方面的初步认识去分析现实问题了。

其实,早在西里西亚纺织工人起义之前,沃尔弗就已经开始关注无产阶级

---

① 转引自 [德] 瓦尔特·施密特:《威廉·沃尔弗传》,邹福兴等译,人民出版社 1984 年版,第 138 页。

② 转引自 [德] 瓦尔特·施密特:《威廉·沃尔弗传》,邹福兴等译,人民出版社 1984 年版,第 138 页。

问题了。更为重要的是，沃尔弗对于资本主义发展的结果，并不是停留在一般理论论述上，而是具体揭露了社会上普遍存在的社会贫困和社会弊病，从而引起了广大群众的比较广泛的反应。因此，当织布工人起义时，普鲁士当局认为，这是由于一些"坏"报刊"宣传贫困"引起的。同时，沃尔弗也注意研究农村的无产阶级，他认为农村无产者受压迫的程度并不比城市无产者轻，他们过着非人的生活，失去工作的无产者更惨，连房子也得失去，只好到处流浪，连教区也拒绝收留他们。所以，沃尔弗认为："无论是农村还是城市都十分贫困，即使在农村，无产阶级也已具有在过去情况下所不可能具有的重要性。"①

　　1844 年 6 月 4 日，德国爆发了历史上第一次重大的工人起义，即西里西亚纺织工人起义。尽管这次起义是一次自发性起义，但它震动了德国封建统治的基础，从此德国不可逆转地走上了资本主义发展的道路，同时，伴随着德国资本主义的发展，无产阶级和资产阶级之间的阶级斗争也不可避免地表现出来，此后，德国工人阶级也开始了自己独立的阶级斗争。以马克思为首的无产阶级革命派对这次起义给予很高的评价，马克思在 1844 年 8 月在巴黎《前进报》上发表的《评"普鲁士人"的"普鲁士国王和社会改革"》一文中，讴歌了纺织工人起义的重要贡献。沃尔弗对纺织工人起义也十分关注，在纺织工人起义失败数日之后，他就写成了《西里西亚织布工人的起义》，向公众进一步详细介绍在西里西亚所发生的事件。沃尔弗为逃避书报检查，他把自己这一时期最重要的长篇文章《西里西亚的贫困和骚动》寄往达姆施塔德，发表在由皮特曼编纂的 1844 年 12 月初出版的大型文集《1845 年德国公民手册》。

　　沃尔弗的《西里西亚的贫困和骚动》一文的出发点，是论述织布工人起义在国际上，特别是在德国的影响，而不是就事论事，因此，他在文中首先揭示了这次起义的背景和经济社会原因。沃尔弗认为，西里西亚纺织业中的剥削关系虽然已具有资本主义性质，但同时也受到普鲁士封建主义的剥削，因此西里西亚纺织工人受着双重的剥削和压迫。沃尔弗强调，虽然这只是一次局部的起义，但却反映了现代发展阶段的一般规律，是到处皆有的剥削关系的不可避免的后果在西里西亚"最先、最明显，并以不幸的方式表现出来了"②。沃尔弗在

① 参见 [德] 瓦尔特·施密特：《威廉·沃尔弗传》，邹福兴等译，人民出版社 1984 年版，第 158 页。

② [德] 瓦尔特·施密特：《威廉·沃尔弗传》，邹福兴等译，人民出版社 1984 年版，第 167 页。

文章中高度评价纺织工人起义的意义，认为这次无产阶级革命力量的爆发不是什么偶然的过火行为，而是一种完全合乎规律的社会现象，因此，他把这次起义称为"不可阻挡的无产阶级戏剧中的流血的第一幕，受蹂躏、被金钱势力和狡猾计算贬低为机器的人们争取恢复自己尊严的斗争中的流血的第一幕，无产阶者反对私有制的专横和自私自利的战争中的流血的第一幕，至少是一个序幕"①。从沃尔弗对起义的起因和作用的阐述中可以看出，沃尔弗认为这次起义不仅仅是资本主义发展带来的矛盾的结果，也是织布工人某种朴素的阶级觉悟的表现。这表明，沃尔弗是当时深刻理解纺织工人起义的历史地位和意义的为数不多的德国人之一。沃尔弗的这篇文章，为德国无产阶级第一次阶级反抗树立了一块不朽的丰碑。

1844—1845 年间，除了《布勒斯劳报》和《西里西亚纪事报》外，沃尔弗还为巴黎《前进报》、《威斯特伐里亚汽船》杂志以及《神弹报》写过不少通讯。由于 1844 年底他在莱比锡《神弹报》上发表了关于布勒斯劳监狱的连载文章，从 1845 年秋开始，普鲁士警方开始对沃尔弗进行了刑事侦查，最后被判 3 个月监禁，并等待进一步判决。1846 年 1 月底到 2 月初，沃尔弗在判决书宣布前夕，逃离了西里西亚。

三、对共产主义者同盟的贡献

1846 年 1 月底到 2 月初，沃尔弗逃离西里西亚之后，在朋友的帮助下，先由柏林和梅克伦堡到了汉堡，再从汉堡乘船到了伦敦。在伦敦，他与正义者同盟的合法组织共产主义工人教育协会建立了联系，几个星期之后，1846 年 4 月，他辗转来到布鲁塞尔找到了马克思和恩格斯。整个政治实践和思想成长过程为他同马克思和恩格斯会面后转变为共产主义者做好了准备，所以，在马克思和恩格斯会面后，沃尔弗很快彻底转向了马克思主义并开始了他新的战斗生涯。

沃尔弗参与了共产主义者同盟的创建工作。沃尔弗到达布鲁塞尔后，为了

---

① 转引自 [德] 瓦尔特·施密特：《威廉·沃尔弗传》，邹福兴等译，人民出版社 1984 年版，第 172 页。

生活，在一家通讯社找到了工作，而工作之余的时间尽力投入革命。沃尔弗参与了马克思恩格斯创建的共产主义通讯委员会的工作，并成为该委员会的领导成员，1847 年 1 月，沃尔弗又和马克思恩格斯共同把共产主义通讯委员会改组为"正义者同盟"进行筹备。1847 年 6 月，沃尔弗受马克思的委派，以布鲁塞尔代表的身份，参加了共产主义者同盟在伦敦召开的第一次代表大会。在这次大会上，沃尔弗协助恩格斯把"共产主义通讯委员会"这个半密谋、半宣传性的团体，改组成为无产阶级的革命组织。

　　共产主义者同盟成立大会结束之后，沃尔弗又接受恩格斯的建议，在布鲁塞尔参加《德意志—布鲁塞尔报》的编辑工作。沃尔弗不负马克思和恩格斯的期望，在他的努力下，该报成了共产主义者同盟的机关报，并且在报上发表了马克思和恩格斯以及其他革命者的大量文章，例如恩格斯的《保护关税制度还是自由贸易制度》、马克思的《〈莱茵观察家〉的共产主义》等。沃尔弗本人也在报上发表了一批政论文章，文章主要涉及德国工人和劳动群众的社会经济状况和对革命阶段问题的探讨，揭露反动政府剥削压迫的罪恶，揭露自由资产阶级的本质，指出工人阶级必将起来夺取政权的原理。例如，沃尔弗在 1847 年 6 月 6 日的报上撰文写道：只有资产阶级的革命把贵族制度和中世纪其他残余消灭的时候，"劳动阶级和贫苦阶级对有产者的战斗，无产阶级对资产阶级的战斗才会开始"[1]。沃尔弗指出：资产阶级"并不怀疑他们的末日实际上已经临近"[2]。沃尔弗这种认识源于马克思和恩格斯的理论，马克思恩格斯在 1847 年 7 月 25 日《北极星报》上的《布鲁塞尔的德国民主主义者——共产主义者给菲格斯·奥康瑙尔先生的信》中指出："这个事实告诉我们，工人阶级已经充分了解，现在，当资产阶级实行了他们的主要措施，当他们只需用果断的真正的资产阶级内阁来代替目前软弱的妥协的内阁就能成为贵国公认的统治阶级时，资本和劳动即资产者和无产者之间的伟大斗争就要进入决定性的阶段。今后战场将由于土地贵族退出斗争而廓清。而斗争也只能在资产阶级和工人阶级这两个阶级之间来进行了。"[3]可见，沃尔弗完全是根据马克思主义当时的策略思想进行宣传的。

---

[1]　转引自徐征帆等：《马克思主义学说史》，吉林人民出版社 1987 年版，第 378 页。
[2]　转引自徐征帆等：《马克思主义学说史》，吉林人民出版社 1987 年版，第 378 页。
[3]　《马克思恩格斯全集》第 4 卷，人民出版社 1958 年版，第 27 页。

沃尔弗经常到德意志工人协会演讲，并深受欢迎。德意志工人协会是
1847 年 8 月由马克思和恩格斯创立的，这个组织的主要目的是帮助工人提高
自己的觉悟，培养工人骨干力量。沃尔弗每周都到那里演讲，他主要是作时事
评论的演讲，他的评论"每次都是一篇叙述通俗、幽默，而又十分有力的杰作，
特别是对德国的统治者和臣民的狭隘性和卑劣性，进行了应有的抨击。这种政
治评论成了他十分喜爱的题材，在他参加的每一个社团里，他都要发表这种评
论，而且每次都讲述得同样完美而通俗"①，因此，他"很快就成了最受爱戴的
演讲人之一"②。对此，马克思对沃尔弗的工作给予了高度评价，他说："在小
小的比利时甚至在进行直接的宣传方面，都比在很大的法国可以做更多的事
情……对每个人都起着非常振奋的作用"③。

沃尔弗积极参与马克思创办《新莱茵报》的工作，并发表《西里西亚的十亿》
组文。1848 年 4 月，马克思恩格斯回到科伦，筹建了《新莱茵报》，不久，沃
尔弗也回到科伦担任该报的编辑，并主持"国内新闻"栏，沃尔弗主持的这一
栏目深受公众的欢迎。1849 年 3 月 16 日，《新莱茵报》就法国社会民主派提
案要求归还旧政府赠给流亡回国的贵族 10 亿法郎巨款一事发表社论，第二天，
沃尔弗就发表了《普鲁士十亿》的文章。从 1849 年 3 月 22 日起，一直到 4 月
25 日，沃尔弗又以《西里西亚的十亿》为题在《新莱茵报》上发表了一组文章（共
八篇）来评论此事。在这组文章中，沃尔弗根据确凿事实和统计材料对农民受
剥削的情况作了全面的描绘，并要求把地主以赎金形式从农民那里盗走的 10
亿法郎归还农民。这一组文章以大无畏的无产阶级革命的精神，义正词严地痛
斥那些"强盗骑士"、"强盗老爷"的强抢豪夺的卑劣行径，而他们却有脸向农
民要求赔偿 5 亿法郎的土地税"损失费"。沃尔弗以铁的事实指出：自 1821 年
颁布徭役赎免法以来，贵族从农民身上剥夺的赎金、徭役金以及贵族由于打猎
和打猎用兽所糟蹋的粮食损失等，总共应不下于相当 10 亿法郎，因此，农民
正酝酿着收回这些损失。沃尔弗的这组文章，在读者中间受到了极大欢迎，西
里西亚农民协会曾将登载这几篇文章的那几号报纸翻印一万份，免费散发给农
民。沃尔弗的文章对于无产阶级团结和引导农民走上革命道路，共同完成民主

---

① 《马克思恩格斯全集》第 25 卷，人民出版社 2001 年版，第 71 页。
② 《马克思恩格斯全集》第 25 卷，人民出版社 2001 年版，第 71 页。
③ 《马克思恩格斯全集》第 47 卷，人民出版社 2004 年版，第 492 页。

主义革命任务具有重要的意义。恩格斯对此曾予以很高的评价，他在 1876 年写作《威廉·沃尔弗》时，曾大量引用沃尔弗的这一组文章有关的段落，并说："在《新莱茵报》刊登的许多令人振奋的文章中，只有少数文章像 3 月 22 日和 4 月 25 日之间发表的这 8 篇文章那样产生了如此的影响。"① 其后，当沃尔弗的《西里西亚的十亿》以小册子的形式出版的时候，恩格斯又写了《关于普鲁士农民的历史》一文，并连同《威廉·沃尔弗》一起作为该小册子的序言。

　　1848 年革命失败之后，沃尔弗一直坚持到 1851 年 6 月，才离开德国到达伦敦。在开头的两年内，虽然沃尔弗尽了最大的努力，但也只能勉强糊口，过着得不到职业的流亡者的最困苦的生活，但他尽可能不让自己的朋友知道自己的情况。到 1853 年底时，他欠下了 37 英镑的债务，生活的折磨使他无法继续从事革命著述活动。1854 年初，在朋友的帮助下，他才在曼彻斯特找到了一份私人授课的职业。在曼彻斯特期间，沃尔弗与恩格斯几乎天天见面，并经常对世界所发生的事件进行评论。他仍然十分关心工人阶级事业的发展，并且对形势常常能够作出准确的判断。恩格斯在《威廉·沃尔弗》中曾回忆道："在许多年内，沃尔弗是我在曼彻斯特的惟一的同志；我们几乎天天见面，我在那里又经常有机会赞赏他对当前事件的几乎出自本能的准确判断，这是不奇怪的"②。1864 年 5 月 9 日，沃尔弗因劳累过度而患脑出血逝世，去世前立下遗嘱把大部分遗产给了马克思。

第二节　魏德迈对马克思主义的贡献

　　魏德迈是马克思和恩格斯的亲密朋友和杰出战友之一，是共产主义者同盟的早期活动家之一。魏德迈也是北美遵照马克思主义原则开展工人运动的创始人之一，他在北美大陆广泛地传播马克思主义，并同马克思主义的敌对思潮进

① 《马克思恩格斯全集》第 25 卷，人民出版社 2001 年版，第 81 页。
② 《马克思恩格斯全集》第 25 卷，人民出版社 2001 年版，第 107 页。

行了坚决的斗争。

一、接受和积极宣传马克思主义

约瑟夫·魏德迈（1818—1866），1818 年 2 月 2 日出生于德国威斯特伐利亚省的一个官吏家庭。魏德迈的青年时代在威斯特伐利亚省的省会度过，他中学毕业之后，考入了柏林陆军大学学习炮兵。魏德迈 1839 年在威塞尔第七炮兵旅第十二步兵团任少尉，后来被派到柏林炮兵工程联合学校学习，1840 年又回到威塞尔第十二炮兵步兵团服役，从 1842 年到 1845 年，他一直在科伦坡第五团服役，1844 年升为炮兵中尉，1845 年退役。

1842 年至 1843 年，魏德迈在马克思主编的《莱茵报》的影响下逐步转向了科学社会主义。1842 年 1 月，莱茵省的自由资产阶级创办了《莱茵报》，4 月，马克思开始为该报撰稿，10 月，马克思担任了《莱茵报》的主编。在马克思的影响下，该报具有鲜明的革命民主主义倾向，很快成了反对普鲁士专制制度的有力工具。《莱茵报》的革命民主主义进步思想，对莱茵省和威斯特伐利亚驻军中的青年军官产生了巨大影响。这些青年军官在科伦的驻军中成立了《莱茵报》小组，并经常讨论社会问题，当时只有 24 岁的魏德迈经常参加这个小组的活动，在这个小组的影响下魏德迈走上为社会民主、自由而奋斗的道路。

1844 年初，当马克思主编的《德法年鉴》在巴黎出版时，科伦小组的朋友都十分关心它的发行，他们曾几次要求马克思寄发杂志，并收到了马克思寄给他们的杂志。在得到《德法年鉴》之后，科伦小组的成员们对马克思和恩格斯的文章十分感兴趣。魏德迈是第一批研究《德法年鉴》的科伦人之一，也是读书小组最热心的参加者之一。恩格斯曾在 1844 年的一篇文章中表达了对科伦小组工作的满意："在科伦，我们的人做出了惊人的成就。当我们在一所公寓里聚会时，一间相当大的房向都挤满了我们的伙伴，大多数是律师、医生、演员及其他的人，也有三四个炮兵中尉，其中有一个非常敏锐的小伙子。"[①] 其中被恩格斯称为"非常敏锐的小伙子"的那位中尉，就是约瑟夫·魏德迈。

---

① 转引自 [德] 卡尔·欧伯曼：《约瑟夫·魏德迈传》，天津师范学院外语系译，人民出版社 1980 年版，第 14 页。

《德法年鉴》中马克思和恩格斯的文章，对魏德迈产生了巨大的影响。马克思和恩格斯在《德法年鉴》的文章中认为，"应该从经济关系及其发展中来解释政治及其历史，而不是相反"①，同时，要改变现存社会的制度，必须要"用物质力量来摧毁"，而不能光是用"武器的批判"。而在魏德迈的老朋友格律恩、赫斯等"真正的社会主义者"看来，要改变社会现状，光靠"哲学的批判"就够了。魏德迈接受了马克思恩格斯的思想，并逐步与"真正的社会主义者"划清了界限。这时，魏德迈虽然还未完全脱离"真正的社会主义者"的影响，但他已力求了解经济因素对社会的作用，力求弄清无产阶级的作用，并坚持认为没有无产阶级的积极参加，就不可能解决任何社会问题。

1844 年 6 月，西里西亚纺织工人起义之后，魏德迈深刻地感到，如果没有行动的，"纯"哲学的空谈无益于解决工人运动日益增长的需要，从而决定致力于公开宣传社会主义的思想。从 1844 年底起，他就瞒着他的长官，为《特利尔报》撰稿，该报对他写的评论和通讯给予很高的评价，并希望他担任该报的编辑。1845 年，魏德迈考虑到编辑这个职务可以使他能够便利地宣传自己的思想主张，并可能促进工人阶级运动的发展进程，于是他便毅然辞去了军职，去做《特利尔报》的编辑，而新任的编辑要对报纸负全责。1845 年 1 月，魏德迈在谈到报纸的方针时曾写道："将特别注意经济和物质利益问题"②，并且打算从实际情况和条件出发，而不去纠缠那些空谈哲学的社会主义者和共产主义者的抽象理论。可见，这时，魏德迈在思想上已不再是"真正的社会主义者"了，而是完全以马克思恩格斯在《德法年鉴》上的思想武装起来的革命者了。1845 年 4 月底 5 月初，魏德迈正式担任《特利尔日报》的编辑。1845 年 5 月底，《特利尔日报》发表评论，明确支持马克思和恩格斯刚刚写作的《神圣家族》一文，反对布鲁诺·鲍威尔。正当魏德迈利用《特利尔日报》宣传马克思主义的时候，当局认为《特利尔日报》是一家具有"向共产主义过渡的激进社会主义"倾向的报纸③，报纸老板瓦耳特尔也认为这是在宣传"激进的共产主义"，而他认为报纸文章只有持"中间路线"才能予以发表。因此，魏德迈 1845 年年底

---

① 《马克思恩格斯选集》第 4 卷，人民出版社 2012 年版，第 202 页。
② ［德］卡尔·欧伯曼：《约瑟夫·魏德迈传》，天津师范学院外语系译，人民出版社 1980 年版，第 24 页。
③ 参见［德］卡尔·欧伯曼：《约瑟夫·魏德迈传》，天津师范学院外语系译，人民出版社 1980 年版，第 27 页。

离开了《特利尔日报》编辑部，但这时他已经在思想上与"真正的社会主义者"彻底划清了界限，并转向了马克思主义者。

1846 年 1 月，魏德迈离开德国，到了比利时的布鲁塞尔。当魏德迈到达布鲁塞尔时，马克思正在这里和恩格斯合作写作《德意志意识形态》，同时，也正是马克思和恩格斯想使其他人详细了解他们的观点并为此准备与朋友合作的时刻。马克思和恩格斯认为："我们决不想把新的科学成就写成厚厚的书，只向'学术'界吐露。正相反……我们有义务科学地论证我们的观点，但是，对我们来说同样重要的是：争取欧洲无产阶级，首先是争取德国无产阶级拥护我们的信念。我们明确了这一点以后，就立即着手工作了"[1]。为了完成这一任务，1846 年年初，马克思和恩格斯决定在布鲁塞尔创立共产主义通讯委员会。魏德迈直接参与了共产主义通讯委员会的组建工作，并成为这个最早的共产主义组织的最早成员。魏德迈在布鲁塞尔不足三个月的时间里，帮助马克思和恩格斯做了许多具体工作，例如受马克思的委托同德国的朋友们通信，有一段时间马克思离开布鲁塞尔，共产主义通讯委员会的全部工作就落在了魏德迈身上。这一时期，魏德迈还认真研读了马克思和恩格斯的著作和手稿，他甚至把马克思和恩格斯当时刚刚写成的《德意志意识形态》的部分手稿抄录下来，另外，马克思和恩格斯也曾直接指点过他，这些对于魏德迈最终确立共产主义立场起了巨大作用。魏德迈在 1847 年 7 月 7 日给马克思的信中曾写道："如果不访问布鲁塞尔，我研究政治经济学家的著作一定会事倍功半，我再次谢谢你的解释。"[2]

1846 年 4 月下旬，魏德迈回到了德国。魏德迈为了宣传马克思和恩格斯的思想，同时也是应科伦朋友的要求，特意到科伦作了短期逗留，向科伦的朋友报告了他在布鲁塞尔的收获和认识，介绍了马克思和恩格斯的最新研究成果。魏德迈另外一个重要任务是为共产主义文献寻找出版社，特别是要尽快出版马克思和恩格斯合写的《德意志意识形态》。魏德迈把《德意志意识形态》第一卷的手稿安全地带过了边界，他还努力说服昔日的企业家朋友迈耶尔和雷姆佩尔建立一个股份出版社，以保证出版马克思恩格斯的著作。但是，等到要

---

[1] 《马克思恩格斯选集》第 4 卷，人民出版社 2012 年版，第 203 页。

[2] ［德］卡尔·欧伯曼：《约瑟夫·魏德迈传》，天津师范学院外语系译，人民出版社 1980 年版，第 56 页。

出钱的时候，两个实际上的出资者，却改变了态度，违背了对魏德迈许过的诺言。他们给马克思写信，说资金已投入另一项事业，抽不出来。这样，《德意志意识形态》最终没有能够出版。在此后的一段时间里，魏德迈以共产主义通讯委员会的代表身份在莱茵省和威斯特伐里亚省活动，反对"真正的社会主义者"和哲学共产主义者的活动，把革命的共产主义者组织起来，建立德国共产主义者通讯委员会小组，大大促进了德国工人运动的发展。

1845 年夏天，魏德迈还担任了《威斯特伐里亚汽船》杂志的副编辑，并且是该杂志经济问题的重要撰稿人，他在 1845 年《威斯特伐里亚汽船》杂志第八期上发表了关于自由贸易和保护关税问题的文章。随后，魏德迈又争取使《威斯特伐里亚汽船》杂志成为宣称共产主义思想的刊物。魏德迈 1845 年 6 月 11 日曾给马克思写信，希望马克思能为该杂志写稿，他说："如果你能够抽出时间给《汽船》写文章那就太好了"[①]。1846 年 5 月 11 日，布鲁塞尔共产主义通讯委员会作出了反克利盖的决议。克利盖当时是威斯特伐里亚地区"真正的社会主义"的代表人物，他的冒充共产主义的"神奇的心灵幻想"和"博爱"在威斯特伐里亚的信徒中影响甚大。在魏德迈的努力下，促成了《威斯特伐里亚汽船》1846 年七月号上全文转载了马克思和恩格斯起草的《反克利盖通告》。但是，在《威斯特伐里亚汽船》转载《反克利盖通告》时，"真正的社会主义者"吕宁违背马克思和恩格斯的意愿，不仅给这篇文章加了导言，而且在个别地方改动了原文，因此招致马克思的不满。起初，魏德迈还想采取调和的立场替吕宁辩解，但他最终还是站到了马克思的立场一边。从此，魏德迈成为马克思和恩格斯的得力助手。1847 年 7 月 7 日，魏德迈在给马克思的信上说："我的文章所发挥的观点最初是受你启发的。这一点我随时随地都承认，而且假使有机会，我要公开地说出来"[②]。1847 年夏，魏德迈的内兄吕宁外出旅行期间，把《威斯特伐里亚汽船》的领导权交给了魏德迈。魏德迈抓住机会，积极组织革命文章，在马克思本人建议下，《威斯特伐里亚汽船》杂志上八月和九月号上发表了《德意志意识形态》中的一章，标题是《卡尔·格律恩。〈法兰西和比利时的社会运动〉（1845 年达姆斯塔德版）或"真正的社会主义"的历史编

---

① [德] 卡尔·欧伯曼：《约瑟夫·魏德迈传》，天津师范学院外语系译，人民出版社 1980 年版，第 59 页。

② [德] 卡尔·欧伯曼：《约瑟夫·魏德迈传》，天津师范学院外语系译，人民出版社 1980 年版，第 82 页。

纂学》。这是《德意志意识形态》所发表出来的唯一的片段。此外，魏德迈还竭力促成在《威斯特伐里亚汽船》杂志刊登沃尔弗推荐《哲学的贫困》一书的论文。

1848年巴黎二月革命爆发，2月6日，魏德迈在《德意志—布鲁塞尔报》上发表《寄自威斯特伐里亚》的通讯，对无产阶级发出带有鼓动性的号召。他写道："我们面前应该有更长远的目标……无产者采取共同行动，是要联合许多股小力量而使自己变成一股巨大的力量！"接着他呼吁："无产者们，让自身的事业向自己课税吧，这样才能免除压迫者向你们课税。"①1848年4月，马克思和恩格斯回到德国科伦，为了更好地宣传群众、组织群众、指导革命，他们在同年6月1日创办了《新莱茵报》，魏德迈在《威斯特伐里亚汽船》上刊登了关于即将出版《新莱茵报》的预告。1848年春，魏德迈事先征得马克思同意之后，翻译了马克思在布鲁塞尔发表的关于自由贸易和保护关税问题的两篇讲演，在前言里他写道："我们的第一个政治经济学家卡尔·马克思去年在布鲁塞尔民主协会发表了一篇讲演……另一篇讲演是为在布鲁塞尔举行的经济学家会议准备的。两篇讲演都捍卫工人和人民的利益，反对资产阶级……"②1848年6月，哈姆出版了以《保护关税派、自由贸易派和工人阶级》为题的小册子，魏德迈在前言里，从马克思主义的唯物史观出发，阐述了德国工人阶级在争取民主斗争中的重大任务。他写道："我们现代社会的社会缺陷是我们革命的直接原因，在这些缺陷被消除之前，在社会问题没有彻底解决或者其和平解决的障碍未被铲除之前，革命将不会结束。"③接着他完全依据马克思恩格斯在《共产党在德国的要求》的观点，提出："人民的利益要求使德国联合成一个伟大的不可分割的共和国"，"只有在共和国的国家体制下，人民才能当家作主，民主制才能成为现实。"④

---

① [德] 卡尔·欧伯曼：《约瑟夫·魏德迈传》，天津师范学院外语系译，人民出版社1980年版，第95页。

② [德] 卡尔·欧伯曼：《约瑟夫·魏德迈传》，天津师范学院外语系译，人民出版社1980年版，第99页。

③ [德] 卡尔·欧伯曼：《约瑟夫·魏德迈传》，天津师范学院外语系译，人民出版社1980年版，第99页。

④ [德] 卡尔·欧伯曼：《约瑟夫·魏德迈传》，天津师范学院外语系译，人民出版社1980年版，第100页。

1848 年 6 月 14 日，魏德迈以代表身份参加了在法兰克福举行的八十八个德国民主团体召开的代表大会，会上他把上述思想向代表们宣传，并与其他革命派一起，为贯彻马克思的革命路线作出了很大的努力。在会议期间，魏德迈及其内兄吕宁接受了担任《新德意志报》编辑的职务。魏德迈在担任《新德意志报》编辑期间，以《新莱茵报》为榜样，极力贯彻马克思制定的路线和策略，使《新德意志报》成为战斗力很强的报纸。例如《新德意志报》在 1849 年元旦社论中，高度评价 1848 年的革命运动，认为 1849 年将是"人类进步发展史上重要的、无可比拟的一年"。1848 年革命失败之后，魏德迈仍留在德国坚持出版《新德意志报》，而马克思和恩格斯到达伦敦之后，创办了共产主义者同盟的机关刊物——《新莱茵报。政治经济评论》，魏德迈为此在德国多方联系，使马克思主编的杂志在 1850 年 3 月出版，同月还补出了 2 月号，4 月又出了第 3 期。《新莱茵报。政治经济评论》这三期杂志具有重要的意义，马克思在上面发表了《1848 年至 1850 年的法兰西阶级斗争》等重要文章，总结了 1848 年革命的历史教训，回答了阶级斗争的主要问题和国家问题，并为未来的革命制定战略、策略。同时，魏德迈应马克思的要求，撰写文章介绍南德意志的社会政治经济情况，还在《新德意志报》上刊登广告，向社会上广泛宣传介绍马克思创办的刊物。

1850 年，马克思恩格斯共同起草了《中央委员会告共产主义者同盟书》，力图从思想上和组织上进一步巩固共产主义者同盟。为了执行它的指示精神，魏德迈义无反顾地积极开展革命活动，在法兰克福地区重建同盟的秘密组织，恢复工人联合会，组织民众集会。由于魏德迈的努力，法兰克福成为工人运动取得重大进展的地区之一，在德国的西部和南部，同盟还成立了新的支部和小组。正当法兰克福、科伦等地的革命运动顺利开展的时候，普鲁士反动政府开始注意同盟的活动。1850 年 12 月，《新德意志报》被普鲁士当局查封，魏德迈也开始受到跟踪监视，但魏德迈冒着被捕的危险，仍然留在德国从事革命活动。1851 年 5 月，科伦发生了共产党人案件，普鲁士当局借此掀起了一场新的恐怖活动，大肆搜捕共产主义者同盟的成员。7 月，同盟中央委员丹尼尔斯被捕之后，魏德迈的可靠的合作者列斯纳也被逮捕，魏德迈也在被搜捕之列。为免遭普鲁士政府的毒手，魏德迈遂决定离开德国。原先魏德迈打算到瑞士和德国的边境去开展工作，但那里的生活十分艰难。鉴于美国是新兴的资本主义国家，部分地区甚至存在着奴隶制，正需要坚强的马克思主义者去开展工作。

在马克思和恩格斯的赞同下，魏德迈为了无产阶级的革命事业，为了国际工人运动的需要，他最终决定到美国去。1851年9月底，魏德迈携妻带子离开了瑞士，走上横渡大西洋去美国的旅途。

二、同各种敌视马克思主义的思潮斗争

魏德迈一家经过四十多天的漂泊，1851年11月7日才到达美国纽约。当时美国的社会主义运动深受空想社会主义者的影响，他们反对阶级斗争和阶级革命，企图以和平的手段建立社会主义。为了尽快改变这种状况，魏德迈认为把宣传工作搞起来是首要的任务。尽管困难重重，魏德迈还是按照计划在1852年1月6日正式出版了《革命》周刊的第一期，这时他到达美国才刚刚两个月，接着1月13日又出版了《革命》周刊第二期。这两期周刊转载了马克思在《新莱茵报》上发表的《国际评述（三）》的一部分，以及《共产党宣言》第二章《无产者和共产党人》等文章。为了支持魏德迈的工作，马克思把1851年12月开始写作的《路易·波拿巴的雾月十八日》陆续寄给他，直至1852年3月25日把这部著作的最后一章也寄给了魏德迈，同时马克思还动员其他战友为《革命》周刊写稿。但由于经费难以为继，《革命》周刊出了两期就被迫停刊了。此时，魏德迈一家也面临着巨大的经济困难，但经魏德迈多方努力，设法筹划资金，1852年5月《革命》杂志作为不定期的刊物恢复了，马克思的《路易·波拿巴的雾月十八日》在复刊后的第一期上发表，使马克思主义历史唯物主义在北美得到更广泛地传播。但不久，又因缺乏资金，《革命》杂志不得不再次停刊。《革命》周刊是第一份把马克思主义传播给北美大陆的杂志。

魏德迈还与各种敌视马克思主义的反动思潮展开不懈的斗争，并在这种斗争中不断扩大马克思主义的影响。海因岑是德国小资产阶级在美国的流亡者，海因岑否认阶级斗争，攻击和诽谤马克思主义，宣扬只有君主才是一切灾祸的根源，而把阶级斗争说成是"共产主义者无聊的捏造"，并千方百计地加以嘲笑，称之为"玩弄阶级"。针对海因岑的反对共产主义论调，魏德迈1852年1月在《体操报》第三期上发表了《论无产阶级专政》一文。魏德迈在文章中郑重指出了无产阶级作为一切社会政治变革中的决定性力量而具有的世界历史作用，文章开头就说："无产阶级是在欧洲发达的国家里为资产阶级战胜了其他

一切社会阶级的一个阶级，只有无产阶级才能成功地推翻资产阶级的统治，宣告成立不剥削其他阶级的本阶级的政权"①。接着，他又说："看来，无产阶级是唯一能够占有资产阶级遗产的阶级，因为他自身的繁荣是以这些遗产的进一步发展为条件的。这是利用政权来消灭阶级特权的最后一个阶级，因为所有其他阶级都将溶合在这个阶级中。现在它就已经在吸收难以从理论上理解历史发展进程的其他阶级的一切创造性因素。"②魏德迈的这些关于无产阶级和无产阶级专政的文章，对于反击海因岑、魏特林的反动理论，扩大马克思主义在美国的影响起了巨大的作用。

1852 年 1 月 29 日，魏德迈还在《纽约民主主义者报》上发表文章，驳斥海因岑散布的谬论像神话故事一样的虚无缥缈，给革命群众造成了思想上的紊乱。对于魏德迈的这些文章，马克思给予了高度赞扬，1852 年 3 月 5 日马克思在给魏德迈的信中说："你驳斥海因岑的文章写得很好，可惜恩格斯寄给我太晚了；它写得既泼辣又细腻，这种巧妙的结合称得上是名副其实的论战"③。接着，马克思言简意赅地阐述了他的新的科学结论："无论是发现现代社会中有阶级存在或发现各阶级间的斗争，都不是我的功劳……我所加上的新内容就是证明了下列几点：（1）阶级的存在仅仅同生产发展的一定历史阶段相联系；（2）阶级斗争必然导致无产阶级专政；（3）这个专政不过是达到消灭一切阶级和进入无阶级社会的过渡"④。从 1853 年 3 月 1 日开始，魏德迈还在《体操报》上连发三篇题为《流亡者中的革命鼓动》的文章，批判维利希、金克尔等人的宗派分裂活动和冒险行径，谴责他们在群众中散布幻想、进行欺骗。

1853 年 3 月，魏德迈和克尔纳等人还创办了《改革报》，克尔纳任编辑，魏德迈任副编辑。魏德迈在《改革报》上连续发表了《经济学概论》，运用美国经济发展的实例，深入浅出地宣传了马克思主义的政治经济学理论。当时，《改革报》是美国中西部主要的德文报纸，开始时每周出版一次，后改为两次，由于深受欢迎，于 1853 年 10 月改为日报。但后来，由于报纸在克尔纳的错

① ［德］卡尔·欧伯曼：《约瑟夫·魏德迈传》，天津师范学院外语系译，人民出版社 1980 年版，第 185 页。

② ［德］卡尔·欧伯曼：《约瑟夫·魏德迈传》，天津师范学院外语系译，人民出版社 1980 年版，第 185—186 页。

③ 《马克思恩格斯全集》第 28 卷，人民出版社 1973 年版，第 504 页。

④ 《马克思恩格斯选集》第 4 卷，人民出版社 2012 年版，第 425—426 页。

误路线指导下，逐渐脱离了工人运动，《改革报》的读者越来越少，不得不在1854年4月关闭了。

魏德迈在美国不仅仅限于宣传马克思主义的思想，还积极组织工人运动。1852年6月，魏德迈与流亡美国的另一位战友左尔格一道，在纽约创建了美国第一个真正的马克思主义团体——无产者联盟。该联盟大力宣传马克思主义，努力帮助美国工人运动摆脱形形色色的资产阶级、小资产阶级派别的影响，从而争取建立一个以《共产党宣言》为基石的统一的工人阶级的政党。在魏德迈等人的努力下，1853年3月，全美统一的工人组织美国工人同盟在纽约成立。该组织要尽力组成一个不分国籍的包括全体劳动者组成的美国工人同盟，以求改进劳动条件。同盟通过了魏德迈起草的《告美国工人书》，7月魏德迈成为该同盟的实际领导人。魏德迈在为同盟的行动纲领而写的序言中，以马克思主义原理科学地分析了美国的社会阶级状况，为工人阶级明确了革命方向，号召工人阶级为改变自身的恶劣状况而起来斗争。美国工人同盟还强调全体工人采取统一的政治行动，并积极支持当时发生的多次罢工斗争。由于工人同盟的发起，又建立了有40个行业的代表参加的纽约市总工会。1853年4月，在工人同盟的影响下，华盛顿市成立了工人全国协会。1857年，为了启发美国工人阶级的觉悟，指导势头正在急剧增长的革命斗争的方向，他和左尔格一道，于10月25日在纽约成立了纽约共产主义者俱乐部。共产主义者俱乐部展开了广泛的宣传活动，号召工人不分肤色或性别，承认一切人的完全平等，团结起来投入斗争，以求消灭资产阶级财产制度。1858年，共产主义者俱乐部还举行了规模浩大的群众集会，纪念1848年革命中具有重大历史意义的法国工人六月起义。在美国工人运动史上魏德迈作出了卓越的贡献，赢得了美国工人阶级和劳动人民的爱戴和拥护。

1861年4月，美国南北战争爆发，魏德迈担任了圣路易斯地区北方联邦军队第一分区的指挥官。他在战争间隙，给恩格斯写信，报告战地消息以供恩格斯研究战争使用。恩格斯十分高兴，在1865年3月10日给魏德迈的信中写道："我很感谢你关于美国武装力量的情况的说明，幸亏有它们，才使我对美国战争的许多问题有一个清楚的轮廓"[1]。1864年，美国南北战争结束时，美国的工人运动蓬勃发展，各地各行业纷纷建立工会组织。为了把这些组织统一到

---

[1]　《马克思恩格斯全集》第31卷，人民出版社1972年版，第465页。

一起，加强和发挥工人阶级的团结力量，魏德迈到处奔波，以促成建立全国性工会组织——美国工人代表大会。但是，在全美工人代表大会成立前夕，1866年8月20日，魏德迈因患流行霍乱而辞世，年仅48岁。魏德迈过早的离世，使美国工人阶级失去自己最好的领路人，马克思恩格斯失去自己最亲密的"老近卫军"，但他永远活在美国工人阶级心中。第二次世界大战中，拥有10万名会员的国际皮革工人联合会，在1944年募集了2200万美元，建造了一艘军舰，并命名为"约瑟夫·魏德迈号"投入到反法西斯的战争中。

魏德迈既是无产阶级早期革命阶段的一位不可多得的理论家，同时也是一位把马克思主义的理论付诸实际的不可多得的实践家，他在德国、美国所作出的革命贡献将永垂马克思主义史册。

第三节　丹尼尔斯对马克思主义的贡献

丹尼尔斯是马克思主义队伍中的一位杰出战士，他投身早年德国的工人运动，是马克思和恩格斯的朋友，也是共产主义同盟的盟员和领导人之一，他为宣传和贯彻马克思主义而战斗。丹尼尔斯是最早尝试把辩证唯物主义运用到自然科学领域的人之一，这是他在马克思主义发展史上的一个独特贡献。

一、积极传播马克思主义

罗兰特·丹尼尔斯（1819—1855），1819年1月20日生于德国莱茵省安格尔多夫的一个富裕的酒商家庭。他在波恩和柏林攻读哲学和医学学位，1844年获博士学位之后即到巴黎进修，在巴黎期间，丹尼尔斯结识了正义者同盟的领导成员，并认识了马克思，从此两人建立了深厚的友谊。

1845年，丹尼尔斯回到德国科伦，准备在那里开展革命运动。为了解救劳动群众的疾苦，丹尼尔斯宁可拿低薪去当一名救贫医生，也不愿去当一名高薪的正规医院的医生。丹尼尔斯回到科伦之后,那里的社会主义运动已经十分活跃,"科伦星期一"读书小组已在那里活动多年,格律恩、赫斯、魏德迈、荣克等人都是其中的活跃人物。当时马克思被驱逐出法国,到了布鲁塞尔,丹尼尔斯是科伦唯一经常与马克思保持联系的人。1846年年初,马克思和恩格斯在布鲁塞尔成立共产主义通讯委员会,2月,丹尼尔斯就以通讯委员会成员的身份,向马克思报告了科伦的社会主义小组活动情况,3月,丹尼尔斯再次给马克思去信,想通过马克思扩大共产主义运动,并表示希望4月能到布鲁塞尔一趟,还建议马克思搬到比利时边境的柳堤赫去,以便于同德国的朋友联系,他还在信中催促马克思说:"我们在焦急地等待你的政治经济学"①。

1846年年初,当丹尼尔斯得知,马克思正计划创办一份共产主义杂志以作为《德法年鉴》的续刊之后,就动手为该杂志撰写了一篇长达60页的书评,专门对1845年一位名叫汉森的著者所写的书《神奇的治疗》进行评论。汉森的书是借1844年特利尔大教堂展出"圣衣"而出现的种种迷信现象,而大谈宗教迷信的"妙手回春的医术"。丹尼尔斯从唯物主义的观点出发,尖锐地批判那些骗人的所谓"医术",他指出,汉森著作所宣扬的神学神秘主义的观点,无论从逻辑上来说,还是从医学治疗学上来说,都是站不住脚的。丹尼尔斯在批判中还指出,汉森的书中漏洞百出、许多自相矛盾的地方,以充分的证据指出其伪科学真神学的真正面目。可惜由于新杂志没有办成,加上当时革命迫在眉睫,革命的刊物更需要指导革命实践方面的文章,因此,丹尼尔斯的文章在当时没有发表,但却为后人研究这一问题留下了宝贵的材料。这是丹尼尔斯在马克思主义史上的一个独特的贡献。可见,丹尼尔斯是马克思主义队伍中的一位杰出战士,他不仅投身早年德国的工人运动,为宣传和贯彻马克思主义而战斗,而且运用马克思主义唯物主义的武器,从自然科学角度去阐述人类的发展。

二、参加共产主义者同盟的工作

作为医生,丹尼尔斯在为贫民治病的过程中,把全部的时间和精力都投入

---

① 转引自 [德] 卡尔·欧伯曼:《约瑟夫·魏德迈传》,天津师范学院外语系译,人民出版社1980年版,第52—53页。

到其中，特别是 1849 年冬德国霍乱流行期间，丹尼尔斯更是忘我地投入到对贫民的诊治之中。1848 年 3 月，德国革命爆发，丹尼尔斯一方面从事革命活动，一方面担负着沉重的贫民医疗工作。

1848 年 4 月，马克思恩格斯回到科伦筹建《新莱茵报》，丹尼尔斯为报纸的出版和销售工作付出了很大的努力，同年 8 月到 9 月期间，《新莱茵报》编辑部召开了好几次有数千人参加的工农群众大会，丹尼尔斯和其他朋友一起，为组织和宣传群众发挥了积极的作用。1849 年，《新莱茵报》被迫停刊，马克思被迫离开德国时，把 400 多部藏书送给了丹尼尔斯。丹尼尔斯虽然当时也极为贫困，但他仍然妥善保管这批书籍，并在 19 世纪 60 年代初将其送回到马克思手中。马克思离开德国到法国后，又遭到了法国政府的迫害，这时丹尼尔斯建议马克思到英国，并为马克思筹集到了离开法国的经费。最终，马克思一家在 1849 年离开法国，顺利到达英国伦敦。

1850 年夏秋，共产主义者同盟内部出现了分裂。在共产主义者同盟 9 月 15 日的中央委员会会议上，马克思恩格斯为首的多数派与维利希 – 沙佩尔集团划清了界线，并以 6 比 4 的票数通过把中央委员会从伦敦迁到科伦、委托科伦区部建立新的中央委员会的决议。9 月 29 日到 30 日，共产主义者同盟科伦区部召开会议，宣布成立一个新的中央委员会，新的科伦中央委员会拥护伦敦委员会以马克思为首的多数派。新的中央委员会由伦敦支部的罗兰特·丹尼尔斯、彼得·格尔哈特·勒泽尔和亨利·毕尔格尔斯三个委员组成，而丹尼尔斯是科伦中央委员会的真正首脑。根据马克思恩格斯为首的共产主义者同盟伦敦区部的建议，在丹尼尔斯的主持下，科伦新中央委员会作出了开除维利希 – 沙佩尔集团为首的宗得崩德的盟员的决议，并在 12 月 1 日发布了中央委员会告全体同盟书，批判了集团的活动，并通知将该集团的领导人开除出盟。这表明，丹尼尔斯是站在马克思主义的路线去反对维利希 – 沙佩尔分裂集团的，并且号召共产主义者不要丧失锐气，要继续斗争。这对于当时的革命者来说，无疑具有很大的鼓舞力量。

三、在自然科学领域中研究和运用唯物主义辩证法

把唯物辩证法运用到自然领域，一直是马克思主义的创始人和其他马克思

主义者的一项重要任务。马克思和恩格斯在理论初创阶段，曾有过一些关于自然哲学和历史哲学的关系，以及主体和客体的关系的研究设想，但由于他们繁忙的革命理论和实践工作，使他们无暇顾及研究这些问题。马克思和恩格斯直至晚年才抽空写作了一些有关方面的著作和手稿，例如马克思写了《数学手稿》，恩格斯写了《反杜林论》和《自然辩证法》等。丹尼尔斯作为一个自然科学的研究者，是当时马克思主义者中第一批尝试把辩证唯物主义运用到自然科学领域的人之一，并取得了重要的成就。

丹尼尔斯是研究医学的，所以，他早就计划写一部书，论述人体生理学同社会学、心理学、哲学、人类学、医学之间的辩证关系。1849—1850 年期间，丹尼尔斯利用革命活动的间隙，写作了《小宇宙。生理学的人类学概论》手稿，以阐明共产党据以自称为无神论的共产主义政党的那些基本原则。但由于丹尼尔斯后来被捕，以及出狱之后他的健康状况的恶化，使这部手稿终究未能出版。

丹尼尔斯的《小宇宙。生理学的人类学概论》，由导论和六章正文组成，主要阐述了以下三个方面的内容。

第一，在关于人的生命本质的阐述中论证唯物主义。丹尼尔斯把人的生命本质，放在整个自然界发展演化的视野下来考察。他论述了自然界从无机世界到有机世界的发展演化过程，并把有机世界区分为植物和动物两大类，还细致地描述了动物躯体和人的躯体的差异。在此基础上，丹尼尔斯主要通过分析人所特有的形成概念的能力来区分人和动物。丹尼尔斯认为，从古至今，人们对于人类机体认识的水平，是与研究自然的水平相一致的，因此，他尽可能地在吸收当时的科学成果的基础上，来阐述他对人类机体的认识。他认为，人的机体，既有无机特性，又有有机特性，而有机特性又分为三个方面，即三个阶段：植物特性、动物特性和精神特性，其中，精神特性是人类机体所独有的特征，是把人类机体和其他机体区分开来的最重要的标志。因此，他认为，从人的机体出发来认识人自身，才是确实的知识，才是科学，才是唯物主义。丹尼尔斯关于人的生命本质的观点，有力地驳斥了各种对人的唯心主义的解释，有力地批判了神学所认为的，人是上帝创造出来的、人是神的奴仆等关于人的本质的观点。同时，丹尼尔斯还批判了费尔巴哈的唯心主义的人本学的观点，他认为，在费尔巴哈那里，"人本学"一词纯粹是空话，因为，费尔巴哈所说的"人"是由"心情"、"理性"和"意志"构成的，他所说的共产主义则是在哲学上虚构的"社会的人"。丹尼尔斯与马克思恩格斯的观点很相似，但他是从自然发展的角度进行解释，因此具有独特的价值。

第二，在论述植物、动物与人的区别中阐述了唯物主义和辩证法的关系。丹尼尔斯认为，与植物相比，动物有感觉和运动功能，而且动物具有与感觉和运动功能相适应的神经和肌肉。而正是动物的神经系统和肌肉系统，使动物能够发现植物根本不能发现的外部世界的特性，这些特性通过感觉、表象、判断、记忆和肌肉运动等形式表现出来，在这些形式中，尤其是感觉决定着动物与周围环境发生相互作用的特殊形式。进而丹尼尔斯又阐述了应激性、感觉和运动的规律，说明了物质变化是精神变化的基础，精神特性是对物质特性的反应，从而从生物学的角度唯物地论证了辩证的世界观。可见，丹尼尔斯是在这些生物学分析的基础上，阐述了唯物主义和辩证法的关系，也有力地驳斥了唯心主义的"意志自由"论。

丹尼尔斯还在考察人与动物的区别中考察唯物主义的基本问题。丹尼尔斯认为，植物和动物是从同一个不发达的基本类型沿着两个不同的方向发展起来的，而人则是从最发达的动物——猿产生的。因此，人属于动物的一长列族系中的最发达的形态。他还明确指出，人和动物在生态上的区别，在于它们神经系统的物质差别，人脑比动物多了"形成概念的功能"，而形成概念的功能的生理物质基础在于机体的物质结构不同。在这里，丹尼尔斯虽然还未对人脑活动的物质基础做出更明确的阐述，但已经做出了大致正确的初步的说明，从而排除了一切对人脑的神秘化的解释，说明了唯物主义物质决定意识的基础问题。

第三，在说明人与社会的关系中阐述唯物史观的基本观点。丹尼尔斯根据马克思关于人与社会关系的观点，即人不但是自然界的产物，而且首先是社会的产物的观点，阐明了人与其周围世界的关系，以及人类社会发展的结果。丹尼尔斯认为，个体与周围的关系会对个体产生重要影响，个体死亡的原因在于其生存的环境受到了破坏。所以，他认为，人虽然是一个有机体，但不是一个孤立的单纯的个体，而且人与周围的关系总会受到社会制度的制约，对人的问题的解决是一个社会问题，即对社会制度改造的问题。

丹尼尔斯还用生物学的思维方式，论证了社会改革和革命的合理性和必要性。丹尼尔斯在探讨了人的个性与社会关系的问题时认为，考察人的个性正如考察一株不开花结果的果树一样，不是要对因果树未开花结果而咒骂它，而是要考察与它相关的土壤、气候等环境因素；在探讨人的个性时，也不要过分追究个人的责任，而要考察和研究形成人的个性的周围的环境，即社会运动条件。所以，他认为，不完善的个性实际上和实质上都是社会的产物，而要想改善社会本身，必须祛除坏的肢体。进而，丹尼尔斯探讨了资本主义社会与人的个体的关系。他认为，在资本主义社会人类个体没有条件完善自己，人的机体退化了，因为，资本主义社会是靠恐怖手段和传统势力来维护统治的，整个社会都彻底腐烂和腐朽了，这样，必然使整个社会的矛盾达到空前的尖锐状态。可见，丹尼尔斯是用生物学的思维方式，揭露资本主义制度的罪恶，阐明实现共产主义的必要性。

丹尼尔斯的观点是辩证唯物主义在自然领域的初步运用，其中不少结论和恩格斯在《自然辩证法》中的观点相同或相似。丹尼尔斯去世后，马克思给予他高度评价："他的早逝，不仅对他的家庭和朋友来说是不可挽回的损失，而且对科学界以及受苦受难的广大群众来说也是一个不可挽回的损失。在科学界，人们对他抱有无限的希望，而受苦受难的群众则把他看成可靠的先进战士"①。

第四节　狄慈根对马克思主义的贡献

狄慈根是一位靠自学成才的德国工人哲学家，马克思的思想对其思想的形成和发展具有重要影响。他独立地发现辩证唯物主义，是马克思主义哲学史上第一个提出辩证法、认识论和逻辑学三者统一的哲学家。他的哲学见解不仅具有独立发现的性质，而且有一定的系统性和科学性。

一、德国工人哲学家

约瑟夫·狄慈根（1828—1888），1828 年 12 月 9 日出生在德国科伦附近

---

① 《马克思恩格斯全集》第 28 卷，人民出版社 1973 年版，第 627 页。

的小乡镇布兰肯堡，他父亲是一个制革工匠。因家境困难，狄慈根读了两年半中学就被迫辍学，1845 年开始跟随父亲学习制革手艺。狄慈根求知欲很强，他利用业余时间刻苦自学，对哲学、政治经济学、文学尤感兴趣，他通过自修学会法文，能用原文阅读法国文学作品和空想社会主义者圣西门、傅立叶等人的著作。他拥护 1848 年革命，并亲自参加了斗争。1848 年革命失败后，他被迫于 1849 年 6 月流亡到美国，为了寻找工作跑遍了大半个美国，做过制革匠、油漆工、教师，并掌握了英语。1851 年 12 月返回德国，仍在父亲的作坊里劳动。

狄慈根是通过阅读 19 世纪空想社会主义者的著作，开始他对民主和自由追求的。他还研究了费尔巴哈的哲学著作。1852 年他阅读了马克思恩格斯的《共产党宣言》，这本著作成了他世界观转变和哲学研究的新起点。1859 年他再度侨居美国，并在美国南部亚拉巴马州的蒙哥马利开了个制革作坊。1862 年，他又仔细阅读了马克思的《政治经济学批判》等著作。1867 年 9 月，马克思的《资本论》第一卷在汉堡出版后，引起了他极大的兴趣，他立即阅读研究，10 月 24 日以极其崇敬的心情，第一次写信给马克思，并把他初步形成的一些哲学观点向马克思请教，从此和马克思建立了通信联系，得到了马克思的直接帮助。1864 年春，应俄国彼得堡弗拉基米尔制革工厂征聘，狄慈根带全家迁居俄国，狄慈根也在这家工厂当技工。在俄国期间，狄慈根继续利用业余时间研究哲学、政治经济学，并同俄国工人直接交往。1868 年为《资本论》第一卷写了书评，发表在《民主周报》（后改为《人民国家报》）上，梅林称他是"第一个掌握了科学共产主义的这部主要著作的精神的德国工人"①。

1869 年 8 月，德国社会民主工党（爱森纳赫派）成立，他是第一批党员之一，积极支持爱森纳赫派反对拉萨尔机会主义路线的斗争，同年，他的哲学著作《人脑活动的本质》在汉堡出版发行。1870 年，他开始负责在莱比锡出版的党的机关报——《人民国家报》理论版的编辑工作，并写成《政治经济学概论》，通俗地宣传《资本论》第一卷的思想。1872 年 9 月，狄慈根以德国社会民主工党代表身份同其他七名德国代表一起出席第一国际在荷兰海牙举行的

---

① ［德］弗·梅林：《德国社会民主党史》，青载繁译，生活·读书·新知三联书店 1965 年版，第 294 页。

第五次代表大会，积极参加清算巴枯宁和巴枯宁主义的斗争。马克思向到会代表介绍狄慈根时，说他是"我们的哲学家"。1884 年 6 月，狄慈根第三次带全家迁到了美国，开始了他的革命生涯的最后一个时期。狄慈根 1886 年写成了《一个社会主义者在认识论领域中的漫游》，1887 年写成了《哲学的成就》，并在《人民国家报》和《前进报》上发表了若干篇哲学短篇文章。1888 年 6 月 15 日，在一次热烈的政治问题争辩时，狄慈根因心脏病突然发作逝世。

狄慈根是一位靠自学成才的德国工人哲学家，是德国社会民主党人"爱森纳赫派的最热心的理论家"。虽然很难说狄慈根的哲学成果对国际工人运动的发展和马克思主义的发展有什么独特的贡献，但是，作为一位哲学自修者，能够独立地发现辩证唯物主义这一事实本身，在国际工人运动史和马克思主义史上就是一件具有特别意义的事情。恩格斯曾指出："值得注意的是，不仅我们发现了这个多年来已成为我们最好的工具和最锐利的武器的唯物主义辩证法，而且德国工人约瑟夫·狄慈根不依靠我们，甚至不依靠黑格尔也发现了它。"① 这表明辩证唯物主义世界观本能地是一种工人的哲学。列宁也曾说："狄慈根的作用在于，他是一个独立地达到了辩证唯物主义，即达到了马克思的哲学的工人。"②

二、重视对辩证法的研究

狄慈根在提出他的"自然一元论"的唯物主义的基础上，高度重视对辩证法问题的研究。他认为，辩证法是哲学的一个"合适的名称"，他把自己的哲学叫作辩证哲学，他也希望别人把他叫作"一个辩证法的哲学家"。

狄慈根对辩证法的研究，主要集中表现在他关于事物之间相互联系的研究上。狄慈根把事物之间的相互联系的研究，作为研究辩证法的核心问题来谈论。他认为，相互联系既是事物之间的一种客观关系，也是一种认识和思考问题的方法论原则，也就是说，他认为联系既是世界观也是方法论。因此，他认为，要"真正联系地进行思考"，无产阶级的逻辑就在于"在世界的活的联系

① 《马克思恩格斯选集》第 4 卷，人民出版社 2012 年版，第 250 页。
② 《列宁专题文集 论辩证唯物主义和历史唯物主义》，人民出版社 2009 年版，第 240 页。

中寻找并发现理性和真理"①。狄慈根涉及事物之间辩证联系的研究主要集中在以下几个方面：联系的客观性和普遍性、联系的整体性和全面性、联系的具体性和条件性以及联系与转化的问题等。同时，狄慈根关于辩证联系的观点，还被他用来论证思维与存在的关系问题。

狄慈根关于联系具有客观性、普遍性的观点。狄慈根认为，辩证法的普遍联系的原则是一个客观原则，一个绝对的原则，而不是人们强加于客观事物的一个主观原则，他甚至把相互联系称为"绝对的相互联系"。他从整体世界、个别事物和理性三个方面谈到联系的客观性和普遍性。他说："事物并不作为'自身'而存在于本质之中，而是仅在与其他事物的联系中，仅在现象之中作为事物而存在。"② 也就是说，狄慈根认为，事物之间的相互联系就是世界本身，世界的唯一的本质、世界本身是作为具体的、个别的事物而存在着，而这些事物相互之间联系成为一个整体，这个整体就构成世界，所以，他说"一切事物是一个事物"③。可见，狄慈根之所以特别看重辩证法的相互联系原则，是因为只有联系才决定任何现实事物的存在和本质，才能使之发生表现，发挥作用和变化其形式。后来他又把这一思想明确地表述为，一般的世界只有在绝对的相互联系中并借它的样态、部分而成为无限多的存在，才是绝对的存在。因此，他认为，孤立的事物是不存在的，一切具体的个别的事物都处在相互联系之中。

狄慈根还运用联系具有客观性、普遍性的观点对思维与存在的关系问题进行了分析。他认为精神只有在它与其他方面的物质世界相联系时才是存在，他甚至认为："因为我们社会主义唯物主义者对于物质和精神有一个相联系的概念，所以在我们看来，即使是所谓精神的情况，如政治、宗教、道德等的情况，也都是物质的情况"④。狄慈根在反对唯心主义二元论的斗争中，也是用事物相互联系、相互依赖的辩证法观点，说明精神来源于物质，物质与精神的差

① ［德］狄慈根：《论逻辑书简》，《狄慈根哲学著作选集》，杨东莼译，生活・读书・新知三联书店 1978 年版，第 150 页。

② ［德］狄慈根：《人脑活动的本质》，《狄慈根哲学著作选集》，杨东莼译，生活・读书・新知三联书店 1978 年版，第 34 页。

③ ［德］狄慈根：《论逻辑书简》，《狄慈根哲学著作选集》，杨东莼译，生活・读书・新知三联书店 1978 年版，第 196 页。

④ ［德］狄慈根：《一个社会主义者在认识论领域中的漫游》，《狄慈根哲学著作选集》，杨东莼译，生活・读书・新知三联书店 1978 年版，第 247 页。

别是相对的，而不是无限的。狄慈根也通过事物之间相互联系的观点来说明认识问题，他认为，认识是主观与客观、主体与客体之间相互联系的产物。思维能力或理性是可理解的外部事物与头脑的内部的理智之间的联系，因此，思维能力不能自为地表现，而必须始终与其他事物相结合才能表现出来。

狄慈根关于联系具有整体性的观点。狄慈根认为，联系的具有整体性的，也就是说，相互联系的各个事物不仅构成一个有机整体，而且这个有机整体对构成它的各个事物、方面具有支配作用，整体决定着部分的存在和性质。从方法论角度来看，联系的整体性观点要求我们要从事物的相互联系中把握事物，实质上也就是"从整体认识个别"。狄慈根认为，这个世俗的一元的自然界，既是要灭亡的又是永恒的，既是有限的又是无限的，既是特殊的又是一般的，它既存在于万物之中，而万物也发现自己存在于自然界之中。也就是说，自然界被人类的理解力区分成东、西、南、北，区分为千百万个特定的部分，然而，它同时也是一个不可分割的整体。狄慈根还把整体性思想用于解决思维和存在关系的哲学基本问题，他认为，因为精神属于物质的一部分，而整体决定部分，所以物质也就决定精神。他说："整体支配部分，物质支配精神，至少基本上如此……就这种意义来说，我们可以把物质世界看作是最高财富，第一原因……"①。

狄慈根认为，整体联系是有机的、活的联系。首先，在狄慈根看来，整体的联系中是有差别性的。他把整体联系看作是一种有差别事物的联系，同时，整体联系也是多样性的统一，但是，这种统一性并不取消各事物所具有的差别。也就是说，整体联系，既要求把握事物的共同点，也要求理解事物的差别。其次，狄慈根认为，事物的有机联系还表现为任何统一都是对立的统一。这种统一是对立双方矛盾运动的结果，是一种"更高的统一"，他认为，物质和精神的统一就是这种具有对立性质的统一。他还把人的智力看作是调和一切对立面的辩证的工具，他甚至追求一种调和"片面的唯物主义"和唯心主义的哲学。他认为，这种哲学显然要具有更高的优越性，这种哲学就是"社会民主主义的唯物主义"。第三，狄慈根还认为，无论是相互联系着的事物还是事物联系的整体都是变化发展的。也就是说，联系是运动变化发展过程中的联

---

① ［德］狄慈根：《短篇哲学著作集》，转引自《列宁全集》第 55 卷，人民出版社 2017 年版，第 401 页。

系。他说："一切固定概念都漂浮于一种流动的元素之中。无穷的自然实体是一种彻底易变的元素，一切固定者都由其中涌现，又在其中消失。因此，即使存在某个暂时的固定事物，但归根到底仍是不存在固定者。"① 在狄慈根的哲学中，也有对立面双方相互转化的思想，如物质转化为精神、精神转化为物质、主辞转化为宾辞、宾辞转化为主辞。进而他还认为，一切结果的唯一的真正的原因，是宇宙或万物的整个的相互联系，也就是说，客观物质世界中的事物是相互联系、相互依赖和相互作用的，事物的相互联系、相互作用就构成客观物质的运动。另外，狄慈根关于无限与有限、普遍与特殊、绝对与相对、原因与结果、本质与现象、相似与相异等关于辩证法范畴问题的论述中，也都体现了转化的思想。这些表明，狄慈根实际上已经把握了对立面之间统一和转化的思想。

三、提出辩证法、认识论和逻辑学的统一

在狄慈根的哲学中，唯物主义、辩证法、认识论是结合在一起的，他是马克思主义哲学史上第一个提出辩证法、认识论和逻辑学三者统一的哲学家。

狄慈根明确提出辩证法、认识论和逻辑学是同一门学科。狄慈根在《哲学的成果》一书中谈到，由于旧逻辑学的局限性，必然产生一种新逻辑学，"至于新逻辑学是否应与旧逻辑学叫同一名称，还是应另称为认识论或辩证法，这只是字面上的争论，可以简单地相机而定"②。1876年，他在发表在《人民国家报》的题为《社会民主党的哲学》的文章中，谈到关于对人的思维问题的研究的科学分类时，进一步明确表达了辩证法、认识论和逻辑学是同一门学科的思想。他认为，思维属于单独一门科学，"这门科学可以称为逻辑学、认识论或辩证法"③。列宁对狄慈根的这一思想非常重视。他在谈到狄慈根的这段话时，

---

① [德] 狄慈根：《哲学的成果》，《狄慈根哲学著作选集》，杨东莼译，生活·读书·新知三联书店1978年版，第345页。

② [德] 狄慈根：《哲学的成果》，《狄慈根哲学著作选集》，杨东莼译，生活·读书·新知三联书店1978年版，第347页。

③ [德] 狄慈根：《短篇哲学著作集》，转引自《列宁全集》第55卷，人民出版社2017年版，第399页。

在旁边连划三条竖线，并注上"注意"二字。1915 年列宁在谈到马克思的《资本论》的理论特征时也表达了同样的思想。

关于辩证法与认识论的统一。狄慈根在谈到新逻辑学的名称问题时认为，从便于理解的考虑出发，可以把新逻辑学称作"认识论"，那么，认识论是什么呢？他说："'认识论'亦即众所周知的'辩证法'。"① 狄慈根认为，辩证法与认识论统一的原因有两个方面：一是它们的研究对象的范围是一致的；二是它们研究要达到科学的途径是一致的。从对象的范围来看，辩证法既研究思维与存在的关系，又把对思维、存在的各自的内容纳入自己的范围之内，而认识论是关于人的思维能力或"我们头脑中思维工具的性质"的学说，所以，狄慈根认为，辩证法和认识论在把思维规律作为研究对象这一点上是一致的。从研究途径来看，狄慈根认为，唯物主义的认识论是使辩证法成为一种彻底的系统的世界观的前提，而认识论若要成为一种科学的思维方法，就必须借助于辩证法，在认识中贯穿辩证法。因此，狄慈根认为，孤立地研究人的认识、理性、理智等的方法是不科学的，只有把对它们的研究与对存在及存在和思维之间的关系等一般性问题的研究联系起来才是科学的，他甚至认为，在"必须或多或少地摆脱专门科学的特性而从事研究一般性质"这一点上，认识论"仿佛成为宇宙进化论"②。

关于逻辑学与辩证法的统一。狄慈根明确指出："逻辑学应是'思维的定律及形式的科学'，它也应是哲学留下来的遗产——辩证法。"③ 在这里所说的那种与辩证法相统一的逻辑学，是指融辩证法于自身的新逻辑学，即辩证逻辑，而不是指形而上学的逻辑学。狄慈根关于逻辑学也是辩证法的结论，是从逻辑学和辩证法的研究对象的一致性，以及对旧逻辑学发展到新逻辑学的理解中得出的。狄慈根认为，逻辑学的研究对象是思维，是思维的性质和正确程序，但是旧逻辑学的缺陷就在于它对自己的对象、任务理解得过于狭窄，只满足于"分析"思维能力，而忽略"说明"思维能力，所以，他认为思维或思维

---

① [德] 狄慈根：《哲学的成果》，《狄慈根哲学著作选集》，杨东莼译，生活·读书·新知三联书店 1978 年版，第 341 页。

② [德] 狄慈根：《哲学的成果》，《狄慈根哲学著作选集》，杨东莼译，生活·读书·新知三联书店 1978 年版，第 308 页。

③ [德] 狄慈根：《哲学的成果》，《狄慈根哲学著作选集》，杨东莼译，生活·读书·新知三联书店 1978 年版，第 344 页。

能力的说明实际上是不能够由它自身来完成的，思维或思维能力需要"面向真理"，需要"通过智力与真理世界相结合，通过它与整个现有的存在的联系"来完成。也正是在这个意义上，狄慈根认为，逻辑学就是关于宇宙的智慧，就是真理论，就是辩证法。狄慈根认为，旧逻辑学因其本身的形而上学性质也需要辩证地发展。狄慈根认为，旧逻辑学的形而上学性质主要表现在它的四条定律上，即同一律、无矛盾律、排中律和理由充足律，他分别对这四条定律作了深刻的分析和批判，强调要用辩证法的对立的、联系的观点、变化发展的观点，对旧逻辑学进行改造，从而形成新逻辑学，也就是说，新逻辑学是充满着辩证法的逻辑学。所以，狄慈根得出结论说："由于旧逻辑学因其四条定律而过于浅陋，由它的发展必定产生辩证法，即哲学的成果。"这是一种"经过推广的逻辑学"，是一种"逻辑学的辩证法和辩证法的逻辑学"①。

关于逻辑学与认识论的统一。狄慈根明确指出："我们的逻辑是认识论"②和认识论"只是、也只能是推广的逻辑学"③。他认为，"推广的逻辑学"即新逻辑学，之所以是认识论，是因为它也把认识的起源问题当作自己所要回答的主要问题，而不只把自己当作纯粹的、单纯形式的理论；也因为它同认识论一样，坚持一种"合理的思维"，即唯物辩证的思维，它不是通过沉思的方法，而是从事物与经验的联系的角度，从整体联系的角度来探索认识。狄慈根认为，认识论之所以是逻辑学，这不仅在于逻辑的论题同时也是认识的理论，而且在于"明晰的认识论与逻辑学即思维术的理论结合在一起给认识的神秘带来了光明"④，从而使认识论成为一门真正的科学。

狄慈根哲学思想的基本性质是唯物主义的，他的哲学见解不仅具有独立发现的性质，而且有一定的系统性和科学性，虽然他的有些思想虽显得零散，并缺乏深入地发挥，但也不乏启发性意义，这对于一个哲学自修者来说，确属难

---

① 〔德〕狄慈根：《哲学的成果》，《狄慈根哲学著作选集》，杨东莼译，生活·读书·新知三联书店 1978 年版，第 344 页。
② 〔德〕狄慈根：《论逻辑书简》，《狄慈根哲学著作选集》，杨东莼译，生活·读书·新知三联书店 1978 年版，第 138 页。
③ 〔德〕狄慈根：《哲学的成果》，《狄慈根哲学著作选集》，杨东莼译，生活·读书·新知三联书店 1978 年版，第 339 页。
④ 〔德〕狄慈根：《论逻辑书简》，《狄慈根哲学著作选集》，杨东莼译，生活·读书·新知三联书店 1978 年版，第 151 页。

能可贵。但是，在狄慈根的哲学思想中也存在着一些重要缺陷，他在表述自己的哲学思想时，有不够确切和模糊、混乱的地方。列宁就曾提醒到："工人们要想成为有觉悟的工人，应该阅读约·狄慈根的著作，但一刻也不要忘记，他阐述马克思和恩格斯的学说并不总是正确的，只有从马克思和恩格斯那里才能学到哲学。"①

① 《列宁专题文集 论辩证唯物主义和历史唯物主义》，人民出版社2009年版，第240页。

第十章 巴黎公社革命及《法兰西内战》关于公社经验的总结

1871 年 3 月，巴黎无产阶级和其他劳动人民举行武装起义，推翻了资产阶级的反动统治，建立起人类历史上第一个无产阶级专政的政权——巴黎公社。马克思恩格斯对巴黎公社的斗争给予了极大的关注和支持。巴黎公社失败后，马克思恩格斯先后撰写了《法兰西内战》等文章，对公社的经验教训作出了总结和评价，进一步发展了马克思主义的国家学说、无产阶级专政理论和无产阶级政党学说。

第一节 马克思恩格斯对巴黎公社命运的关注

巴黎公社革命是法国国内外社会条件和政治条件的必然产物，是法国工人运动发展的必然结果。巴黎公社从革命爆发到失败的整个过程，马克思恩格斯都极为关注。他们通过各种方式指导工人运动的发展，满腔热情地支持公社革命，批驳各国反对派对公社的造谣、诽谤，想方设法营救和帮助公社成员，为公社事业作出了巨大贡献。

一、革命前对工人阶级的引导

19世纪50—60年代是资本主义经济快速发展的时代，英国的工业革命已臻于最后完成，法国、德国、比利时乃至俄国等国家的工业革命也取得了决定性胜利，或者已经为自己开辟了道路。生产技术的革新大大加速了主要资本主义国家采煤、炼钢、纺织、皮革、交通运输等一系列部门的发展。以铁路部门为例，1840年世界铁路总长只有近9000公里，1850年增长到大约4万公里，而1870年的铁路总长已经达到21万公里。在后20年间，铁路总长增长了约5倍多。机器大生产的推广以及在此基础上形成的国际分工，促进了世界资本主义经济和市场的形成。作为仅次于英国的、资本主义发展较早的国家，法国在19世纪60年代完成了工业革命，包括机器制造业在内的重要工业部门都实现了工厂化生产，农业在采用机器生产和雇佣劳动的基础上也日益得到了发展，商业的集中化程度不断提高。从1850年到1869年，采煤量从443.4万吨增加到了1350.9万吨，生铁产量从40.6万吨增加到了138.1万吨，钢产量从1万吨增加到了10万吨。银行业也获得了大规模发展，法国已经成为十几个国家的债主。伴随资本主义工业和银行业的发展，资本越来越集中在少数人手中，资本主义大型企业得到了推广，一部分大型工业企业往往有数百人乃至数千人。但在同时，由于历史发展的原因，直至工业革命即将结束的时期，法国的重工业和民用建筑依然落后于纺织、食品等轻工业。轻工业中的工人占法国全部产业工人的2/3以上，小生产在人口占60%以上的农业中保持着优势并保持着强大的生命力。

资本主义的自由派辩护士一再断言，资本主义的发展是亲善交易、关心进步的结果。然而，事实绝非如此，它是弱肉强食的资本主义竞争的结果，与资本主义社会的人口相对过剩和赤贫现象的发展互为表里。法国工人每天工作时间都超过10个小时，有的行业甚至长达16、17个小时，就连童工和半成年工人也不例外，但工人的收入却很微薄。巴黎大多数男工在1864年的年收入为900法郎，大多数女工的年收入为240法郎至360法郎，而一个四口之家的仅仅用于伙食、住房、取暖和照明方面的年支出在1870年就超过1300法郎。[①]

---

① 参见苏联科学院世界历史研究所编：《1871年巴黎公社史》（上），马龙闪等译，重庆出版社1982年版，第51页。

与此同时，城市小资产阶级和部分中等资产者也在竞争中不断破产，抛入无产阶级的队伍。为了维护金融贵族和大资产阶级的利益，路易·波拿巴建立起空前庞大的国家机器，对内残酷压迫和剥削劳动人民，对外发起了一连串的殖民远征和掠夺性战争。战争消耗了法国大量的人力和物力，进一步加重了法国人民的负担，激化了国内矛盾。1857 年经济危机以后，人民群众的反抗斗争不断高涨。巴黎、马赛等城市的工人罢工连绵不断，各行业工会纷纷成立。工人阶级不仅提出增加工资、缩短劳动时间等经济要求，而且直接反对波拿巴政府。第一国际成立之后，法国各地先后建立起第一国际支部，在精神上和物质上支援法国工人阶级的斗争，并逐渐赢得了工人的拥护和信任。对此，1870年 4 月，劳拉·拉法格在写给马克思的信中说，第一国际在这里正在创造奇迹，工人明显地对协会怀着无限的信任，每天都有新的支部成立，"国际会员"的称号在这里开始受到很大的尊敬。列宁在 1911 年 4 月关于纪念公社的文章中这样写道："在这个运动中起主要作用的当然是工人（特别是巴黎的手工业者），因为在第二帝国的最后几年在他们中间进行了积极的社会主义宣传，而且他们中间的许多人甚至参加了国际。"[1]

为了迎接工人运动的新高潮，马克思恩格斯在 1848 年革命后进行了艰苦的理论研究，积极参加革命实践活动。在对政治经济学研究中，马克思恩格斯不仅完成了三卷《资本论》的全部草稿，而且在 1867 年正式出版《资本论》第一卷，科学揭示出资本家剥削工人的秘密，为无产阶级的彻底解放指明了道路。在对世界各地革命运动的密切注视中，马克思恩格斯撰写了许多政论文章，揭露、批判英、法殖民主义，颂扬、鼓舞被压迫民族的革命斗争。他们还努力帮助各国工人摆脱机会主义的影响，争取、团结和教育各国工人运动领袖。在法国，马克思主义在 19 世纪 60 年代下半期还没有得到广泛传播，在工人阶级中具有一定影响的是蒲鲁东主义、布朗基主义、巴枯宁主义，尤其是蒲鲁东的小资产阶级社会主义流传的更为广泛。马克思恩格斯对法国社会主义者的思想不成熟感到担忧，以致马克思在 1869 年 11 月 12 日写给恩格斯的信中写道，"我为法国人担忧，他们的头脑混乱得要命"[2]。尽管如此，在马克思恩格斯及其领导的第一国际的影响下，欧仁·瓦尔兰、保尔·拉法格等一些蒲鲁

---

[1] 《列宁全集》第 20 卷，人民出版社 2017 年版，第 221 页。

[2] 《马克思恩格斯全集》第 32 卷，人民出版社 1974 年版，第 368 页。

东主义者逐渐抛弃了蒲鲁东主义的一些错误思想，开始认识到推翻资产阶级统治、建立工人阶级政治组织的重要性，越来越多地接受并宣传科学社会主义。

1870 年 1 月，比埃尔·波拿巴亲王杀害共和党人记者事件引发了法国工人持续不断的罢工斗争，拿破仑三世的地位摇摇欲坠。为了转移人民视线，保持法国在欧洲大陆的霸权地位，同时阻挠德国的统一，拿破仑三世决定发动一场对德战争来摆脱国内的危机。而普鲁士王国首相俾斯麦也早已图谋击败法国，夺取矿产丰富的阿尔萨斯和洛林地区，为武力统一德国扫清道路。1870 年 7 月 19 日，以西班牙王位问题为导火线，法国向普鲁士宣战，普法战争爆发。拿破仑三世自命为法军总司令，试图打算在德军完成动员之前就迅速进入德国。然而，战争却没有按照拿破仑三世所预想的那样发展。在 8 月 16 日的会战中，法军的溃败给德军不受阻挡地向巴黎运动打开了大门。在 9 月 1 日的色当决战中，法军遭到重创，波拿巴也成了普军的阶下囚。消息传来，举国震惊，巴黎群众举行了声势浩大的示威游行，要求推翻帝制，建立共和。9 月 4 日，巴黎工人阶级和市民包围了政府大厦，驱散了议会，宣告成立法兰西第三共和国。但这个共和国并不是工人阶级和其他劳动群众所期待的民主国家，而是资产阶级共和派控制的政权。这是一出纯粹的滑稽戏，是一次"自由派狡猎分子夺取政权"①。

马克思恩格斯始终密切地注视着法国、德国所发生的每一个事件，他们认真分析战争发生的迹象和动态，为法国和德国工人阶级指出行动的方向。战争爆发的当天晚上，马克思就与总委员会开会商讨对策，并接受会议委托撰写关于第一国际对待这次战争态度的宣言。1870 年 7 月 26 日，马克思起草的《国际工人协会总委员会关于普法战争的第一篇宣言》在《派尔—麦尔新闻》上公开发表。在这篇重要文献中，马克思揭露了普法战争的根源和性质，指出战争不是由法国人民，而是由帝国发动的，俾斯麦实质上是和波拿巴一样有罪的。对于法国来说，这是一场掠夺性的王朝战争，其目的就是为了巩固和延长摇摇欲坠的第二帝国的反动统治。然而，不管路易·波拿巴同普鲁士的战争进程如何，他不可避免地要丢掉王位将是对这场战争所付出的代价。对于德国而言，战争则具有双重性质。对于德国人民和德意志民族来说，这是一场反对法国强加于德国的防御性战争，有助于粉碎波拿巴妄图分裂阻挠德国统一的企图，促

---

① 《列宁全集》第 9 卷，人民出版社 2017 年版，第 308 页。

进德国统一的最终实现。但由于双方统治者是在为王朝利益而战，因此战争又具有反动性的一面。因为这场战争也是俾斯麦试图通过战争统一德国的必然结果，其目的是与法国争夺欧洲霸权。因此，德国人民不要把自己的利益与霍亨索伦王朝的利益混同起来，应该支持这场防御战争，但要制止普鲁士统治者把防御战争变为反对法国人民的战争。否则，无论战争胜利或失败，都同样要产生灾难深重的后果。德国在它的所谓解放战争之后所遭到的那一切不幸，将会变本加厉地重新落到它的头上。马克思在文章中高度评价了法、德两国工人通过的反对王朝战争的许多宣言和决议，指出法国当局和德国当局把两国推入一场手足相残的争斗，而法国的工人和德国的工人却互通和平与友谊的信息，体现着无产阶级国际团结的精神，而"单是这一史无前例的伟大事实，就向人们展示出更加光明的未来。这个事实表明，同那个经济贫困和政治昏聩的旧社会相对立，正在诞生一个新社会，而这个新社会的国际原则将是和平，因为每一个民族都将有同一个统治者——劳动！"①

　　正如马克思恩格斯所预见的那样，战争把波拿巴法国的腐朽性暴露得淋漓尽致，法兰西第二帝国猝然崩塌。此时，德国已没有理由继续进行战争，但德军却以安全保障为借口继续向法国腹地推进，公开掠夺法国的领土。为了帮助工人群众认清新的形势，马克思起草了《国际工人协会总委员会关于普法战争的第二篇宣言》（以下简称《宣言》），对普法战争性质的转化、德国资产阶级为侵略战争的辩护进行了分析，为法、德两国无产阶级制定了新的策略。《宣言》指出，战争的发展证实了国际第一篇宣言的重要预见，由于第二帝国的崩溃，法兰西第三共和国的建立，普法战争进入了新阶段。德国此时进行的战争已失去了防御性质，变成了赤裸裸的侵略行为，而法国所进行的则是防御性的正义战争。对于德国资产阶级打着"爱国主义"旗号为侵略法国提出的所谓"归还版图论"、"物质保证论"和"永久和平论"，马克思予以了彻底地揭露和批判。马克思指出，阿尔萨斯和洛林先前有个时候曾经隶属于早已寿终正寝的德意志帝国，但千万不要忘记，如果依照古玩鉴赏家的想法恢复昔日欧洲的地图，德意志帝国还曾经是波兰的一部分，那么现在是不是要把它划给波兰统治呢，事实显然不是这样。对于那种主张吞并阿尔萨斯和洛林是从"物质上保证"德国不再受法国攻击的观点，马克思认为这不仅是荒谬的，而且是反动

---

① 《马克思恩格斯选集》第3卷，人民出版社2012年版，第61页。

的。他指出，如果说过去有哪个战胜者曾经获取"物质保证"用以摧毁一个民族的力量的话，那就是拿破仑第一。然而，几年之后，他那赫赫威势就像一根腐烂的芦苇似的被德国人民摧毁了。如果普鲁士也向法国索取什么"物质保证"的话，结果也会是同样的悲惨。因此，"历史将来给予报应的时候，决不会是看你从法国割去了多少平方英里的土地，而是看你在19世纪下半叶重新推行掠夺政策的这种罪恶有多大！"① 在对"永久和平"论的批判中，马克思通过揭露德国统治阶级罪恶的侵略史，驳斥了他们所谓的德国在本质上是"爱好和平的民族"的谎言，认为这个吞并带来的不会是什么"永久和平"，反而是战争。摆在德国面前的只有两条路，一是公开充当俄国扩张政策的工具，二是准备进行更大规模的俄法联盟的种族战争。为了避免这种情况，德国工人阶级应要求德国使法国获得光荣的和平，并承认法兰西共和国。在《宣言》中，马克思还揭露了法国"国防政府"的本质，论述了法国工人斗争的策略原则。马克思为法国建立共和国而欢呼，但在同时也不无担心地指出这个共和国只是作为一种民族的防御措施而存在，"这个政府不只是从帝国那里继承了一大堆残砖断瓦，而且还继承了它对工人阶级的恐惧。如果说现在他们说了许多大话，以共和国的名义要求去做终归是不可能做到的事情，那么其目的不是为了组建'可能存在的'政府而掀起一场喧嚣吗？这个共和国在它的某些资产阶级管理者的眼中，不是仅仅应当成为奥尔良王朝复辟的跳板和桥梁吗？"② 针对法国工人阶级还正处于极困难境地的现状，马克思提醒法国工人阶级不要在目前危机的形势下企图去推翻新政府，而是利用共和国所提供的自由以及一切机会加强自己的阶级组织，他认为这将赋予他们以海格立斯般的新力量，去为法国的复兴和全世界无产阶级劳动群众的解放事业而斗争。《宣言》再次强调了无产阶级国际主义精神，号召全世界的工人阶级都积极行动起来，坚决反对普鲁士掠夺法国的侵略战争，坚决反对肢解法国。马克思警告各国工人阶级，如果对普鲁士的侵略采取消极态度，不但制止不了这次战争，而且会引发新的更可怕的国际战争，即德国反对法俄同盟的战争，给更多国家的劳动群众带来更大的灾难。

恩格斯虽然没有在两篇《宣言》上签名，但《宣言》的观点是他和马克思共同探讨的结论。他在1870年7月22日写给马克思的信中就明确指出，出乎

① 《马克思恩格斯选集》第3卷，人民出版社2012年版，第68页。
② 《马克思恩格斯选集》第3卷，人民出版社2012年版，第71页。

法德两国军队和固执的老威廉的预料，装样子的战争是不可能的，人们一定会把它进行到底，认为战争对波拿巴不可能有美满的结局。在 7 月 31 日写给马克思的信中，恩格斯写道："好在是法国人首先进攻德国领土的。当德国人击退侵略、跟踪追击的时候，这同他们没有先遭侵略就开进法国比较，无疑会在法国产生完全不同的印象。因而，从法国方面来说，战争更具有波拿巴主义的性质。最终的结局——德国人终将取得胜利——我已毫不怀疑。"①恩格斯还运用他多年研究军事科学所掌握的知识分析普法战争，撰写关于战争的文章，在《派尔—麦尔新闻》上发表，以更好地宣传无产阶级的观点和策略，影响各国工人和广大劳动群众。在从 1870 年 7 月底至 1871 年 2 月期间，恩格斯还在《派尔—麦尔新闻》上发表了 59 篇军事评论文章，对战争的进展、交战双方的阶级关系和政治状况等问题进行了分析。恩格斯预言了色当的败局，指出了普鲁士军队之所以取得胜利的根源，分析了法军战斗力低下的原因，认为"一个高尚而勇敢的民族眼看着自己为了自卫而作的一切努力白费，这是因为 20 年来它听凭一群冒险家主宰它的命运，而这些冒险家已经把行政机关、政府、陆军、海军，实际上把整个法国都变成了他们牟取暴利的源泉"②。普法战争形势发生改变后，恩格斯在其文章中批判德军的侵略行为，积极评价法国人民的游击战，指出"凡是一个民族仅仅因其军队无力抵抗而屈服时，人们都普遍地把他们鄙视为懦弱的民族。凡是一个民族刚毅地进行这样的游击战时，入侵者很快就觉察到：奉行那种血和火的古老法典是不行了"③，人民战争的浪潮不断消耗着敌人兵力，将把一支最大的军队逐渐地损坏和零敲碎打地摧毁。恩格斯的这些文章发表后引起了巨大轰动，许多报刊都转述了这些文章的内容。马克思把它们评价为英国报刊上"唯一出色的文章"，恩格斯也由此获得了"将军"的绰号。

然而，由于各种因素的影响，法国工人阶级并没有注意到《宣言》和马克思恩格斯的一些文章，没有能够从中吸取到原本可以吸取的许多思想。为了抗击普鲁士的侵略，工人阶级建立自己的武装力量，并向国防政府提出了不与普鲁士谈判、选举产生自治机关巴黎公社等要求。但新政府从执政之日起就走上

---

① 《马克思恩格斯全集》第 33 卷，人民出版社 1973 年版，第 17 页。
② 《马克思恩格斯全集》第 17 卷，人民出版社 1963 年版，第 83 页。
③ 《马克思恩格斯全集》第 17 卷，人民出版社 1963 年版，第 178 页。

了一条反人民的道路。10 月 27 日，被包围在麦茨要塞的法军巴赞元帅率 17
万军队向普军投降。1871 年 1 月 28 日，国防政府与普鲁士签订了停战协定。
面对资产阶级的叛卖行为，巴黎工人先后在 1870 年 10 月 31 日和 1871 年 1 月
22 日连续两次举行武装起义，试图推翻国防政府，建立公社，但都被镇压下
去。解除工人武装成为掌握大权的资产阶级的第一个信条，巴黎的局势如箭
在弦上，一触即发。3 月 18 日，梯也尔下令解除工人武装，夺取工人的大炮。
巴黎工人奋起反抗，向反动政府发动了最猛烈的进攻，推翻了资产阶级反动政
权，成立工人革命政府。3 月 28 日，在巴黎市政厅广场隆重举行了公社成立
大会，人类历史上第一个无产阶级政权宣告诞生。

二、革命期间对巴黎公社的支持

在普法战争形势尚未明晰的情况下，巴黎工人阶级就开始酝酿起义，试图
推翻临时的国防政府，在巴黎建立公社。但马克思恩格斯通过分析巴黎以及整
个法国阶级力量的对比，认为法国工人阶级不要过早发动攻击，否则法国工人
阶级将会两面受敌，不仅本国的资产阶级，而且普鲁士容克的军队也会镇压革
命。但当巴黎工人发动革命以后，马克思恩格斯毫不犹豫地站在了工人阶级一
边，满腔热情地支持革命，热情地讴歌这些冲天的巴黎人。在致路德维希·库
格曼的信中，马克思写道："这些巴黎人，具有何等的灵活性，何等的历史主
动性，何等的自我牺牲精神！在忍受了六个月与其说是外部敌人不如说是内部
叛变所造成的饥饿和破坏之后，他们起义了，在普军的刺刀下起义了，好像法
国和德国之间不曾发生战争似的，好像敌人并没有站在巴黎的大门前似的！历
史上还没有过这种英勇奋斗的范例！"①
列宁在评价马克思在巴黎公社时期的活动时称他为"群众斗争"的参与者。
马克思的这种参与，首先表现在他与恩格斯给巴黎公社提出直接建议。通过阅
读报纸等各种方式，马克思恩格斯搜集整理有关公社的信息，并利用一切可能
的渠道与巴黎公社建立联系。赛拉叶、拉法格等人先后被派往巴黎，来往于伦
敦与巴黎之间的一个德国商人也曾成为沟通信息的渠道。马克思提醒公社委员

---

① 《马克思恩格斯选集》第 4 卷，人民出版社 2012 年版，第 493—494 页。

们要加强蒙马特尔高地北部的防御工事，以防止普鲁士军队的进犯；提醒公社对巴黎内部的反革命分子采取更有力的行动，提防皮阿、韦赞尼埃这一类小资产阶级人物的影响；建议公社应该保证取得外省的支持，以摆脱致命的孤立状态；要求他们立即把那些足以使国防政府成员声名狼藉的全部案卷寄到伦敦来，以便在一定程度上制止公社敌人的疯狂行为。马克思对公社所采取的废除常备军和政治警察、教会和国家分离等政策措施表示赞赏，认为公社关于房租和商业期票的法令，真是绝妙的措施；如果不颁布这些法令，四分之三的商人和手工业者就要破产。恩格斯也提醒公社革命者要注意团结，着眼于大局；建议公社加强蒙马特尔高地的防御，以防德军允许凡尔赛军队从北部进攻巴黎。同时，马克思恩格斯也对公社所犯的错误进行了批评。在写给李卜克内西的信中，马克思写道："看来巴黎人是要失败了。这是他们的过错，但这种过错实际上是由于他们过分仁慈而造成的。中央委员会以及后来公社都给了梯也尔这个邪恶的小矮子以集中敌人兵力的时间：（1）因为它们愚蠢地不愿意开始内战，好像梯也尔力图用暴力解除巴黎武装并不是开始内战似的；好像只是为解决对普鲁士人的和战问题而召集的国民议会不曾立即对共和国宣战似的！（2）为了避免篡夺政权的嫌疑，它们进行公社的选举，而组织公社的选举等等又花费了许多时间，因而它们失去了宝贵的时机（当反动派在巴黎——旺多姆广场——失败以后，本来是应该立刻向凡尔赛进军的）。"[①] 精通军事的恩格斯也认为公社没有及时向凡尔赛进军是一个重大错误，认为向凡尔赛进军有利的时机被错过了，现在凡尔赛占了优势并在逼迫巴黎人，而巴黎人正在失去土地，几乎无望地消耗弹药，吃光自己的储备粮。依据马克思恩格斯提出的意见和建议，公社实行了许多符合无产阶级和城市小资产阶级利益的政策和措施，有力推动了公社的伟大实践。

　　在给予巴黎公社具体指导和帮助的同时，马克思恩格斯还动员欧洲工人阶级支援巴黎公社。巴黎公社的成立是无产阶级的胜利，公社的事业也就是国际的事业。尽管国际没有动一个手指去促使公社成立，但公社无疑是国际精神的产儿。为此，以马克思恩格斯为代表的国际总委员会一开始就表示完全支持公社，热烈赞扬巴黎无产阶级的伟大创举，动员各国工人支援公社的事业。巴黎公社革命的第三天，恩格斯就在国际总委员会会议上介绍了巴黎起义的真相，

---

① 《马克思恩格斯文集》第 10 卷，人民出版社 2009 年版，第 351 页。

驳斥了资产阶级的造谣诽谤，说明巴黎公社是完全正义的事业。马克思恩格斯向欧美各国的无产阶级及其组织写了几百封信，告诉他们巴黎发生的事件，使他们了解到巴黎的工人阶级不仅是在捍卫法国劳动者的利益，而且是在为欧洲乃至全世界劳动者的利益而斗争。1871 年 4 月初，欧美各国的工人们纷纷组织了群众集会和示威运动，巴黎公社受到了整个国际无产阶级欢欣鼓舞的声援。在英国，伦敦的《东邮报》按时发表总委员会会议的报告，总委员会委员通过在英国工人中进行口头宣传为声援公社制造舆论。在瑞士，日内瓦工人游行集会，通过了给巴黎公社的致敬信，信中对巴黎公社"致力于建立新社会制度"的事业表示高度赞扬，认为公社的事业是不会灭亡的，同时表达了瑞士先进工人誓要追随公社事业的决心，并以"巴黎公社万岁"、"无产阶级革命万岁"的口号作为结束语。在德国，柏林、汉堡、汉诺威等城市举行了集会，对在巴黎宣布"社会民主共和国"表示欢欣鼓舞，号召法国工人牢牢地掌握政权，无情地打击敌人。奥古斯特·倍倍尔在国会的著名演说最集中体现了德国工人阶级对巴黎公社的支持，他说道，"即使现在巴黎被征服了，我还是要提醒你们，那里的斗争只是一场不大的前哨战，在欧洲，主要的斗争还在后面，要不了几十年，巴黎无产阶级的战斗口号'给茅屋以和平，向宫廷宣战，让贫困和寄生死亡！'必将成为联合起来的欧洲无产阶级的战斗口号"[1]。比利时、奥地利、美国和其他欧美国家的人民群众也都组织了声援巴黎公社的集会，向巴黎工人伸出了援助之手。

马克思恩格斯在与外部各种反动力量作斗争的同时，还特别注重处理革命队伍中出现的各种问题，以推动巴黎公社事业的发展。巴黎公社政权建立后，公社委员并不都是科学社会主义者。其中，多数派是布朗基主义者，他们在国民自卫军中央委员会中也占统治地位；少数派是国际工人协会会员，他们多半是蒲鲁东社会主义学派的信徒。而绝大多数的布朗基主义者又不过凭着革命的无产阶级的本能才是社会主义者，只有很少一些人了解科学社会主义的基本原理。但令人惊异的是，公社采取的废除面包工人夜工、禁止工厂罚款等措施却往往是正确的，所有公社委员都在并肩战斗。"无论是蒲鲁东主义者或布朗基

---

[1] 转引自苏联科学院世界历史研究所编：《1871 年巴黎公社史》（下），重庆出版社 1982 年版，第 649 页。

主义者，都按照历史的讽刺，做出了恰恰与他们学派的信条相反的事情。"① 为此，马克思恩格斯提醒公社革命者要注意团结，不要在琐碎事务和私人争执上浪费太多的时间，以减弱由此对革命造成的损害。马克思恩格斯还同革命队伍中的叛卖者进行了坚决斗争，公开谴责他们的背叛行为，将托伦开除出国际就是一个典型的事件。1871 年 2 月，托伦作为巴黎工人的代表当选为国民议会议员。但在巴黎公社成立后，他仍然留在镇压巴黎革命的凡尔赛议会中，拒绝执行公社关于工人议员应当同这个反动议会决裂的要求。托伦事件表明右翼蒲鲁东主义者公开转向反革命，背叛了工人阶级的事业。为此，总委员会宣布将公民托伦开除出国际工人协会。

马克思恩格斯还对革命队中那些不理解、不赞成巴黎公社的态度和看法予以了批驳和澄清，统一了对巴黎公社革命地位和意义的认识。库格曼在给马克思的信中对巴黎革命作了尖锐的批判，他把它和 1849 年 6 月 13 日小资产阶级山岳派的起义相提并论，认为没有必要期待糊涂的法国人进行生产方式的变革，而且一般地说这是在一国不可能实现的。针对以库格曼为代表的这种观点，马克思提出，"如果斗争只是在机会绝对有利的条件下才着手进行，那么创造世界历史未免就太容易了。另一方面，如果'偶然性'不起任何作用的话，那么世界历史就会带有非常神秘的性质。这些偶然性本身自然纳入总的发展过程中，并且为其他偶然性所补偿。但是，发展的加速和延缓在很大程度上是取决于这些'偶然性'的，其中也包括一开始就站在运动最前面的那些人物的性格这样一种'偶然情况'"②。马克思认为，普鲁士人盘踞法国并濒临巴黎城下，就是这种不利的"偶然情况"。在或是接受挑战，或是不战而降的选择中，唯一正确答案是前者，否则工人阶级在后一场合下的消沉，是比无论多少"领导者"遭到牺牲更严重得多的不幸。尽管马克思预见到巴黎公社革命取得最后胜利的可能性非常小，但他还是强调，"工人阶级反对资本家阶级及其国家的斗争，由于巴黎人的斗争而进入了一个新阶段。不管这件事情的直接结果怎样，具有世界历史意义的新起点毕竟是已经取得了"③。

---

① 《马克思恩格斯全集》第 22 卷，人民出版社 1965 年版，第 225 页。
② 《马克思恩格斯文集》第 10 卷，人民出版社 2009 年版，第 354 页。
③ 《马克思恩格斯文集》第 10 卷，人民出版社 2009 年版，第 354 页。

三、革命失败后对巴黎公社社员的营救

1871 年 5 月 28 日，当最后一道街垒被凡尔赛军队攻破，轰轰烈烈的巴黎公社革命以失败而告终。凡尔赛政府对参加过抵抗的战士和巴黎市民进行了血腥的报复，巴黎变成了一座血染的城市。有的著作提出，公社被镇压时，被捕者的总人数为 5 万人。被枪杀的准确人数无从查明，因为不同的历史学家所引用的数字都不相同，从 1 万 7 千至 3 万 5 千不等。对已被判罪的公社社员的枪杀，一直持续到 1873 年。[1] 有的著作提出，"死亡的确切人数将永远不得而知，我们只知道不会超过 3 万人。有 4 万人被捕，其中有 1 万人被判刑，绝大多数获刑者被流放到了新喀里多尼亚，其中很多人在那里一待就是 10 年"[2]。有的研究提出，从 1871 年 5 月底开始，公社社员先后有 3 万人被枪杀，5 万余人被捕。至 1874 年年底，军事法庭共审判了 4 万 6 千余人，270 人被处死刑，1 万 3 千余人被判处各种徒刑或苦役，7 千余人被流放。残酷的镇压与迫害，使成千上万的人不得不离乡背井，流亡英国、瑞士、德国、荷兰等国家。[3]

面对凡尔赛政府的白色恐怖，马克思恩格斯毫不犹豫地向公社战士伸出了援助之手。在巴黎公社陷落前的 5 月 23 日，在国际工人协会总委员会在论及巴黎的斗争时，马克思就提出，他担心结局快要到来了；但是即使公社失败了，斗争也只是延期而已。他认为公社的原则是永存的，是消灭不了的。在总委员会如何帮助巴黎的问题上，哈里斯提出应该像 1851 年那样行动起来，每一个协会会员都应该做他所能做的一切，马克思和荣格提出应该派一个人到普兰塔德那里去，并采取某些措施。针对布恩关于总委员会应该采取抗议形式声援巴黎的提议，马克思提出，我们可以揭露凡尔赛政府的行为，但是我们不能向它提出自己的抗议，因为这样就意味着向那个我们称之为强盗的政府呼吁。他建议总委员会中的英国委员采取召开群众大会的形式，或者就这个问题派代表团去见英国政府，让政府对凡尔赛方面施加压力。

---

[1] 参见苏联科学院世界历史研究所编：《1871 年巴黎公社史》（下），重庆出版社 1982 年版，第 597 页。

[2] ［法］乔治·杜比编：《法国史》（中），吕一民等译，商务印书馆 2010 年版，第 1133 页。

[3] 参见中央编译局编：《国际共运史研究资料》第三辑，人民出版社 1981 年版，第 16 页。

1871 年 5 月 26 日，当凡尔赛军队占领了巴黎大部分市区后，茹尔·法夫尔向法国驻各国外交使节下达指示，要求他们敦促这些国家的政府逮捕那些隐藏在国外的公社社员，并将他们引渡给法国政府。法夫尔谎称这些公社社员是杀人、放火、抢劫的刑事犯，而不承认他们是政治犯。6 月 6 日，茹尔·法夫尔又向欧洲各国发出了一个通告，号召它们对国际工人协会进行斗争，直到把国际消灭。一些资产阶级报刊也为了替凡尔赛分子的血腥恐怖开脱，对公社和国际进行诽谤诬蔑，说什么加入工人协会的有芬尼亚兄弟会、烧炭党人、玛丽安娜社以及其他一些秘密团体，说米里哀尔这个从来就不是公社委员的人是公社最狂暴的委员之一等。为了揭露凡尔赛政府的谎言和诬蔑，援助幸存的流亡者，马克思恩格斯及其领导下的国际开展了一系列的斗争。

马克思恩格斯的首要任务就是反对引渡，维护流亡者的合法避难权。对于凡尔赛政府对公社社员的引渡要求，英国政府起初在原则上表示赞同，并表示英国会与大陆各国采取联合行动来对付社会主义者。为此，马克思恩格斯通过多种途径揭露凡尔赛政府的种种暴行，呼吁对公社流亡者给予同情和支持。英国工人阶级积极响应国际总委员会的号召，声援巴黎公社、宣传公社思想的大会在伦敦、伯明翰、曼彻斯特等诸多城市接连不断地举行。这些会议一致表达了对凡尔赛政府屠杀巴黎居民的强烈抗议，对那些为民主事业而战斗的人们深表同情，提出要尽一切可能来帮助那些能够到达英国的流亡者。不仅如此，一些有影响的英国资产阶级报纸也含蓄表达了对内阁在引渡问题上的做法。在舆论压力面前，英国政府不得不拒绝法国政府的引渡要求，并宣布不会阻止国际的活动。瑞士也是公社革命流亡者的中心之一，在巴黎公社进行最后战斗的日子里，日内瓦、苏黎世的工人就对联邦委员会提出了接待来自巴黎的逃亡者，并给他们提供避难权的要求。对于联邦委员会所采取的模棱两可的态度，人民群众予以了坚决反抗，捍卫了公社社员的避难权，粉碎了瑞士和国际反动派的阴谋。比利时、西班牙、意大利等国的工人群众也在国际各国支部的领导下围绕公社社员避难权问题展开了斗争，尽管有些国家政府同法国达成了协议，但这些斗争依然极大宣传了公社精神，推动了这些国家工人运动的发展。

针对凡尔赛政府及一些资产阶级报刊对巴黎公社和国际的诽谤，马克思恩格斯给予了坚决反击。在公社被颠覆后的第二天，马克思就在总委员会发表了著名的《法兰西内战》，揭露凡尔赛政府卖国投降的反动实质，颂扬巴黎无产阶级和革命群众的英勇斗争精神，以便获得世界舆论对公社的同情和支持，但资产阶级报刊却对公社和国际造谣中伤。在 1871 年 6 月 6 日总委员会会议上，马克思提请总委员会注意这些无耻谰言，指出这些都是法国和普鲁士警察编造的谎话，英国报刊不过是充当了梯也尔的警察和警犬。马克思提出，"报界对于国际的宗旨和原则是很清楚的。报刊上报道过帝国时期国际在巴黎遭到起诉的消息。报界代表也曾出席过协会举行的各次代表大会，报道过这些大会的进行情况。然而现在各报竟广泛刊登这样的报道，……这一切无非是为了替所有的反对国际的行动辩护而编造出来的。上等阶级害怕国际的原则"①。马克思恩格斯还撰写了《总委员会关于茹尔·法夫尔的通告的声明》、《总委员会给〈泰晤士报〉编辑部的声明》等一系列的短评和反驳文章，揭露了茹尔·法夫尔在国际成立日期、在引证的所谓国际文件等问题上的谎言，并对《法兰西内战》的写作和发表所带来的影响予以了评价。在《致"每日新闻"编辑》的信中，马克思写道："我写的'法兰西内战'这一宣言曾由国际总委员会一致通过，因而它是表达总委员会观点的正式文件。至于对茹尔·法夫尔之流的个人指责，则是另一回事。在这个问题上，总委员会的绝大多数只得信赖我的正直。"② 这些文章的发表，尤其是《法兰西内战》的出版，使马克思"荣幸地成了伦敦受诽谤最多、受威胁最大的人"，但是，"所有的报刊都不得不一致承认国际是欧洲的一支巨大的力量，对这支力量必须加以考虑，而且不能用故意不理会它的存在的办法来消灭它。所有的报刊都不得不承认宣言的文笔高超；用'旁观者'的话来说，宣言的语言就像威廉·科贝特的语言那样坚强有力。"③

马克思恩格斯帮助公社流亡者的另一项工作是解决他们在经济方面的困难。公社流亡者是在同强大的敌人浴血奋战近两个月，最后在弹尽粮绝的情况下逃离故乡，许多人身无分文，流浪街头。1871 年 6 月 6 日的总委员会讨论了对公社流亡者的救济问题，一致通过从协会的基金中拨出一部分款项用于救济流亡者。在 6 月 27 日的总委员会会议上，恩格斯建议由总委员会的小委员会负责这项工作，决定筹集一笔援助流亡者的专款。7 月，总委员会

① 林德山主编：《国际共产主义运动历史文献》第 7 卷，中央编译出版社 2011 年版，第 226 页。

② 《马克思恩格斯全集》第 17 卷，人民出版社 1963 年版，第 401 页。

③ 《马克思恩格斯全集》第 17 卷，人民出版社 1963 年版，第 408 页。

成立了由马克思、恩格斯、荣克和其他总委员会委员参加的救济公社流亡者的专门委员会，并把比斯利、哈里逊、奥耳索普等很多资产阶级激进派和共和派党人吸引到这一活动中来，不得不经常抵制他们首先要救济法国流亡者中的那些小资产者的企图。马克思恩格斯不仅向社会募集资金，而且以身作则，带头捐款。1871 年 6 月 20 日，马克思捐出 6 英镑，27 日又提供了 4 英镑。恩格斯也经常为资助流亡者而使得自己"口袋空空如也"。在给流亡者以物质救济的同时，马克思恩格斯还努力为他们寻找职业。马克思恩格斯在他们信中都提到了为约瑟夫·罗兹瓦多夫斯基找工作的问题，恩格斯 1871 年 8 月 18 日信中说，给罗兹瓦多夫斯基在索美塞特郡找到了一个学校教师的职位，并替罗兹瓦多夫斯基付了代办人的佣金，给他购买了服装，归还了欠债，并结了路费。马克思恩格斯给予了流亡者巨大的帮助和支持，一家法国报纸在马克思逝世后这样写道："在马克思那里得到了兄弟般的款待。为了帮助公社流亡者，他倾囊相助，还借空了他的朋友。没有一个流亡者不从他那里得到安慰和帮助。"①

马克思恩格斯还十分关心那些来不及逃离法国的公社社员，千方百计地帮他们筹措路费和办理护照，找机会托人带他们安全离开法国。1871 年 7 月 21 日，马克思致欧根·奥斯渥特的信就是对这项工作的说明，"我不得不又麻烦您，请您办一个由法国领事馆签证的护照。（最后一个护照已在巴黎。）您的帮助已经救了六个人，如此崇高的事情是对您劳累的最好奖赏"②。国际巴黎联合会负责人昂·巴赫鲁赫在写给马克思的信中提醒他应当嘱咐那些持英国护照的人，要他们牢牢背熟一套英语，以避免在法国边境检查时受到怀疑。

马克思恩格斯对公社社员的关心和援助，是他们对公社事业所作不朽贡献的重要组成部分，它将在每一个无产者的心里增强阶级团结的精神，把那些无条件地捍卫公社的真正无产阶级的国际会员团结起来，把巴黎公社未竟的事业不断推向前进。

---

① ［美］菲利普·丰纳编：《马克思逝世之际：1883 年世界对他的评论》，王兴斌译，北京出版社 1983 年版，第 141 页。

② 《马克思恩格斯全集》第 33 卷，人民出版社 1973 年版，第 255 页。

第二节　马克思主义国家、革命学说的发展

巴黎公社是无产阶级用革命暴力推翻资产阶级统治，建立无产阶级专政的第一次勇敢尝试。马克思恩格斯总结了巴黎公社革命的经验教训，提出了工人阶级不能简单地掌握现成的国家机器，而是必须用革命暴力"打碎"资产阶级国家机器，以巴黎公社式的无产阶级专政代替它的理论观点，进一步丰富和发展了马克思主义国家学说。

一、打碎资产阶级国家机器的理论

马克思恩格斯提出，巴黎公社最重要的一条经验是，"工人阶级不能简单地掌握现成的国家机器，并运用它来达到自己的目的"[①]。即无产阶级革命必须以暴力"打碎"、摧毁资产阶级旧的国家机器，用巴黎公社形式的无产阶级专政予以代替。1872 年 6 月，马克思恩格斯把这个结论，也是公社"永存"的革命原则，以序言形式写进了《共产党宣言》。

早在《〈黑格尔法哲学批判〉导言》、《德意志意识形态》、《共产党宣言》等著作中，马克思恩格斯就阐述了关于无产阶级为了建立自己的阶级统治，就必须首先夺取政权的思想。但从整体上看，这些阐释还比较抽象，还没有对在推翻资产阶级统治后，无产阶级对资产阶级国家机器应当采取什么态度、无产阶级能不能运用资产阶级国家机器进行统治等问题作出解答。只是在经过 1848 年革命后，马克思恩格斯才确切、肯定、具体地提出了无产阶级革命如何对待资产阶级国家机器问题，并首次提出了"打碎"资产阶级国家机器的观点，认为过去的一切变革都是使国家机器更加完备而不是把它毁坏，那些争夺统治权而相继更替的政党都把这个庞大国家建筑物

[①] 《马克思恩格斯选集》第 1 卷，人民出版社 2012 年版，第 95 页。

的夺得视为自己胜利的主要战利品，而无产阶级革命则是要"打碎"旧的国家机器。

无产阶级必须"打碎"旧的国家机器的论断，是建立在马克思恩格斯对法国国家机器演变的总结基础上的。在《法兰西内战》中，马克思通过分析法国资产阶级国家机器产生、发展和它的"最后形式"，指出资产阶级国家机器不过是维护资本、奴役无产阶级的工具，资产阶级国家机器的灭亡是阶级斗争发展的必然结果。法国原来也是一个封建割据的国家，地方封建领主集权。为了加强自己的势力，国王同地方领主进行了一系列斗争，建立了具有五大支柱的中央集权制国家。这种国家虽然就其性质来说是封建地主阶级的专政，但由于在一定程度上打破了封建割据，采取了一些有利于资本主义发展的政策，因而充当了新兴资产阶级社会反对封建制度的有力武器。随着资产阶级力量的增加，领主权利、地方的特权、城市和行会的垄断以及地方的法规等越来越成为资本主义发展的障碍。资产阶级大革命的爆发，从社会基地上清除了那些妨碍建立现代统治资产阶级大厦的最后障碍。资产阶级国家机器产生的过程说明，它并不是什么"圣物"，而是适应资本主义经济发展要求，在封建的中央集权国家机器的基础上形成的。随着法国从复辟的波旁王朝到七月王朝、法兰西第二共和国的演进，国家不但变成了巨额国债和苛捐重税的温床，变成了统治阶级中各不相让的党派和冒险家们彼此争夺的对象，而且伴随无产阶级和资产阶级之间斗争的尖锐化，其性质也越来越变成了资本借以压迫劳动的全国政权，变成了为进行社会奴役而组织起来的社会力量，变成了阶级专制的机器。及至路易·波拿巴的第二帝国，它已经成为在资产阶级已经丧失治国能力而工人阶级又尚未获得这种能力时唯一可能的统治形式，成为资产阶级国家机器最低贱，也是最后的形式。资产阶级得到了甚至它自己也梦想不到的高度发展，民众的贫困同无耻的骄奢淫逸形成鲜明对比。第二帝国已经把资产阶级国家的全部腐朽性尽行揭穿，无产阶级除了必须彻底打碎这个国家机器已经别无出路。

无产阶级必须"打碎"旧的国家机器的论断，也是马克思恩格斯总结巴黎公社经验教训提出的原则。无产阶级专政与资产阶级专政有着根本相反的性质，无产阶级也与历史上的历次革命有着根本不同的目标，这决定了"工人阶级一旦取得统治权，就不能继续运用旧的国家机器来进行管理；工人阶级为了不致失去刚刚争得的统治，……应当铲除全部旧的、一直被利用来反对工人阶级的压迫机器"①。只有这样，才能建立起无产阶级专政，保卫和巩固革命胜利果实，为实现无产阶级消灭剥削和私有制的目标服务。作为无产阶级革命打碎资产阶级国家机器的第一次尝试，巴黎公社颁布了废除常备军而代之以武装的人民；废除资产阶级旧警察代之以人民的治安委员会；废除资产阶级旧法官，建立人民的司法制度等措施，摧毁了资产阶级国家机器的五大支柱，建立起了工人阶级执掌政权的新形式。巴黎公社提供了打碎旧的国家机器的宝贵经验，但它却在存在两个多月后就失败了，其原因之一就是公社的"仁慈"。"当维努瓦和随后巴黎国民自卫军中的反动分子逃出巴黎的时候，本来是应该立刻向凡尔赛进军的。由于讲良心而把时机错过了。他们不愿意开始内战，好像那邪恶的小矮子梯也尔在企图解除巴黎武装时还没有开始内战似的！"②列宁也在总结公社的教训时提出，"两个错误葬送了这一辉煌胜利的成果。无产阶级在中途停了下来：……第二个错误是无产阶级过于宽大；它本来应当消灭自己的敌人，但却力图从精神上感化他们；它忽视纯军事行动在国内战争中的作用，没有向凡尔赛坚决进攻，使巴黎起义取得彻底胜利，而是迟迟不动，使凡尔赛政府有时间纠集黑暗势力，为五月流血周作好准备"③。"部分打碎"、"简单地掌握"忽视了国家机器的本质，留下了瓦解和颠覆无产阶级专政的隐患。

马克思恩格斯关于必须"打碎"、摧毁资产阶级国家机器的论断，是马克思主义国家学说中主要的基本的东西。对这一论断采取什么样的态度，历来是区分真革命、假革命和反革命的分水岭。19世纪80年代以后，针对当时国际工人运动内部出现的崇拜资产阶级民主制、议会制，迷信资产阶级国家政权等机会主义思潮，恩格斯在1891年为《法兰西内战》单行本写的导言中，强调和补充了巴黎公社所提供的关于"打碎"资产阶级国家机器的历史经验，指出"国家无非是一个阶级镇压另一个阶级的机器，而且在这一点上民主共和国并不亚于君主国。国家再好也不过是在争取阶级统治的斗争中获胜的无产阶级所继承下来的一个祸害"④。例如在美国，那里没有王朝，没有贵族，除了监视印第安人的少数士兵之外没有常备军，不存在拥有固定职位或享有年金的官僚。然而，我们在那里却看到两大帮政治投机家，他们轮流执掌政权，以最肮脏的

---

① 《马克思恩格斯选集》第3卷，人民出版社2012年版，第54页。
② 《马克思恩格斯选集》第4卷，人民出版社2012年版，第494页。
③ 《列宁全集》第16卷，人民出版社2017年版，第436页。
④ 《马克思恩格斯选集》第3卷，人民出版社2012年版，第55页。

手段来达到最肮脏的目的，而国民却无力对付这两大政客集团，这些人表面上是替国民服务，实际上却是对国民进行统治和掠夺。因此，胜利了的无产阶级也将同公社一样，不得不立即尽量除去这个祸害的最坏方面，直到在新的自由的社会条件下成长起来的一代有能力把这国家废物全部抛掉。

二、工人阶级国家理论的新发展

马克思恩格斯在总结 1848 年革命经验教训时就对无产阶级国家采取什么样的国家形式的问题进行了初步的探讨。1871 年巴黎公社的实践，使马克思恩格斯对这个问题有了更为明确的认识。马克思在《法兰西内战》中提出，公社是帝国的直接对立物。巴黎无产阶级在宣布二月革命时提出了"社会共和国"口号，表达出了一种要求建立一个不但取代阶级统治的君主制形式、而且取代阶级统治本身的共和国的模糊意向。巴黎公社革命实现了这个目标，公社成为这个共和国的毫不含糊的形式。

马克思恩格斯指出，作为资产阶级国家机器的替代物，公社"是社会把国家政权重新收回，把它从统治社会、压制社会的力量变成社会本身的充满生气的力量；这是人民群众把国家政权重新收回，他们组成自己的力量去代替压迫他们的有组织的力量；这是人民群众获得社会解放的政治形式，这种政治形式代替了被人民群众的敌人用来压迫他们的假托的社会力量"①。构成巴黎公社力量的是它自己的政府机器，包括国民自卫军、公社勤务员、公社机构等。显然，巴黎公社依然代表的是一种公共权力，它并没有取消阶级斗争，只不过工人阶级正是在通过阶级斗争致力于消灭一切阶级，从而消灭一切阶级统治。马克思恩格斯认为，工人阶级充分运用这种公共权力，才能保护和巩固革命胜利果实，进而实现无产阶级的最终目标。1871 年 9 月，马克思在伦敦会议上提出，无产阶级专政的首要条件就是无产阶级的军队，工人阶级必须在战场上争得自身解放的权利。恩格斯也在论述权威问题时说道，"获得胜利的政党如果不愿意失去自己努力争得的成果，就必须凭借它以武器对反动派造成的恐惧，来维持自己的统治。要是巴黎公社面对资产者没有运用武装人民这个权威，它

---

① 《马克思恩格斯选集》第 3 卷，人民出版社 2012 年版，第 140 页。

能支持哪怕一天吗？反过来说，难道我们没有理由责备公社把这个权威用得太少了吗？"①

国家无非是一个阶级镇压另一个阶级的机器，但"巴黎公社已经不是原来意义上的国家了"②。马克思早在《哲学的贫困》中就曾预言，无产阶级革命胜利后建立的政权将不会是任何原来意义上的政权。这种预言中的无产阶级政权是与阶级对立已经消失联系在一起的，但巴黎公社的实践证明，无产阶级革命的胜利并没有取消阶级斗争。为此，人民在这次起义之后没有解除自己的武装，没有把他们的权力拱手交到统治阶级的一群共和主义骗子手里。而是通过组成公社，把这次革命的真正领导权捏在工人阶级自己手中，同时找到了在革命胜利时把这一权力保持在人民自己手中的办法，用他们自己的政府机器去代替统治阶级的国家机器。公社的第一个法令就是废除常备军而代之以武装的人民；警察不再是中央政府的工具，他们立即被免除了政治职能，而变为公社的承担责任的、随时可以罢免的工作人员；宣布教会与国家分离，并剥夺一切教会所占有的财产，摧毁作为压迫工具的僧侣势力；法官和审判官均由选举产生，对选民负责，并且可以罢免；等等。这些政策措施的制定和实施，决定了巴黎公社与以往一切国家有着本质的不同，意味着"公社所要镇压的不是大多数居民，而是少数居民（剥削者）；它已经打碎了资产阶级的国家机器；居民已经自己上台来代替特殊的镇压力量。所有这一切都已经不是原来意义上的国家了"③。

巴黎公社之所以不再是原来意义上的国家，还在于它是"革命的暂时的形式"。马克思恩格斯认为，国家绝不是什么"绝对精神"、"永恒正义"的体现，而是阶级矛盾不可调和的产物，国家消亡是无产阶级奋斗的最终目标。巴黎公社是生产者阶级同占有者阶级斗争的产物，是终于发现的可以使劳动在经济上获得解放的政治形式，体现着无产阶级所必需的国家具有的"革命的暂时的形式"。对于工人阶级而言，他们现在之所以还需要这种"革命的暂时的形式"，并不是为了自由，而是为了镇压自己的敌人。他们必须暂时利用国家权力的工具、手段、方法去反对剥削者，必须经过一系列把环境和人都加以改造的历史

---

① 《马克思恩格斯选集》第3卷，人民出版社2012年版，第277页。

② 《马克思恩格斯全集》第34卷，人民出版社1972年版，第123页。

③ 《列宁选集》第3卷，人民出版社2012年版，第169页。

过程，才能创造出现代社会在本身经济因素作用下不可遏止地向其趋归的那种更高形式，为实现自身的解放奠定基础。如果公社得到巩固，那么公社的国家痕迹就会自行"消亡"，它就用不着"废除"国家机构，因为国家机构将无事可做而逐渐失去其作用。也正是在这个意义上，恩格斯提出，国家最多也不过是无产阶级在争取阶级统治的斗争胜利以后所继承下来的一个祸害，胜利了的无产阶级也将同公社一样，不得不立即尽量除去这个祸害的最坏方面，直到在新的自由的社会条件下成长起来的一代有能力把这国家废物全部抛掉为止。

马克思恩格斯肯定并赞扬了巴黎公社所采取的政策措施，表达了关于无产阶级国家是无产阶级专政和无产阶级民主相统一的新型国家的思想。巴黎公社成立后，先后采取了废除常备军代之以人民武装、一切公职人员都只领取相当于工人工资的薪金、国家一切公职人员应公开选出并对选民负责等措施，在使无产阶级组织成为统治阶级的同时，体现了民主原则。对此，马克思指出，公社的真正秘密就在于它实质上是工人阶级的政府，是无产阶级专政。同时，公社的存在本身就意味着那至少在欧洲是阶级统治的真正赘瘤和不可或缺的外衣的君主制已不复存在，公社给共和国奠定了真正民主制度的基础。恩格斯也肯定了公社为了防止"社会公仆"变成社会主人的诸多措施，认为即使公社没有另外给各代议机构的代表规定限权委托书，也能可靠地防止人们去追求升官发财。对于巴黎公社的这个宝贵经验，列宁在《国家与革命》中作出了更为深入的论述，"由此可见，公社用来代替被打碎的国家机器的，似乎'仅仅'是更完全的民主：……但是这个'仅仅'，事实上意味着两类根本不同的机构的大更替。在这里恰巧看到了一个'量转化为质'的例子：民主实行到一般所能想象的最完全最彻底的程度，就由资产阶级民主转化成无产阶级民主，即由国家（＝对一定阶级的特殊的镇压力量）转化成一种已经不是原来意义上的国家的东西"①。

马克思恩格斯基于巴黎公社革命实践对国家学说的探讨，戳穿了资产阶级错误的国家观，阐明了国家的实质，指明了无产阶级应对国家采取的态度。尤其是恩格斯在《法兰西内战》导言中对巴黎公社经验教训的进一步总结和分析，被列宁誉为"马克思主义在国家问题上的最高成就"。这些论述解决了马克思恩格斯过去无法解决的重大理论问题，为马克思主义国家学说增添了新的内容。

---

① 《列宁选集》第3卷，人民出版社2012年版，第147页。

三、无产阶级专政理论的新发展

巴黎公社是无产阶级夺取政权和建设新社会的第一次伟大尝试，具体地解决了用什么东西代替被"打碎"的国家机器，以及怎样才能组成同"争得民主"相适应的无产阶级政权的问题，阐明了必须先实行无产阶级专政，才能消灭阶级统治和阶级压迫的思想。公社虽然失败了，但公社的原则是永存，是消灭不了的。正是这些原则构成了无产阶级专政学说的新内容，引导着无产阶级专政学说不断走向成熟。

巴黎公社的一个伟大功绩，就是它用公社形式的无产阶级专政代替了那个被摧毁的资产阶级国家机器。巴黎公社的实践证明，无产阶级在取得革命胜利以后，必须先建立一个像公社那样的政治形式，才能保护和巩固革命胜利果实，保证无产阶级最终目标的实现。在《法兰西内战》中，马克思通过详细描述这种炸毁旧的国家政权并以新的真正民主的国家政权来替代的情形，揭示出公社实质上是工人阶级的政府，其目的就是消灭阶级，使劳动在经济上获得解放，提出公社要成为铲除阶级赖以存在、因而也是阶级统治赖以存在的经济基础的杠杆，成为消灭阶级、解放劳动必不可少的工具。为此，公社颁布了《巴黎公社告法国人民书》、《将逃出巴黎的企业主所遗弃的停工工厂移交工人生产协会的法令》、《政教分离的法令》、《房租法令》等重要文件和法令，在政治、经济、教育等方面采取了限定公社工作人员的最高工资、没收逃亡业主的工厂和作坊交工人协作社、禁止面包工人做夜工、严禁对工人罚款，以及一切学校对人民免费开放等政策和措施，迫使原来那些统治阶级服从无产阶级的意志，把那些曾经用作奴役和剥削工具的生产资料和资本变成自由集体劳动的工具，努力实现人民群众自己管理自己的目标。马克思恩格斯认为，如果这些措施和手段运用得不好，整个胜利最后就一定归于失败，工人就会大批遭到屠杀，消灭阶级、解放劳动的目标就只能变成极其愚蠢和荒唐的空想主义。

实现消灭阶级、解放劳动的目标，要求必须实行无产阶级专政，而无产阶级专政的首要条件又是无产阶级的军队。马克思恩格斯认为，军队是国家机器的主要组成部分，是维护统治阶级利益的有力工具。无论是资产阶级的军队，还是无产阶级的军队，概莫能外。因此，工人阶级要争得自身解放的权利，就必须在战场上战胜自己的敌人。巴黎公社的成功经验和失败教训从正反两方面对此作出了证明。巴黎 3 月 18 日起义的成功，在于巴黎无产阶级手中掌握了武器。巴黎公社之所以能够反抗梯也尔和乡绅议员们恢复并巩固帝国留给他们的这个旧政权的企图，也在于人民在首次起义之后没有解除自己的武装，在于被围困使它摆脱了军队并用主要由工人组成的国民自卫军来代替它。公社的失败从另一方面证明了军队的重要性。马克思恩格斯多次批评了公社的"老实"和对敌人的"宽厚"、"仁慈"，指出公社愚蠢地不愿意开始内战，好像梯也尔力图用暴力解除巴黎武装并不是开始内战似的；好像只是为解决对普鲁士人的和战问题而召集起来的国民议会不曾立即对共和国宣战似的，以致失去了向凡尔赛进军的宝贵时机。马克思恩格斯在强调军队重要性的同时，还明确区分了无产阶级军队与资产阶级军队，认为由于无产阶级专政是劳动人民多数对剥削阶级少数人的专政，因而建立人民的武装就足以应对剥削阶级的反抗，并不需要维持常备军。马克思恩格斯提出，以国民自卫军代替常备军，既一下子消除了捐税与国债之源，是一切社会进步在经济方面的第一个必要条件，也消除了反动阶级梦想僭取政府权力的危险。"同时它也是抵御外国侵略的最可靠的保障，并在事实上使所有其他国家都不可能维持耗资巨大的军事机器；它使农民免除血税，使农民不再成为所有国税和国债的不竭泉源。"①

在论述无产阶级军队这个无产阶级专政首要条件的同时，马克思恩格斯还对公社所采取的其他政策和措施进行了评析，阐明了无产阶级政权与资产阶级政权的根本不同，证明了公社是工人阶级被公认为能够发挥社会首倡作用的唯一阶级的第一次革命。政权的性质不同，国家机构所采取的形式、所要实现的任务和目的，以及政策所代表的利益等方面也不尽相同。相比于资产阶级国家机器，巴黎公社实行了普选制和低薪制、宣布教会与国家分离、废除了面包房的夜工制、毁除旺多姆圆柱等政策措施。马克思恩格斯十分珍视这些革命的幼芽，热情歌颂了这些政策措施所蕴含的无限生命力。在普选制问题上，马克思认为普选权已经不再被滥用，而是已经应用于它的真正目的。它改变了人们在行政和政治管理问题上的错觉，使工人群众走上了国家行政和政治管理的岗位，保证无产阶级和广大人民争得的民主。低薪制的实行也能可靠地防止人们去追求升官发财，防止国家和国家机关由社会公仆变为社会的主人。公社给共和国奠定了真正民主制度的基础，"公社体制会把靠

---

① 《马克思恩格斯选集》第 3 卷，人民出版社 2012 年版，第 141 页。

社会供养而又阻碍社会自由发展的国家这个寄生赘瘤迄今所夺去的一切力量，归还给社会机体。仅此一举就会把法国的复兴推动起来"①。马克思恩格斯还高度评价了公社的政策措施中所体现出的国际主义精神，认为公社在经济方面所采取的各项措施只能显示出走向属于人民、由人民掌权的政府的趋势。正是通过这些政策措施，巴黎公社体现了它本身的存在和工作，展示了它的活力，证实了它的理论。如果公社没有这些政策措施，公社体制就没有存在的可能，就是欺人之谈。

马克思恩格斯在论述公社的历史任务时，提出了完成这些任务必须要经过长期斗争的观点，认为无产阶级专政必然要经历阶级斗争的几个不同阶段。马克思恩格斯提出，公社已经清楚地、有意识地宣告他们的目的是解放劳动和改造社会。为了实现这个目的，公社一开始就要既进行政治变革，又实行经济改革。这主要体现为工人阶级要通过阶级斗争致力于消灭一切阶级，从而消灭一切阶级统治；剥夺剥夺者，把现在主要用作奴役和剥削劳动的工具的生产资料、土地和资本变成自由集体劳动的工具，以实现个人所有权；以及环境和人的完全改变。马克思恩格斯认为，这些任务并不能凭一纸人民法令就能完成，而是要经过长期的斗争。一方面，由于公社并不取消阶级斗争，其消灭一切阶级和阶级斗争的举措必然引起激烈的反动和同样激烈的革命，剥削阶级甚至会发动一些分散零星的暴动来阻挠和平进步的事业。另一方面，以自由的联合的劳动条件去代替劳动受奴役的经济条件，是一个只有在新条件逐步成长起来才能实现的过程，需要相当一段时间才能逐步完成。因为这不仅需要改变分配，而且需要一种新的生产组织，或者毋宁说是使目前有组织的劳动中存在着的各种生产社会形式摆脱掉奴役的锁链和它们的目前的阶级性质。在这个过程中，不仅将会不断地受到各种既得利益和阶级自私心理的抗拒，而且还需要在全国范围内和国际范围内进行协调的合作。为了保证政治改革和经济改革的进行，工人阶级还要着手摧毁作为压迫工具的精神力量，必须经过一系列将环境和人都加以改造的历史过程，把人们头脑中的非无产阶级思想纳入无产阶级轨道，这显然也必须要经过一个长期斗争的过程。马克思恩格斯指出，公社要完成自己的历史任务不仅必须经过长期的斗争，而且必须经历阶级斗争的几个不同阶段。但不管是在哪个阶段上，"只要其他阶级特别是资本家阶级还存在，只要

① 《马克思恩格斯选集》第3卷，人民出版社2012年版，第101页。

无产阶级还在同它们进行斗争（因为在无产阶级掌握政权后无产阶级的敌人和旧的社会组织还没有消失），无产阶级就必须采用暴力措施，也就是政府的措施；如果无产阶级本身还是一个阶级，如果作为阶级斗争和阶级存在的基础的经济条件还没有消失，那么就必须用暴力来消灭或改造这种经济条件，并且必须用暴力来加速这一改造的过程"①。

第三节　马克思主义无产阶级政党学说的发展

　　马克思主义无产阶级政党学说是在无产阶级解放斗争的过程中，特别是在无产阶级政党自身建设的实践中产生和发展起来。在《共产党宣言》、《中央委员会告共产主义者同盟书》、《1848 年至 1850 年的法兰西阶级斗争》等著作中，马克思恩格斯对党的性质、党的特点、党的纲领、党的组织原则、党的战略和策略等问题进行了阐述。巴黎公社革命爆发后，马克思恩格斯在总结巴黎无产阶级革命经验教训的基础上，提出了要取得无产阶级革命胜利就必须有马克思主义政党领导等观点，进一步发展了马克思主义无产阶级政党学说。

一、巴黎公社革命前关于建立政党的论述

　　既要革命，就要有一个革命政党来领导。要使无产阶级在决定关头强大到足以取得胜利，无产阶级必须组成一个不同于其他所有政党，并与它们对立的特殊政党，一个自觉的阶级政党。马克思恩格斯是无产阶级政党的创始人，为建立无产阶级政党和创立马克思主义政党学说贡献了毕生精力。特别是马克思，为建立无产阶级政党呕心沥血，"他除了把组织这个政党作为自己的终生事业，还把对所谓社会问题的科学研究，即对政治经济学的批判作为自己的终

---

① 《马克思恩格斯选集》第 3 卷，人民出版社 2012 年版，第 337 页。

生事业"①。

在《1848年至1850年的法兰西阶级斗争》、《中央委员会告共产主义者同盟书》、《德国的革命和反革命》、《路易·波拿巴的雾月十八日》等著作中,马克思恩格斯通过总结1848年革命的经验教训,对无产阶级政党的组织、纲领、策略、领导作用等问题作出了论述。

第一,关于建立独立的无产阶级政党的认识。共产主义者同盟在1848年中在两方面经受了考验,一是它的成员到处都积极地参加了运动,都站在无产阶级的最前列;二是1847年同盟的各次代表大会和中央委员会的文件和《共产党宣言》中阐述的理论观点都已证明是唯一正确的,这些文件中的各种预见都已完全被证实,现在人人都在谈论,甚至在广场上公开进行宣扬关于现代社会状况的见解。事实证明,组建无产阶级政党以及这个政党的理论和策略的都是正确的。但在同时,革命也使同盟的弱点暴露出来。同盟从前的坚强的组织大大地削弱了,个别的区部和支部放松了自己跟中央委员会的联系,最后甚至渐渐地完全断绝了这种联系。组织的分散性和软弱性使工人的政党丧失了自己唯一的巩固的基地,在革命运动中被资产阶级利用,沦为资产阶级的尾巴。为了增强无产阶级在未来斗争中的地位和作用,马克思恩格斯要求无产阶级政党必须要注重组织建设,必须尽量做到有组织地、尽量一致地和尽量独立地行动起来。马克思恩格斯提出,任何政党没有组织都无法存在,无产阶级政党虽然在革命后失去了在大陆上建立合法组织的可能性,但也要加强组织建设。"如果说在自由资产阶级以及民主派小资产阶级那里,它们的社会地位、它们的物质优势以及它们的成员之间早已建立起来的日常联系,在某种程度上能代替这类组织的话,那末,没有这种社会地位和资财的无产阶级,便不得不在各种秘密的联合中寻求这种组织"②。马克思恩格斯还特别强调了无产阶级政党独立性的问题,要求无产阶级政党绝不能模糊自己与资产阶级、小资产阶级政党的本质区别。马克思恩格斯提出,民主派小资产者根本不愿为革命无产者的利益而变革整个社会,他们要求改变社会状况,是想使现存社会尽可能让他们感到日子好过而舒服。一旦实现了自己的要求,他们便赶快结束革命。但对于无产阶级政党来说,问题不在于改变私有制,而只在于消灭私有制,不在于掩盖阶

---

① 《马克思恩格斯全集》第16卷,人民出版社1964年版,第407—408页。
② 《马克思恩格斯全集》第8卷,人民出版社1961年版,第449页。

级对立，而在于消灭阶级，不在于改良现存社会，而在于建立新社会。因此，"工人，首先是共产主义者同盟，不应再度降低自己的地位，去充当资产阶级民主派的随声附和的合唱队，而应该谋求在正式的民主派旁边建立一个秘密的和公开的独立工人政党组织。"① 为了达到自己的最终胜利，无产阶级应该认清自己的阶级利益，尽快采取自己独立政党的立场，一时一刻也不能因为听信民主派小资产者的花言巧语而动摇对无产阶级政党的独立组织的信念。

第二，关于无产阶级政党领导地位和作用的认识。1848 年革命中同盟中央委员会未能发挥其应有作用的教训，以及在个别地方无产阶级政党组织积极发挥作用的经验，使马克思恩格斯从正反两方面认识到，无产阶级政党只有确立和加强自己对工人阶级的领导，使自己的每一个支部都成为工人协会的中心和核心，关于无产阶级的立场和利益问题才能够进行独立讨论而不受资产阶级影响，从而避免工人阶级政党成为资产阶级利用和支配的工具。同时，也只有确立和加强无产阶级政党对农民的领导，把农民争取为自己的同盟军，无产阶级革命才能得到一种合唱。1848 年革命凸显了农民对于革命不容忽视的作用，无论是巴黎六月起义的失败，还是路易·波拿巴爬上皇帝的宝座，都与农民的态度密切相关。为此，马克思恩格斯写道，"在革命进程把站在无产阶级与资产阶级之间的国民大众即农民和小资产者发动起来反对资产阶级制度，反对资本统治以前，在革命进程迫使他们承认无产阶级是自己的先锋队而靠拢它以前，法国的工人们是不能前进一步，不能丝毫触动资产阶级制度的"②。"德国的全部问题将取决于是否有可能由某种再版的农民战争来支持无产阶级革命。"③ 但是，农民分散于广大地区，而且极难达到大多数意见的一致，这决定了他们永远不能胜利地从事独立的运动，而是需要更集中、更开化、更活动的城市居民的引导和推动。因此，无产阶级政党应通过在自己的纲领中反映农民的要求，制定正确的政策等途径，赢得农民的信任和支持。而农民阶级中那些已经革命化的成分，也必然会在联合的反革命资产阶级面前与革命无产阶级联合起来，把负有推翻资产阶级制度使命的城市无产阶级看作自己的天然同盟者和领导者。

---

① 《马克思恩格斯选集》第 1 卷，人民出版社 2012 年版，第 558 页。
② 《马克思恩格斯选集》第 1 卷，人民出版社 2012 年版，第 455 页。
③ 《马克思恩格斯选集》第 4 卷，人民出版社 2012 年版，第 427 页。

第三，关于无产阶级在资产阶级民主革命中策略原则的认识。1848年革命是资产阶级性质的革命，各国无产阶级积极参加了这场革命，实践了马克思恩格斯关于共产党人要同一切反对现存制度的政党结成联盟的策略原则。但在同时，小资产阶级在所有现代国家和现代革命中，尤其是在德国和德国革命斗争中居于极为重要地位的现象，要求马克思恩格斯对无产阶级政党如何同小资产阶级民主派联合这个更为具体的问题作出阐述。在《共产主义者同盟中央委员会告同盟书》中，马克思恩格斯通过分析德国小资产阶级民主派的形成来源后指出，他们希望用或多或少经过掩饰的施舍来笼络工人，用暂时使工人生活大体过得去的方法来摧毁工人的革命力量，而根本不愿为革命无产者的利益而变革整个社会。因此，革命的工人政党对小资产阶级民主派要采取既联合又斗争的策略，"同小资产阶级民主派一起去反对工人政党所要推翻的派别；而在小资产阶级民主派企图为自己而巩固本身地位的一切场合，工人政党都对他们采取反对的态度"①。更为具体地来看，当小资产阶级民主派也处于被压迫地位的现有关系还继续存在时，一般愿意与无产阶级携手合作，并且极力把无产阶级拉入他们的政党。无产阶级应该坚决拒绝这种联合，而是谋求在正式的民主派旁边建立一个秘密的和公开的独立工人政党组织，在反对共同敌人的直接斗争中形成那种适合一时需要的联合。当小资产阶级民主党派在斗争中取得优势的时候，工人要阻挠小资产阶级民主派凌驾于武装的无产阶级之上，并逼迫他们接受一些条件，使他们的统治在以后很容易就被无产阶级的统治排挤掉。当斗争结束后，小资产阶级民主派的势力超过被推翻各阶级和无产阶级时，工人的不信任态度就不必再针对已被打倒的反动党派，而是必须针对自己从前的同盟者，即针对那个想要独吞共同胜利的果实的小资产阶级民主派。这些论述不仅丰富了无产阶级政党的策略思想，也体现着马克思恩格斯坚持依据革命形势变化制定策略的重要原则，这对于共产主义者同盟，乃至各个历史时期无产阶级政党的活动都有着重要指导意义。

第四，提出了"无产阶级专政"的概念，丰富了无产阶级政党纲领的内容。巴黎六月起义的失败表明，无产阶级要在资产阶级共和国范围内稍微改善一下自己的处境只是一种空想，这种空想只要企图加以实现，就会成为罪行。因此，"原先无产阶级想要强迫二月共和国予以满足的那些要求，那些形式上浮

---

① 《马克思恩格斯选集》第1卷，人民出版社2012年版，第556页。

夸而实质上琐碎的、甚至还带有资产阶级性质的要求，就由一个大胆的革命战斗口号取而代之，这个口号就是：推翻资产阶级！工人阶级专政！"①这种专政是达到消灭一切阶级差别，达到消灭这些差别所由产生的一切生产关系，达到消灭和这些生产关系相适应的一切社会关系，达到改变由这些社会关系产生出来的一切观念的必然的过渡阶段。马克思指出，为了建立无产阶级专政，无产阶级必须首先要集中自己的全部破坏力量来对付旧的国家机器并加以摧毁。因为这个机器是剥削和镇压群众的工具，按其性质来说是反革命的。无产阶级专政概念和"打碎"资产阶级国家机器论断的提出，明确了无产阶级政党同任何资产阶级和小资产阶级政党的界限，使马克思恩格斯关于无产阶级政党通过暴力推翻资产阶级政权的理论更加明确和具体。

1848 年革命失败后，欧洲工人运动转入低潮，共产主义者同盟由于反动势力的迫害、内部纷争的不断而宣布解散。但这场革命也沉重打击了各国封建势力，为资本主义发展扫除了障碍。伴随资本主义发展步伐的加快，工人运动形势也随之发生了变化。"当欧洲工人阶级又强大到足以对统治阶级政权发动另一次进攻的时候，产生了国际工人协会。它的目的是要把欧美整个战斗的工人阶级联合成一支大军。"②1864 年 9 月，国际工人协会（第一国际）在伦敦成立，这是工人运动的一大进步。但在同时，协会也存在着组织成分复杂、指导思想不一致等问题，蒲鲁东主义、工联主义、拉萨尔主义、空想社会主义等仍然支配和影响着各国工人运动。为了用真正的工人阶级的战斗组织代替那些社会主义的或半社会主义的宗派，更好地发挥国际工人协会的组织作用，马克思恩格斯进一步发展了共产主义者同盟时期的无产阶级政党学说。

首先，更为科学地论述了建立无产阶级政党的理论。1848 年革命后，马克思把大量时间和精力用于政治经济学研究，创立了剩余价值学说，揭示了工人阶级贫困的根源，指出工人阶级要获得解放就必须推翻资本主义制度。相比之下，无论是蒲鲁东的小资产阶级社会主义，抑或是英国的工联主义等机会主义派别，由于他们不能科学认识资本主义的经济关系，因而不主张推翻资本主义制度，而是希望通过日常的经济斗争，或建立"交换银行"等途径来解放工人阶级。为此，马克思恩格斯同各种机会主义派别进行了坚决斗争，并在《国

---

① 《马克思恩格斯选集》第 1 卷，人民出版社 2012 年版，第 469 页。
② 《马克思恩格斯选集》第 1 卷，人民出版社 2012 年版，第 391 页。

际工人协会成立宣言》、《国际工人协会章程》等著作中提出，不论是机器的改进，科学在生产上的应用，交通工具的改良，新的殖民地的开辟，向外移民，扩大市场，自由贸易，或者是所有这一切加在一起，都不能消除劳动群众的贫困。"夺取政权已成为工人阶级的伟大使命。工人们似乎已经了解到这一点，因为英国、德国、意大利和法国都同时活跃起来了，并且同时都在努力从政治上改组工人政党。"①

其次，强调了关于加强无产阶级政党国际团结的认识。马克思恩格斯指出，劳动的解放既不是一个地方的问题，也不是一个民族的问题，而是涉及存在有现代社会的一切国家的社会问题，它的解决有赖于最先进各国在实践上和理论上的合作。1848年革命的经验教训证明，忽视在各国工人间应当存在的兄弟团结，忽视那应该鼓励他们在解放斗争中坚定地并肩作战的兄弟团结，就会使他们受到惩罚，使他们分散的努力遭到共同的失败。成立国际工人协会的目的就在于把至今仍然分散的各国工人阶级争取自身解放的斗争联合起来，把它纳入共同的轨道。马克思恩格斯再次提出了"全世界无产者，联合起来！"的口号，要求加入国际协会的工人团体彼此结成亲密合作的永久联盟，同时完全保存自己原有的组织。1872年，马克思在海牙大会的演说中论及团结原则时再次指出，"如果我们能够在一切国家的一切工人中间牢牢地巩固这个富有生气的原则，我们就一定会达到我们所向往的伟大目标"②。

再次，论述了无产阶级政党民主集中制原则的基本思想。基于对国际工人协会作为全世界无产阶级组织的认识，在同各种工人运动中存在着的无政府主义、极端独裁集中等倾向作斗争的进程中，马克思恩格斯对协会的组织原则作了详尽的论述，为党的民主集中制原则的形成奠定了基础。《国际工人协会临时章程》、《国际工人协会共同章程》规定，协会的最高权力机关是各支部或联合会选派代表参加的代表大会；代表大会每年召开一次，选举总委员会委员；每次代表大会可以对章程进行修改，但必须有三分之二代表赞成方可修改；等等。为了保证集体领导，马克思提议总委员会取消主席职务，代之以轮流担任每周例会的执行主席。1869年巴塞尔代表大会根据马克思这个倡议提出，工人协会在自己内部允许采取王权原则即设置主席职位是不恰当的，并建议一切

---

① 《马克思恩格斯选集》第3卷，人民出版社2012年版，第10页。
② 《马克思恩格斯全集》第18卷，人民出版社1964年版，第180页。

工人支部和一切同国际有联系的社团，在自己的组织内撤销主席这一职位。民主集中制原则的贯彻实施极大促进了协会和各国支部的革命活动，对此，恩格斯这样写道："这些成就之所以可能取得，只是因为我们协会具有一种特殊的组织结构，这种结构给予每个全国性的或地方性的联合会以充分的行动自由，而对于协会的各个中央机关则只是在必要的范围内才给与全权，以便使这些机关能够顺利地为纲领的统一性和共同利益而斗争"①。

马克思恩格斯在第一国际时期对无产阶级政党的分析与总结，为各国无产阶级建立自己独立政党指明了道路。在革命实践中，马克思主义逐步同工人运动结合起来，确定了它在国际工人运动中的领导地位，并造就了一批像威廉·李卜克内西、奥古斯特·倍倍尔这样的无产阶级革命家和党的领导，把世界工人运动事业向前推进了一大步。

二、在总结巴黎公社革命经验基础上的新阐述

1871 年 3 月，具有世界历史意义的巴黎公社革命爆发。尽管第一国际没有动一个手指去促使公社诞生，但它无疑是国际的精神产儿。马克思恩格斯在这场运动中看到了有极重大意义的历史经验，看到了全世界无产阶级革命的一定进步，看到了比几百种纲领和议论更为重要的实际步骤。总结巴黎公社的经验教训，马克思恩格斯阐述了关于马克思主义政党学说的一些新认识。

关于建立无产阶级独立政党是夺取无产阶级革命胜利基本条件的思想。马克思恩格斯认为，巴黎公社失败的根本原因在于没有一个无产阶级政党的领导。尽管早在巴黎公社革命爆发前，马克思恩格斯就对建立无产阶级政党有过许多论述，尤其是对"巴黎一旦发生真正的革命运动，由谁来领导呢？"②的问题表示担忧，但巴黎公社革命的失败让他们在这个问题上有了更加深刻的认识。第一国际巴黎支部的大部分成员虽然都参加了公社起义，不少人还被选为公社领导，但在公社中起支配作用的并不是马克思主义者。在巴黎公社当选的86 名委员会中，17 名梯也尔派的反动人物在公社建立的最初几天就已退出。

---

① 《马克思恩格斯全集》第 18 卷，人民出版社 1964 年版，第 68 页。
② 《马克思恩格斯全集》第 33 卷，人民出版社 1973 年版，第 146 页。

其余的 69 名委员中，有 19 人是新雅各宾党人，18 人是布朗基主义者，13 人是蒲鲁东主义者，10 人是左翼蒲鲁东主义者，3 名是巴枯宁分子，2 人是接近马克思主义者。^① 占公社委员多数的是布朗基派，他们中的绝大多数不过凭着革命的无产阶级本能才是社会主义者。由于他们不懂得社会发展规律和阶级斗争的规律，以致公社在一系列重大原则问题上犯了严重错误，如没有乘胜向凡尔赛进军、把法兰西银行视为神圣而在其大门外毕恭毕敬地伫立不前等，最终导致了公社的失败。对此，国际伦敦大会、海牙大会在总结巴黎公社教训时都论述了建立独立的无产阶级政党问题，提出"无产阶级在反对有产阶级联合力量的斗争中，只有把自身组织成为与有产阶级建立的一切旧政党不同的、相对立的政党，才能作为一个阶级来行动"^②，认为工人的政党要有自己的目的和自己的政策，不应当成为某一个资产阶级政党的尾巴。几十年后，恩格斯在再版的《法兰西内战》导言中也对这个问题作出了深刻分析，强调无产阶级要取得革命的胜利，就必须有马克思主义政党的领导。建立独立的无产阶级政党，成为巴黎公社革命后各国无产阶级新的战斗任务。

关于防止国家和国家机关由社会公仆变为社会主人的思想。马克思恩格斯在 19 世纪 60 年代末的论述中就注意到了工人运动中一部分工人领袖的蜕化问题，巴黎公社的实践为马克思恩格斯认识和解决这个问题提供了材料。马克思恩格斯指出，社会为了维护共同的利益，最初通过简单的分工建立了一些特殊的机关。但随着时间的推移，以国家政权为首这些机关就会为了追求自己的特殊利益，从社会的公仆变成了社会的主人。为了防止这种至今在所有国家中都不可避免的现象，公社采取了两个可靠的办法。第一，它把行政、司法和国民教育方面的一切职位交给由普选选出的人担任，而且规定选举者可以随时撤换被选举者。第二，它对所有公职人员，不论职位高低，都只付给跟其他工人同样的工资。马克思恩格斯认为，在第一个办法中，由于过去作为统治阶级欺骗工具的普选权已被运用于它的真正目的，因而打破了从前的一种错觉，即以为行政和政治管理是神秘的事情，是高不可攀的职务，只能委托给一个受过训练的特殊阶层。公社所有的军事、行政、政治的职务都变成了真正工人的职务，

① 参见苏联科学院世界历史研究所编：《1871 年巴黎公社史》（下），重庆出版社 1982 年版，第 300 页。
② 《马克思恩格斯选集》第 3 卷，人民出版社 2012 年版，第 173 页。

一切公职人员都由公社任命，是公社的勤务员，总是处于切实的监督之下，随时可以罢免。公社采取的第二个办法则从根本上堵塞了猎取肥缺厚禄的途径，消除了人们追求升官发财的奢望。马克思恩格斯指出，资产阶级国家不仅是资产阶级的暴力阶级统治的手段，而且还成为在直接经济剥削之外对人民进行第二重剥削的手段，因为它保证资产阶级的家族在国家事务管理中取得所有肥缺。公社废除高薪制，实行公职人员工资等同的办法，使得公社即使没有另外给代表机构的代表签发限权委托书，也能可靠地防止人们去追求升官发财。公社的措施显示出了走向属于人民、由人民掌权的政府的趋势，第二帝国的那个花花世界般的巴黎消失得无影无踪，它不再是不列颠的大地主、爱尔兰的在外地主、美利坚的前奴隶主和暴发户、俄罗斯的前农奴主和瓦拉几亚的大贵族聚集的场所了。"努力劳动、用心思索、战斗不息、流血牺牲的巴黎——它在培育着一个新社会的同时几乎把大门外的食人者忘得一干二净——正放射着它的历史首创精神的炽烈的光芒！"①

关于无产阶级政党实现最终目标的道路的思想。马克思恩格斯强调了工人阶级掌握武装对于无产阶级夺取和巩固政权的重要意义，他们提出，法国50年来的阶级斗争的历史表明，掌握国家政权的资产者的第一个目标就是解除工人的武装，而工人阶级也在同资产阶级的斗争中逐渐意识到了武装的重要性。巴黎公社革命与以前历次革命有着诸多相同之点，"这次革命的新的特点在于人民在首次起义之后没有解除自己的武装，没有把他们的权力拱手交给统治阶级的共和主义骗子们"②。没有工人阶级的武装斗争，巴黎公社甚至不能支持一天。而巴黎公社没有乘胜追击凡尔赛军队的错误，也从另一个方面证明了工人阶级掌握武装的极端重要性。为了防止敌人的武装颠覆，巴黎公社进行了"打碎"资产阶级国家机器的第一次尝试，建立起了巴黎公社式的无产阶级的新型国家。它废除了旧的常备军、警察和官僚机构，公职人员成为为人民服务的社会公仆，巴黎公社已经不再是原来意义上的国家。马克思恩格斯的这些论述更加具体、明确地描述了无产阶级实现最高目标的条件和途径，丰富了马克思主义政党的纲领。

关于工农联盟是无产阶级政党领导革命取得胜利重要条件的思想。马克思

---

① 《马克思恩格斯选集》第 3 卷，人民出版社 2012 年版，第 110 页。
② 《马克思恩格斯选集》第 3 卷，人民出版社 2012 年版，第 152 页。

恩格斯根据地主和资产阶级对农民采取的政策，批判了地主议员和资产阶级是农民利益代表的谎言，认为只有工人阶级才是农民利益的代表，只有公社的胜利才是农民的唯一希望。因为公社宣布战争的费用要让真正的战争发动者来偿付，公社能使农民免除血税，免除乡警、宪兵和省长的残暴压迫。无产阶级显然可以争得农民的支持，建立起以无产阶级为领导的以工农联盟为基础的政权。但在巴黎公社革命期间，由于梯也尔政府的挑拨离间、巴黎公社缺乏正确的政治领导等原因，公社对农民问题的重要性估计不足，没有能够唤起他们为反对反革命作坚决斗争，未能实现工农联盟。鉴于这个教训，马克思恩格斯强调指出，无产阶级政党要领导无产阶级取得革命胜利，必须使广大农民投入到这一运动中。在1871年9月的伦敦会议上，马克思建议国际派宣传鼓动员前往农业地区，组织公开集会，宣传国际的原则，建立农村支部，以保证工人阶级同劳动农民群众联盟。这对加强无产阶级政党及其领导下的工农联盟建设无疑有着重要意义。

马克思恩格斯对巴黎公社经验教训的总结，进一步发展了马克思主义政党的纲领和战略策略思想，促进了欧美各国无产阶级政党的建立，为世界各国无产阶级政党打下了牢固的思想基础。巴黎公社革命一百多年来的历史雄辩地证明，无产阶级只有建立马克思主义政党，只有坚持马克思主义政党的领导，无产阶级革命事业才能沿着正确的轨道不断走向胜利。

第十一章 《反杜林论》对马克思主义的系统化

　　自从《共产党宣言》公开问世之后，马克思主义经历了 1848 年和 1871 年两次革命风暴的检验，并在与工人运动的结合中得到了广泛的传播和深入的发展，成为工人运动的指导思想。19 世纪 70 年代上半期，在工人运动蓬勃发展、马克思主义广泛传播的同时，小资产阶级分子大量混入无产阶级队伍，各种反映小资产阶级立场、观点和要求的唯心主义哲学和冒牌社会主义主张应运而生。其中，以折中主义哲学和庸俗经济学为理论基础的杜林主义最为典型，它公开反对马克思主义。于是，国际共产主义运动内部展开了一场反对杜林主义、捍卫马克思主义的论战。在这场论战中，恩格斯写作了《反杜林论》，彻底回击了杜林向马克思主义发起的进攻，第一次系统地论述了马克思主义哲学、政治经济学和科学社会主义三个主要组成部分的基本原理以及它们之间的内在联系，对清除杜林主义对工人运动的消极影响，推动社会主义运动的发展起到了十分重要的作用。列宁指出，《反杜林论》是马克思主义的百科全书，是一部"每个觉悟工人必读的书籍"[1]。

第一节 《反杜林论》写作的背景

　　《反杜林论》是恩格斯为批判德国小资产阶级社会主义者欧根·杜林而写

---

[1] 《列宁选集》第 2 卷，人民出版社 2012 年版，第 310 页。

的一部论战性著作，它百科全书式地概述了马克思恩格斯在哲学、自然科学和历史问题上的基本观点，是马克思主义发展史上的经典名篇。

一、杜林主义的产生及其危害

19 世纪 70 年代，欧洲主要资本主义国家的生产力迅猛发展，科学技术空前繁荣，开始由自由资本主义向垄断资本主义阶段过渡。同时，国际工人运动总结了 1848 年欧洲革命和 1871 年巴黎公社的经验和教训，在无产阶级队伍进一步壮大的基础上，先后建立了社会主义的工人政党，积极宣传革命理论，组织群众，积蓄革命力量。国际工人运动的中心也由法国转移到了德国。1875 年 5 月，以马克思主义为指导的"德国社会民主工党"和以拉萨尔思想为根据的"全德工人联合会"合并成立为"德国社会主义工人党"（1890 年后又改名为德国社会民主党），结束了德国工人运动长期分裂的局面。但是，为了急于建立统一的工人政党，社会民主工党的领袖们对拉萨尔派作了无原则的让步，当时在德国党的领导中"流行着一种腐败的风气，同拉萨尔分子的妥协已经导致同其他不彻底分子的妥协"[①]。一些小资产阶级、小资产阶级的代表混入党内，使党内在思想上、理论上产生了严重的混乱，产生了各种反映小资产阶级立场观点和要求的唯心主义形而上学和冒牌社会主义。杜林主义就是在这种情况下开始流行起来的。

欧根·杜林（1833—1921）是杜林主义的主要代表人物，他出身于普鲁士贵族家庭，1856 年毕业于柏林大学法律系，1861 年在柏林大学获哲学系哲学博士学位。不久，他因严重的眼疾而双目失明。1863 年起，杜林任柏林大学哲学和经济学讲师。1877 年，他因抨击当时的大学教育制度而被迫离开大学讲坛。

杜林虽然是个盲人，但却著述很多，19 世纪 60 年代主要出版了《自然辩证法》（1865）、《凯里在国民经济学说和社会科学中实行的变革》（1865）、《生命的价值》（1865）、《资本和劳动》（1865）、《关于经济合作和社会结社的条陈》（1865）、《国民经济学说批判基础》（1866）、《哲学批判史》（1869）等著作。

[①] 《马克思恩格斯选集》第 4 卷，人民出版社 2012 年版，第 522 页。

1871—1875 年他又连续出版了一些著作。其中，《国民经济学和社会主义批判史》(1871)、《国民经济学和社会经济学教程》(1873) 和《哲学教程——严密科学的世界观和人生观》(1875)，"这三部八开本的巨著，在外观上和内容上都很有分量，这三支论证大军被调来攻击所有前辈哲学家和经济学家，特别是马克思"①。在这些书中，杜林以"社会主义的行家兼改革家"的身份，提出了自己的社会主义理论和改造社会的详尽计划，创造了一套包罗万象的社会主义体系。

杜林狂妄自大，把自己说成是"可以预见的"未来的唯一真正的哲学家，企图实行一次完全的"变革"，确立"最后的、终极的真理"，以此取代马克思主义在德国工人党和社会主义运动中的指导地位。1867 年 9 月，马克思的《资本论》第一卷问世后，杜林在德国报刊上发表评论文章，对这一著作进行肆意攻击。杜林"以政治经济学中的革命者自居"，用自己的浅薄去歪曲马克思，把李嘉图的局限性强加到马克思身上，把马克思的唯物辩证法同黑格尔的辩证法混同起来。当时，由于杜林在德国工人运动中影响不大，马克思和恩格斯没有对杜林的攻击进行专门回击，主要在 1868 年 1—3 月的通信中断断续续地分析和驳斥了杜林的一些错误观点。马克思指出："有些东西杜林显然不懂。最可笑的是，他把我跟施泰因相提并论，因为我是搞辩证法的，而施泰因则是通过以某些黑格尔范畴为外壳的死板的三分法，把各色各样的渣滓毫无意义地堆积起来。"②

到了 19 世纪 70 年代，杜林开始在他的主要著作中从哲学、经济学和社会主义理论方面对马克思主义展开全面的攻击，公开反对马克思主义。在哲学方面，杜林宣扬以庸俗唯物主义为基础的折中主义，诬蔑马克思的理论是"人所共知的哲学偏见"，说马克思的辩证法在于"为自己的信徒创造辩证法的奇迹"，而这个辩证法又是对黑格尔辩证法的简单因袭；在经济学方面，他倡导资产阶级庸俗政治经济学，攻击马克思关于资本的概念是"历史幻想和逻辑幻想的杂种"的"荒谬观念"，"只能在严谨的国民经济学中引起混乱"；在社会主义理论方面，杜林鼓吹资产阶级改良主义，建议在不改变资本主义生产方式的条件下实行"劳动平等"和"分配平等"。他攻击马克思的科学社会主义理论具有

---

① 《马克思恩格斯选集》第 3 卷，人民出版社 2012 年版，第 751 页。
② 《马克思恩格斯全集》第 32 卷，人民出版社 1974 年版，第 9—10 页。

"隐蔽的反动性",说马克思是由于借助了辩证法的拐杖才得以制造出未来的社会主义。

杜林以党内"大理论家"自诩,一方面公然剽窃各有关学科历史上和同时代思想家的许多成果,把它们当作其理论体系的组成内容;另一方面又以极端轻蔑的态度对他们中的绝大多数人横加指责甚至全盘否定:以极端轻蔑的态度谈论他的先驱者,对德国哲学家莱布尼茨、康德、费希特、谢林直至黑格尔等伟大的哲学家进行了无耻的诽谤和攻击,全盘否定他们在哲学上的成就;对自然科学家达尔文的成就和三个空想社会主义者的思想肆意诬蔑和谩骂;对拉萨尔特别是对马克思的理论进行了恶毒的诬蔑和猖狂的进攻。杜林把自己标榜为超越了他们的"终极真理"的发现者,认为一切被他作为理论阐述的概念、原则都具有至上的意义和无条件的真理权,以这些概念、原则为基础建立的理论体系是"最后的、终极的真理"。这种全面而"完善"的体系符合19世纪德国理论界"创造体系"、即使"最不起眼的哲学博士,甚至大学生,动辄就要创造一个完整的'体系'"①的风气。再加上杜林在其著作和演讲中以激进社会主义者的姿态和言辞抨击社会问题,虚构种种关于未来社会的方案,迎合了工人党和社会主义运动中不坚定或不成熟的年轻人的心理,使他逐步成为德国社会民主党的一面理论"旗帜"。杜林主义通过党内一些理论上不成熟和思想上不坚定分子的传播扩散到党内,造成了严重的思想混乱。

杜林主义对德国工人运动的危害尤其反映在德国社会主义工人党的一些领导人身上,伯恩施坦、莫斯特和恩斯等人曾一度成为杜林主义在德国党内的狂热信徒,把杜林主义当作"激进的"社会主义看待,甚至对其观点进行宣传。根据伯恩施坦自己的回忆,他读了杜林的《国民经济学和社会主义批判史》和《国民经济学和社会经济学教程》以后,认为杜林是"一位果断的科学家挺身而出做社会主义的见证人,而且力求用比马克思的著作易懂得多的语言与形式来叙述社会主义","他用其他任何人所不及的科学的激进主义补充了马克思,也可以说继续了马克思。"②莫斯特则在《柏林自由新闻报》上发表题为《一位哲学家》的长篇文章,吹捧杜林是"不倦的活跃的科学战士","沉重地打击腐

---

① 《马克思恩格斯选集》第3卷,人民出版社2012年版,第380页。

② [德]爱德华·伯恩施坦:《一个社会主义者的发展过程》,史集译,生活·读书·新知三联书店1962年版,第15页。

朽思想的代表"。伯恩施坦不仅亲自到柏林大学去听杜林的讲课，而且还把杜林的《国民经济学和社会经济学教程》寄给倍倍尔、莫斯特等人，认为这是一本对宣传社会主义很有影响的书。1874 年，倍倍尔在狱中读了这本书后，不仅未能识穿其空想社会主义本质，反而以《一个新的"共产党人"》为标题匿名发表文章，认为杜林的"基本观点是出色的"，"同科学共产主义理解的概念是完全一致的"，并指出："继马克思的《资本论》之后，杜林的最新著作属于经济学领域最近出现的优秀著作之列"①。作为党的机关刊物——《人民国家报》的负责人李卜克内西立即发表了倍倍尔的文章，表示对杜林著作的推荐。恩斯等人也在党内积极地鼓吹杜林主义，妄图把杜林主义强加于党，把党引上机会主义的邪路。

杜林对德国社会主义工人党的危害，不仅表现在理论上，而且还表现在组织上。他利用自己对德国社会主义工人党的影响，在自己周围纠集了一个包括伯恩施坦、莫斯特和恩斯等人在内的小宗派进行分裂党的种种阴谋活动，对刚刚统一起来的德国社会主义工人党造成严重危害。

二、马克思主义者反对杜林主义的斗争

杜林主义在德国工人运动中产生了极坏的影响，对党的团结和统一造成巨大威胁。恩格斯指出，"为了不在如此年轻的、不久前才最终统一起来的党内造成派别分裂和混乱局面的新的可能"②，也为了提高党的理论水平，保证德国工人运动沿着正确方向发展，对杜林主义展开批判势在必行。

1874 年 6—7 月间，马克思恩格斯写信给威廉·李卜克内西和布洛斯、赫普纳等人，警告他们要提防杜林主义对德国社会主义工人党的影响和危害。在马克思恩格斯的一再催促下，威廉·李卜克内西等党的领导人逐渐认识到杜林主义危害的严重性，多次致信恩格斯，请求他尽快彻底地对杜林思想进行批判。

---

① 中央编译局国际共运史研究室编：《研究〈反杜林论〉的参考史料》，生活·读书·新知三联书店 1980 年版，第 41、36、41 页。

② 《马克思恩格斯选集》第 3 卷，人民出版社 2012 年版，第 379 页。

马克思恩格斯应李卜克内西的请求，决定公开回击杜林的进攻。当时，由于马克思正集中精力完成《资本论》，恩格斯便毅然担负起批判杜林主义的责任。他指出："德国社会党正在迅速成为一股力量。但是，要使它成为一股力量，首先必须使这个刚刚赢得的统一不受危害。可是，杜林博士却公然准备在他周围建立一个宗派，作为未来的独立政党的核心。因此，不管我们是否愿意，我们必须应战，把斗争进行到底"。①1876 年 5 月，恩格斯决心暂时停下对自然辩证法的研究工作，"着手来啃这一个酸果。这是一只一上口就不得不把它啃完的果子；它不仅很酸，而且很大"②。1876 年 5 月 24 日，恩格斯致信马克思，表示要彻底批判杜林和杜林主义。马克思在次日回信中表示坚决支持这个想法。1876 年 9 月，在马克思的支持下，恩格斯决定"把一切都搁下来去收拾无聊的杜林"③。

恩格斯为批判杜林，进行了充分的准备工作：他订购杜林的书籍，搜集杜林的文章，阅读了许多相关著作和资料，认真研究、摘录和分析，写出了大量批判杜林的准备材料。到 1877 年 1 月，恩格斯写作了一系列批判杜林《哲学教程》的论文。从 1877 年 1 月 3 日到 5 月 13 日，这些论文以《欧根·杜林先生在哲学中实行的变革》为总标题在《前进报》上发表。后来，这些论文成为恩格斯《反杜林论》的引论和第一编。1877 年 7 月，上述论文以《欧根·杜林先生在科学中实行的变革。一、哲学》为题，用单行本的形式出版。这些文章一经发表，就在党内外引起了强烈影响，其中既有赞扬之声，也有反对者的阻挠。例如，弗里德里希·列斯纳写信给恩格斯，对其文章大加称赞，并建议译成法文和英文发表。而杜林及其追随者则暴跳如雷，极力阻挠。他们采取的方式主要是：一方面，让《前进报》编辑部把文章安排在次要的版面上，并且每次只登载很少的一段；而且，减少发表时间，由原定的恩格斯的批判文章每周三次连续发表，改成每周发表两次。事实上，迫于杜林追随者的压力，即使每周发表两次也没有得到很好的实施，文章的发表时辍时续，从 1877 年 4 月 29 日到 5 月 11 日期间，恩格斯文章的刊载甚至中断。恩格斯虽然提出抗议，但收效甚微。从 5 月 13 日起再次停载。另一方面，写文章进行反击。1877 年

---

① 《马克思恩格斯选集》第 3 卷，人民出版社 2012 年版，第 750 页。
② 《马克思恩格斯选集》第 3 卷，人民出版社 2012 年版，第 380 页。
③ 《马克思恩格斯文集》第 10 卷，人民出版社 2009 年版，第 414 页。

2 月，杜林分子恩斯写了题为《恩格斯对人的健全理智的谋杀或马克思主义的社会主义在科学上的破产》的文章，对恩格斯进行恶毒攻击。由于文章没有报刊愿意发表，于是他们就印成小册子散发。杜林主义者指责恩格斯批判杜林的文章言词形式激烈，向李卜克内西施加压力。同时，煽动一些人搞"签名的请愿书"，强烈抗议《前进报》发表恩格斯的文章，甚至要求《前进报》不再刊登批判杜林的文章，否则，他们就要求"退还预付的订报费"，等等。

在 1877 年 5 月 29 日，在德国社会民主党第三次代表大会上，杜林分子公然提出不要在党报上发表恩格斯的文章。杜林的追随者约·莫斯特提案，"代表大会声明，恩格斯最近几个月以来所发表的反对杜林的批判文章，丝毫不能引起《前进报》大多数读者的兴趣，甚至还引起了极大的愤慨，这类文章今后不应在中央机关报上发表"①。这一提案得到了杜林追随者的附和。对此，作为《前进报》编辑的李卜克内西则坚决反对，表示继马克思的《资本论》问世之后，这些反对杜林的论文是必须的，是来自党内的意义最重大的著作。但是，由于在这次代表大会的代表中，有相当数量的杜林分子和受其影响的人，所以，代表大会最后不得已通过一项妥协性的决定：在《前进报》科学附刊上或在科学《评论》[《未来》（Zukunft）杂志] 上或者以小册子形式发表这样的文章②。这个决定挫败了杜林分子要求停止在《前进报》上刊登恩格斯反对杜林文章的阴谋，取得了反对杜林主义斗争的决定性胜利。同时，大会所做出的妥协也暴露了德国工人党在合并后和遭到杜林主义侵蚀后理论素质的下降。

在马克思的支持和帮助下，恩格斯于 1877 年 6—12 月完成了《反杜林论》的第二编，即政治经济学编。其中，最后一章由马克思亲自撰写。此编以《欧根·杜林先生在政治经济学中实行的变革》为题，于 1877 年 7—12 月在《前进报》的学术附刊和附刊上发表。1878 年上半年，恩格斯写完社会主义编，于 1878 年 5—7 月以《欧根·杜林先生在社会主义中实行的变革》为题发表在《前进报》附刊上。

1877 年 7 月，第一编以《欧根·杜林先生在科学中实行的变革。一、哲学》为题在莱比锡出版了单行本。1878 年 7 月，第二编和第三编以《欧根·杜林先生在科学中实行的变革。二、政治经济学·社会主义》为题在莱比锡出版

---

① 《马克思恩格斯全集》第 34 卷，人民出版社 1972 年版，第 498—499 页注 92。
② 参见《马克思恩格斯全集》第 34 卷，人民出版社 1972 年版，第 498—499 页注 92。

了单行本。同时，恩格斯写了序言，将三部分合并以《欧根·杜林先生在科学中实行的变革。哲学·政治经济学·社会主义》为题，于 1878 年 7 月在莱比锡出版。这个书名套用了杜林于 1865 年在慕尼黑出版的《凯里在国民经济学说和社会科学中实行的变革》一书的书名，以此对其进行讽刺。此后出版的第 2 版和第 3 版均以《欧根·杜林先生在科学中实行的变革》为名，未加副标题"哲学·政治经济学·社会主义"。1879 年 11 月 14 日，恩格斯在给奥·倍倍尔的信中，把这部书称作《反杜林论》。1895 年，列宁在他的《弗里德里希·恩格斯》一文中，沿用了《反杜林论》这一书名。后来，《反杜林论》就成为这部著作的正式书名，而原书名则作为副标题载入史册。

《反杜林论》第 1 版出版后不久，俾斯麦政府开始实施"反社会党人非常法"，德国社会主义工人党被置于非法地位，马克思和恩格斯的著作，以及宣传社会主义的书籍和报刊均遭到查禁，《反杜林论》也被禁止发行。正如恩格斯在第 2 版序言中曾写道的："在反社会党人法颁布之后，这部著作和几乎所有当时正在流行的我的其他著作一样，立即在德意志帝国遭到查禁。"[①] 1880 年，应法国共产主义者拉法格的要求，恩格斯将《反杜林论》中的三章（引论的第一章和第三编的第一、二章）改编成一本独立的通俗著作，以《空想社会主义和科学社会主义》为名在巴黎出版，这就是现在我们所熟知的被马克思称为"科学社会主义的入门"的《社会主义从空想到科学的发展》。这本小册子的德文版仅在 1883 年就印行了 3 版，共 10 000 册。更为难得的是，1886 年还在"反社会党人非常法"实施期间，《反杜林论》出版了第 2 版，印数达 2300 册。正如恩格斯所说，人们"一定会明白这种措施带来的效果：被禁的书籍两倍、三倍地畅销，这暴露了柏林的大人先生们的无能，他们颁布了禁令，却不能执行。事实上，由于帝国政府的帮忙，我的若干短篇著作发行了比我自身努力所能达到的更多的新版"[②]。

三、马克思主义发展史上的一座丰碑

《反杜林论》在马克思主义发展史上占有极为重要的地位，是继《资本论》

---

① 《马克思恩格斯选集》第 3 卷，人民出版社 2012 年版，第 382 页。

② 《马克思恩格斯选集》第 3 卷，人民出版社 2012 年版，第 383 页。

之后产生的最重要的科学著作。恩格斯在写作《反杜林论》的时候，虽然无意于创造一个新的体系去与杜林相对抗，但是，由于杜林从许多思想家那里东抄一点，西抄一点，致使其新的社会主义理论涉及哲学、政治经济学和科学社会主义，成为"以某种新哲学体系的最终实际成果的形式出现"的"理论大拼盘"。① 针对论敌本身的特点，恩格斯不得不涉及非常广泛的科学领域。对此，恩格斯解释道，"对象本身的性质迫使批判不得不详尽，这样的详尽是同这一对象的学术内容即同杜林著作的学术内容极不相称的。但是，批判之所以这样详尽，还可以归因于另外两种情况"②。即一方面不仅要反驳杜林的观点，而且更为重要的是要全面阐发马克思主义各个组成部分的基本观点，另一方面是为了粉碎当时德国理论界所谓"创造体系"的思想，克服党内知识分子的幼稚病。恩格斯强调："消极的批判成了积极的批判；论战转变成对马克思和我所主张的辩证方法和共产主义世界观的比较连贯的阐述，而这一阐述包括了相当多的领域。"③《反杜林论》是马克思主义发展史上的一座丰碑，它第一次系统、全面地论述了马克思主义理论的主要内容，揭示了马克思主义哲学、政治经济学和科学社会主义三个主要组成部分的基本观点以及它们之间的内在联系，使马克思主义世界观第一次以"完整的体系"呈现在世人面前。它让广大工人和德国社会主义工人党的领导人都理解了艰深的马克思主义思想，及时纠正了在德国工人阶级政党中存在的机会主义倾向，克服了党内出现的思想上混乱和理论上的动摇，使刚刚合并而成的德国社会主义工人党达成思想共识，从而大大地促进了德国社会主义工人党思想上的成熟。同时，《反杜林论》被译成多种文字，促进了马克思主义在世界各国的传播，成千上万的工人群众通过学习《反杜林论》，掌握了无产阶级的理论和世界观。各国的马克思主义者也从《反杜林论》中获得了思想的武装。马克思指出，这部著作在德国社会主义工人党人中获得了巨大的成功，"真正有科学知识的人，都能够从恩格斯的正面阐述中汲取许多东西"④。列宁也指出，《反杜林论》是"马克思主义的百科全书"，是每一个觉悟工人必读的书籍。总之，《反杜林论》为国际共产主义运动提供了重要的理论指导，对国际共产主义运动产生了不可磨灭的深远影响。

---

① 参见《马克思恩格斯选集》第 3 卷，人民出版社 2012 年版，第 380 页。
② 《马克思恩格斯选集》第 3 卷，人民出版社 2012 年版，第 380 页。
③ 《马克思恩格斯选集》第 3 卷，人民出版社 2012 年版，第 383 页。
④ 《马克思恩格斯全集》第 34 卷，人民出版社 1972 年版，第 242 页。

第二节 马克思主义哲学的系统论证

在批判杜林的先验主义和形而上学的哲学观点的过程中，恩格斯对马克思主义哲学的基本观点及其内在联系作了全面论述。

一、马克思主义哲学体系的确立

杜林的庸俗社会主义观点以唯心主义哲学体系为基础。杜林以原则为研究对象，把自己的哲学体系分成一般的世界模式论、关于自然原则的学说以及关于人的学说三个部分。杜林在他的"模式论"中先验地制订原则以后，把这些原则运用于自然界和人类社会。恩格斯指出，杜林这种构造体系的方法完全是抄袭了康德和黑格尔的哲学。他在写作《反杜林论》时，无意创造一个新的体系与杜林相对抗，但是，由于批判的需要，使他不得不涉及非常广泛的领域。正如恩格斯所指出的："新的社会主义理论是以某种新哲学体系的最终实际成果的形式出现的。因此，必须联系这个体系来研究这一理论，同时研究这一体系本身。"① 在对杜林的先验主义和形而上学的哲学观点进行批判的过程中，恩格斯阐述了马克思主义哲学的基本观点及其内在联系，从而确立了马克思主义哲学的理论体系。

恩格斯通过对杜林"原则在先"的先验主义的世界模式论进行批判，科学地阐明了思维和存在的关系，确立了马克思主义哲学的基本原则。针对杜林哲学体系以原则为研究对象，恩格斯指出，杜林所谓的原则是从思维而不是从外部世界得来的那些形式的原则。杜林把这些原则视为先于物质世界的存在，并将这些原则运用于自然界和人类，这是一种把"全部关系都颠倒"，"把事物完全头足倒置"的唯心主义观点。对于杜林所讲的原则与外部世界的关系，恩格

---

① 《马克思恩格斯选集》第3卷，人民出版社2012年版，第380页。

斯给出了正面回答，指出哲学研究的出发点不是原则，而应当是客观世界，原则只是研究的最终结论，它"不是被应用于自然界和人类历史，而是从它们中抽象出来的；不是自然界和人类去适应原则，而是原则只有在符合自然界和历史的情况下才是正确的"①。这里，恩格斯明确表述了在思维和存在关系问题上的唯物主义观点。他进一步强调，思维和意识"都是人脑的产物，而人本身是自然界的产物，是在自己所处的环境中并且和这个环境一起发展起来的；这里不言而喻，归根到底也是自然界产物的人脑的产物，并不同自然界的其他联系相矛盾，而是相适应的"②，清楚地揭示出马克思主义哲学体系赖以建立的唯物主义原则。

恩格斯把马克思主义哲学理论放置在人类认识史中，通过与旧哲学的比较确定了马克思主义哲学的本质属性。恩格斯把马克思主义哲学称作"现代唯物主义"，从而区别于旧哲学，特别是形而上学唯物主义。同时指明，这种唯物主义是经过批判地吸收黑格尔哲学的辩证法成果，经过对形而上学唯物主义的否定而产生的与形而上学唯物主义根本不同的"现代唯物主义"。"现代唯物主义"没有脱离人类历史和思想文化的发展，相反，它是人类历史和思想文化的发展，特别是自然科学和历史科学的最新发展的产物。它科学地概括了"2000年来哲学和自然科学发展的全部思想内容以及这2000年的历史本身的全部思想内容"③，其中包括"自然科学的新近的进步"。因此，"现代唯物主义本质上都是辩证的"④。

恩格斯从哲学与科学的关系上，揭示了马克思主义哲学体系与旧哲学体系的本质区别。马克思主义哲学是适应近代自然科学发展的要求而产生的，它根本否定了一切旧哲学，即否定了作为科学之科学的旧哲学。恩格斯指出："一旦对每一门科学都提出要求，要它们弄清它们自己在事物以及关于事物的知识的总联系中的地位，关于总联系的任何特殊科学就是多余的了。"⑤由于不再需要任何凌驾于其他科学之上的哲学，因此，任何建立"科学的科学"的企图，都会既妨碍哲学自身的发展，也影响自然科学的进一步发展。马克思主义哲学

---

① 《马克思恩格斯选集》第3卷，人民出版社2012年版，第410页。
② 《马克思恩格斯选集》第3卷，人民出版社2012年版，第410—411页。
③ 《马克思恩格斯选集》第3卷，人民出版社2012年版，第517页。
④ 《马克思恩格斯选集》第3卷，人民出版社2012年版，第400页。
⑤ 《马克思恩格斯选集》第3卷，人民出版社2012年版，第400页。

作为一个严整的科学体系，正是一切旧哲学的所谓"科学的科学"体系的否定形式，它不再像旧哲学那样给各门具体科学提供关于事物及其知识的总联系的构想，而是给它们提供关于科学地认识世界的一般观点和方法。所以，恩格斯说，现代唯物主义"不应当在某种特殊的科学的科学中，而应当在各种现实的科学中得到证实和表现出来"①。正是在这种意义上，恩格斯说现代唯物主义"已经根本不再是哲学，而只是世界观"②，即世界观的理论体系。

恩格斯还从哲学研究的对象上划清了马克思主义哲学与旧哲学的根本区别。恩格斯指出，唯心主义哲学以思想、精神为研究对象，自然、社会在它们那里只不过是精神的附属物或产物。形而上学唯物主义虽然也研究自然、社会和思维，但却把它们当作静止、孤立的东西来看待，特别是在对社会本质的看法上与唯心主义无原则区别。马克思主义哲学则不同，它以自然、社会、思维运动发展的一般规律为研究对象，与各种唯心主义、形而上学的旧哲学相区别。恩格斯进一步指出："当我们通过思维来考察自然界或人类历史或我们自己的精神活动的时候，首先呈现在我们眼前的，是一幅由种种联系和相互作用无穷无尽地交织起来的画面，其中没有任何东西是不动的和不变的，而是一切都在运动、变化、生成和消逝。"③运动、变化和发展是一幅统一的图画，自然、社会和思维有着同样的运动和发展规律。恩格斯说："在自然界里，正是那些在历史上支配着似乎是偶然事变的辩证运动规律，也在无数错综复杂的变化中发生作用；这些规律也同样地贯串于人类思维的发展史中，它们逐渐被思维着的人所意识到。这些规律最初是由黑格尔全面地、不过是以神秘的形式阐发的，而剥去它们的神秘形式，并使人们清楚地意识到它们的全部的单纯性和普遍有效性，这是我们的期求之一。"④这个目的的实现也就是马克思主义哲学科学体系的建立。马克思主义哲学是关于自然、人类社会和思维的普遍规律的科学，即对现实世界的辩证运动及其普遍规律的理论反映和科学表达，是唯物主义的世界观和方法论的统一体。在这个科学的理论体系中，唯物辩证的自然观、历史观和思维观有机联系，构成一个不可分割的有机整体。以上就是恩格斯在《反杜林论》中批判杜林终极真理论的形而上学体系时确立并阐发的马克

---

① 《马克思恩格斯选集》第 3 卷，人民出版社 2012 年版，第 517 页。
② 《马克思恩格斯选集》第 3 卷，人民出版社 2012 年版，第 517 页。
③ 《马克思恩格斯选集》第 3 卷，人民出版社 2012 年版，第 790 页。
④ 《马克思恩格斯选集》第 3 卷，人民出版社 2012 年版，第 386 页。

思主义哲学的科学理论体系。

二、马克思主义的自然观

在具体阐述马克思主义哲学体系的基本内容时，恩格斯首先阐述了自然观。这一方面是由于批判杜林而不得不跟着杜林的体系走，另一方面，也是阐述马克思主义哲学体系的逻辑的和历史的要求。从世界发展的历史过程来看，在人类出现以前就存在着自然运动着的自然界，以后才出现人，出现人和自然的相互作用。对于马克思主义哲学来说，它的唯物主义性质也要求从具有"优先地位"的自然界开始自己的理论行程。

首先，恩格斯深刻论证了"世界的统一性在于它的物质性"这一辩证唯物主义自然观的前提。在关于世界统一性问题上，杜林企图超越于唯物主义和唯心主义之上，他既不说世界统一于物质，也不说世界统一于精神，而是首先创造出"包罗万象的存在是唯一的"这样一个所谓的哲学公理，然后靠玩文字游戏把存在的唯一性变成世界的统一性，提出"世界统一于存在"的命题。杜林认为，"存在"是唯一的又是统一的，没有任何内在的差别、运动和变化，客观世界就是从这样一种存在开始的，"只是从这样的存在—虚无，才发展出现在的分化了的、变化多端的、表现为一种发展、一种生成的世界状态"①。恩格斯指出，杜林所谓没有任何规定性的"存在"，显然是对存在作了唯心主义的理解。他从思维的统一性引申出存在的统一性，完全颠倒了思维和存在的关系。恩格斯在对杜林的这一命题作了深入的揭露和批判之后，指出："世界的统一性并不在于它的存在，尽管世界的存在是它的统一性的前提，因为世界必须先存在，然后才能是统一的。在我们的视野的范围之外，存在甚至完全是一个悬而未决的问题。世界的真正的统一性在于它的物质性，而这种物质性不是由魔术师的三两句话所证明的，而是由哲学和自然科学的长期的和持续的发展所证明的。"②"世界的真正的统一性在于它的物质性"这一论断是马克思主义哲学最基本的和最重要的原理，是整个马克思主义哲学

---

① 《马克思恩格斯选集》第 3 卷，人民出版社 2012 年版，第 419 页。
② 《马克思恩格斯选集》第 3 卷，人民出版社 2012 年版，第 419 页。

的基石。

其次，恩格斯深刻论证了马克思主义哲学的运动观和时空观。杜林认为，物质是一切现实的东西的载体，在物质以外不可能有任何机械力。机械力是物质的一种状态，在什么都不发生的原始状态中，物质及其状态即机械力是统一的。他用"宇宙介质"，即"物质和机械力的统一"来表明物质的自身等同状态，认为这一状态"既不是静态的，也不是动态的，既不处在平衡中，也不处在运动中"①。恩格斯揭露了这种观点的反辩证法和必然滑向唯心主义的错误，认为杜林把运动归结为机械力这样一种所谓的运动的基本形式，并没有说明机械力在什么地方，怎样才能把原始的不动的状态转到运动的状态，因而必然要从世界之外去寻找第一推动。恩格斯认为，物质和运动不可分割，"运动是物质的存在方式。无论何时何地，都没有也不可能有没有运动的物质"②。"没有运动的物质和没有物质的运动一样，是不可想象的"③。而且，物质的运动形式多种多样，主要有宇宙空间中的运动，各个天体上较小的物体的机械运动，表现为热或者表现为电流或磁流的分子振动，化学的分解和化合，有机生命。"宇宙中的每一个物质原子在每一瞬间都处在一种或另一种上述运动形式中，或者同时处在数种上述运动形式中。"④ 恩格斯在揭示了物质与运动的不可分性之后，还强调了物质运动的永恒性，指出"运动和物质本身一样，是既不能创造也不能消灭的"⑤。

为了更深刻地说明运动是物质的存在方式，恩格斯进一步揭示了运动与静止的辩证关系。他指出，运动是绝对的，"任何静止、任何平衡都只是相对的，只有对这种或那种特定的运动形式来说才是有意义的"⑥。运动与静止存在着互相对立的一面，静止表示事物的平衡状态，而运动则表示事物的平衡状态的破坏；同时，运动与静止又是相互联系的，运动以它的对立面即静止作为自己的度量，通过静止表现出来。"绝对的静止、无条件的平衡是不存在的。个别的运动趋向平衡，总的运动又破坏平衡。因此，出现静止和平衡，这是有限制的

---

① 《马克思恩格斯选集》第 3 卷，人民出版社 2012 年版，第 435 页。
② 《马克思恩格斯选集》第 3 卷，人民出版社 2012 年版，第 435 页。
③ 《马克思恩格斯选集》第 3 卷，人民出版社 2012 年版，第 436 页。
④ 《马克思恩格斯选集》第 3 卷，人民出版社 2012 年版，第 435 页。
⑤ 《马克思恩格斯选集》第 3 卷，人民出版社 2012 年版，第 436 页。
⑥ 《马克思恩格斯选集》第 3 卷，人民出版社 2012 年版，第 435 页。

运动的结果，不言而喻，这种运动可以用自己的结果来计量，可以用自己的结果来表现，并且通过某种形式从自己的结果中重新得出来。"① 杜林将运动和静止、平衡割裂开来，把静止、平衡绝对化，是形而上学的典型表现。

恩格斯驳斥了杜林关于时间、空间有限的形而上学观点，科学地阐明了时间、空间的无限性以及有限和无限的辩证关系。首先他阐明了时间和空间是运动着的物质的存在形式。杜林认为，物质在自身等同状态下，只有存在，而没有时间，鼓吹超时间的"宇宙不变状态"。恩格斯对杜林割裂物质与时空相统一的错误时空观进行批判，认为杜林用人们时间、空间概念的变化来否定其客观实在性以及与物质运动的不可分割性，其实质只是康德先验主义时空观的翻版而已。恩格斯指出："一切存在的基本形式是空间和时间，时间以外的存在像空间以外的存在一样，是非常荒诞的事情。"② 这里，恩格斯提出了马克思主义时空观的一个基本原理，即时间、空间和运动一样，都是物质世界本身固有的属性，是物质存在的基本形式。物质不仅不能脱离时间、空间，而且只有在时间、空间中才能运动。

在论证时间和空间与物质运动的客观联系的同时，恩格斯还精辟论述了时间和空间在运动、变化过程中的有限性与无限性的辩证关系。杜林从没有矛盾的无限性概念出发，得出"时空有限论"。恩格斯指出，杜林的这种错误观点是对康德关于时间、空间有限无限的"二律背反"学说的片面抄袭。为了批判杜林的观点，恩格斯对无限和有限的辩证关系进行分析，他指出，"无限性是一个矛盾，而且充满矛盾。""无限纯粹是由有限组成的"③，无限的时间和空间都是由在数量上不可穷尽的有限的时间和空间组成的。在时间或空间展开过程中的任何一个点，既是一个有限的部分，又是无限的时间或无限的空间的一个组成部分。"时间上的永恒性、空间上的无限性，本来就是，而且按照简单的词义也是：没有一个方向是有终点的，不论是向前或向后，向上或向下，向左或向右。"④ 实际上，"开端和终点正像北极和南极一样必然是互相联系的"⑤，过程中的每一个点，既可以是前一过程的终点，又可以是下个过程的开端，也

---

① 《马克思恩格斯选集》第 3 卷，人民出版社 2012 年版，第 438 页。
② 《马克思恩格斯选集》第 3 卷，人民出版社 2012 年版，第 428 页。
③ 《马克思恩格斯选集》第 3 卷，人民出版社 2012 年版，第 427 页。
④ 《马克思恩格斯选集》第 3 卷，人民出版社 2012 年版，第 425 页。
⑤ 《马克思恩格斯选集》第 3 卷，人民出版社 2012 年版，第 427 页。

就是说，开端和终点是相对的。总之，客观世界中每一个具体事物在时间和空间上都是有限的，但整个客观世界在时间和空间上是无限的。无限寓于有限之中，无限的世界是由无数的有限事物构成的。

最后，恩格斯对杜林关于新陈代谢是"生命过程独具的特性"的观点进行批判，以当时自然科学所取得的成果为基础，运用唯物辩证法对自然界的演化历史进行考察，提出了自然界的物质运动是一个从低级到高级发展，从无机界到有机界过渡的过程，深刻阐明了有机生命运动的辩证法。恩格斯指出："生命是蛋白体的存在方式，这种存在方式本质上就在于这些蛋白体的化学成分的不断的自我更新。"① 这一论述概括了生命现象的共同本质，既揭示了有机生命与无机物体之间的根本区别，也说明了生命运动的物质基础和实质。同时，恩格斯指出："我们的生命定义当然是很不充分的，因为它远没有包括一切生命现象，而只是限于最一般的和最简单的生命现象。在科学上，一切定义都只有微小的价值。要想真正详尽地知道什么是生命，我们就必须探究生命的一切表现形式，从最低级的直到最高级的。"② 恩格斯强调，不能用自己关于生命起源和本质的论断去取代具体科学的研究，而是要通过对自然界的各种运动形式，特别是生命运动这种较为高级的运动形式的考察，来进一步揭示自然界的客观辩证法。

三、马克思主义的历史观

马克思主义哲学历史观，即唯物史观，是马克思主义哲学的核心组成部分，马克思主义哲学的创立过程首先就是从发现和创立唯物史观开始的。与马克思主义哲学自然观相比，唯物史观是较早完善起来的科学理论，并为马克思主义政治经济学的创立和发展提供了科学的世界观和方法论基础。恩格斯在《反杜林论》中阐述的重点是自然界的辩证运动及其规律，但由于批判杜林的需要，他也对马克思和他过去已经系统阐述过的唯物史观作了进一步的补充和丰富。

---

① 《马克思恩格斯选集》第3卷，人民出版社2012年版，第458页。
② 《马克思恩格斯选集》第3卷，人民出版社2012年版，第459页。

其一，阐述了唯物史观的产生及其基本观点。恩格斯指出，唯物史观的产生是历史的必然。19世纪30、40年代，发生了一些"在历史观上引起决定性转变的历史事实"①，即1831年法国里昂工人起义和1838—1842年英国宪章运动，说明由于大工业的发展和资产阶级政治统治的发展，无产阶级和资产阶级的阶级斗争在欧洲最先进的国家上升到了重要地位。这一严峻的现实及其发展需要从理论上加以探讨和说明。但是，旧的、还没有被排除掉的唯心主义历史观由于"不知道任何基于物质利益的阶级斗争，而且根本不知道任何物质利益"②，根本不可能完成这一历史任务。新的事实迫使人们对以往的全部历史作一番新的研究，从而呼唤着唯物主义历史观的产生。这样，唯心主义从它的最后的避难所即历史观中被驱逐出去，唯物主义历史观被提了出来，从而找到了从人的存在，即从现实的社会物质生活条件出发来说明人的意识和人类历史，而不是用人们的意识说明人的存在和人类历史这样一条道路。恩格斯指出："以往的全部历史，都是阶级斗争的历史；这些互相斗争的社会阶级在任何时候都是生产关系和交换关系的产物，一句话，都是自己时代的经济关系的产物；因而每一时代的社会经济结构形成现实基础，每一个历史时期的由法的设施和政治设施以及宗教的、哲学的和其他的观念形式所构成的全部上层建筑，归根到底都应由这个基础来说明。"③正是从这个基本观点出发，马克思和恩格斯创立了唯物史观，这样一来，"唯心主义从它的最后的避难所即历史观中被驱逐出去了，一种唯物主义的历史观被提出来了，用人们的存在说明他们的意识，而不是像以往那样用人们的意识说明他们的存在这样一条道路已经找到了"④。唯物史观揭示了社会历史发展的基本规律以及社会发展的根本动力，它的创立是人类社会历史观上的一次伟大革命，它和剩余价值的发现一起使社会主义变成了科学。

其二，阐述了生产力与生产关系的辩证关系原理。恩格斯指出，社会生产力是一种不依人的意志为转移的客观力量，它决定着社会的生产关系或交换形式。一定社会历史时期的生产关系的产生和发展都是由生产力发展的要求所决定的。资本主义工业的发展，使"资产阶级摧毁了封建制度，并且在它的废墟

① 《马克思恩格斯选集》第3卷，人民出版社2012年版，第795页。
② 《马克思恩格斯选集》第3卷，人民出版社2012年版，第401页。
③ 《马克思恩格斯选集》第3卷，人民出版社2012年版，第401页。
④ 《马克思恩格斯选集》第3卷，人民出版社2012年版，第401页。

上建立了资产阶级的社会制度，建立了自由竞争、自由迁徙、商品占有者平等的王国，以及其他一切资产阶级的美妙东西"①。由于资本主义生产关系的确立适应了社会生产力发展的需要，因而"资本主义生产方式现在可以自由发展了。自从蒸汽和新的工具机把旧的工场手工业变成大工业以后，在资产阶级领导下造成的生产力，就以前所未闻的速度和前所未闻的规模发展起来了"②。但是，随着社会生产力的进一步发展，资本主义的生产关系由推动生产力发展的形式变成了阻碍生产力发展的桎梏。"正如从前工场手工业以及在它影响下进一步发展了的手工业同封建的行会桎梏发生冲突一样，大工业得到比较充分的发展时就同资本主义生产方式对它的种种限制发生冲突了。新的生产力已经超过了这种生产力的资产阶级利用形式；生产力和生产方式之间的这种冲突，并不是像人的原罪和神的正义的冲突那样产生于人的头脑中，而是存在于事实中，客观地、在我们之外，甚至不依赖于引起这种冲突的那些人的意志或行动而存在着。"③生产力这种客观的社会力量决定着人们在生产中结成客观的社会关系，生产力与生产关系的矛盾运动是一种客观的历史进程，决定着社会形态的依次更替。生产力决定生产关系，生产关系一定要适合生产力发展的要求，这是社会历史发展的基本规律。

其三，恩格斯对杜林抽象的平等观念进行驳斥，阐明了马克思主义平等观。杜林宣扬抽象的平等观，他从先验主义方法出发，独创了"两个人"的模式，得出"道德的基本公理"，即"两个人的意志"是"彼此完全平等的，而且一方不能一开始就向另一方提出任何肯定的要求"④。恩格斯对杜林浅薄而拙劣的唯心主义平等观进行驳斥，运用唯物主义历史观考察平等观的历史发展，指出平等观是一个历史范畴。在最古老的自然形成的公社中，最多只谈得上公社成员之间的平等，妇女、奴隶和外地人被排除在平等之外；在希腊人和罗马人那里，希腊人和野蛮人、自由民和奴隶、公民和被保护民、罗马的公民和罗马的臣民，在政治地位上有着天壤之别；而基督教所谓的平等也是承认一切人的"原罪"的平等和上帝选民的平等。可见，根本没有抽象的、"一般人的平等"，平等都是有条件的，不同历史时期，平等的内容是不

---

① 《马克思恩格斯选集》第 3 卷，人民出版社 2012 年版，第 655 页。

② 《马克思恩格斯选集》第 3 卷，人民出版社 2012 年版，第 655 页。

③ 《马克思恩格斯选集》第 3 卷，人民出版社 2012 年版，第 655—656 页。

④ 《马克思恩格斯选集》第 3 卷，人民出版社 2012 年版，第 474 页。

同的。资产阶级平等观是资本主义经济关系的产物，当"社会的经济进步一旦把摆脱封建桎梏和通过消除封建不平等来确立权利平等的要求提上日程"①的时候，资产阶级提出了自己的平等观，要求人权、要求进行自由贸易、平等交换的权利，并获得了"普遍的、超出个别国家范围的"性质，获得了普遍的意义，对于反对封建阶级的特权，促进资本主义的发展起了重要的作用。但是，由于阶级利益的局限性，资产阶级平等观实质上具有虚伪性和阶级性。恩格斯以美国宪法为例，对此作了说明。美国宪法"最先承认了人权，同时确认了存在于美国的有色人种奴隶制：阶级特权不受法律保护，种族特权被神圣化"②。伴随资产阶级平等要求的产生，出现了无产阶级平等要求。但是，这两种平等要求的内容是截然不同的，资产阶级的平等针对的是阶级特权，它要求消灭阶级特权，实现政治平等。无产阶级的平等要求针对的是阶级本身，要求消灭阶级，在社会的、经济的领域中实行平等。"无产阶级平等要求的实际内容都是消灭阶级的要求。任何超出这个范围的平等要求，都必然要流于荒谬。"③ 基于以上分析，恩格斯强调："平等的观念，无论以资产阶级的形式出现，还是以无产阶级的形式出现，本身都是一种历史的产物，这一观念的形成，需要一定的历史条件，而这种历史条件本身又以长期的以往的历史为前提。所以，这样的平等观念说它是什么都行，就不能说它是永恒的真理。"④

此外，恩格斯还对杜林永恒的、超阶级的道德观进行批判，阐明了道德的阶级性和历史性。在道德问题上，杜林借口"道德世界也有凌驾于历史和民族差别之上的不变的原则"⑤，把任何道德教条当作永恒的、终极的、从此不变的伦理规律，鼓吹"永恒道德论"。恩格斯认为，杜林从唯心主义和形而上学思想路线出发，鼓吹超历史、超阶级的所谓的"永恒道德论"，这既是荒谬绝顶，也不符合人类社会道德发展的实际情况。在批判杜林"永恒道德论"的基础上，他阐述了马克思主义道德观，得出了三个结论：第一，以往的一切道德，归根到底都是当时经济状况的产物。第二，道德始终是阶级的道德，它或者为统治阶级的

---

① 《马克思恩格斯选集》第3卷，人民出版社2012年版，第483页。
② 《马克思恩格斯选集》第3卷，人民出版社2012年版，第483页。
③ 《马克思恩格斯选集》第3卷，人民出版社2012年版，第484页。
④ 《马克思恩格斯选集》第3卷，人民出版社2012年版，第484—485页。
⑤ 《马克思恩格斯选集》第3卷，人民出版社2012年版，第471页。

统治和利益辩护，或者为被压迫阶级的解放服务。因此，在阶级矛盾和阶级压迫存在的社会里，没有超阶级的道德。第三，只有在消灭了阶级对立，而且在实际生活中也忘却了这种对立的社会发展阶段，即进入共产主义社会后，"超越阶级对立和超越对这种对立的回忆的、真正人的道德才成为可能"①。

四、马克思主义的认识论

在《反杜林论》中，恩格斯还阐述了人类思维的辩证运动及其规律，从而丰富了马克思主义哲学认识论。

针对杜林把本来意义的辩证法宣布为"纯粹的无稽之谈"，恩格斯对形而上学思维方式和辩证思维方式的实质进行了阐述，揭示了两者的根本对立。恩格斯认为，形而上学思维方式是 15 世纪下半叶以来自然科学日益发展的产物。近代自然科学的研究方法，是把自然过程和自然对象分成一定的门类，对有机体内部按其多种多样的解剖形态进行研究。这种研究方法是最近 400 年来在认识自然界方面获得巨大进展的基本条件。但是，这种做法也给我们留下了一种习惯，即把各种自然物和自然过程孤立起来，撇开宏大的总的联系去进行考察，这样，"就不是从运动的状态，而是从静止的状态去考察；不是把它们看做本质上变化的东西，而是看做固定不变的东西；不是从活的状态，而是从死的状态去考察"②。恩格斯指出，这种考察方式被培根和洛克从自然科学中移植到哲学中以后，就造成了最近几个世纪所特有的局限性，即形而上学的思维方式。这种形而上学思维方式把事物及其在思想上的反映即概念，看成是孤立的、应当逐个地和分别地加以考察的、固定的、僵硬的、一成不变的研究对象，在绝对不相容的对立中思维。

辩证的思维方式与形而上学的思维方式恰好相反，它在考察事物及其在观念上的反映时，本质上是"从它们的联系、它们的联结、它们的运动、它们的产生和消逝方面去考察的"③。到了 19 世纪，自然科学的发展进到一个新的阶

① 《马克思恩格斯选集》第 3 卷，人民出版社 2012 年版，第 471 页。
② 《马克思恩格斯选集》第 3 卷，人民出版社 2012 年版，第 396 页。
③ 《马克思恩格斯选集》第 3 卷，人民出版社 2012 年版，第 397 页。

段，即从收集、积累材料进到整理材料和把材料系统化，从以分析为主进到以综合为主，从经验自然科学进到理论自然科学。自然科学的发展已充分揭示了自然界的辩证性质，说明了"某种对立的两极，例如正和负，既是彼此对立的，又是彼此不可分离的，而且不管它们如何对立，它们总是互相渗透的"①，而且在一定条件下是相互转化的。自然科学所揭示的自然界的辩证性质证明了辩证思维方法的正确性，因此，恩格斯指出："要精确地描绘宇宙、宇宙的发展和人类的发展，以及这种发展在人们头脑中的反映，就只有用辩证的方法，只有不断地注意生成和消逝之间、前进的变化和后退的变化之间的普遍相互作用才能做到"②。

针对杜林形而上学地对待人的思维，鼓吹人的思维及其产物具有至上的意义和无条件的真理权，恩格斯阐述了思维至上性和非至上性的辩证关系。恩格斯指出，人的思维是作为无数亿过去、现在和未来的人的个人思维而存在的，"人的思维是至上的，同样又是不至上的，它的认识能力是无限的，同样又是有限的。按它的本性、使命、可能和历史的终极目的来说，是至上的和无限的；按它的个别实现情况和每次的现实来说，又是不至上的和有限的"③。一方面，只要人类足够长久地延续下去，只要在认识器官和认识对象中没有给这种认识规定界限，人的认识能力就是无限的，人可能完全地认识世界。也就是说，就人类认识的本性、认识的使命和历史最终目的来说，人的认识能力是无限的，人的思维具有至上性；另一方面，人类的思维又只能表现和实现于一系列的个人的思维之中，而这些个人的认识能力以及思维能力总是要受到主客观条件的限制，不可能完全地认识世界，从这个意义上说，人的认识能力是有限的，人的思维具有非至上性。人类的思维和认识，就是在这种至上与非至上、有限和无限的矛盾运动中发展的，而且，"这个矛盾只有在无限的前进过程中，在至少对我们来说实际上是无止境的人类世代更迭中才能得到解决"④。恩格斯指出，这一矛盾是人类思维和认识发展的内在动力，杜林不愿意承认思维的这种矛盾性质，企图猎取真正的、根本不变的真理，是不会有什么收获的。

恩格斯揭露了杜林关于"终极真理"的荒谬，阐述了真理与谬误的辩证关

① 《马克思恩格斯选集》第 3 卷，人民出版社 2012 年版，第 397 页。
② 《马克思恩格斯选集》第 3 卷，人民出版社 2012 年版，第 398 页。
③ 《马克思恩格斯选集》第 3 卷，人民出版社 2012 年版，第 463 页。
④ 《马克思恩格斯选集》第 3 卷，人民出版社 2012 年版，第 463 页。

系。在真理问题上，杜林从形而上学的思维方式出发，把真理和谬误绝对对立起来。恩格斯指出："真理和谬误，正如一切在两极对立中运动的逻辑范畴一样，只是在非常有限的领域内才具有绝对的意义……只要我们在上面指出的狭窄的领域之外应用真理和谬误的对立，这种对立就变成相对的"[1]。也就是说，在是否正确反映具体对象这个认识论的领域中，真理和谬误的对立是绝对的，它们是两种不同质的认识，是不容混淆的。但是，它们之间的对立又是相对的，是有条件的，如果超出了真理的适用范围，"对立的两极都向自己的对立面转化，真理变成谬误，谬误变成真理"[2]。

此外，恩格斯还依据人类认识和思维的辩证运动，阐述了自由与必然的辩证关系。黑格尔第一个正确地叙述了自由和必然之间的关系，认为自由是对必然的认识，必然只有在它没有被理解时才是盲目的。恩格斯认同黑格尔对自由和必然关系的理解，进一步指出："自由不在于幻想中摆脱自然规律而独立，而在于认识这些规律，从而能够有计划地使自然规律为一定的目的服务。"[3] 自由就是根据对自然界的必然性的认识来支配我们自己和外部自然，当人们尚未认识客观规律时，就处在被盲目必然性支配的状态，即处在必然王国之中。"意志自由只是借助于对事物的认识来作出决定的能力"[4]，人们获得意志自由程度的大小，取决于人类对客观必然性认识程度的高低，"人对一定问题的判断越是自由，这个判断的内容所具有的必然性就越大"[5]。也就是说，自由是以对必然性的认识为基础的，对必然性、规律性的认识越深刻，行动就越自由。相反，"犹豫不决是以不知为基础的，它看来好像是在许多不同的和相互矛盾的可能的决定中任意进行选择，但恰好由此证明它的不自由，证明它被正好应该由它支配的对象所支配。"[6] 恩格斯强调，自由是历史发展的产物，是世世代代的人们在生产和生活的实践中逐步获得的。随着生产力的发展，人类文明的每一个进步都是向自由的迈进。

---

① 《马克思恩格斯选集》第 3 卷，人民出版社 2012 年版，第 467 页。
② 《马克思恩格斯选集》第 3 卷，人民出版社 2012 年版，第 467 页。
③ 《马克思恩格斯选集》第 3 卷，人民出版社 2012 年版，第 491 页。
④ 《马克思恩格斯选集》第 3 卷，人民出版社 2012 年版，第 492 页。
⑤ 《马克思恩格斯选集》第 3 卷，人民出版社 2012 年版，第 492 页。
⑥ 《马克思恩格斯选集》第 3 卷，人民出版社 2012 年版，第 492 页。

五、马克思主义的辩证法

《反杜林论》是马克思恩格斯生前发表的著作中，第一部对唯物主义辩证法及其规律进行专门探讨的著作。恩格斯系统批评和改造了黑格尔的唯心主义辩证法，对唯物辩证法这一"关于自然界、人类社会和思维的运动和发展的普遍规律的科学"①的基本规律作了详细阐述。

恩格斯对杜林否定矛盾的客观性的形而上学观点进行批判，论证了矛盾规律的客观普遍性。杜林在其《哲学教程》中提出，"矛盾的排除"是关于存在的基本逻辑特性的第一个命题，而且也是最重要的命题，他认为，矛盾是"一个范畴，这个范畴只能归属于思想组合，而不能归属于现实"，强调"在事物中没有任何矛盾"，攻击辩证法的矛盾观点是荒谬的思想，是"背理的顶点"②。恩格斯一针见血地指出了杜林错误思想的根源："当我们把事物看做是静止而没有生命的，各自独立、彼此并列或先后相继的时候，我们在事物中确实碰不到任何矛盾。……如果限于这样的考察范围，我们用通常的形而上学的思维方式也就行了。但是一当我们从事物的运动、变化、生命和彼此相互作用方面去考察事物时，情形就完全不同了。在这里我们立刻陷入了矛盾。"③针对杜林排除矛盾的形而上学观点，恩格斯通过列举自然界、社会和思维方面的客观事实，论证了唯物辩证法矛盾规律的客观性和普遍性，指出"运动本身就是矛盾"④，"客观地存在于事物和过程本身中的矛盾"是"一种实际的力量"⑤，是一切事物运动、变化、发展的源泉和动力。甚至简单的机械的位移之所以能够实现，也只是因为物体在同一瞬间既在一个地方又在另一个地方，既在同一个地方又不在同一个地方。这种矛盾的连续产生和同时解决就形成了运动。恩格斯进一步指出，既然简单的机械的位移都包含着矛盾，那么物质的更高级的运动形式，特别是有机生命及其发展就更加包含着矛盾。恩格斯强调，矛盾客观地存在于一切事物和过程本身中，没有矛盾就没有世界。形而上学之所以否

① 《马克思恩格斯选集》第3卷，人民出版社2012年版，第520页。
② 《马克思恩格斯选集》第3卷，人民出版社2012年版，第496页。
③ 《马克思恩格斯选集》第3卷，人民出版社2012年版，第497—498页。
④ 《马克思恩格斯选集》第3卷，人民出版社2012年版，第497页。
⑤ 《马克思恩格斯选集》第3卷，人民出版社2012年版，第498页。

定客观世界的运动和发展，根本原因就在于否定了矛盾的客观存在。矛盾规律即对立统一规律是唯物辩证法最根本的规律，否定了矛盾的客观存在和矛盾规律的客观性和普遍性，也就否定了唯物辩证法。

恩格斯驳斥了杜林对马克思《资本论》运用辩证法进行的攻击和诬蔑，阐述了质和量相互转化的规律。量变和质变规律是唯物辩证法的基本规律之一，马克思在《资本论》中运用这一规律深刻分析了资本的本质。对此，杜林进行攻击和污蔑，把马克思的辩证法和黑格尔的辩证法错误地等同起来，认为马克思在《资本论》中的矛盾分析主要"引证黑格尔关于量转变为质这一混乱的模糊观念"而"显得多么滑稽"①，否定量变质变规律的客观普遍性。恩格斯驳斥了杜林对马克思思想的攻击和污蔑，阐述了质量互变规律。恩格斯指出，量变和质变是事物运动、变化和发展的两种基本形式，量变超出一定的限度就会改变事物的质，即"纯粹量的增多或减少在一定的关节点上引起质的飞跃"②。质变同样也会改变事物发展的量。量转化为质，质转化为量的规律是在自然界、人类社会和思维中都同样存在和经常起作用的客观规律，具有客观普遍性。恩格斯强调："我们还可以从自然界和人类社会中举出几百个这样的事实来证明这一规律。"③

恩格斯批判杜林对唯物辩证法否定之否定规律的攻击，论述了否定之否定规律的客观性和普遍性。杜林诬蔑马克思是以黑格尔的否定的否定规律为"助产婆"，得出了社会制度变革的理论。杜林认为，"马克思不依靠黑格尔的否定的否定，就无法证明社会革命的必然性，证明建立土地公有制和劳动所创造的生产资料的公有制的必然性"，把马克思得出的社会主义公有制的理论歪曲为"既是个人的又是社会的所有制"，是"黑格尔的被扬弃的矛盾的更高的统一"④。恩格斯指出，马克思从未提过什么所有制的更高的统一，这是杜林为了完全真理的利益而把他一手炮制的东西硬加给马克思的。恩格斯进一步指出，"使得杜林先生的生活充满烦恼"的"可怕的否定的否定"，实际上"是一个非常简单的、每日每地都在发生的过程，一旦清除了旧唯心主义哲学盖在它上面而且由杜林先生一类无可救药的形而上学者为了自身的利益继续盖在它上

① 《马克思恩格斯选集》第3卷，人民出版社2012年版，第421页。
② 《马克思恩格斯选集》第3卷，人民出版社2012年版，第420页。
③ 《马克思恩格斯选集》第3卷，人民出版社2012年版，第504页。
④ 《马克思恩格斯选集》第3卷，人民出版社2012年版，第508页。

面的神秘破烂，它是任何一个小孩都能够理解的"①。恩格斯用大麦粒的生长、蝴蝶的繁殖、岩层的更迭、代数值的运算、唯物主义世界观的发展历程、卢梭的平等学说等大量的事例，论证了否定之否定规律"是自然界、历史和思维的一个极其普遍的、因而极其广泛地起作用的、重要的发展规律"②。恩格斯指出，事物发展的否定之否定过程的根源在于其内部矛盾，辩证的否定过程就是矛盾对立面之间的转化，是事物内部矛盾运动的必然结果。辩证的否定不是外部强加的随意的否定，不是简单地说不，或宣布某一事物不存在，或用任何一种方式把它消灭。辩证的否定是"扬弃"，即否定、克服、消灭事物发展中消极的、衰亡的因素，肯定、发扬、保存事物发展过程中积极的、新生的因素，使事物沿着更高级的方向发展。恩格斯强调，由于每一个具体的事物的否定方式各不相同，因此决不能将否定的否定当作僵死的公式随意搬用。

第三节　马克思主义政治经济学的发展

在政治经济学领域，杜林宣扬他从资本主义制度的辩护士凯里那里抄袭来的一整套的庸俗经济学观点，歪曲和攻击马克思的政治经济学理论，特别是剩余价值学说。恩格斯驳斥了杜林的各种谬论，阐述了马克思主义政治经济学的一系列重要观点，从而丰富了马克思主义经济学说。

一、广义政治经济学的对象和方法

杜林从唯心史观和形而上学的哲学立场出发，提出政治经济学的研究对象是"一切经济的自然规律"，并企图在经济学领域建立"永恒真理"。对此，

---

① 《马克思恩格斯选集》第3卷，人民出版社2012年版，第514页。
② 《马克思恩格斯选集》第3卷，人民出版社2012年版，第519页。

恩格斯给予了揭露和批判，同时阐明了马克思主义关于政治经济学的对象和方法。

恩格斯给政治经济学下了经典定义，认为政治经济学"从最广的意义上说，是研究人类社会中支配物质生活资料的生产和交换的规律的科学"[1]，是"一门研究人类各种社会进行生产和交换并相应地进行产品分配的条件和形式的科学"[2]。这一定义不仅揭示了政治经济学的对象，而且还区分了广义的政治经济学与狭义的政治经济学，指出广义的政治经济学是研究一切社会形态的政治经济学，而狭义的政治经济学是资产阶级的政治经济学。

恩格斯将政治经济学的研究对象和方法有机地结合起来。在人类社会发展的不同阶段上，生产、分配和交换所处的社会历史条件在各个国家各不相同，即使在同一个国家，各个世代也各不相同，因而生产关系的类型也就不同。因此，政治经济学本质上是"一门历史的科学"，"它所涉及的是历史性的即经常变化的材料"[3]。恩格斯指出，政治经济学必须首先研究生产和交换的每一个别发展阶段的特殊规律，而后才能确立为数不多的、适用于生产一般和交换一般的、完全普遍的规律。杜林从唯心史观和形而上学的哲学立场出发，把"一切经济的第一个自然规律"看作政治经济学的研究对象，企图建立"永恒真理"，从根本上歪曲了政治经济学的研究对象，否认了经济学的历史性质。

恩格斯认为，历史地考察不同类型生产关系的特殊性，是政治经济学的任务。随着历史上一定社会的生产和交换方式方法的产生，同时也产生了产品分配的方式方法，而随着分配上的差别的出现，也出现了阶级差别。享有特权的和受歧视的阶级、剥削的和被剥削的阶级、统治的和被统治的阶级的分化，导致国家和暴力的产生。分配并不仅仅是生产和交换的消极产物，它反过来也影响生产和交换。"每一种新的生产方式或交换形式，在一开始的时候都不仅受到旧的形式以及与之相适应的政治设施的阻碍，而且也受到旧的分配方式的阻碍。新的生产方式和交换形式必须经过长期的斗争才能取得和自己相适应的分配。"[4]当一种生产方式处在自身发展的上升阶段的时候，与之相适应的分配方式就会受到人们的欢迎。但是，当一种生产方式走向没落阶段时，与之相适

---

[1] 《马克思恩格斯选集》第3卷，人民出版社2012年版，第525页。

[2] 《马克思恩格斯选集》第3卷，人民出版社2012年版，第528页。

[3] 《马克思恩格斯选集》第3卷，人民出版社2012年版，第525页。

[4] 《马克思恩格斯选集》第3卷，人民出版社2012年版，第527页。

应的分配方式由于不平等从而被认为是非正义的,人们就开始从已经过时的事实出发诉诸所谓的永恒正义。恩格斯指出,诉诸道德和法的做法并不能解决任何问题。相反,经济科学的任务在于,"证明现在开始显露出来的社会弊病是现存生产方式的必然结果,同时也是这一生产方式快要瓦解的征兆,并且从正在瓦解的经济运动形式内部发现未来的、能够消除这些弊病的、新的生产组织和交换组织的因素"①。

恩格斯指出,狭义的政治经济学"几乎只限于资本主义生产方式的发生和发展"②。古典经济学家不把他们所发现的生产和交换的规律看作是"这些活动的历史地规定的形式的规律",而视为"永恒的自然规律",是"从人的本性中引申出来的"③,从而来论证资本主义制度的永恒性。杜林继承了古典经济学家的错误,"把经济学归结为各种最后的终极的真理、永恒的自然规律、同义反复的毫无内容的公理,而同时又把他所知道的经济学的全部积极的内容再从后门偷运进来;他不会从生产和交换中引申出作为社会现象的分配,而是把它交给他那赫赫有名的两个男人去作最后的解决"④。恩格斯认为,要使对资产阶级经济的批判做到全面,只知道资本主义的生产、交换和分配的形式是不够的,必须对于发生在这些形式之前的或者不太发达的国家内部的和这些形式同时并存的那些形式加以研究和比较,至少是概括地加以研究和比较。恩格斯指出:"到目前为止,总的说来,只有马克思进行过这种研究和比较,所以,到现在为止在资产阶级以前的理论经济学方面所确立的一切,我们也差不多完全应当归功于他的研究。"⑤同时,还要对资本主义的生产方式进行批判,就是说,"从否定方面来表述它的规律,证明这种生产方式由于它本身的发展,正在接近它使自己不可能再存在下去的境地。这一批判证明:资本主义的生产形式和交换形式日益成为生产本身所无法忍受的桎梏;这些形式所必然产生的分配方式造成了日益无法忍受的阶级状况,造成了人数越来越少但是越来越富的资本家和人数越来越多而总的说来处境越来越恶劣的一无所有的雇佣工人之间的日益尖锐的对立;最后,在资本主义生产方式内部所造成的、它自己不再能驾驭的

---

① 《马克思恩格斯选集》第 3 卷,人民出版社 2012 年版,第 528 页。
② 《马克思恩格斯选集》第 3 卷,人民出版社 2012 年版,第 528 页。
③ 《马克思恩格斯选集》第 3 卷,人民出版社 2012 年版,第 530 页。
④ 《马克思恩格斯选集》第 3 卷,人民出版社 2012 年版,第 530 页。
⑤ 《马克思恩格斯选集》第 3 卷,人民出版社 2012 年版,第 529 页。

大量的生产力，正在等待着为有计划地合作而组织起来的社会去占有，以便保证，并且在越来越大的程度上保证社会全体成员都拥有生存和自由发展其才能的手段"①。马克思主义的政治经济学正是进行这种研究的科学，所以，它与17世纪所出现的那种只研究资本主义生产方式以论证资本主义制度永恒性的古典政治经济学不同，它是广义的政治经济学。

二、政治经济学的基本范畴

为了批驳杜林庸俗经济学的相关谬论，恩格斯对政治经济学的基本范畴进行了阐释。

针对杜林宣扬的"分配决定论"，恩格斯科学地阐述了生产、交换和分配之间的辩证关系。杜林割裂生产与分配的联系，宣扬庸俗的"分配决定论"。在杜林的经济学中，"首先把生产和交换合而为一，统称为生产，然后使分配同生产并列，把它当做同第一个过程毫不相干的、完全外在的第二个过程"②。最后，运用他的"两个人的思维模式"，"通过某种形式互相商定他们各自的份额"③。杜林指出，"为了十分严格地阐明某些最重要的分配关系，并且从胚胎状态上、从其逻辑必然性上去研究这些关系的规律，除了这种简单的二元论，的确不需要更多的东西……"④。这样，分配形式的差别和产生的原因在杜林那里就变得十分简单，要么是两个人在平等的基础上共同行动，要么就是一方以暴力压迫另一方。于是，杜林就把全部分配理论从经济学的领域搬到了道德和法的领域，将资本主义劳动产品分配方式以及它造成的赤贫和豪富、饥饿和穷奢极欲尖锐对立的状况看作是非正义的，认为正义总有一天要胜利。这样一来，必然会使人们长久地、消极地等待梦想千年王国的到来，而不是去积极地通过社会革命去变革现存的资本主义生产方式和分配方式。

恩格斯指出，不是分配决定生产和交换，而是恰恰相反，分配是由生产和一定的生产关系、交换关系所支配和决定的，"分配就其决定性的特点而言，总

---

① 《马克思恩格斯选集》第3卷，人民出版社2012年版，第529页。
② 《马克思恩格斯选集》第3卷，人民出版社2012年版，第532页。
③ 《马克思恩格斯选集》第3卷，人民出版社2012年版，第534页。
④ 《马克思恩格斯选集》第3卷，人民出版社2012年版，第534页。

是某一个社会的生产关系和交换关系以及这个社会的历史前提的必然结果，只要我们知道了这些关系和前提，我们就可以确切地推断出这个社会中占支配地位的分配方式"①。生产决定交换，生产和交换又决定分配，"随着历史上一定社会的生产和交换的方式和方法的产生，随着这一社会的历史前提的产生，同时也产生了产品分配的方式方法"②。随着生产方式和交换方式的变化，分配方式也必然要发生相应的变化。当然，分配并不仅仅是生产和交换的消极产物，它反过来也影响生产和交换。新的生产方式和交换方式一开始都会受到旧的分配方式的阻碍，必须经过长期的斗争才能取得和自己相适应的分配方式。但是，与新的生产方式相适应的新的分配方式在促进生产发展的同时，也会有发生冲突的情况，而且，"某种生产方式和交换方式越是活跃，越是具有成长和发展的能力，分配也就越快地达到超过它的母体的阶段，达到同当时的生产方式和交换方式发生冲突的阶段"③。恩格斯把古代自然形成的公社与现代资本主义社会进行对比发现：前者在同外界的交往使它们内部产生财产上的差别从而开始解体以前，可以存在几千年，而资本主义生产则相反，它存在还不到 300 年，而且只是从大工业出现以来即 100 年以来才占据统治地位，而在这个短短的时期内就已经造成了分配上的对立。一方面，资本积聚于少数人手中；另一方面，一无所有的群众集中在大城市，基于此，恩格斯得出资本主义"必然要趋于灭亡"的结论。恩格斯进一步指出，资本主义必然走向灭亡，现代社会主义必然获胜，不是基于正义和非正义的观念，而是基于现实的客观的经济规律，即"现代资本主义生产方式所造成的生产力和由它创立的财富分配制度，已经和这种生产方式本身发生激烈的矛盾，而且矛盾达到了这种程度，以至于如果要避免整个现代社会毁灭，就必须使生产方式和分配方式发生一个会消除一切阶级差别的变革"④。

三、经济与政治暴力的关系

恩格斯对杜林关于政治暴力决定经济关系的历史唯心主义观点进行批判，

---

① 《马克思恩格斯选集》第 3 卷，人民出版社 2012 年版，第 532 页。
② 《马克思恩格斯选集》第 3 卷，人民出版社 2012 年版，第 526 页。
③ 《马克思恩格斯选集》第 3 卷，人民出版社 2012 年版，第 527 页。
④ 《马克思恩格斯选集》第 3 卷，人民出版社 2012 年版，第 537 页。

对暴力进行了历史唯物主义阐释，科学地阐述了经济与政治暴力的关系。

杜林从唯心史观出发，把"基于暴力的所有制"作为经济学体系的基础，用暴力来解释一切"经济现象"。在杜林看来，"政治关系的形式是历史上基础性的东西，而经济的依存不过是一种结果或特殊情形，因而总是次等的事实"，虽然这些次等的结果本身确实是存在的，但是，"本原的东西必须从直接的政治暴力中去寻找，而不是从间接的经济力量中去寻找"①。针对杜林的这一谬论，恩格斯指出："暴力仅仅是手段，相反，经济利益才是目的。目的比用来达到目的的手段要具有大得多的'基础性'，同样，在历史上，关系的经济方面也比政治方面具有大得多的基础性"②。

杜林把资本主义所有制称为"基于暴力的所有制"，并且称它为"一种统治形式"，认为这种统治形式的基础在于"强迫人们从事奴隶的劳役"。对此，恩格斯指出，杜林把全部关系弄颠倒了，"私有财产在历史上的出现，决不是掠夺和暴力的结果"。③早在古代自然形成的公社中，私有财产就已经存在。"私有财产的形成，到处都是由于生产关系和交换关系发生变化，都是为了提高生产和促进交换——因而都是由于经济的原因。""暴力虽然可以改变占有状况，但是不能创造私有财产本身。"④劳动产品转化为商品，对古代公社的瓦解，因而对私有制的直接或间接的普遍化起了重要的作用。"马克思在《资本论》中再清楚不过地证明（杜林先生小心翼翼地对此甚至一字不提），商品生产达到一定的发展程度，就转变为资本主义的生产。"⑤恩格斯强调："全部过程都由纯经济的原因来说明，而根本不需要用掠夺、暴力、国家或任何政治干预来说明。'基于暴力的所有制'，在这里，原来也不过是用来掩饰对真实的事物进程毫不了解的一句大话。"⑥

恩格斯通过梳理资产阶级的发展史，驳斥了杜林关于"政治状态是经济状况的决定性的原因"的观点。恩格斯指出，资产阶级是在反对封建制度的斗争中发展起来的，在斗争中，"资产者的决定性的武器是他们的经济上的权力手

---

① 《马克思恩格斯选集》第3卷，人民出版社2012年版，第538页。
② 《马克思恩格斯选集》第3卷，人民出版社2012年版，第539页。
③ 参见《马克思恩格斯选集》第3卷，人民出版社2012年版，第540—541页。
④ 《马克思恩格斯选集》第3卷，人民出版社2012年版，第542页。
⑤ 《马克思恩格斯选集》第3卷，人民出版社2012年版，第542页。
⑥ 《马克思恩格斯选集》第3卷，人民出版社2012年版，第543页。

段，这些手段由于工业（起初是手工业，后来扩展成为工场手工业）的发展和商业的扩展而不断增长起来。"①资产阶级革命不是按照杜林先生的原则，使经济状况适应政治状态，而是相反，把陈腐的政治废物抛开，并造成使新的"经济状况"能够存在和发展的政治状态。"经济状况"在与之适应的政治的和法的氛围中蓬勃地发展起来，以致产生了违背资产阶级意志和愿望的结果，即以自然的必然性把整个资产阶级社会推向毁灭，或者推向变革。恩格斯认为，资产阶级求助于暴力以使日益瓦解的"经济状况"免于崩溃，以为用"本原的东西"，用"直接的政治暴力"就能改造那些"次等的事实"，即经济状况及其不可避免的发展，这一认识完全和杜林一样想入非非，根本不具备实现的可能。

恩格斯通过分析实现暴力的前提和途径，进一步揭露杜林"万能暴力论"的荒谬，指出仅仅从暴力与经济的关系来看，暴力也必须以经济为前提。恩格斯指出："暴力不是单纯的意志行为"，它的实现要求具备武器这一现实前提。而武器的生产又必须以整个生产为基础，即以经济力量和经济状况为基础。恩格斯以暴力的两种主要形式陆军和海军为例，进一步说明，陆军和海军需要巨额的金钱，但是暴力不能铸造金钱，最多只能夺取已经铸造出来的金钱。归根结底，金钱必须通过经济的生产才能取得。也就是说，"暴力还是由经济状况来决定的，经济状况给暴力提供配备和保持暴力工具的手段"②。恩格斯对现代战争和军队对经济的依赖关系进行分析，指出："军队的全部组织和作战方式以及与之有关的胜负，取决于物质的即经济的条件：取决于人和武器这两种材料，也就是取决于居民的质和量以及技术。""在任何地方和任何时候，都是经济条件和经济上的权力手段帮助'暴力'取得胜利，没有它们，暴力就不成其为暴力。谁要是想依据杜林的原则从相反的观点来改革军事，那么他除了挨揍是不会有别的结果的。"③基于以上分析，恩格斯指出，暴力本身的"本原的东西"就是经济力量，是支配大工业这一权力手段的因素。

恩格斯通过对杜林关于"人对人的统治是人对自然界的统治的前提"的断言进行批判，进一步分析了经济和政治的关系。恩格斯指出，杜林用"暴力"

---

① 《马克思恩格斯选集》第 3 卷，人民出版社 2012 年版，第 544 页。
② 《马克思恩格斯选集》第 3 卷，人民出版社 2012 年版，第 546 页。
③ 《马克思恩格斯选集》第 3 卷，人民出版社 2012 年版，第 551 页。

说明阶级和统治关系的产生，足以说明整个暴力论的荒谬性。恩格斯分析了统治关系和奴役关系产生的两种途径。一种途径是，人们最初脱离动物界，进入原始社会，生产能力未必比动物强，那时普遍存在着生活状况的某种平等，对于家长，也存在着社会地位的某种平等，至少没有社会阶级。在每个这样的公社中，一开始就存在着一定的共同利益，维护这种利益的工作，虽然是在全体的监督之下，却不能不由个别成员来担当。这些职位被赋予了某种全权，这是国家权力的萌芽。随着生产力水平逐步提高，各个公社之间在一些场合产生共同利益，在另外一些场合又产生相互抵触的利益，而这些公社集合为更大的整体又引起新的分工，建立保护共同利益和防止相互抵触的利益的机构。这些机构日益变得更加独立，并逐渐上升为对社会的统治。因此，恩格斯指出："政治统治到处都是以执行某种社会职能为基础，而且政治统治只有在它执行了它的这种社会职能时才能持续下去"①。

　　统治关系和奴役关系产生的另外一种途径是，当生产力的发展达到这样一种程度："现在人的劳动力所能生产的东西超过了单纯维持劳动力所需要的数量；维持更多的劳动力的资料已经具备了；使用这些劳动力的资料也已经具备了；劳动力获得了某种价值。但是公社本身和公社所属的集团还不能提供多余的可供自由支配的劳动力"②。这时，战争却提供了这种劳动力，人们不再像以前简单地把战俘杀掉，甚至吃掉，而是让他们活下来，并且使用他们的劳动。这就是奴隶制的产生。可见，"不是暴力支配经济状况，而是相反，暴力被迫为经济状况服务"③。于是，奴隶制很快就在一切已经发展得超过古代公社的民族中成了占统治地位的生产形式，并使农业和工业之间的更大规模的分工成为可能，从而为古代世界的繁荣奠定了基础。恩格斯指出："我们永远不应该忘记，我们的全部经济、政治和智力的发展，是以奴隶制既成为必要、又得到公认这种状况为前提的。在这个意义上，我们有理由说：没有古希腊罗马的奴隶制，就没有现代的社会主义。"④

　　可见，政治是在经济发展到一定阶段上产生的，并且主要是由于经济的需要而产生的。经济决定着政治的产生，政治又直接为经济服务。历史上，每个

①　《马克思恩格斯选集》第3卷，人民出版社2012年版，第560页。
②　《马克思恩格斯选集》第3卷，人民出版社2012年版，第560页。
③　《马克思恩格斯选集》第3卷，人民出版社2012年版，第560页。
④　《马克思恩格斯选集》第3卷，人民出版社2012年版，第561页。

阶级拼死搏斗的根本目的，就是为了争取或维护本阶级的经济利益。一切阶级斗争的最终结局也都是由经济所决定。仅仅从暴力与经济的关系来看，暴力也必须以经济为前提。

同时，恩格斯并没有忽视政治所具有的一定的独立性和能动性。一方面，恩格斯认为，一切政治权力起先都是以某种经济的、社会的职能为基础的，随着社会成员由于原始公社的瓦解而变为私人生产者，政治权力日益独立化，并演变为凌驾于社会之上并且具有自身特殊利益的强大的国家权力。同时，恩格斯强调了政治对经济的反作用，指出："政治权力在对社会独立起来并且从公仆变为主人以后，可以朝两个方向起作用。或者它按照合乎规律的经济发展的精神和方向发生作用，在这种情况下，它和经济发展之间没有任何冲突，经济发展加快速度。或者它违反经济发展而发生作用，在这种情况下，除去少数例外，它照例总是在经济发展的压力下陷于崩溃"①。

针对杜林对暴力的完全否定，恩格斯提出必须肯定暴力在历史上的作用。虽然杜林把暴力当作一切经济现象的终极原因和最后说明，但是，他却把暴力看作是"绝对的坏事"，"他的全部叙述只是哀诉这一暴力行为怎样作为原罪玷污了到现在为止的全部历史"②。对此，恩格斯对暴力的历史作用作了高度评价，指出："暴力在历史中还起着另一种作用，革命的作用；暴力，用马克思的话说，是每一个孕育着新社会的旧社会的助产婆；它是社会运动借以为自己开辟道路并摧毁僵化的垂死的政治形式的工具。"③恩格斯认为，杜林只看到了"暴力的任何使用都会使暴力使用者道德堕落"，却忽略了"每一次革命的胜利带来的道德上和精神上的巨大跃进"④。

四、马克思主义政治经济学的理论基础

劳动价值论是马克思主义政治经济学的理论基础，是马克思创立剩余价值论的基石。恩格斯对杜林错误的价值理论进行系统深入的批判，驳斥了杜林对

---

① 《马克思恩格斯选集》第3卷，人民出版社2012年版，第563页。
② 《马克思恩格斯选集》第3卷，人民出版社2012年版，第564页。
③ 《马克思恩格斯选集》第3卷，人民出版社2012年版，第564页。
④ 《马克思恩格斯选集》第3卷，人民出版社2012年版，第564页。

马克思剩余价值理论的歪曲和攻击，并对剩余价值理论及其重大意义作了深入阐述。

恩格斯首先对杜林错误的价值理论进行了批判。关于什么是价值，杜林认为，"'价值是经济物品和经济服务在交往中所具有的意义。'这种意义相当于'价格或其他任何一种等价物名称，如工资'"①。也就是说，在杜林看来，"价值就是价格"，"在价格和价值之间，除了一个是以货币来表现，另一个不是以货币来表现以外，再没有其他任何区别了。"②可见，杜林实际上是把价值和价格两个不同的概念相混淆，根本没有说明什么是价值，更不能说明价值是由什么决定的。杜林从他的错误的价值定义出发，构造了生产价值、分配价值、由劳动时间计量的价值、由再生产费用计量的价值、由工资计量的价值五种混乱不清的价值论。

关于生产价值。杜林认为，自然条件的不同，使得创造物品的种种努力遇到的障碍大小不同，价值就是根据"自然界和各种条件对创造活动的阻力来估价的……我们在它们〈物品〉里面所投入的我们自己的力量的多少，就是一般价值和某一特定的价值量存在的直接的决定性原因"③。这就是说，杜林认为，价值是生产物品的过程中克服自然界抵抗所投入的力量，价值量是这种投入的力量的大小。恩格斯指出，杜林关于价值和价值量的说法是完全错误的，这是因为，如果某个人制造的是对于别人没有使用价值的物品，那么他的全部力量就不能造成丝毫价值；即使制造的是对别人有使用价值的物品，也只有通过交换进入社会消费才成为商品，从而所投入的力量才能产生价值。而且，价值量也并不以个人投入的劳动多少而定，而是要以社会必要劳动为标准来计算。恩格斯指出："第一，问题在于把力量投入什么物品；第二，是怎样投入的"④。

关于分配价值。杜林认为，商品价值的形成除了自然界造成的阻力，还有另一种纯社会的障碍，分配价值就来自这种纯社会的障碍，即某个人"手持利剑"逼出来的附加税。可见，杜林所谓的"分配价值"就是指附加在生产价值之外的价值，这实际上是一种垄断价格。恩格斯指出，按照杜林的"分配价值"理论，商品要具有垄断价格，只有两种情况是可能的：一是，"每个人作

---

① 《马克思恩格斯选集》第3卷，人民出版社2012年版，第567页。
② 《马克思恩格斯选集》第3卷，人民出版社2012年版，第568页。
③ 《马克思恩格斯选集》第3卷，人民出版社2012年版，第568页。
④ 《马克思恩格斯选集》第3卷，人民出版社2012年版，第568页。

为买主重新丧失他作为卖主所获得的东西；价格虽然在名义上改变了，但是实际上——在它们的相互关系中——保持不变；一切还是照旧，而有名的分配价值只不过是假象。"二是，"所谓的附加税表现为一个真实的价值额，即由劳动的、创造价值的阶级所生产，但被垄断者阶级所占有的价值额，这时，这个价值额就只由无酬劳动组成；尽管有手持利剑的人，尽管有所谓的附加税和所称的分配价值，我们在这种情况下还是回到了马克思的剩余价值理论。"①基于以上分析，恩格斯指出，所谓"分配价值"即"通过社会地位而强加的商品加价，借助于利剑而逼出来的税"②，在现实生活中是不可能存在的虚无，商品的价值只能由生产它们的劳动来决定。

关于由劳动时间计量的价值。杜林为了把他前后矛盾的双重的价值观点统一起来，以表明他的价值论的"纯洁性"，又提出生产价值和分配价值"总有一些共同的东西作为基础"，这种共同的东西就是体现于每个商品中的"人力的花费"，这就是所谓的"由劳动时间计量的价值"。恩格斯指出，如果一切商品的价值都是由商品所体现的人力的花费来计量，那么所谓"分配价值"，即商品加价和借助利剑逼出来的赋税就不可能产生。这样，"由劳动时间计量的价值"，不但没有解决杜林所谓的生产价值和分配价值之间的矛盾，反而使其陷入了更深的新的矛盾。

关于由再生产费用计量的价值。杜林认为，一件商品的价值是由体现在这件商品中的劳动时间决定的，而这一劳动时间的价值是由劳动者的生存时间决定的，而生存时间又是由在这个时间内维持工人生活所必需的生活资料的价值决定的。这样，杜林就认为一件商品的价值是由包含在这件商品中的工资决定的，而工资又属于生产费用和再生产费用，因此，商品的价值就由生产费用和再生产费用来决定。这里，杜林实际上是抄袭了庸俗经济学家的"再生产费用论"，其目的是要说明工资是生产价值，利润是分配价值，从而为资本主义的剥削制度作辩护。恩格斯指出，杜林的生产费用决定商品价值的观点，使他的关于"价值论的充满矛盾的胡言乱语，终于转化为美妙和谐的明白见解了"③。

关于由工资计量的价值。杜林认为，生产费用是劳动的支出，而这种支出

① 《马克思恩格斯选集》第3卷，人民出版社2012年版，第569、570页。
② 《马克思恩格斯选集》第3卷，人民出版社2012年版，第572页。
③ 《马克思恩格斯选集》第3卷，人民出版社2012年版，第573页。

用营养费用来计量，因此，劳动"归结为生存时间，而生存时间的自我维持又表现为对营养上和生活上一定数量的困难的克服"①。在杜林看来，商品的价值是由劳动时间决定的，而劳动时间等于人的生存时间，人的生存时间又等于生活费用，生活费用又等于工资，所以，商品的价值就是由工资计量的。恩格斯指出："工人所完成的和他所花费的，正像机器所完成的和它所花费的一样，是不同的东西。"②因为，劳动力的价值是由再生产劳动力所必需的生活资料的价值决定的，而劳动力的使用，即劳动所创造的价值超过了劳动力本身的价值，因此，工资不是劳动的价格，而是劳动力价值或价格的转化形式。恩格斯指出，杜林的这一观点实际上是混淆了劳动力的价值和劳动所创造的价值，是资产阶级庸俗经济学的翻版，其目的是企图掩盖资本主义剥削的实质。

恩格斯在深刻批判杜林价值论的基础上，进一步驳斥了杜林对马克思的攻击和污蔑。杜林认为，马克思的价值论"对所谓熟练劳动的不同价值应该怎样去思考"这个问题是"完全不清楚的"。针对杜林的污蔑，恩格斯指出，马克思已经阐述了复杂劳动和简单劳动的关系，即"比较复杂的劳动只是自乘的或不如说多倍的简单劳动，因此，少量的复杂劳动等于多量的简单劳动。"③也就是说，马克思是以简单劳动为基础来计算商品的价值量的，而复杂劳动是作为简单劳动的倍数来计算的。恰恰相反，杜林混淆了简单劳动和复杂劳动的区分，认为"一切劳动时间毫无例外地和在原则上都是完全等价的"，"在经济公社中也只能用耗费的劳动时间来计量经济物品的价值"④。恩格斯进一步对杜林所谓"一切劳动的完全等价"的观点进行批判，指出："如果劳动时间的等价所包含的意义，是每个劳动者在相等的时间内生产出相等的价值，而不必先得出一种平均的东西，那么这显然是错误的。即使是同一生产部门内的两个工人，他们在一个劳动小时内所生产的产品价值也总是随着劳动强度和技巧的不同而有所不同。"⑤可见，混淆简单劳动和复杂劳动的是杜林，而不是马克思。恩格斯在批判杜林错误的价值理论的基础上，驳斥了杜林对马克思剩余价值理论的歪曲和攻击，并进一步阐发了剩余价值理论。杜林在攻击马克思时，硬说马克思认为"资

---

① 《马克思恩格斯选集》第3卷，人民出版社2012年版，第572页。
② 《马克思恩格斯选集》第3卷，人民出版社2012年版，第573页。
③ 《马克思恩格斯选集》第3卷，人民出版社2012年版，第577页。
④ 《马克思恩格斯选集》第3卷，人民出版社2012年版，第579页。
⑤ 《马克思恩格斯选集》第3卷，人民出版社2012年版，第581页。

本是由货币产生的"。针对杜林对马克思观点的歪曲，恩格斯指出，马克思在研究货币转化为资本的过程时就已经首先发现："货币作为资本流通的形式，同货币作为商品的一般等价物流通的形式是相反的。简单的商品占有者为买而卖；他卖出他不需要的东西，而以所得的货币买进他需要的东西。未来的资本家一开头就买进他自己不需要的东西；他为卖而买，而且要卖得贵些，以便收回最初用于购买的货币价值，并且在货币上获得一个增长额；马克思把这种增长额叫做剩余价值。"① 也就是说，资本和货币是两个根本不同的范畴，虽然资本最初以货币形式表现出来，但并不能由此说资本就是从货币产生的。

恩格斯进而阐述了剩余价值的来源。恩格斯指出："应该转化为资本的货币的价值增长，不能在这种货币上发生，也不能起源于购买，因为这种货币在这里只是实现商品的价格，和商品的价值是没有区别的。根据同一理由，价值的增长也不能由商品的出卖产生。所以这种变化必定发生在所购买的商品中，但不是发生在商品的价值中，因为商品是按照它的价值买卖的，而是发生在商品的使用价值本身中，就是说，价值的变化一定是从商品的消费中产生。"② 而要从商品的消费中取得价值，货币占有者就必须在市场上发现这样一种商品，它的使用价值本身具有成为价值源泉的独特属性，也就是说，它的消费本身就是劳动，从而能创造价值，而劳动力就是这样一种特殊的商品。"劳动力的价值和劳动力在劳动过程中实现的价值，是两个不同的量"③。劳动力的价值"同任何其他商品的价值一样，也是由生产从而再生产这种独特物品所必要的劳动时间决定的"④，就是说，是由工人为制造维持自己能劳动的状态和延续后代所需要的生活资料而必须耗费的劳动时间决定的。而劳动力的使用价值，即消费劳动力本身，不仅能够创造价值，而且创造的价值大于它本身的价值，大于的部分就是剩余价值。恩格斯举例说明："工人每天使货币占有者付出 6 小时劳动的价值产品，但是他每天向货币占有者提供 12 小时劳动的价值产品。货币占有者赚得了这个差额——6 小时的无酬的剩余劳动，即体现 6 小时劳动的无酬的剩余产品。魔术变完了。剩余价值产生了，货币转化为资本。"⑤ 资本家无

---

① 《马克思恩格斯选集》第 3 卷，人民出版社 2012 年版，第 583 页。
② 《马克思恩格斯选集》第 3 卷，人民出版社 2012 年版，第 584 页。
③ 《马克思恩格斯选集》第 3 卷，人民出版社 2012 年版，第 585 页。
④ 《马克思恩格斯选集》第 3 卷，人民出版社 2012 年版，第 585 页。
⑤ 《马克思恩格斯选集》第 3 卷，人民出版社 2012 年版，第 586 页。

偿占有的由雇佣劳动者所创造的超过劳动力价值的价值，就是剩余价值。这样，恩格斯在劳动价值论的基础上，科学地说明了剩余价值的来源。

恩格斯高度赞扬了马克思的剩余价值学说，并对这一理论的重大意义作了深刻的阐述。恩格斯指出，马克思"说明了剩余价值是怎样产生的，剩余价值怎样只能在调节商品交换的规律的支配下产生，所以他就揭露了现代资本主义生产方式以及以它为基础的占有方式的机制，揭示了整个现代社会制度得以确立起来的核心"[1]。剩余价值是从什么地方来的这一问题的解决，是"马克思著作的划时代的功绩"，它使"明亮的阳光照进了经济学的各个领域，而在这些领域中，从前社会主义者也曾像资产阶级经济学家一样在深沉的黑暗中摸索。科学社会主义就是以这个问题的解决为起点，并以此为中心的"[2]。

第四节　社会主义从空想到科学的总结

科学社会主义是马克思主义科学理论体系极为重要的组成部分。杜林从小资产阶级社会主义的立场出发，以"社会主义改革家"自居，提出了一套所谓改革社会主义的方案和建立"新的共同社会结构"的设想，对科学社会主义发起了猖狂进攻。恩格斯在驳斥和批判杜林的过程中，对科学社会主义理论作了全面而深入的阐发。

一、科学评价空想社会主义及其代表人物

空想社会主义作为一种批判和否定资本主义的思潮，是社会主义理论的初级形态，它是随着资本主义的演变而发展起来的。在 16—17 世纪资本原始积

---

① 《马克思恩格斯选集》第 3 卷，人民出版社 2012 年版，第 586 页。
② 《马克思恩格斯选集》第 3 卷，人民出版社 2012 年版，第 584 页。

累时期，出现了早期空想社会主义。18世纪，在资产阶级革命前夕的法国出现了一批"为行将到来的革命启发过人们头脑的那些伟大人物"——启蒙学者。这些启蒙学者已经是"非常革命的"，他们把理性当作一切现存事物的唯一的裁判者，认为"应当建立理性的国家、理性的社会，应当无情地铲除一切同永恒理性相矛盾的东西"①。他们对旧的一切事物都进行了无情的批判和致命的打击，从而在思想意识上为未来的资产阶级革命做了准备。当然，"18世纪伟大的思想家们，也同他们的一切先驱者一样，没有能够超出他们自己的时代使他们受到的限制"②。处在与启蒙学者同一历史发展阶段的空想主义者摩莱里和马布利已经有了"直接共产主义的理论"，这一理论认为，"平等的要求已经不再限于政治权利方面，它也应当扩大到个人的社会地位方面；不仅应当消灭阶级特权，而且应当消灭阶级差别本身"③。19世纪出现了三大空想社会主义者：圣西门、傅立叶和欧文，他们探讨了未来的理想社会，设计了种种社会改造方案，提出了许多天才的预测，他们的理论学说为科学社会主义的创立提供了直接理论来源。

源于对三个空想主义者著作的真正可惊的无知，杜林从他的"最后的终极的真理"的高度以轻蔑的态度鄙视三大空想社会主义者，把他们称为"社会炼金术士"，企图"从他的孕育着'最后真理'的理性中，构想出一个新的社会制度的'标准'体系"④。杜林认为，支配着圣西门全部思想的只是"想象和博爱的热情……以及属于后者的夸张的幻想"；他忽略了傅立叶著作中"几乎每一页都放射出对备受称颂的文明造成的贫困所作的讽刺和批判的火花"这一事实，认为傅立叶只是"企图附带地批判现实状态"；他把欧文称为"一个在各方面都过分博爱的真正怪物"，断言在欧文那里"不能假定有明确的共产主义"。⑤

针对杜林对三大空想社会主义的谩骂和攻击，恩格斯进行反击，对圣西门、傅立叶和欧文的空想社会主义学说逐一进行了科学的分析和评价，同时指出了空想社会主义不成熟的根本原因。圣西门宣布"政治是关于生产的科

---

① 《马克思恩格斯选集》第3卷，人民出版社2012年版，第643页。
② 《马克思恩格斯选集》第3卷，人民出版社2012年版，第392页。
③ 《马克思恩格斯选集》第3卷，人民出版社2012年版，第393页。
④ 《马克思恩格斯选集》第3卷，人民出版社2012年版，第653页。
⑤ 《马克思恩格斯选集》第3卷，人民出版社2012年版，第652、653页。

学，并且预言政治将完全溶化在经济中"①。恩格斯指出，如果说"经济状况是政治制度的基础"这样的认识在这里仅仅以萌芽状态表现出来，那么，"对人的政治统治应当变成对物的管理和对生产过程的领导"②，即废除国家的思想已经明白地表达出来了。恩格斯评价说："我们在圣西门那里发现了天才的远大眼光。"③

恩格斯指出，傅立叶对社会制度作了具有真正法国人的风趣且深刻的批判，无情地揭露了资产阶级世界在物质上和道德上的贫困。傅立叶不仅是批评家，而且是自古以来最伟大的讽刺家之一，他以巧妙而诙谐的笔调描绘了随着革命的低落而盛行起来的投机欺诈和当时法国商业中普遍的小商贩习气，更巧妙地批判了两性关系的资产阶级形式和妇女在资产阶级社会中的地位。傅立叶第一个表述了"在任何社会中，妇女解放的程度是衡量普遍解放的天然尺度"④的思想。恩格斯认为，傅立叶最了不起的地方表现在他对社会历史的看法上，即他把社会历史到目前为止的全部历程分为蒙昧、野蛮、宗法和文明四个发展阶段，最后一个阶段相当于现在所谓的资产阶级社会。恩格斯评价道："我们看到，傅立叶是和他的同时代人黑格尔一样熟练地掌握了辩证法的。他反对关于人类无限完善化的能力的空谈，而同样辩证地断言，每个历史阶段都有它的上升时期，但是也有它的下降时期，而且他还把这种考察方法运用于整个人类的未来。正如康德把地球将来会走向灭亡的思想引入自然科学一样，傅立叶把人类将来会走向灭亡的思想引入历史研究。"⑤

针对杜林诬蔑在欧文那里"不能假定有明确的共产主义"，恩格斯反驳到，欧文在《新道德世界书》中主张实行有平等的劳动义务和平等的取得产品的权利的最明确的共产主义，不仅宣传了"明确的共产主义"，而且还在汉普郡的"和谐大厦"这一移民区实行了为期五年（19 世纪 30 年代末 40 年代初）的共产主义，"那里的共产主义就其明确性来说是没有什么可挑剔的"⑥。针对欧文力图着手改造社会的某些实际活动，恩格斯评价道："欧文的共产主义就

---

① 《马克思恩格斯选集》第 3 卷，人民出版社 2012 年版，第 646 页。
② 《马克思恩格斯选集》第 3 卷，人民出版社 2012 年版，第 646 页。
③ 《马克思恩格斯选集》第 3 卷，人民出版社 2012 年版，第 646 页。
④ 《马克思恩格斯选集》第 3 卷，人民出版社 2012 年版，第 647 页。
⑤ 《马克思恩格斯选集》第 3 卷，人民出版社 2012 年版，第 648 页。
⑥ 《马克思恩格斯选集》第 3 卷，人民出版社 2012 年版，第 653 页。

是通过这种纯粹商业的方式，作为所谓商业计算的果实产生出来的。它始终都保持着这种面向实际的性质"①。

恩格斯充分肯定三大空想社会主义者对新的社会理想所作的积极探索，指出："德国的理论上的社会主义永远不会忘记，它是站在圣西门、傅立叶和欧文这三个人的肩上的。"② 同时，恩格斯指出，同不成熟的资本主义生产状况、不成熟的阶级状况相适应，空想社会主义理论还是不成熟的，有着明显的历史局限性和理论缺陷。"解决社会问题的办法还隐藏在不发达的经济关系中，所以只能从头脑中产生出来。社会所表现出来的只是弊病，消除这些弊病是思维着的理性的任务。于是，就需要发明一套新的更完善的社会制度，并且通过宣传，可能时通过典型示范，从外面强加于社会。这种新的社会制度是一开始就注定要成为空想的，它越是制定得详尽周密，就越是要陷入纯粹的幻想。"③ 但是，恩格斯又特别指出："使我们感到高兴的，倒是处处突破幻想的外壳而显露出来的天才的思想萌芽和天才的思想，而这些却是那班庸人所看不见的。"④

在对空想社会主义理论局限性进行评价的基础上，恩格斯进一步强调："空想主义者之所以是空想主义者，正是因为在资本主义生产还很不发达的时代，他们只能是这样。他们不得不从头脑中构想出新社会的要素，因为这些要素在旧社会本身中还没有普遍地明显地表现出来；他们只能求助于理性来构想自己的新建筑的基本特征，因为他们还不能求助于同时代的历史。"⑤ 而杜林在"大工业已经把潜伏在资本主义生产方式中的矛盾发展为如此明显的对立"的情况下，"不是根据现有的历史地发展起来的材料，而是从自己至上的脑袋中硬造出一种新的空想的社会制度"⑥，他自己不仅仅是在从事简单的"社会炼金术"，而显然是妄想实现炼金术的神话，即发现"哲人之石"。这不仅表明了杜林的愚蠢，而且表明了他的反动。

在以上分析的基础上，恩格斯指出："一切社会变迁和政治变革的终极原因，不应当到人们的头脑中，到人们对永恒的真理和正义的日益增进的认识中

① 《马克思恩格斯选集》第 3 卷，人民出版社 2012 年版，第 650 页。
② 《马克思恩格斯选集》第 3 卷，人民出版社 2012 年版，第 37 页。
③ 《马克思恩格斯选集》第 3 卷，人民出版社 2012 年版，第 645 页。
④ 《马克思恩格斯选集》第 3 卷，人民出版社 2012 年版，第 645 页。
⑤ 《马克思恩格斯选集》第 3 卷，人民出版社 2012 年版，第 653 页。
⑥ 《马克思恩格斯选集》第 3 卷，人民出版社 2012 年版，第 654 页。

去寻找，而应当到生产方式和交换方式的变更中去寻找；不应当到有关时代的哲学中去寻找，而应当到有关时代的经济中去寻找。"① 恩格斯强调："用来消除已经发现的弊病的手段，也必然以或多或少发展了的形式存在于已经发生变化的生产关系本身中。这些手段不应当从头脑中发明出来，而应当通过头脑从生产的现成物质事实中发现出来。"② 恩格斯的以上论述，奠定了科学社会主义理论产生的科学出发点。

二、资本主义基本矛盾与经济危机

恩格斯对统治于现代社会中的有产者和无产者之间、资本家和雇佣工人之间的阶级对立，以及统治于生产中的无政府状态这两个方面进行考察，阐述了资本主义生产方式的基本矛盾及其导致的经济危机，揭示了科学社会主义的根源所在，为社会主义从空想变成科学奠定了坚实基础。

恩格斯指出，生产的社会化和生产资料私人占有之间的矛盾，是资本主义生产方式的基本矛盾。在中世纪，普遍地存在着以劳动者私人占有生产资料为基础的小生产，土地、农具、作坊、手工工具等都是个人的劳动资料，只供个人使用。资本主义生产方式及其承担者资产阶级把这些分散的小的生产资料加以集中和扩大，把他们变成现代的强有力的生产杠杆。恩格斯指出："资产阶级要是不把这些有限的生产资料从个人的生产资料变为社会化的即只能由一批人共同使用的生产资料，就不能把它们变成强大的生产力。"③ 同生产资料一样，生产本身也从一系列的个人行动变成了一系列的社会行动，而产品也从个人的产品变成了社会的产品。于是，在整个社会中占支配地位的自发的无计划的分工中间，确立了在个别工厂里的有组织的有计划的分工，在个体生产旁边出现了社会化生产。也就是说，资本主义生产代替了中世纪的以个体生产为基础的旧形式，形成了社会化生产这一新的生产形式。按社会化方式生产的产品已经不归那些真正使用生产资料和真正生产这些产品的人占有，而是归资本

---

① 《马克思恩格斯选集》第 3 卷，人民出版社 2012 年版，第 654 页。
② 《马克思恩格斯选集》第 3 卷，人民出版社 2012 年版，第 655 页。
③ 《马克思恩格斯选集》第 3 卷，人民出版社 2012 年版，第 656 页。

家占用。这意味着在社会化生产形式下，"生产资料和生产实质上已经社会化了"；但是，它们仍然服从于以个体的私人生产为前提的占有形式，即私人占有。恩格斯指出，资本主义生产方式从其产生的第一天起，就"已经包含着现代的一切冲突的萌芽"。随着资本主义生产方式越来越在一切有决定意义的生产部门和一切在经济上起决定作用的国家里占统治地位，"社会化生产和资本主义占有的不相容性，也必然越加鲜明地表现出来"①。

恩格斯考察了资本主义生产方式基本矛盾的具体表现。一方面表现为无产阶级和资产阶级的对立。现代大工业（现代资本主义生产方式）把雇佣劳动由过去只是"一种例外，一种副业，一种辅助办法，一种暂时措施"，变成了"整个生产的通例和基本形式"，变成了"工人的唯一职业"，把"暂时的雇佣劳动者变成了终身的雇佣劳动者"。②此外，由于同时发生了封建制度的崩溃，封建主扈从人员被解散，农民被逐出自己的家园等，使终身的雇佣劳动者大量增加。这时，"集中在资本家手中的生产资料和除了自己的劳动力以外一无所有的生产者彻底分离了。社会化生产和资本主义占有之间的矛盾表现为无产阶级和资产阶级的对立"③，这是资本主义基本矛盾在阶级关系上的具体表现。

另一方面，社会化生产和资本主义占有之间的矛盾表现为个别工厂中生产的组织性和整个社会中生产的无政府状态之间的对立。资本主义生产方式促使商品生产规律越来越公开、越来越有利地发挥作用。商品生产者是通过各自的产品的交换来实现社会联系的。在进行交换之前，谁也不知道，他的那种商品在市场上会出现多少，究竟需要多少；谁也不知道，他的个人产品是否真正为人所需要，是否能收回它的成本，到底是否能卖出去。也就是说，社会生产的无政府状态占统治地位。但是，商品生产同任何其他生产形式一样，有其特殊的、固有的、和它分不开的规律，"这些规律不顾无政府状态、在无政府状态中、通过无政府状态而为自己开辟道路。"同时，这些规律作为竞争的强制规律对各个生产者发生作用，"起初连这些生产者也不知道，只是由于长期的经验才逐渐被他们发现。所以，这些规律是在不经过生产者并且同生产者对立的情况下，作为他们的生产形式的盲目起作用的自然规律而为自己开辟道路"④。

---

① 《马克思恩格斯选集》第3卷，人民出版社2012年版，第658页。
② 参见《马克思恩格斯选集》第3卷，人民出版社2012年版，第802页。
③ 《马克思恩格斯选集》第3卷，人民出版社2012年版，第659页。
④ 《马克思恩格斯选集》第3卷，人民出版社2012年版，第659页。

因此，恩格斯指出："产品支配着生产者"，即生产者丧失了对他们自己的社会关系的支配权，这是每个以商品生产为基础的社会都有的一个特点。

在中世纪，以交换为目的的商品生产还只是在形成中，交换有限，市场狭小，生产方式稳定，商品生产规律的作用还没有凸显。随着资本主义生产方式的出现，以前潜伏着的商品生产规律就越来越公开、越来越有力地发挥作用。一方面，社会生产的无政府状态已经表现出来，并且越来越走向极端；另一方面，"资本主义生产方式用来加剧社会生产中的这种无政府状态的主要工具正是无政府状态的直接对立物：每一单个生产企业中的生产作为社会化生产所具有的日益加强的组织性"①。于是"劳动场地变成了战场"，大工业和世界市场的形成又促使这个斗争成为普遍现象，同时具有了空前的剧烈性。"社会化生产和资本主义占有之间的矛盾表现为个别工厂中生产的组织性和整个社会中生产的无政府状态之间的对立。"②这成为资本主义基本矛盾的又一具体表现形式。

恩格斯指出，资本主义经济危机是其内在的基本矛盾发展的必然结果，并对经济危机的实质和特征作了进一步阐述。资本主义生产方式在它生而具有的矛盾的以上两种表现形式中运动着，社会生产的无政府状态迫使各个资本家不断改进自己的机器，扩大自己的生产规模。但是，机器的改进又造成人的劳动的过剩，造成一批超过资本雇工的平均需要的、可供支配的雇佣劳动者。于是，一部分人的过度劳动成了另一部分人失业的前提，而在全世界追逐新消费者的大工业，却在国内把群众的消费限制到忍饥挨饿这样一个最低水平，从而破坏了自己的国内市场。这种矛盾发展的结果是，市场的扩张赶不上生产的扩张，因此，冲突不可避免，最终导致经济危机的爆发。恩格斯对1825年至1877年在资本主义世界发生的六次经济危机进行考察分析，揭示了资本主义经济危机的周期性和阶段性特征，指明了经济危机是每隔十年就重复出现一次的规律性现象。恩格斯指出："因为它在把资本主义生产方式本身炸毁以前不能使矛盾得到解决，所以它就成为周期性的了"③，揭示了资本主义基本矛盾是造成经济危机周期性爆发的根本原因。恩格斯进一步阐述了经济危机的实质和特

---

① 《马克思恩格斯选集》第3卷，人民出版社2012年版，第660页。
② 《马克思恩格斯选集》第3卷，人民出版社2012年版，第661页。
③ 《马克思恩格斯选集》第3卷，人民出版社2012年版，第663页。

征。他指出，在危机中，社会化生产和资本主义占有之间的矛盾剧烈地爆发出来。商品流通暂时停顿下来；流通手段即货币成为流通的障碍；商品生产和商品流通的一切规律都颠倒过来了。"经济的冲突达到了顶点：生产方式起来反对交换方式，生产力起来反对已经被它超过的生产方式"①。同时，工厂内部的生产的社会化组织已经发展到同存在于它之旁并凌驾于它之上的社会中的生产无政府状态不能相容的地步。危机期间，资本的猛烈积聚需要通过许多大资本家和更多的小资本家的破产而实现。这就表明，资本主义生产方式的全部机制在它自己创造的生产力的压力下失灵了。它已经不能把大批生产资料全部变成资本；生产资料闲置起来，因此，产业后备军也不得不闲置起来。生产资料、生活资料、可供支配的工人——生产和一般财富的一切因素都过剩了。正是这种过剩阻碍了生产资料和生活资料变为资本。因为在资本主义社会里，生产资料如果不先变为资本，变为剥削人的劳动力的工具，就不能发挥作用，也不允许工人劳动和生活。恩格斯指出："在每次危机中，社会在它自己的而又无法加以利用的生产力和产品的重压下奄奄一息，面对着生产者没有什么可以消费是因为缺乏消费者这种荒谬的矛盾而束手无策。"②

在分析经济危机的基础上，恩格斯揭示了社会主义代替资本主义的历史必然性。恩格斯指出，资本主义生产方式基本矛盾的激化和经济危机的周期性爆发深刻表明："一方面，资本主义生产方式暴露出它没有能力继续驾驭这种生产力。另一方面，这种生产力本身以日益增长的威力要求消除这种矛盾，要求摆脱它作为资本的那种属性，要求在事实上承认它作为社会生产力的那种性质。"③这就迫使资产阶级进行调整，促使生产资料进一步社会化，如大的生产机构和交通机构向股份公司和国家财产转变。这就意味着出现了国有化，意味着在由社会本身占有一切生产力方面，即在事实上承认生产力作为社会生产力的性质方面达到了一个新的阶段。但是，"无论向股份公司的转变，还是向国家财产的转变，都没有消除生产力的资本属性"④，因为"现代国家，不管它的形式如何，本质上都是资本主义的机器，资本家的国家，理想的总资本家。它越是把更多的生产力据为己有，就越是成为真正的总资本家，越是剥削更多

---

① 《马克思恩格斯选集》第3卷，人民出版社2012年版，第664页。
② 《马克思恩格斯选集》第3卷，人民出版社2012年版，第670页。
③ 《马克思恩格斯选集》第3卷，人民出版社2012年版，第665页。
④ 《马克思恩格斯选集》第3卷，人民出版社2012年版，第666页。

的公民。工人仍然是雇佣劳动者，无产者。资本关系并没有被消灭，反而被推到了顶点。但是在顶点上是要发生变革的"①。恩格斯指出，"生产力归国家所有不是冲突的解决，但是这里包含着解决冲突的形式上的手段，解决冲突的线索"②，这就是通过社会主义革命，无产阶级夺取国家政权，由全体劳动人民占有生产资料，从而消除资本主义生产方式的固有矛盾。可见，社会主义取代资本主义，是社会化大生产的客观需要和资本主义生产方式基本矛盾运动的必然结果。

三、社会主义社会的基本特征

恩格斯在科学分析资本主义基本矛盾，论证社会主义代替资本主义客观必然性的基础上，对未来社会主义社会的基本特征进行了预测。在他看来，未来社会主义具有以下基本特征。

第一，生产资料归全社会所有，整个社会生产自觉地按计划进行。社会占有生产资料，即生产资料公有制是社会主义社会的首要特征。自从资本主义生产方式在历史上出现以来，由社会占有全部生产资料常常作为未来的理想隐约地浮现在个别人物和整个派别的头脑中。但是，这种占有只有在实现它的物质条件已经具备的时候，才能成为可能，才能成为历史的必然。社会主义社会生产高度发展，在这个阶段上，"某一特殊的社会阶级对生产资料和产品的占有，从而对政治统治、教育垄断和精神领导地位的占有，不仅成为多余的，而且在经济上、政治上和精神上成为发展的障碍"③。这时，"国家真正作为整个社会的代表所采取的第一个行动，即以社会的名义占有生产资料，同时也是它作为国家所采取的最后一个独立行动"④。也就是说，在社会主义社会，生产资料通过国家由社会占有，资本主义的占有方式让位于以现代生产资料的本性为基础的产品占有方式："一方面由社会直接占有，作为维持和扩大生产的资料，另

①《马克思恩格斯选集》第 3 卷，人民出版社 2012 年版，第 666 页。
②《马克思恩格斯选集》第 3 卷，人民出版社 2012 年版，第 666 页。
③《马克思恩格斯选集》第 3 卷，人民出版社 2012 年版，第 669 页。
④《马克思恩格斯选集》第 3 卷，人民出版社 2012 年版，第 668 页。

一方面由个人直接占有，作为生活资料和享受资料。"①生产资料的公有制与生活资料的个人所有制共存，是生产资料由社会占有的两种方式。恩格斯还阐述了生产资料由社会占有的明显优越性：首先是促进了生产力不断地加速发展，使生产无限增长；其次，生产资料由社会占有，社会生产内部的无政府状态将被有计划的自觉的组织所代替，这不仅消除了生产的人为障碍，而且还会消除生产力和产品的有形的浪费和破坏；最后，这种占有还由于消除了统治阶级及其政治代表的穷奢极欲的挥霍而为全社会节省出大量的生产资料和产品。

社会主义社会由于社会占有了生产资料，人们能够按照"生产力终于被认识了的本性"来对待生产力，这时，"社会的生产无政府状态就让位于按照社会总体和每个成员的需要对生产进行的社会的有计划的调节"②。"商品生产就将被消除，而产品对生产者的统治也将随之消除。社会生产内部的无政府状态将为有计划的自觉的组织所代替。"③

第二，商品交换将被排除，因而也排除了产品向商品的转化和产品向价值的转化。商品是私人生产者不是为自己的消费，而是为他人的消费而生产的产品。作为商品的产品通过交换进入社会消费，与通过分配转化为社会消费的产品有着本质区别。也就是说，产品只有通过交换私人劳动才能转换为社会劳动，这是由生产的社会化与生产资料的资本主义私人占有之间的矛盾决定的。在社会生产的无政府状态下，交换作为强制性的力量作用于各个生产者，而且这种力量是在不经过生产者并和生产者对立的情况下盲目起作用。所以，产品支配生产者，工人自己的产品变成了奴役工人的工具。但是，"一旦社会占有了生产资料，商品生产就将被消除，而产品对生产者的统治也将随之消除"④。生产资料被社会占有并且以直接社会化的形式应用于生产，每一个人的劳动，无论其特殊的有用性质是如何的不同，从一开始就直接成为社会劳动。也就是说，未来社会主义社会，"当社会成为全部生产资料的主人，可以在社会范围内有计划地利用这些生产资料的时候，社会就消灭了迄今为止的人自己的生产资料对人的奴役。"⑤

① 《马克思恩格斯选集》第3卷，人民出版社2012年版，第667页。
② 《马克思恩格斯选集》第3卷，人民出版社2012年版，第667页。
③ 《马克思恩格斯选集》第3卷，人民出版社2012年版，第671页。
④ 《马克思恩格斯选集》第3卷，人民出版社2012年版，第671页。
⑤ 《马克思恩格斯选集》第3卷，人民出版社2012年版，第681页。

第三，阶级和阶级差别消灭，国家将自行消亡。在任何存在阶级对立的社会都需要有国家，即"需要一个剥削阶级的组织，以便维护这个社会的外部生产条件，特别是用暴力把被剥削阶级控制在当时的生产方式所决定的那些压迫条件下"[①]。无产阶级通过革命取得国家政权，把生产资料变为国家财产的同时，也"消灭了作为无产阶级的自身，消灭了一切阶级差别和阶级对立，也消灭了作为国家的国家"[②]。也就是说，在社会主义社会，阶级统治和根源于生产无政府状态的个体生存斗争已被消除，由此两者产生的冲突和极端行动也随之被消除，这时候，因为不再有需要加以镇压的社会阶级，因此也就不再需要国家这种特殊的镇压力量了。"国家真正作为整个社会的代表所采取的第一个行动，即以社会的名义占有生产资料，同时也是它作为国家所采取的最后一个独立行动。那时，国家政权对社会关系的干预在各个领域中将先后成为多余的事情而自行停止下来。"[③] 可见，"国家不是'被废除'的，它是自行消亡的"[④]。

第四，人类实现了从必然王国向自由王国的飞跃，使人的全面发展成为可能。由于社会占有了生产资料，社会生产内部的无政府状态被有计划的自觉的组织所代替，个体生存斗争停止。于是，人最终脱离了动物界，"从动物的生存条件进入真正人的生存条件"[⑤]。曾经统治着人们的生活条件，现在受人们的支配和控制，人们第一次成为自然界的自觉的真正的主人；作为异己的、支配着人们的自然规律而同人们相对立的规律，将被人们熟练地运用并听从人们的支配；人们自身的社会结合一直是作为自然界和历史强加于他们的东西而同他们相对立，现在则变成他们自己的自由行动；一直统治着历史的客观的异己的力量，处于人们的控制之下。因此，"只是从这时起，人们才完全自觉地自己创造自己的历史；只是从这时起，由人们使之起作用的社会原因才大部分并且越来越多地达到他们所预期的结果。这是人类从必然王国进入自由王国的飞跃。"[⑥]

同时，在社会主义社会，旧的社会分工将被消灭，一方面，"任何个人都

---

① 《马克思恩格斯选集》第 3 卷，人民出版社 2012 年版，第 668 页。
② 《马克思恩格斯选集》第 3 卷，人民出版社 2012 年版，第 668 页。
③ 《马克思恩格斯选集》第 3 卷，人民出版社 2012 年版，第 668 页。
④ 《马克思恩格斯选集》第 3 卷，人民出版社 2012 年版，第 668 页。
⑤ 《马克思恩格斯选集》第 3 卷，人民出版社 2012 年版，第 671 页。
⑥ 《马克思恩格斯选集》第 3 卷，人民出版社 2012 年版，第 671 页。

不能把自己在生产劳动这个人类生存的必要条件中所应承担的部分推给别人"；另一方面，"生产劳动给每一个人提供全面发展和表现自己的全部能力即体能和智能的机会，这样，生产劳动就不再是奴役人的手段，而成了解放人的手段，因此，生产劳动就从一种负担变成一种快乐"①。同时，"通过社会化生产，不仅可能保证一切社会成员有富足的和一天比一天充裕的物质生活，而且还可能保证他们的体力和智力获得充分的自由的发展和运用"②。这就为每个人提供了全面发展的条件，实现人的全面发展成为可能。

---

① 《马克思恩格斯选集》第 3 卷，人民出版社 2012 年版，第 681 页。
② 《马克思恩格斯选集》第 3 卷，人民出版社 2012 年版，第 670 页。

第十二章　马克思主义的全面拓展

马克思主义是一个涉及领域广泛、内容十分丰富的理论体系，除了包括马克思主义的哲学、政治经济学和科学社会主义三个主要组成部分以外，它还涉及伦理学、宗教学、美学、文艺学以及军事学等社会科学众多领域。19世纪70年代，资本主义从自由竞争阶段向垄断阶段过渡。这一时期，国际工人运动蓬勃发展，资本主义发展出现了不少新的特点，自然科学和社会科学有了重大进展，向马克思主义提出了一系列新的重大课题。马克思恩格斯顺应客观形势发展的需要，对马克思主义作出了创造性的发展，使马克思主义在多个领域得到全面拓展。

第一节　马克思主义在工人运动中指导地位的确立

19世纪70—80年代，资本主义垄断趋势显著增强，劳资矛盾不断加剧。在这一阶段，欧洲大陆工人运动的重心从法国移到德国，运动超出了西欧和北美的范围而向世界各国横广方面发展，马克思主义得到广泛的传播并在工人运动中取得主导地位。

一、19 世纪 70 年代国际工人运动的发展

自 19 世纪 70 年代开始，在第二次科技革命的推动下，资本主义社会生产水平迅速提高，资本生产方式也随之发生变化，卡特尔、辛迪加、托拉斯等形式的垄断组织在德、美、英、法等国相继出现并得到发展，形成了垄断组织和金融寡头的统治，资本主义开始由自由资本主义向垄断资本主义阶段过渡。随着资本主义在欧美各国的迅速发展，无产阶级的队伍不断成长和扩大。70 年代初，英国、法国、美国产业工人总数达 1200 万至 1300 万，加上农业工人，这些国家无产阶级总数达 2000 万。由于资本主义垄断趋势的不断加强，资本主义固有矛盾的进一步激化，经济危机的频繁发生，使无产阶级同资产阶级之间的矛盾日益尖锐，欧美各国无产阶级反对资产阶级的斗争又重新高涨起来，从而打破了巴黎公社革命失败后国际工人运动一度低落的局面。无产阶级为了捍卫自身利益开展了广泛的斗争，国际工人运动蓬勃兴起。

普法战争后，德国实现了自上而下的统一，建立了以普鲁士为首的德意志帝国。国家的统一，加上向法国勒索了 50 亿法郎的巨额赔款，又掠夺了资源丰富的阿尔萨斯—洛林地区，以及广泛采用最新科学技术，这都促使德国资本主义大工业有了迅猛发展。到 70 年代末和 80 年代初，德国完成了产业革命，一跃成为现代化的工业国。这时，德国工业超过了英、法，仅次于美国，跃居世界第二位。资本主义的发展加剧了对工人阶级的剥削和压迫。经济方面，德国资产阶级为了在国际市场上以廉价倾销其商品，同英、法、美等国竞争，便挖空心思地抬高国内市场物价，压低工人的工资。1874—1879 年，工人实际工资降低了 17.5%。高昂的物价、恶劣的劳动条件和低微的工资，使德国工人陷入极为困苦的境地。政治方面，统一后的德意志帝国为了加强其反动统治，在国内千方百计地实行反动的军事专制制度，皇帝和首相操纵一切权力，议会只不过是专制制度的遮羞布，人民完全处于无权地位；同时，对外进行侵略扩张，与俄、奥结成"神圣同盟"，镇压各国人民革命运动。残酷的经济剥削和政治压迫，促使无产阶级反对资产阶级的斗争不断加强，工人运动日益广泛地开展起来。1871 年 11 月，开姆尼茨机器制造工业的 8000 名工人举行了声势浩大的罢工斗争；1872 年夏，鲁尔河谷的 16 000 名矿工为争取 8 小时工作日和增加 25% 的工资爆发了大罢工；同一年内，萨克森、纽伦堡、莱比锡和柏林

等地，也有成千上万的工人参加了罢工斗争。通过斗争，工人提高了觉悟，加强了组织性，显示了自己的伟大力量。这一时期，"德国工人处于欧洲运动的先导地位"①，"使欧洲工人运动的重心从法国移到了德国"②。由于德国资本主义发展较晚，所以德国的工人运动比起英国、法国的工人运动要年轻得多。恩格斯指出，"德国人参加工人运动，从时间上来说，差不多是最迟的"③。但是，"它能够直接利用英国和法国的运动用很高的代价换来的经验，而在现在避免它们当时往往无法避免的那些错误"④。德国工人运动在德国社会民主工党的领导下，认真吸取英国和法国无产阶级斗争的经验教训和优良传统，巧妙利用自己地位的有利之处开展斗争。恩格斯在《〈德国农民战争〉1870年第二版序言的补充》中指出，自从有工人运动以来，斗争"第一次在其所有三个方面——理论方面、政治方面和实践经济方面（反抗资本家）互相配合，互相联系，有计划地推进"⑤。

在英国，70—80年代，由于美、德两国的经济崛起，英国的世界工厂地位受到严重威胁。英国资产阶级为了保持自己在世界市场上的优势，加紧对本国工人尤其是非熟练工人的剥削和压迫，英国社会阶级矛盾尖锐起来。由于英国在19世纪70年代前一直是工业化程度最高的国家，并在对外殖民扩张中获得了大量超额利润。为分化工人阶级，减轻工人斗争的压力，英国资产阶级很早就开始实行收买和培植工人贵族的政策，导致以工人贵族为核心的英国工联长期推行鼓吹阶级调和与和平改良的工联主义。由于长期受到工联主义的干扰和影响，英国工人运动发展较为缓慢。直到80年代，广大非熟练工人参加到工人运动中，才使工人运动有了生气，逐渐走向高涨。广大工人不顾工联主义的阻挠，摒弃老工联"防卫而不能挑战"的旧口号，广泛建立自己的工会组织，为争取民主权利和改善劳动、生活条件积极开展罢工斗争。

在美国，南北战争结束后，由于国内出现了安定环境，又吸收了英、法、德等国的先进科学技术成就和经验，加上大量外资和劳动力流入，使资本主义经济得到迅速发展。70—80年代，工业生产增长三倍，农业生产增长近一倍。

---

① 《马克思恩格斯选集》第3卷，人民出版社2012年版，第346页。
② 《马克思恩格斯选集》第4卷，人民出版社2012年版，第387页。
③ 《马克思恩格斯选集》第3卷，人民出版社2012年版，第37页。
④ 《马克思恩格斯选集》第3卷，人民出版社2012年版，第37页。
⑤ 《马克思恩格斯选集》第3卷，人民出版社2012年版，第37页。

美国资本主义的飞跃发展是建立在对工人的残酷剥削和压迫基础之上的，特别是黑人和外国移民遭受到更加残酷的剥削和压迫，因而无产阶级反对资产阶级的斗争怒潮连绵不断。70 年代，美国无产阶级掀起了两次较大的罢工斗争。1875 年，宾夕法尼亚的无烟煤矿区工人举行了长达半年之久的"持久罢工"。1877 年，又爆发了美国历史上第一次全国性的铁路大罢工。这次罢工波及全国各重要铁路，从纽约到加利福尼亚、从加拿大到墨西哥湾的铁路全部瘫痪，个别城市一度被工人占领，资产阶级政府出动 10 万武装军警镇压了罢工运动。80 年代以后，美国工人运动的规模更为壮观，土生土长的工人和非熟练工人也参加了罢工斗争。1886 年 5 月 1 日，美国工人举行了争取 8 小时工作日的全国总罢工，35 万名罢工工人在各城市举行集会和示威游行，芝加哥 4 万多罢工工人同警察发生激烈的冲突。美国工人这次争取缩短工作日的罢工斗争震动了资本主义世界，在国际工人运动史上具有重大意义。

在法国，巴黎公社失败以后，由于资产阶级的残酷镇压，工人运动曾一度陷入低谷。但是，法国无产阶级并没有被反动派的屠刀所吓倒，也没有像镇压巴黎公社的刽子手所咒骂的那样"长此休矣"。相反，经过短短几年的时间，法国无产阶级很快又投入新的战斗。他们在反动势力极端残暴镇压的情况下，重新恢复工人组织，并利用法兰西共和国的条件积极开展斗争。到 70 年代后期，法国的工人运动又重新高涨起来。1879 年，在巴黎和各省的织布工、冶金工、矿工都举行了大规模的罢工。到 80 年代以后，法国工人阶级的组织性逐步加强，1886 年在里昂成立了法国全国工会联合会。在工会领导下，工人运动得到进一步发展。

在俄国，自 1861 年废除农奴制以后，资本主义有了迅速的发展，工人运动也随之蓬勃兴起。从 19 世纪 70 年代起，工人为改善劳动条件和提高工资，采取了各种行动。据不完全统计，俄国在 70 年代共发生过 326 次罢工和骚动，其中以纳尔瓦的克连戈尔姆纺织工厂的工人罢工最为有名。该厂约有 6000 名工人，由于居住条件极不卫生，劳动繁重和营养不良，致使霍乱蔓延，从而激起工人们的反抗，于 1872 年 9 月 11 日开始罢工，以示抗议。当局派军队镇压，几十名工人被解雇，二十多名被判处苦役或监禁。①70 年代的罢工虽然带有自

---

① 参见苏联科学院国际工人运动教研室编：《国际工人运动历史和理论问题》第 2 卷，杭州大学外语系俄语教研室译，工人出版社 1984 年版，第 203 页。

发性，但却唤醒了工人的阶级觉悟。列宁指出："因为工人已经不像历来那样相信压迫他们的那些制度是不可动摇的，而开始……感觉到（我不说是理解到）必须进行集体的反抗，坚决抛弃了奴隶般的顺从长官的态度。"[①]80年代后，工人队伍进一步成长壮大，工人斗争的形式不断增多，规模不断扩大，1885年莫罗佐夫纺织工人大罢工，标志着俄国有组织的群众性工人运动的开始。

无产阶级政党和革命组织的建立，是19世纪70年代国际工人运动的一个重要特点。1871年，恩格斯在总结德国无产阶级革命斗争经验时第一次明确指出，要使工人运动摆脱旧政党的支配而独立发展，"最好的办法就是在每一个国家里建立一个无产阶级的政党"[②]。同年，马克思和恩格斯在总结巴黎公社失败教训的基础上，正式提出了在欧美各国建立独立工人政党的任务。于是，继1869年德国社会民主工党建立之后，在马克思和恩格斯的帮助下，欧美许多国家相继建立起无产阶级政党。如1875年成立了葡萄牙社会党，1876年成立了美国社会劳工党、丹麦社会民主工党，1879年成立了法国工人党、比利时社会党、西班牙社会主义工人党，等等。80年代以后，相继成立了荷兰社会民主同盟（1882）、俄国劳动解放社（1883）、英国社会民主联盟（1884）、挪威工人党（1887）、奥地利社会民主工党（1888）等，欧美各国社会主义政党和组织普遍建立起来。虽然当时各国建立的工人政党还不成熟，严格来说有的还不是马克思主义政党。但是，这些政党都在党纲中提出了改造资本主义和实现社会主义的积极主张，通过组织工会加强了对本国工人运动的领导，而且还在马克思主义的指导下，与党内各种派别集团和错误思潮进行了斗争，在19世纪80—90年代得到了较大的发展，极大地推动了国际共产主义运动的发展。这一时期国际工人运动呈现以下几个特点：一是工人运动范围不断扩大，不仅在主要资本主义国家继续扩展和深入，而且扩展到了俄国和东欧的波兰、匈牙利、捷克斯洛伐克、塞尔维亚，亚洲的日本、印度，大洋洲的澳大利亚等国。二是工人运动的规模、斗争的激烈程度、斗争的内容和形式，都比19世纪五六十年代有了显著的进步和提高。三是各国无产阶级通过罢工斗争显著提高了组织性和团结性，工会运动在很多国家得到发展，而且逐渐从行业工会发展到产业工会，从而使斗争更易组织和发动。

---

① 《列宁选集》第1卷，人民出版社2012年版，第317页。

② 《马克思恩格斯选集》第3卷，人民出版社2012年版，第40页。

二、马克思主义在工人运动中的传播和发展

19 世纪 70 年代，国际工人运动蓬勃发展，为马克思主义的广泛传播和发展开辟了道路。

第一，马克思和恩格斯通过理论研究和宣传，极大地推动了马克思主义的传播和发展。1870 年，恩格斯移居伦敦，直到 1883 年马克思逝世，他们分工合作，出版了一系列著作，发表了大量文章，阐述和宣传马克思主义理论。马克思于 1850 年发表《1848 年至 1850 年的法兰西阶级斗争》，1852 年发表《路易·波拿巴的雾月十八日》，对欧洲 1848 年革命的经验教训进行总结，恩格斯于 1851 年发表《德国的革命和反革命》，对 1848 年革命经验教训进行总结。在此基础上，1871 年马克思又发表了总结巴黎公社革命经验教训的《法兰西内战》，1879 年恩格斯发表了《反杜林论》以及其他大量的重要文章和著作，这都极大地推动了马克思主义在工人运动中的传播和发展。

第二，马克思和恩格斯在指导国际工人运动实践中，促进了马克思主义的传播和发展。一方面，1864 年 9 月，马克思应邀出席国际工人协会成立大会，被选为总委员会委员，并担任德国通讯书记。马克思为总委员会起草了《国际工人协会成立宣言》、《国际工人协会临时章程》等许多重要文件，为第一国际制定了正确的政治纲领和组织原则，极大地促进了国际工人运动的发展和马克思主义的广泛传播。1870 年，恩格斯迁居伦敦后也被选入总委员会，并先后担任比利时、西班牙和意大利通讯书记。另一方面，马克思和恩格斯在帮助欧美社会主义政党制定纲领、路线和策略的过程中，也积极促进马克思主义在工人阶级中的传播。例如，针对德国工人运动的两派——1869 年成立的德国社会民主工党和 1863 年成立的全德工人联合会在 1875 年合并过程中，将拉萨尔派的观点写入合并后的党纲的做法，马克思专门撰写了《对德国工人党纲领的几点意见》，对纲领中的拉萨尔主义进行了严厉批判。通过对拉萨尔主义的批判，进一步扩大了马克思主义在工人运动中的影响。

第三，通过与各种资产阶级、小资产阶级思潮进行坚决斗争，进一步促进马克思主义的传播和发展。马克思和恩格斯在创立科学社会主义理论的过程中，一向重视同非无产阶级的社会主义流派进行斗争，如 1864 年至 1868 年间，同蒲鲁东主义和工联主义进行了斗争，1868 年开始同巴枯宁无政府主义

进行斗争。在同这些机会主义派别进行斗争的过程中，提高了马克思主义在工人运动中的地位。19世纪70年代，马克思主义在工人运动中得到广泛传播的同时，由于各国的工人运动刚刚开始复苏，各国历史条件也存在差异，加上一批资产阶级和小资产阶级分子加入无产阶级队伍，使得各种非无产阶级思潮在工人运动中又流行起来，它们以资产阶级世界观和假社会主义来对抗科学社会主义，严重影响了工人理论水平的提高，干扰了工人运动的发展。为了推动工人运动健康发展，马克思和恩格斯继续对各种资产阶级、小资产阶级思潮进行深刻批判和坚决斗争。一是继续对巴枯宁无政府主义进行批判。从1872年到1875年间，马克思和恩格斯先后写了《社会主义民主同盟和国际工人协会》、《行动中的巴枯宁主义》、《巴枯宁〈国家制度和无政府〉一书摘要》、《论权威》等著作，从理论上批判了巴枯宁无政府主义，捍卫了无产阶级国家学说。二是对"哥达纲领"进行批判。为了划清科学社会主义与拉萨尔主义的界限，阐述两派合并的原则立场，马克思写了《对德国工人党纲领的几点意见》，即《哥达纲领批判》，对拉萨尔机会主义的分配观点、"铁的工资规律"的谬论、依据"国家帮助"建立生产合作社来实现社会主义的机会主义路线等错误观点进行逐条剖析和批判，阐述了科学社会主义的重要原理。三是对杜林主义进行批判。针对欧根·杜林以所谓社会主义行家兼社会主义改革家的身份，从哲学、经济学和社会主义理论方面对马克思主义进行的攻击和歪曲，恩格斯从1876年9月底到1878年6月间，连续写了一系列批判杜林的文章。1878年7月，以《欧根·杜林先生在科学中实行的变革。哲学·政治经济学·社会主义》（即《反杜林论》）为名出版，对杜林主义进行了全面深刻的批判，系统阐述了马克思主义理论的三个主要组成部分及其内在联系，进一步完善了马克思主义科学体系。此外，马克思和恩格斯还于1879年9月写了《给奥·倍倍尔、威·李卜克内西、威·白拉克等人的通告信》（简称《通告信》），对"苏黎世三人团"进行批判，阐明了无产阶级革命斗争的战略策略。通过以上斗争，不仅捍卫了科学社会主义原则，而且进一步扩大了马克思主义的影响，加强了马克思主义在国际工人运动中的指导地位。

第四，大批杰出的马克思主义理论家和活动家也为马克思主义的广泛传播作出了重要贡献。如德国杰出的工人运动领袖威廉·李卜克内西、奥·倍倍尔等，法国工人党的创始人茹尔·盖得、保·拉法格，以及最早在英国宣传社会主义思想的民主联盟领导人亨·迈·海德门、美国工人党的创始人弗·阿·左尔格和俄国的格·瓦·普列汉诺夫等，他们不仅翻译、编辑、出版马克思和恩格斯的理论著作，而且还撰写了大量文章和书籍来宣传、阐释马克思主义，大大促进了马克思主义在工人阶级中的传播，促进了马克思主义与工人运动的结合。

第五，大量宣传、普及马克思主义的理论报刊的创办，也助推了马克思主义的传播和发展。如德国社会民主工党（爱森纳赫派）中央机关报《人民国家报》（1869—1876）和德国社会民主党中央机关报《前进报》（1876—1878）、德国社会民主党秘密机关报《社会民主党人报》（1879）、美国纽约国际法国人支部的机关报《社会主义者报》（1872）、1877 年茹尔·盖得在巴黎创办的《平等报》、1879 年 10 月建立的法国工人党先后出版的《平等报》、《社会主义者报》、《新纪元》等报刊，通过刊载马克思主义经典著作，向工人宣传介绍马克思主义，同时刊载大量马克思主义理论家的文章，阐述科学社会主义思想，强调工人运动统一的重要意义，这都对马克思主义的传播和工人运动的发展起到了重要的推动作用。总之，从 19 世纪 70 年代中期开始，马克思主义超越欧美国家而在世界各地得到迅速传播，影响越来越大。各国马克思主义者将马克思主义理论与本国工人运动相结合，为各国工人阶级政党的建立奠定了思想基础。

第二节　马克思主义伦理观和宗教观的阐释

马克思主义伦理观和宗教观是马克思主义科学理论体系的有机组成部分。马克思恩格斯运用辩证唯物主义和历史唯物主义的方法，对马克思主义伦理观和宗教观进行了系统阐述。

一、马克思主义伦理观的阐释

马克思恩格斯没有写过伦理学的专门著作。马克思曾经有过这类计划，他在《1844年经济学哲学手稿》的序言中说过："我打算用不同的、独立的小册子来相继批判法、道德、政治等等，最后再以一本专门的著作来说明整体的联系、各部分的关系，并对这一切材料的思辨加工进行批判。"① 由于历史原因，他们写作伦理学专著的计划最终没有实现。但是，马克思恩格斯在《神圣家族》、《德意志意识形态》、《反杜林论》、《家庭、私有制和国家的起源》、《路德维希·费尔巴哈和德国古典哲学的终结》等一系列著作中，对道德的根源和本质、道德的阶级性和历史性、道德的相对独立性和能动作用，以及爱情、婚姻、家庭道德等都进行了阐发，形成了丰富的马克思主义伦理学思想，实现了伦理思想史上的伟大变革。

首先，科学地论证了道德的根源和本质。在《1844年经济学哲学手稿》中，马克思指出："私有财产的运动——生产和消费——是迄今为止全部生产的运动的感性展现，就是说，是人的实现或人的现实。宗教、家庭、国家、法、道德、科学、艺术等等，都不过是生产的一些特殊的方式，并且受生产的普遍规律的支配。"② 这里，马克思虽然还没有形成经济基础和上层建筑的概念，但已经清楚地初步表达了道德等受生产运动所支配的思想。这一思想在《德意志意识形态》中得到进一步阐发。马克思恩格斯在论述经济基础决定上层建筑的唯物史观时指出，应当从经济基础去阐明各种理论产物和意识形态，"如宗教、哲学、道德等等，而且追溯它们产生的过程"③。在马克思恩格斯看来，道德作为调节人们行为的规定，与宗教、哲学、政治一样，都属于社会意识形态，是社会关系尤其是经济关系的产物。人们在从事物质生产的过程中，必然会形成各种社会关系，个人与集体、个人与社会、个人与个人之间在利益上会产生矛盾或冲突。为了解决这些矛盾或冲突，调节社会关系，就逐渐产生了一些行为准则和观念，这就是道德。恩格斯指出："人们自觉地或不自觉地，归根到底总是从他们阶级地位所依据的实际关系中——从他们进行生产和交换的经济关系中，获得自己的伦理观念。"④ 马克思恩格斯强调，道德作为人们对现实社会客观规定的一种反映，既不是由人之外的某种"神的意志"和"绝对观念"主宰的，也不是由人的"主观意志"自生的，而是由人们所处的社会经济关

① 《马克思恩格斯文集》第1卷，人民出版社2009年版，第111页。
② 《马克思恩格斯文集》第1卷，人民出版社2009年版，第186页。
③ 《马克思恩格斯选集》第1卷，人民出版社2012年版，第171页。
④ 《马克思恩格斯选集》第3卷，人民出版社2012年版，第470页。

系的地位以及表现的利益决定的，道德归根到底都是当时的社会经济状况的产物。

马克思恩格斯还深刻阐释了道德的阶级性。在阶级社会中，由于人们对生产资料占有的程度不同、所处经济地位和利益不同，因此会产生不同的道德观念，这样，阶级社会中的道德就必然具有阶级性。在 1844 年 9 月至 1845 年 3 月写成的《英国工人阶级状况》中，恩格斯写道："工人比起资产阶级来，说的是另一种方言，有不同的思想和观念，不同的习俗和道德原则，不同的宗教和政治。这是两种完全不同的人，他们彼此是这样地不同，好像他们属于不同的种族。"① 这里，恩格斯初步表述了道德的阶级性思想，指出资本主义社会的两大对立阶级由于社会地位和生活条件不同，因而有着截然不同的道德。之后，在《德意志意识形态》、《共产党宣言》中，这一思想得到进一步阐述。在《反杜林论》中，针对杜林从唯心主义和形而上学思想路线出发，鼓吹超历史、超阶级的所谓的"永恒道德论"，恩格斯明确指出："一切以往的道德论归根到底都是当时的社会经济状况的产物。而社会直到现在是在阶级对立中运动的，所以道德始终是阶级的道德；它或者为统治阶级的统治和利益辩护，或者当被压迫阶级变得足够强大时，代表被压迫者对这个统治的反抗和他们的未来利益。没有人怀疑，在这里，在道德方面也和人类认识的所有其他部门一样，总的说是有过进步的。但是我们还没有越出阶级的道德。"② 统治阶级的道德观念在每一个时代都是占统治地位的。在资本主义私有制条件下，资产阶级道德占统治地位，为维护资产阶级的统治和利益服务。

其次，深刻地揭示了道德的历史性。在道德问题上，杜林借口"道德世界也有凌驾于历史和民族差别之上的不变的原则"③，把任何道德教条当作永恒的、终极的、不变的伦理规律，鼓吹"永恒道德论"。恩格斯指出，没有永恒的、不变的道德，道德必然随着经济关系的变化而变化，"善恶观念从一个民族到另一个民族、从一个时代到另一个时代变更得这样厉害，以致它们常常是互相直接矛盾的"④。恩格斯分析了当时在欧洲最先进国家中存在的封建贵族道德、资产阶级道德和无产阶级道德三种不同阶级的道德，认为它们虽然同时和

---

① 《马克思恩格斯文集》第 1 卷，人民出版社 2009 年版，第 437—438 页。
② 《马克思恩格斯选集》第 3 卷，人民出版社 2012 年版，第 471 页。
③ 《马克思恩格斯选集》第 3 卷，人民出版社 2012 年版，第 471 页。
④ 《马克思恩格斯选集》第 3 卷，人民出版社 2012 年版，第 469—470 页。

并列地起作用，但分别代表着过去、现在和将来的不同阶段，因而都是历史的产物。恩格斯指出，"对同样的或差不多同样的经济发展阶段来说，道德论必然是或多或少地互相一致的"①，例如，"切勿偷盗"是从动产的私有制发展起来的时候起，一切存在着私有制的社会里的一条共同的道德戒律。但是，它绝对不会成为永恒的道德戒律。在未来的共产主义社会里，消灭了私有制，消灭了阶级，从而偷盗动机被消除，那时"切勿偷盗"就不再是人们的道德规范了。因此，恩格斯强调，超历史、超民族的永恒的道德规范是不存在的，"我们拒绝想把任何道德教条当做永恒的、终极的、从此不变的伦理规律强加给我们的一切无理要求"②。

恩格斯对原始社会道德、封建社会道德、资本主义社会道德进行了分析。他指出，原始社会道德是与当时社会生产力不发达、没有阶级、共同劳动、实行生产资料公有制以及平均分配等社会经济状况相适应的，它以维护部落的整体利益为依归，提倡平等互助、公正、自尊、刚强和勇敢等品德，以此维护氏族内部的自由和平等。原始社会的道德虽然十分纯朴，但同时也存在着某些类动物的痕迹，最明显的表现就是氏族集团之间残酷的"复仇战争"和"食人之风"。因此，恩格斯强调，不能把原始道德视为最理想的人类道德。

恩格斯认为，与原始社会的道德相比，奴隶社会的道德改变了食人之风，改群婚制为对偶婚制等，这是历史的进步。同时，他还揭示了奴隶主阶级和奴隶阶级各自道德的特征。奴隶主阶级的道德以私有制为基础，以奴隶的人身被占有为最根本的原则，以自私自利、贪财、掠夺为最主要的行为规范，以鄙视劳动为最高道德信条，其目的主要是维护奴隶主的利益，维护奴隶制以及对国家忠诚。奴隶主阶级虽把社会历史推进了一步，但在道德上破坏了原始的没有阶级的氏族道德。在奴隶社会，占统治地位的是奴隶主阶级的道德，但奴隶阶级在反抗奴隶主的斗争中也形成了反对奴役、反对剥削和压迫、要求自由平等、敢于斗争等优良品德，对此，恩格斯给予了高度评价。

恩格斯在《德国农民战争》等著作中，以德国封建社会为例，对封建社会的道德进行了分析。他指出，封建主阶级的道德是建立在严格等级划分的经济、社会地位的基础之上的，以好逸恶劳、荒淫奢侈为主要规范，根本目的是

---

① 《马克思恩格斯选集》第 3 卷，人民出版社 2012 年版，第 471 页。
② 《马克思恩格斯选集》第 3 卷，人民出版社 2012 年版，第 471 页。

维护宗法等级制度。封建主阶级为了强化自己的统治，竭力用基督教道德来愚弄和控制人民。封建主道德与宗教道德密切结合是封建社会道德的一个基本特征。

在《英国工人阶级状况》一书中，恩格斯对资本主义社会的道德进行了系统的揭露和批判。他指出，资产阶级道德建立在资本主义生产关系基础之上，以抽象的"自由、平等、博爱"作为基本的道德主张。这些主张具有进步性，在其早期发展阶段曾起过十分革命的作用，对于冲破封建专制和等级制度以及封建道德的束缚，发展资本主义经济具有重要意义。但是，随着资产阶级统治的确立，其革命性和进步性逐步消失，成为掩盖事实上的不平等、不自由的工具。虚假性、欺骗性是资产阶级道德最大的特点。同时，资产阶级道德以极端的利己主义和个人主义为原则，奉行金钱万能的行为规范，"进行交换的人们的动机不是人性而是利己主义"①，是为了赚钱不择手段、不把工人当人看的野蛮道德，因而是一种不人道的道德。

同时，恩格斯在人类历史上第一次全面系统地总结了无产阶级道德的产生发展及其主要原则规范。他指出，无产阶级道德是在反对资产阶级压迫和剥削的斗争中作为资产阶级道德的对立面产生和发展起来的，它以集体主义为核心原则，提倡大公无私，没有本阶级的一己私利，因而是人类历史上最崇高的道德。在共产主义社会里，人与人的根本利益一致，恶性竞争消失，生活极大改善，社会和谐，所有这些社会条件都使得社会主义和共产主义道德不仅成为为社会发展服务的唯一合适的道德，而且受到广大人民群众的普遍尊崇和积极践行，这时，共产主义道德就会成为协调社会生活的主要手段。

再次，论述了爱情、婚姻、家庭道德。马克思恩格斯在早期著作中，批判了青年黑格尔派的爱情观和只把性欲作为爱情等观点，认为爱情只有作为生命的表现才是道德的。在《家庭、私有制和国家的起源》中，恩格斯从现代性爱同单纯的性欲、同古代的爱的根本不同等方面，阐述了爱情的道德内涵。他认为，爱情应以男女双方的平等互爱为基础，决不能将它仅仅归结于性欲。人虽有其自然属性，但人与动物最根本的区别在于其社会性，人的自然属性也带有社会性，只有建立在爱情基础之上的婚姻中的性爱才是合乎道德标准的。爱情不仅具有自然属性，更主要地体现为男女之间的社会关系。从本质上来说，爱

---

① 《马克思恩格斯文集》第 1 卷，人民出版社 2009 年版，第 240 页。

情就是"人们彼此间以相互倾慕为基础的关系"①。同时，恩格斯强调，婚姻的道德基础是爱情。在《家庭、私有制和国家的起源》中，他明确指出："如果说只有以爱情为基础的婚姻才是合乎道德的，那么也只有继续保持爱情的婚姻才合乎道德。"②这是马克思主义伦理学在婚姻关系上的基本道德要求，即婚姻的道德基础是爱情。

平等原则是爱情、婚姻、家庭方面最根本的道德原则。通过对婚姻史的考察，恩格斯认为，个体婚制是私有制经济的产物，它不以自然条件为基础，而以经济条件为基础，这就决定了"丈夫在家庭中居于统治地位，以及生育只可能是他自己的并且确定继承他的财产的子女"③。婚姻不是以男女之间的和好，而是以女性被男性奴役为标准，男女处于不平等的地位。只有消灭了资本主义私有制，婚姻中男女平等才可能真正实现。恩格斯指出："结婚的充分自由，只有在消灭了资本主义生产和它所造成的财产关系，从而把今日对选择配偶还有巨大影响的一切附加的经济考虑消除以后，才能普遍实现。到那时，除了相互的爱慕以外，就再也不会有别的动机了。"④

最后，揭示了道德的相对独立性和能动作用。恩格斯在《路德维希·费尔巴哈和德国古典哲学的终结》等著作中，以费尔巴哈的伦理学说为例，深刻揭露了资产阶级伦理学说的唯心主义本质，说明了资产阶级伦理学是以抽象的人性论为基础的，因而是极其空泛的和唯心主义的。恩格斯依据经济基础和上层建筑、社会存在和社会意识的辩证关系，论述了道德观念如同政治法律思想、宗教、哲学等社会意识形态一样，属于社会的上层建筑，是由一定的经济基础所决定的，考察道德现象决不能脱离特定的社会经济条件以及一定的时代状况。这是唯物史观的伦理学说与资产阶级唯心主义伦理学说的本质区别。

同时，恩格斯也肯定了道德的相对独立性和对社会经济基础的能动作用。在他看来，道德观念在一定的经济基础上产生以后，就会作为一种相对独立的社会现象而存在并具有其自身的特点和规律。一方面，道德观念与经济、政治的发展并不总是相一致。经济、政治状况发生了变化，旧有道德往往并不会马上随之变化而归于灭亡，经济发展落后的国家在道德领域也可能处于先进地

① 《马克思恩格斯选集》第4卷，人民出版社2012年版，第240页。
② 《马克思恩格斯选集》第4卷，人民出版社2012年版，第94页。
③ 《马克思恩格斯选集》第4卷，人民出版社2012年版，第75页。
④ 《马克思恩格斯选集》第4卷，人民出版社2012年版，第93页。

位。另一方面，道德对经济基础乃至整个社会生活具有能动的反作用，主要体现在它是某一生产方式没落和代之而起的新生产方式即将来临的象征。同时，恩格斯强调，决不能夸大道德的能动作用而滑向道德决定经济状况的唯心主义。他指出："只有在这个时候，这种越来越不平等的分配，才被认为是非正义的，只有在这个时候，人们才开始从已经过时的事实出发诉诸所谓永恒正义。这种诉诸道德和法的做法，在科学上丝毫不能把我们推向前进；道义上的愤怒，无论多么入情入理，经济科学总不能把它看做证据，而只能看做象征。"① 在恩格斯看来，历史上只有某种生产方式已走向腐朽没落，由它决定的分配上的不平等才会引起道德义愤。这种道德义愤是"果"，而生产方式的即将灭亡是"因"，不能颠倒两者的因果关系。因此，道德义愤或道德谴责不能代替从经济上对资本主义的科学分析，道德谴责应当建基于对经济的科学分析之上。恩格斯关于道德与经济基础的关系问题的认识，既坚持了社会存在决定社会意识这一唯物史观的根本观点，同时又揭示了二者之间的辩证关系，避免了机械的"经济决定论"，坚持了唯物辩证法，深化了马克思主义伦理观的基本观点。

二、马克思主义宗教观的探索

对宗教问题的关心和重视，在马克思恩格斯的全部理论活动和实践活动中占有相当突出和重要的地位。马克思恩格斯对宗教问题的研究，主要开始于《德法年鉴》时期，马克思在《黑格尔法哲学批判》、《〈黑格尔法哲学批判〉导言》、《论犹太人问题》等著作中，恩格斯在《英国状况——评托玛斯·卡莱尔的"过去和现在"》一文中，对宗教进行批判，对宗教的社会本质及其产生根源、宗教的社会历史作用等问题进行了初步阐述。在《德意志意识形态》中，马克思主义的历史唯物主义宗教观得到了比较完整和准确的表述。《德意志意识形态》之后，特别是在人类学笔记时期，马克思对宗教作了更深入的考察。恩格斯在一些著作中，如《反杜林论》（1876—1878）、《自然辩证法》（1873—1883）、《〈社会主义从空想到科学的发展〉英文版导言》（1880）、《布鲁诺·鲍

---

① 《马克思恩格斯选集》第 3 卷，人民出版社 2012 年版，第 528 页。

威尔和早期基督教》（1882）、《启示录》（1883）、《路德维希·费尔巴哈和德国古典哲学的终结》（1886）、《家庭、私有制和国家的起源》（1884）、《论原始基督教的历史》（1894）等，对宗教特别是早期基督教的起源也进行了系统的研究，为马克思主义宗教观的发展和完善作出了卓越的贡献。马克思恩格斯宗教思想丰富深刻，概括而言，主要集中在以下几个方面。

首先，进一步揭示了宗教的本质。关于宗教的社会本质，是宗教理论的一个根本问题。青年黑格尔派单纯从人的主观意识（"自我意识"）去理解宗教的本质，仅仅把宗教理解为意识或思想的产物。费尔巴哈用唯物主义世界观来说明宗教的本质，指出宗教中关于上帝的一切属性和本质都是人类把自己的属性和本质加以异化的结果，不是上帝创造了人，而是人按照自己的形象创造了上帝。这种人本主义的唯物论和无神论彻底否定了宗教和上帝的神圣的来源，把宗教还原为它的世俗基础。马克思赞成和接受了费尔巴哈关于宗教的本质就是人的本质的异化的观点，进一步指出，"宗教是还没有获得自身或已经再度丧失自身的人的自我意识和自我感觉"，"因为人的本质不具有真正的现实性"[1]，说明了宗教本质上是人把自己的本质用幻想的方式加以异化的结果，实际上是人的本质的异化，也就是人性的丧失。不仅如此，马克思进一步说明了人之所以异化出宗教的社会基础。宗教关于上帝按照自己的形象创造了人类的说法是一种颠倒了的世界观，但颠倒的世界观所以能够创造出来，根本原因在于它的后面有一个颠倒了的世界。马克思指出："这个国家、这个社会产生了宗教，一种颠倒的世界意识，因为它们就是颠倒的世界。"[2] 在《德意志意识形态》中，马克思恩格斯运用社会存在决定社会意识的历史唯物主义原理，从根基上批判青年黑格尔派把宗教视为"自我意识"的表现的唯心主义观点，提出了"宗教本身既无本质也无王国"[3] 的论断。在马克思恩格斯看来，宗教作为上层建筑和社会意识形态，深层本质是由社会经济关系所决定的，社会经济关系才是宗教的本质所在。

在《反杜林论》中，恩格斯对宗教作出科学界定，进一步揭示了宗教的本质。他指出："一切宗教都不过是支配着人们日常生活的外部力量在人们头脑

---

[1] 《马克思恩格斯选集》第1卷，人民出版社2012年版，第1、2页。

[2] 《马克思恩格斯选集》第1卷，人民出版社2012年版，第1页。

[3] 《马克思恩格斯全集》第3卷，人民出版社1960年版，第170页。

中的幻想的反映，在这种反映中，人间的力量采取了超人间的力量的形式。"①
在恩格斯看来，宗教作为一种意识形式，本质上是对客观世界的一种"幻想
的反映"，宗教信仰和宗教崇拜的对象客观上并不存在，都是人们幻想出来的
东西。这是宗教这种意识形式区别于其他社会意识形式的特征之所在。宗教
的形式虽表现为超人间的、幻想的、虚假的，但宗教的内容和对象却并非超
出经验之外、不可捉摸的神秘之物，而是与人们日常生活密切相关并且支配
着人们日常生活的外部力量。恩格斯指出，这一外部力量包括自然力量和社
会力量两个方面。人类社会早期，生产力水平低下，科学不发达，自然的力量
首先成为支配人们生活的外部力量，原始人将其幻想地反映为超人间的力量。
随着历史的发展，支配人们日常生活的社会力量也被幻想地反映为超人间的
力量。特别是在阶级社会中，宗教得到了统治阶级的扶植和支持，被利用来
维护剥削制度和统治，从而使宗教得以发展和强化。恩格斯的上述思想集中
体现了马克思主义宗教观的基本精神，对说明各种宗教的本质具有普遍的适
用性。

　　其次，科学地说明了宗教的起源和发展。德国批判哲学家把宗教视为脱离
社会存在的先验的东西；基督教神学家认为，基督教是上帝的启示；18世纪唯
物主义无神论者认为，创立宗教是出自力图用愚昧无知给民众添造桎梏的"牧
师和暴君"的自私意图。以上种种说法，都没有用客观社会现实状况来说明宗
教的起源及其发展。马克思恩格斯批判了这种"从抽象的天上降到现实的地
上"的唯心主义宗教观，认为要"根据宗教借以产生和取得统治地位的历史
条件"②，即从现实的物质生活条件去说明宗教的起源和发展。在马克思恩格斯
看来，宗教并非与人类社会共始终，人类社会初期并没有宗教，宗教是人类社
会发展到一定历史阶段的产物。只有当人们在生产实践的基础上有了一定的自
我意识，并逐渐将自己与自然界区分开，从而对自然现象与人类之间的关系有
所认识时，才能产生关于自然现象的虚幻映象，宗教也才可能产生。恩格斯指
出："宗教是在最原始的时代从人们关于他们自身的自然和周围的外部自然的
错误的、最原始的观念中产生的。"③马克思进一步指出："宗教本身是没有内

---

① 《马克思恩格斯选集》第3卷，人民出版社2012年版，第703页。
② 《马克思恩格斯文集》第3卷，人民出版社2009年版，第13、592页。
③ 《马克思恩格斯选集》第4卷，人民出版社2012年版，第260—261页。

容的，它的根源不是在天上，而是在人间，随着以宗教为理论的被歪曲了的现实的消失，宗教也将自行消亡。"① 这就是说，宗教起源于人们对自身和外部自然无知或者认识的有限性。马克思恩格斯强调宗教的起源在于人间，在于人类认识上的局限性，体现了唯物史观在宗教起源问题上的具体运用。同时，马克思恩格斯认为，宗教产生和存在还有其社会根源，那就是人们对捉摸不定的、无法解释的社会力量所产生的恐惧。"最初仅仅反映自然界的神秘力量的幻想的形象，现在又获得了社会的属性，成为历史力量的代表者。"②

马克思恩格斯以历史唯物主义的原理原则作为理论和方法，说明了宗教的历史发展。他们在《德意志意识形态》中提出，宗教本身没有自己的历史，宗教的发展为客观的社会条件所决定。在《〈政治经济学批判〉序言》中，马克思进一步强调，宗教和法、政治、艺术、哲学等社会意识一样，是由社会形态所决定的，随着生产关系和经济基础的变更而变化。社会形态变化和发展的历史也就是宗教形态（在历史上展现出的各种宗教体制）演变和变化的历史的社会基础。恩格斯运用这个原则来说明宗教的历史发展，主张用社会历史发展的具体史实来说明宗教进化的内在根据。在《反杜林论》中，他提出了从自然宗教到多神教再到一神教的发展过程，强调了宗教发展对经济基础的依赖作用，认为被宗教幻想的"超人间化"的异己力量，除了自然力量以外还有社会力量；宗教崇拜的神既有自然属性，也有社会属性。一旦社会属性发生变化，神的神性形象和宗教形态也将随之变化。恩格斯对民族宗教和国家宗教向世界宗教发展的过程进行了探讨，说明了佛教、伊斯兰教，特别是基督教世界化的社会原因。同时，他还着重研究了基督教的发展历史，深刻说明了基督教的几次重大变革与当时经济关系和阶级斗争的内在联系。恩格斯在说明宗教发展对经济基础的依赖性的同时，也阐释了宗教作为一种社会意识的相对独立性。恩格斯指出："宗教一旦形成，总要包含某些传统的材料，因为在一切意识形态领域内传统都是一种巨大的保守力量。但是，这些材料所发生的变化是由造成这种变化的人们的阶级关系即经济关系引起的。"③ 在恩格斯看来，宗教与经济基础的关系不是如影随形、亦步亦趋的，宗教是所有意识形式中最为保守的。经济基

---

① 《马克思恩格斯选集》第4卷，人民出版社2012年版，第404页。
② 《马克思恩格斯选集》第3卷，人民出版社2012年版，第704页。
③ 《马克思恩格斯选集》第4卷，人民出版社2012年版，第263页。

础变革了，反映这个经济基础的宗教并不是立即就会发生变革，而是往往要落后于经济基础的变革。由此，恩格斯全面揭示了宗教发展的基本规律。

再次，科学地说明了宗教的社会作用。如何看待宗教的社会作用，是各种宗教学说长期争论的问题，马克思恩格斯对此进行了科学说明。他们认为，宗教在社会历史上的作用，归根到底取决于它所维护的经济基础和社会制度的性质。宗教是维护经济基础的上层建筑，本质上是统治阶级用来维护其统治秩序的工具；对于被压迫人民而言，则不过是麻痹其革命意志的精神鸦片。马克思在其全部著作中对于宗教在历史和现实社会中的作用几乎没有肯定性的评价，始终认为宗教对于统治阶级而言，是维护其统治秩序的工具；对于被压迫人民而言，则是假仁假义的欺骗。在《〈黑格尔法哲学批判〉导言》中，马克思从宗教是为"颠倒的世界"提供神圣支撑的工具，是为人民提供幻想幸福的精神锁链，是麻醉人民精神的鸦片三个方面说明了宗教的社会功能。恩格斯进一步发挥了马克思的这一思想，从社会经济根源以及阶级根源上揭示了宗教的社会作用。他以基督教为例指出，基督教在其创立时期是奴隶、穷人和无产者、被罗马征服或驱散的人们的宗教，他们通过宗教反映了对平等的要求和对社会等级制度的不满。但是，随着历史的变化和大量富人的加入并控制了教团，基督教的性质就发生了变化。特别是当罗马帝国宣布它为国教以后，基督教就完全变成了统治者手中的工具。恩格斯在《〈社会主义从空想到科学的发展〉1892年英文版导言》中指出，资产阶级在夺取统治地位的斗争中，曾打着宗教的旗帜战胜了国王和贵族，在取得统治地位之后，发现可以用同样的宗教"来操纵他的天然下属的灵魂，使他们服从由上帝安置在他们头上的那些主人的命令"[1]，这时，宗教就成了资产阶级镇压"下层等级"和全国广大的生产者大众的工具。

恩格斯认为，历史上人民群众也曾利用宗教来反抗剥削阶级的压迫和统治，但这是由特殊的社会历史条件造成的。在中世纪，宗教及神学在社会生活中具有至高无上的地位，宗教成为当时人们表达思想感情、进行一切活动的唯一可采取的形式。因此，当时任何一种针对社会制度的改革运动，都不得不采取神学的形式，革命阶级要组织群众起来斗争，就必须让群众的切身利益披上宗教的外衣。恩格斯在《德国农民战争》中指出："一切针对封建制度发出的全面攻击必然首先就是对教会的攻击，而一切革命的、社会和政治的理论大体

---

[1] 《马克思恩格斯选集》第3卷，人民出版社2012年版，第764页。

上必然同时就是神学异端。为了有可能触犯当时的社会关系，就必须抹掉笼罩在这些关系上的灵光圈。"①但是，马克思恩格斯强调，宗教并不会因此而变成进步的社会意识形态，以宗教组织人民进行斗争这种方式也不可能长久。随着资产阶级统治的确立和巩固，当宗教成为统治阶级维护其统治的工具时，无产阶级革命就不可能也不需要再采取宗教斗争的形式了。马克思恩格斯对宗教的"外衣"作用的性质作了具体的分析，指出宗教作为外衣，既可成为革命的武器，也可变为镇压革命的手段，宗教的性质不由自身决定，而由举着这面旗帜的人所代表的阶级决定，归根结底是由这个阶级的政治目的和经济利益所决定。由此，恩格斯得出结论："基督教进入了它的最后阶段。此后，它已不能成为任何进步阶级的意向的意识形态外衣了；它越来越变成统治阶级专有的东西，统治阶级只把它当做使下层阶级就范的统治手段。"②

马克思恩格斯强调，宗教虽然在社会历史的发展过程中起过很大的作用，但决不能将这种作用夸大为决定性的作用。费尔巴哈从唯心史观出发，片面夸大宗教在历史上的作用，认为人类历史就是一部宗教变迁史。对此，恩格斯认为，费尔巴哈片面夸大宗教在社会历史上的作用的观点是不符合历史事实的。在人类历史发展过程中，一些自发产生的部落宗教和氏族宗教，都随着部落和氏族的衰落而消失了，根本谈不上由于宗教的变迁而引起人类历史的变迁。三大世界性的宗教，即佛教、基督教和伊斯兰教，虽能伴随历史的转折产生过一定影响，但这也只是在当时的历史条件下，社会政治经济的发展使它们适应了一定阶级和政治斗争的需要而导致的。历史事实表明，不是宗教的变迁决定社会历史的发展，而是社会历史的发展决定着宗教的变迁。同时，马克思恩格斯也强调，宗教作为剥削阶级的统治工具，其作用也是有限度的，尤其是在无产阶级革命潮流日益高涨的情况下，"宗教也不能永保资本主义社会的平安。如果说我们的法律的、哲学的和宗教的观念，都是一定社会内占统治地位的经济关系的近枝或远蔓，那么，这些观念终究不能抵抗因这种经济关系的完全改变所产生的影响。除非我们相信超自然的奇迹，否则，我们就必须承认，任何宗教教义都难以支撑一个摇摇欲坠的社会。"③

---

① 《马克思恩格斯文集》第 2 卷，人民出版社 2009 年版，第 235—236 页。
② 《马克思恩格斯选集》第 4 卷，人民出版社 2012 年版，第 263 页。
③ 《马克思恩格斯选集》第 3 卷，人民出版社 2012 年版，第 773 页。

最后，科学地揭示了宗教消亡的条件。马克思恩格斯认为，宗教是一种历史现象，它必然会随着社会的发展而归于消亡。宗教作为颠倒的世界观，它的根源在于颠倒的世界。只有消灭颠倒的世界，才能除去宗教赖以产生和存在的基础，从而创造出宗教消亡的条件。而颠倒的世界之所以存在，是因为在私有财产制度上产生的一个阶级对另一个阶级的剥削和压迫。如果要把世界颠倒过来，必须首先消灭私有财产制度。从这个意义上说，私有制的消亡是宗教消亡的前提和基础。后来，马克思恩格斯逐渐意识到，宗教存在的根源是复杂的，不能简单地归结为私有财产制度，人与自然、人与人之间的关系不合理，从而使自然力量和社会力量成为盲目起作用的、异己的支配力量，是宗教存在的最深刻的根源。因此，宗教的消亡，不仅必须实现生产资料的社会占有和有计划使用，而且要求人与自然、人与人之间的关系变得明白而且合理，人在社会生活中成为自由的人，社会生产方式成为自由人自然结合的产物，物质生产过程处于有意识、有计划的控制之下，这样，宗教才将失去其存在的社会基础而趋于消亡。马克思在 1867 年 9 月出版的《资本论》第一卷中指出："只有当实际日常生活的关系，在人们面前表现为人与人之间和人与自然之间极明白而合理的关系的时候，现实世界的宗教反映才会消失。只有当社会生活过程即物质生产过程的形态，作为自由联合的人的产物，处于人的有意识有计划的控制之下的时候，它才会把自己的神秘的纱幕揭掉。"① 恩格斯在《反杜林论》中进一步指出："当社会通过占有和有计划地使用全部生产资料而使自己和一切社会成员摆脱奴役状态的时候（现在，人们正被这些由他们自己所生产的、但作为不可抗拒的异己力量而同自己相对立的生产资料所奴役），当谋事在人，成事也在人的时候，现在还在宗教中反映出来的最后的异己力量才会消失，因而宗教反映本身也就随着消失。理由很简单，因为那时再没有什么东西可以反映了。"② 概而言之，在马克思恩格斯看来，宗教消亡的条件至少有三条：一是消灭生产资料的私人占有制，实行社会占有制；二是社会对生产资料实行有计划的使用；三是形成"谋事在人，成事也在人"的社会条件。只有通过无产阶级革命，彻底埋葬资本主义生产方式及其政治制度，并实现共产主义，宗教才会归于消亡，而这将是一个漫长的历史过程。

---

① 《马克思恩格斯选集》第 2 卷，人民出版社 2012 年版，第 127 页。
② 《马克思恩格斯选集》第 3 卷，人民出版社 2012 年版，第 705 页。

第三节 马克思主义美学和文艺观的形成

马克思主义美学、文艺思想是伴随着马克思主义哲学、政治经济学、科学社会主义的创立而建立起来的。马克思恩格斯生前虽没有时间专门从事美学著述，他们的美学、文艺思想大都散见于哲学、经济学著作以及札记、手稿和书信，但却博大精深，形成了丰富的马克思主义美学和文艺理论，构成了马克思主义的有机组成部分。

一、唯物史观与美学理论

马克思主义美学思想是在唯物史观的形成和成熟中产生并逐步完善的。《1844年经济学哲学手稿》是马克思主义美学思想的诞生地。《1844年经济学哲学手稿》提出初步的实践观点，将人类的审美活动与人类生活的基本实践联系起来进行考察，是马克思主义美学思想史上具有重大意义的起点。从1845年《关于费尔巴哈的提纲》到1871年巴黎公社革命这一阶段，马克思恩格斯在《神圣家族》、《关于费尔巴哈的提纲》、《德意志意识形态》等著作中建立的辩证唯物主义和历史唯物主义，以及19世纪50—60年代对政治经济学的研究，为马克思主义美学和文艺思想提供了理论基础和方法论基础。他们运用唯物史观对社会主义运动中的小资产阶级文艺派别及其代表人物进行严厉批判，提出了"生产劳动与非生产劳动之间的区别"[1]、"资本主义生产就同某些精神生产部门如艺术和诗歌相敌对"[2]、艺术的"一定的繁盛时期决不是同社会的一般发展成比例的"[3]等一系列深刻命题，标志着马克思主义美学思想的逐步形成。之后，

---

① 《马克思恩格斯文集》第8卷，人民出版社2009年版，第530页。
② 《马克思恩格斯全集》第33卷，人民出版社2004年版，第346页。
③ 《马克思恩格斯选集》第2卷，人民出版社2012年版，第710页。

马克思关于古代社会的研究以及"人类学笔记",从更加细微的层面论述了艺术活动从劳动分工中产生的一般规律,恩格斯总结性地论述了经济基础与上层建筑之间的关系,在评论敏娜·考茨基的作品与哈克奈斯的《城市姑娘》中提出了"典型环境中的典型人物"等重要美学思想,马克思主义美学思想进一步得到深化和发展。纵观马克思恩格斯的相关论述,他们的美学思想主要集中在以下几个方面。

首先,揭示了美的起源和本质。在马克思之前,美的起源和本质问题一直没有得到正确的解决。唯心主义哲学家和美学家把美的起源或者归结为神,或者归结为人的心灵的特殊构造,总之,把美视为主观的东西。旧唯物主义尽管承认美是客观的,但他们至多是把美和事物本身或自然物相联系来说明美的客观性,混淆了审美和认识之间的区别,同样不能真正揭示出美的起源和本质。

旧哲学家和美学家不能科学揭示美的起源和本质,除了受其所处历史条件的限制和世界观的局限外,根本原因在于他们没有寻找到正确的途径,因而难以发现美和艺术的活动与人的劳动活动的内在联系。马克思在《1844 年经济学哲学手稿》中把人的审美活动和劳动活动联系起来考察,找到了一条揭示美的起源和本质的正确途径。事实上,在马克思之前,黑格尔已经开始重视劳动问题,在《精神现象学》中阐述了劳动对于人的自由意识解放的重大作用,说明了劳动就是人的本质,劳动过程就是人的本质的外化和外化的复归。同时,黑格尔还探讨了人的审美活动和人的本质外化的关系,在《美学》中指出,"人有一种冲动,要在直接呈现于他面前的外在事物之中实现他自己,而且就在这实践过程中认识他自己",类似"这种需要贯串在各种各样的现象里,一直到艺术作品里的那种样式的外在事物中进行自我创造(或创造自己)",因此,"艺术表现的普遍需要……也是理性的需要"①。这里黑格尔把人的审美活动和人的本质外化联系起来,看到了劳动对于人的审美活动的意义。但是,他所谓的劳动活动完全是理念的自我生成和运动过程,因此,美只能被看作是根源于理念自身的东西。

在《1844 年经济学哲学手稿》中,马克思排除了黑格尔式的精神实践方法,肯定和强调了物质生产劳动。他指出,"工业的历史和工业的已经生成的对象性的存在,是一本打开了的关于人的本质力量的书,是感性地摆在我们面

① [德] 黑格尔:《美学》第 1 卷,商务印书馆 1997 年版,第 40 页。

前的人的心理学"①。人的劳动活动不同于动物的活动，是一种自由的活动，其本质在于创造对象世界。也正是在改造对象的活动中，人才从动物界中升华出来，才真正证明自己是作为自由自觉的人而存在的。可以说，劳动是人的本质的生成过程，劳动活动创造了人本身。这种现实的劳动活动不仅创造出物质财富，而且创造出美和智慧。马克思指出："劳动为富人生产了奇迹般的东西，但是为工人生产了赤贫。劳动生产了宫殿，但是给工人生产了棚舍。劳动生产了美，但是使工人变成畸形。"②"劳动创造了美"这一论断的提出，排除了将美视为自然存在物和主观理念的错误，科学揭示出美与人类物质生产劳动的内在联系，在马克思主义美学思想史上占有非常重要的地位。

其次，阐述了美感的产生根源与社会性质。马克思认为，美感作为人的感觉，尽管在形式上是主观的，但却有其客观对象和内容，劳动是美感产生的客观基础。他在《1844年经济学哲学手稿》中写道："社会的人的感觉不同于非社会的人的感觉。只是由于人的本质客观地展开的丰富性，主体的、人的感性的丰富性，如有音乐感的耳朵、能感受形式美的眼睛，总之，那些能成为人的享受的感觉，即确证自己是人的本质力量的感觉，才一部分发展起来，一部分产生出来。因为，不仅五官感觉，而且连所谓精神感觉、实践感觉（意志、爱等等），一句话，人的感觉、感觉的人性，都是由于它的对象的存在，由于人化的自然界，才产生出来的。"③马克思这里所说的"人的享受的感觉，即确证自己是人的本质力量的感觉"，也就是我们所指的"美感"的基本内涵。在马克思看来，劳动对于美感的产生具有重要意义，一方面，劳动活动提供了产生美感的客观对象，凡是属人的东西，包括人的感觉、人的美感产生都是由于它的对象的存在，由于"人化的自然"才产生出来。只有先有被感受的对象，然后才有对象给人的感受。而作为美感的对象只有在人的对象化活动，即劳动活动中才能成为主体感受的对象。另一方面，人的美感是在劳动中形成和发展起来的。缺少感受音乐美的主体素质，再美的音乐也毫无意义。而人的本质力量的增长是通过劳动活动实现的。"为了创造同人的本质和自然界的本质的全部丰富性相适应的人的感觉，……人

---

① 《马克思恩格斯文集》第1卷，人民出版社2009年版，第192页。
② 《马克思恩格斯文集》第1卷，人民出版社2009年版，第158—159页。
③ 《马克思恩格斯文集》第1卷，人民出版社2009年版，第191页。

的本质的对象化都是必要的。"① 马克思对美感产生根源的论述具有重要意义，为探讨美学问题提供了科学的方法论原则，即建立在劳动活动基础上的主体能动性原则。

同时，马克思还揭示了美感的根本性质。一方面，"五官感觉的形成是迄今为止全部世界历史的产物"②。美感不是天生的，也不是固定的，而是在历史中形成和变化的。另一方面，美感具有社会性及一定意义上的阶级性。马克思指出："忧心忡忡的、贫穷的人对最美丽的景色都没有什么感觉；经营矿物的商人只看到矿物的商业价值，而看不到矿物的美和独特性；他没有矿物学的感觉。"③ 这是马克思美学精神中的阶级意识的初步论述，是无产阶级的审美理想的最初描述和表达。在马克思看来，人在劳动中的地位制约着人的美感。他在《1844年经济学哲学手稿》中揭露了异化劳动造成人的片面发展，同时也造成了人的美感扭曲的事实，指出资本主义社会中的劳动实际上是异化劳动。由于劳动者在劳动中失去了主体地位，因而他们在劳动中不仅感受不到美，相反却得到了非人的感受，导致了美感的丧失。在《德意志意识形态》中，马克思进一步分析了人的美感由于劳动分工而造成片面发展的现象，并且提出了艺术自身也成为一种生产部门的思想。马克思指出，只有在共产主义社会，资本主义私有财产制度被彻底摧毁，异化劳动被消灭，人才能得以全面的发展，人的美感、创造美的活动也才能得到完全自由自觉的发展。

最后，提出了美的创造是有规律的观点。马克思从劳动创造美的观点出发指出："动物只是按照它所属的那个种的尺度和需要来构造，而人却懂得按照任何一个种的尺度来进行生产，并且懂得处处都把固有的尺度运用于对象；因此，人也按照美的规律来构造。"④ 美的规律的提出，在美学史上是一个重大的理论突破，也是马克思主义美学的一个基石和立足点。虽然马克思没有系统论述美的规律问题，但他的这一观点却为探讨美的规律问题提供了基本的思路和方法。具体来说，主要有以下几个方面。

其一，审美创造活动是人所特有的。马克思将人的生产和动物的生产相比

① 《马克思恩格斯文集》第1卷，人民出版社2009年版，第191页。
② 《马克思恩格斯文集》第1卷，人民出版社2009年版，第191页。
③ 《马克思恩格斯文集》第1卷，人民出版社2009年版，第192页。
④ 《马克思恩格斯选集》第1卷，人民出版社2012年版，第57页。

较，说明美只是建立在人类生产劳动活动基础上的产物，审美活动必须依据这种生产活动才能存在。马克思在这里揭示了探讨美的规律的首要原则，即像探讨人的心理等认识活动、精神活动一样，探讨审美活动要建立在对生产劳动规律的探讨之上。只有如此，对审美活动的研究才能科学。

其二，人是具有自由自觉意识的存在物，这是人具有审美特性的根据。人在生产劳动中不仅按照客观对象的固有规律进行生产，而且也必然要按照人的审美需求进行生产，即也按照美的规律来建造。在马克思看来，"美的规律"就是具有自觉意识的人的活动的本质特征的反映，是人摆脱直接的肉体需要进行真正的人的生产的规律，是人能动地创造性地改造自然界的各种规定，并使之符合于人的内在尺度的规律。马克思对人具有审美创造活动特点的揭示，实际上涉及了人的生产劳动活动的二重性问题，即物质生产和精神生产的关系问题。尽管马克思这时还没有对此展开详细论述，但正是按照这一思想发展，在以后的研究工作中越来越多地涉及这个问题。

其三，人的审美能力的全面发展和物质生产发展一样，必须克服劳动异化。尽管马克思在《1844年经济学哲学手稿》中对资本主义制度下的劳动异化的批判还带有抽象的成分，但是已经显示出他在试图找到劳动异化与整个人类历史发展过程的内在联系。一方面，马克思揭露了劳动异化造成了人的片面发展，也造成了人的美感的扭曲；另一方面，他也承认即使在劳动异化的状态中，人在劳动中也必然创造美，仍然有审美活动的存在。马克思认为，劳动异化必然为人的美感的全面性和丰富性创造条件。在他看来，"通过私有财产及其富有和贫困——或物质的和精神的富有和贫困——的运动，正在生成的社会发现这种形成所需的全部材料；

同样，已经生成的社会创造着具有人的本质的这种全部丰富性的人，创造着具有丰富的、全面而深刻的感觉的人作为这个社会的恒久的现实"①。马克思还强调，发达的工业、物质生产的发展是人的美感的全面性、丰富性的基本前提，但是，两者之间还存在着一个重要的中间环节，这就是社会制度。马克思指出，只有在共产主义社会中，人才能达到对人的本质的真正占有，由此人的美感、创造美的活动也才能得到完全自由自觉的发展。

---

① 《马克思恩格斯文集》第1卷，人民出版社2009年版，第192页。

二、文艺的本质及其发展规律的探讨

文艺活动是人类审美活动的集中表现，马克思恩格斯在创立马克思主义美学理论的同时，对文艺美学也进行了深入探讨。他们系统研究文艺发展史，广泛阅读文艺史上众多伟大作家和艺术家的作品和文艺论著，在此基础上，以唯物辩证法和唯物史观为指导，研究文艺的本质及其规律，创立了科学的文艺美学理论。

首先，揭示了文艺的社会本质。19 世纪 40 年代，马克思恩格斯初步创立了唯物史观理论以后，开始运用这一理论去说明复杂的社会现象，揭示其发展规律，同时以这些事实反过来证实自己理论的科学性。他们把唯物史观的基本观点贯彻到对文艺现象的分析中，从同类现象的共性和特性中揭示了文艺的本质及其发展规律，科学地解决了前人没有解决的文艺究竟是一种什么性质的社会现象的问题。在 19 世纪 50 年代以前，马克思恩格斯从社会存在决定社会意识的观点出发，初步说明了文学艺术是建立在社会经济基础之上的上层建筑，是人们对社会生活的反映。他们在《德意志意识形态》中指出："意识 [das Bewußtsein] 在任何时候都只能是被意识到了的存在 [das Bewußte Sein]，而人们的存在就是他们的现实生活过程。如果在全部意识形态中，人们和他们的关系就像在照相机中一样是倒立成像的，那么这种现象也是从人们生活的历史过程中产生的，正如物体在视网膜上的倒影是直接从人们生活的生理过程中产生的一样。"[①]19 世纪 50 年代以后，马克思开始集中精力研究经济问题，经济学研究成果直接促使他们的美学艺术思想得到多方面的发展，文艺是带有上层建筑性质的社会意识形态的形式的思想得到了进一步的深化。在《反杜林论》中，恩格斯考察了文艺与社会分工的相互关系，认为文艺是一定历史阶段的物质生活条件下的产物，是社会分工发展到一定阶段的产物，"生产力的提高、交往的扩大、国家和法的发展、艺术和科学的创立，都只有通过更大的分工才有可能，这种分工的基础是从事单纯体力劳动的群众同管理劳动、经营商业和掌管国事以及后来从事艺术和科学的少数特权分子之间的大分工"[②]。在马克思恩格斯看来，文学艺术与政治法律观念、哲学、宗教、道德等意识形态上层建

---

① 《马克思恩格斯选集》第 1 卷，人民出版社 2012 年版，第 152 页。
② 《马克思恩格斯选集》第 3 卷，人民出版社 2012 年版，第 561 页。

筑一样，归根到底是一定社会经济关系的产物。文学艺术的发展要受到经济基础的制约，有什么样的社会生产方式，就有什么样的与之相适应的文学艺术。伴随经济基础的变革，作为上层建筑的文学艺术也必然发生或快或慢的变化，因此，文学艺术是以适应经济基础作为其生存和发展的条件的。把文学艺术归结为社会的上层建筑，从社会经济基础角度来解释作为观念形态的文学艺术的本质，这是马克思主义文学艺术观同非马克思主义文学艺术观的分界线。

马克思恩格斯强调，文学艺术作为一种意识形态性质的社会意识形式和观念性的上层建筑，虽然归根到底受经济基础的制约，但同时也具有相对的独立性，主要表现在以下三个方面：一是文学艺术作为人类的思想材料具有历史继承性的特点。马克思在分析物质生产发展时曾指出，因为"任何生产力都是一种既得的力量，是以往的活动的产物"[1]，因此"人们不能自由选择自己的生产力"[2]，而只能在继承前人活动结果的基础上进一步发展。同样，文学艺术作为一种精神生产，其发展也不可能离开前人活动的经验、成果。恩格斯进一步更加明确地指出，每一时代的精神生产"都具有由它的先驱传给它而它便由此出发的特定的思想材料作为前提"[3]。因此，文学艺术的发展往往保持着自己的历史继承性，从而表现出发展的连续性和相对稳定性。二是文学艺术是远离物质经济基础的意识形态。在上层建筑中，文学艺术不像政治和法律那样，比较直接地产生和服务于经济基础，且会随着经济基础的变革较快地发生变革，而是变化较慢，往往要经历一个较漫长的变化过程。因此，马克思恩格斯强调，要特别注意艺术作为上层建筑性质的复杂性，注意它在反映现实、服务现实方面的特殊性。三是文学艺术随着社会分工的发展已成为一种相对独立的精神活动部门，具有本身相对独立的特殊的运动规律。马克思认为，社会分工使得物质活动和精神活动、享受和劳动、生产和消费由各种不同的人来分担，劳动的各个部门也都相对独立。随着社会分工的发展，文学艺术也成为一种相对独立的精神活动部门，其发展总的来说在受到物质生产支配的同时，也具有自身相对独立的特殊运动规律。恩格斯晚年对意识形态的相对独立性给予了特别的强调，对于正确认识文学艺术的本质和发展规律具有重要意义。

---

① 《马克思恩格斯选集》第4卷，人民出版社2012年版，第409页。
② 《马克思恩格斯选集》第4卷，人民出版社2012年版，第408页。
③ 《马克思恩格斯选集》第4卷，人民出版社2012年版，第612页。

　　其次，阐述了文学艺术发展的一般规律。对文学艺术和物质生产之间的不平衡现象的分析，是马克思主义文艺思想的重要贡献之一。关于文学艺术和物质生产的关系问题，在马克思之前已有人涉及到，但都没有作出正确的分析和说明。例如，黑格尔把造成不平衡现象的原因归结于"现代生活的偏重理智的文化"。德国以毕希纳、福格特、摩莱肖特等人为代表的庸俗唯物主义则极力歪曲经济基础和上层建筑的关系，否认物质生产和艺术生产的发展存在不平衡的现象，认为物质生产可以直接引出艺术等精神生产的一般发展水平，从物质生产和社会的一般发展水平可以直接衡量艺术等精神生产的一般发展水平。针对以上错误认识，马克思在《1844 年经济学哲学手稿》中明确提出劳动创造美的命题，揭示了文学艺术与物质生产活动之间的内在联系。在《〈政治经济学批判〉导言》中，马克思进一步揭示了物质生产与艺术生产之间的不平衡现象，指出："关于艺术，大家知道，它的一定的繁盛时期决不是同社会的一般发展成比例的，因而也决不是同仿佛是社会组织的骨骼的物质基础的一般发展成比例的。"① 相反，"在艺术本身的领域内，某些有重大意义的艺术形式只有在艺术发展的不发达阶段上才是可能的"②。之后，恩格斯在 1890 年 6 月 5 日致保·恩斯特的信中，通过对挪威出现的文学繁荣的原因进行分析，又对艺术发展的不平衡规律作了具体阐述。在马克思恩格斯看来，文学艺术最终必然受物质生产条件的制约，随着经济基础的变更，与它相适应的文学艺术也会随之发生改变。但是，对这种决定作用不能作简单化、机械化的理解。物质生产对文学艺术发展的决定作用在历史上也会表现出特殊的形式，即艺术的一定繁荣期能创造出一种对后人说来高不可及的艺术形式，而当时的物质生产较之以后可能相当落后。例如，古希腊的神话史诗就是生产力极端低下、人的认识能力也十分有限的状况下的产物，但至今仍然能够给人们以艺术享受，甚至就某些方面来说还是一种规范和高不可及的范本。再如，欧洲文艺复兴时期出现了文学艺术的空前繁荣，但它却是在资本主义高度发展之前出现的。当然，马克思恩格斯指出，这种不平衡现象的出现，并非说明艺术发展可以脱离物质生产的制约，事实上，那种杰出的古典艺术形式的出现也是与当时的物质生产状况相关的，而后来之所以不能再现，其根本原因是因为已经不具备创造这种艺术形

---

① 《马克思恩格斯选集》第 2 卷，人民出版社 2012 年版，第 710 页。

② 《马克思恩格斯选集》第 2 卷，人民出版社 2012 年版，第 710 页。

式的社会条件了。

最后，阐述了文学艺术内部的特殊规律。马克思恩格斯认为，文学艺术是社会历史特别是现实生活的反映。在社会生活中人们按照美的规律创造着美的事物，艺术的美就是对社会生活中美的反映，这一思想揭示了文艺美学的本质。同时，马克思恩格斯也认为，艺术美的创造并不是对生活中美的简单的摹写，而是对现实美的典型化，由此便产生了艺术美高于现实美的艺术规律。典型化就是通过具体的个别的形象来反映现实的一般的普遍存在着的面貌，就是指文艺反映生活现实的发展趋势及时代的深刻变化。这就必然要求创作者能通过典型环境中典型人物的创作反映出时代的精神。马克思恩格斯认为，要做到使艺术美高于现实，创作者必须有正确的世界观和审美情趣，只有这样才能正确地对待生活，创造出好的作品。恩格斯通过对歌德创作过程的分析，揭示了这一规律。他指出，当歌德在狂飙运动和意大利旅行期间，对当时龌龊的丑恶的德国社会现实采取反对和嘲笑的态度时，写出了《普罗米修斯》、《伊菲姬尼亚》等优秀作品；当歌德处于魏玛公国小王朝并染上浓重的鄙俗气时，则写出了《化装游行》等一类为贵族寻欢作乐、粉饰太平的拙劣作品。

马克思恩格斯还科学分析了艺术形式与内容的辩证关系。恩格斯曾把"较大的思想深度和自觉的历史内容，同莎士比亚剧作的情节的生动性和丰富性的完美融合"[①]，称为戏剧的未来和艺术的理想，强调艺术美来源于内容和形式两个方面。其中，内容是决定性的方面，形式则服务于内容，并对内容起着能动的反作用。恩格斯对"席勒式"的创作及其作品往往离开"意识到的历史内容"去追求所谓的"思想深度"，结果流于空泛、苍白和呆板，造成概念化和模式化的唯心主义弊病的做法进行批评，强调片面追求形式美而忽视内容，或者只注重内容而轻视形式都是不可取的，艺术创作只有做到内容和形式高度的和谐统一，才能产生出优秀的作品，这是艺术创作所必须遵循的基本规律。

三、文艺创作原则的探讨

马克思恩格斯还从历史唯物主义出发，对文学艺术的创作原则进行探讨，

---

① 《马克思恩格斯选集》第4卷，人民出版社2012年版，第440页。

提出了真实地描写现实关系、真实性和倾向性的统一、创造典型化的真实等创作原则。

其一，真实地描写现实关系的原则。马克思在《政治经济学批判〈导言〉》中将艺术的掌握方式同理论的、宗教的、实践精神的方式并列，视为一种独立的掌握世界的方式，把艺术创作看作是反映现实、认识现实的方式之一。马克思恩格斯十分重视文艺创造的真实性问题，把真实性作为文艺创作最基本的原则，即要求文艺创作应通过对现实关系的真实描写，反映社会生活的本质和历史发展的趋势。在恩格斯看来，现实生活是文艺内容的客观基础，真实地再现现实是文艺作品的前提条件。他早在 1859 年致拉萨尔的信中就曾明确指出："我们不应该为了观念的东西而忘掉现实主义的东西。"[①] 后来，在 1888 年致玛·哈克奈斯的信中，恩格斯创造性地提出了"现实主义的真实性"的命题。[②] 这是美学思想发展史上第一次把现实主义和真实性联系起来，由此确立了马克思主义的现实主义文艺理论。恩格斯提出的现实主义真实性的创造原则，实际上也是对他和马克思围绕这个思想所做的探讨的概括，主要包括以下几个方面：

首先，文艺作品要忠实于客观现实，真实地反映生活的本来面目。这一要求在马克思主义产生之前的现实主义那里就已经提出。马克思恩格斯不仅肯定了这一传统观点，而且从社会存在决定社会意识的历史唯物主义基本原则出发，对这一观点给予科学的说明。不仅如此，他们还从现实主义的基本要求出发，对那种脱离实际生活，违背生活本身逻辑的所谓"理想化"的文艺作品进行批判。例如，1850 年马克思和恩格斯在《新莱茵报·政治经济评论》第四期上发表的书评中，对如何描写 1848 年二月革命中小资产阶级革命派的领袖发表看法，指出："在现有的一切绘画中，始终没有把这些人物真实地描绘出来，而只是把他们画成一种官场人物，脚穿厚底靴，头上绕着灵光圈。在这些神化了的拉斐尔式的画像中，一切绘画的真实性都消失了。"[③] 在他们看来，应该运用伦勃朗的强烈色彩把革命派的领导人栩栩如生地描写出来。

其次，应该把"对现实关系的真实描写"作为现实主义真实性原则的核心。

---

① 《马克思恩格斯选集》第 4 卷，人民出版社 2012 年版，第 442 页。

② 参见《马克思恩格斯选集》第 4 卷，人民出版社 2012 年版，第 589 页。

③ 《马克思恩格斯全集》第 10 卷，人民出版社 1998 年版，第 324 页。

先前的现实主义文艺理论，尽管也提出了文艺要反映社会生活的要求，甚至也强调要表现社会生活的本质，但是，他们往往都只是以直观的唯物主义为基础，不可能对社会生活的本质有自觉的科学认识和把握。马克思恩格斯认为，现实的社会关系是现实主义文艺真实性的客观基础，文艺创作者不仅应真实地反映社会生活，描写现实关系，而且还应当对纷繁复杂的社会生活现象和现实关系进行科学的分析和研究，并努力通过自己所塑造的各种不同性格的人物及其矛盾冲突，来真实地再现现实的特点及其发展趋势。把现实主义的真实性建立在对现实的社会关系的真实描写上，进一步从根本上把现实主义创作原则和自然主义的创作原则区别开来。马克思恩格斯强调要真实地描写现实关系，在很大程度上就是强调在艺术创作中要真实地再现资本主义社会中的社会关系，以此揭露资产阶级对无产阶级的剥削，揭示资本主义社会走向灭亡的必然性，歌颂无产阶级的革命精神。他们对狄更斯、萨克雷、勃朗特、盖斯凯尔等浪漫主义作家和现实主义作家巴尔扎克的作品真实地描写了资本主义社会的现实关系给予了高度赞赏。

最后，坚持现实主义真实性与描写的具体性和生动性相统一。马克思恩格斯认为，因为艺术是通过审美的形式来揭示社会生活的真实性的，如果描写缺少具体性和生动性，艺术就会成为一堆抽象的概念，就不会具有强烈的艺术感染力和说服力。因此，他们提出对现实关系细节的真实描写是现实主义的题中应有之义。恩格斯不仅把"细节的真实"作为现实主义的必要条件，而且认为优秀的现实主义杰出作品所包含的巨大的生活容量和高度的认识价值，都是和真实、丰富的细节分不开的。他在谈到巴尔扎克《人间喜剧》的现实主义成就时指出："围绕着这幅中心图画，他汇编了一部完整的法国社会的历史，我从这里，甚至在经济细节方面（诸如革命以后动产和不动产的重新分配）所学到的东西，也要比从当时所有职业的史学家、经济学家和统计学家那里学到的全部东西还要多。"[1]

其二，真实性与倾向性的统一原则。马克思恩格斯重视文艺的真实性，同时也强调文艺的倾向性，认为优秀的文艺作品应该是真实性和倾向性的辩证统一。在他们看来，一切文艺作品都是有倾向性的，文艺的倾向性是一种客观存在的现象，是文艺创造者在作品中表达某种好恶要求、爱憎情感和美丑观念

---

[1] 《马克思恩格斯选集》第4卷，人民出版社2012年版，第591页。

的必然产物。恩格斯在给敏·考茨基的信中明确指出："我决不反对倾向诗本身。悲剧之父埃斯库罗斯和喜剧之父阿里斯托芬都是有强烈倾向的诗人，但丁和塞万提斯也不逊色；而席勒的《阴谋与爱情》的主要价值就在于它是德国第一部有政治倾向的戏剧。现代的那些写出优秀小说的俄国人和挪威人全是有倾向的作家。"①马克思恩格斯坚决反对把倾向性和真实性绝对对立起来的做法，他们认为真实性和倾向性是相互渗透、相互依存的，倾向性总是具体地、形象地隐喻在有血有肉的真实描写之中，是艺术真实的一部分。他们进一步强调，倾向性应该是进步的、反映时代精神的倾向性，只有这样才会正确、深入地反映社会生活。同时，他们反对抽象说教和唯心空想的所谓倾向性，而是强调，作品的"倾向应当从场面和情节中自然而然地流露出来，而无须特别把它指点出来"，"作者不必把他所描写的社会冲突的历史的未来的解决办法硬塞给读者"②。同时，马克思恩格斯也注意到，由于文艺是反映现实的一种特殊形式，基于某种原因，作品的真实性和倾向性之间有可能出现某些矛盾的现象。也就是说，一些作品所反映出的现实和其作者自身的内心思想感情、政治立场有不一致的情况，有时作品中的人物甚至背叛作者。马克思恩格斯指出，文艺创作中的这种矛盾并不说明作品的真实性和倾向性与作者的世界观反动与否没有关系，相反，这种矛盾正是作家的世界观矛盾情况的体现。

其三，创造典型化的真实原则。在马克思恩格斯看来，现实主义创作能否深刻地揭示现实关系及其发展趋势，达到真实性和倾向性的辩证统一，它所塑造的艺术形象能否具有高度的审美价值和认识价值，并产生广泛而强烈的社会影响，都是与艺术创造的典型化分不开的。因此，他们把典型创造视为一条重要原则并给予高度重视。在他们看来，真实地描写现实关系不等同于照着生活依样画葫芦，同样，现实主义的真实性也不直接等于客观事实本身。艺术作品要通过对事物进行现实关系的典型化描写从而达到一种艺术上的真实，就需要创造出典型化的真实。恩格斯在给玛·哈克奈斯的信中，对"典型"问题作了精彩论述："据我看来，现实主义的意思是，除细节的真实外，还要真实地再现典型环境中的典型人物。"③马克思恩格斯认为，为了实现典型化的真实，需

---

① 《马克思恩格斯选集》第 4 卷，人民出版社 2012 年版，第 579 页。
② 《马克思恩格斯选集》第 4 卷，人民出版社 2012 年版，第 579 页。
③ 《马克思恩格斯选集》第 4 卷，人民出版社 2012 年版，第 590 页。

要重点处理好两个方面的关系：一方面是典型环境和典型人物的关系。马克思恩格斯不仅看到自然环境对人的影响作用，而且更强调社会环境对人的性格的影响，明确指出"人的性格是由环境造成的"①。在《关于费尔巴哈的提纲》中，马克思提出了"环境的改变和人的活动或自我改变的一致"②的著名命题。基于以上认识，马克思恩格斯认为，要描写典型化的真实，必须把典型的环境和典型的人物结合起来，只有这样才能真实地描写现实关系。否则，作品中人物的真实性、典型性就必然要受到削弱。另一方面是现象与本质、个性与共性的关系。马克思恩格斯站在唯物主义立场上，批判地继承了黑格尔的辩证思想，并在此基础上提出典型不仅是环境和人物的统一，而且也是个性和共性、现象和本质的统一。因此，在创造典型的艺术形象时必须坚持个性和共性、现象和本质相统一的原则。在他们看来，要实现这种统一，必须特别注意两方面的问题：一是典型人物的塑造必须有精确的"个性刻画"，二是艺术典型必须具有普遍性或代表性，即典型的共性必须概括一定社会生活的本质和特征。马克思恩格斯在重视典型化原则的同时，坚决反对为了塑造典型而把典型人物理想化和绝对化，从而使典型人物成为完美无缺的代表的做法，强调即使是在歌颂、塑造无产阶级的典型人物时也应该同样如此。否则，不仅违反生活的真实性，而且也是艺术概括所不允许的。艺术家在创作中要体现自己的理想，要有自己的美学见解，但是不能不顾生活现实，完全依照个人好恶剪裁现实。

第四节　马克思主义军事理论的创立

马克思主义军事理论是马克思主义的重要组成部分。作为无产阶级革命家和理论家，马克思恩格斯在创立科学社会主义学说和领导国际工人运动的长期革命实践中，把建立无产阶级军事理论作为重要任务，并取得卓越的成

---

① 《马克思恩格斯全集》第 2 卷，人民出版社 1957 年版，第 167 页。
② 《马克思恩格斯选集》第 1 卷，人民出版社 2012 年版，第 134 页。

果。他们科学总结历史上和现实中无数战史、战例的实践经验，自觉运用科学世界观和方法论研究战争实践和军事问题，在审视和吸取前人研究成果的基础上，撰写了大量专题文章和战争评论，提出了一系列揭示战争本质及其内在规律的重要原理和论断，创立了以推进无产阶级革命事业和最终消灭战争为目的的军事理论。马克思主义军事理论的诞生，在世界军事思想史上具有划时代的意义，它既为人类研究和认识军事领域的问题提供了科学的战争观和方法论，又为无产阶级军事科学奠定了理论基础，为无产阶级认识世界和改造世界、实现共产主义和人类持久和平的伟大事业提供了锐利的思想武器。

一、马克思主义军事理论的世界观和方法论

马克思恩格斯的军事思想是在 19 世纪无产阶级革命实践和频繁起伏的战争风云中逐步形成、成熟和发展的。马克思恩格斯对军事问题的研究，真正开始于他们从军事上对欧洲 1848 年至 1849 年武装斗争经验进行的科学总结。1848 年欧洲革命是马克思主义形成之后的第一次重大的历史事件，马克思恩格斯不仅全身心投入革命，而且密切注视欧洲各国革命运动的发展和战况的演变，从政治和军事上研究、分析斗争策略，撰写战争评论，如《巴黎的革命》、《皮蒙特军队的失败》、《匈牙利的战争》等，初步阐述了人民战争及其战略战术的思想。正是从这时起，恩格斯开始把军事作为他的研究专业。1850 年 3 月，马克思恩格斯在《共产主义者同盟中央委员会告同盟书》中，明确提出了建立无产阶级军队的主张。《1852 年神圣同盟对法战争的条件与前景》，论述了军队及其现代作战方法同社会生产、政治制度的关系等问题，标志着马克思恩格斯军事思想的产生。

从 1853 年克里木战争开始，到 1871 年普法战争和巴黎公社结束，马克思恩格斯的军事思想在深入钻研军事理论、具体考察各种战争的基础上全面形成和多方面展开。马克思在繁忙的经济学研究工作之余，也高度关注军事问题。1857 年 8—9 月间，他在《〈政治经济学批判〉导言》和给恩格斯的信中，提出关于战争和军队发展的历史最能说明生产力决定生产关系原理的思想，在《1857—1858 年经济学手稿》中，马克思考察了原始社会的战争同生产发展的

关系等，对马克思主义军事理论的创立作出了重要探索。这期间，是恩格斯从事军事问题研究和著述的重要时期，他撰写了大量军事文章和战争评论。他为《美国新百科全书》撰写了约60个军事条目，对自古以来的战争史、军队发展史进行了概括，对各个时期武装力量的组织、装备、训练状况，以及作战方式的演变进行了分析，内容涉及军事理论的诸多方面。马克思和恩格斯从理论上系统研究军事问题的同时，还密切注视同时代发生的诸如克里木战争、意大利战争、美国内战等各次战争和重大事件，写下一系列包含丰富军事思想的战争评论，深入揭示了战争与政治、军事与外交、战略与战术等关系，提出了许多极为深刻的战略思想，科学阐释了战争中许多规律性的现象。1871年9月，在纪念第一国际成立七周年的大会上，恩格斯提出无产阶级的大军是建立无产阶级专政的首要条件的思想，为创建无产阶级新型军队奠定了理论基础。19世纪70年代中期，恩格斯在反对杜林主义、系统阐述马克思主义理论中，又进一步运用唯物史观整理和总结先前的军事思想，在《反杜林论》中的"暴力论"部分，第一次全面系统地阐述了无产阶级的暴力观。同时，他在回顾和总结19世纪战争风云的基础上，从各国扩军备战的竞争中揭示了军国主义的前途和命运。《反杜林论》是马克思恩格斯军事思想成熟的代表性著作，标志着马克思恩格斯军事思想的成熟。

19世纪80年代以后，恩格斯在生命历程的最后12年里，在与许多国家的社会民主党等党的主要领导人，如倍倍尔、李卜克内西、保尔·拉法格、查苏利奇等人的通信中，多次专门探讨战争与和平、战争与革命问题。同时，他还写了《欧洲政局》、《欧洲能否裁军?》、《德国的社会主义》等文章，分析未来战争爆发的可能性、规模、特征、结局，揭示战争危险的根源，探讨制止战争爆发的因素，说明社会主义者对即将爆发战争的态度和同军国主义扩军备战行径进行斗争的策略与方针。在《家庭、私有制和国家的起源》中，恩格斯从人类历史的源头，从私有制和国家的起源上对战争的发生、发展和灭亡问题进行研究。这一时期，马克思恩格斯的军事思想得到进一步完善与发展。

在军事科学史上，马克思恩格斯第一次把辩证唯物主义和历史唯物主义的科学世界观和方法论运用于对战争、军队和各种军事问题的研究，在军事科学上提供了崭新的世界观和方法论。

第一，运用唯物史观研究战争和军队问题。马克思主义认为，唯物史观的基本原理"不仅对于经济学，而且对于一切历史科学（凡不是自然科学的科学都是历史科学）都是一个具有革命意义的发现"①。唯物史观既是整个科学共产主义学说的理论基石，又是一切马克思主义社会科学的方法论基础。19 世纪中后期，马克思和恩格斯用唯物史观来解释和论证各种与战争、军队相关的军事问题，把人们对复杂的军事现象的认识置于真正的科学基础之上，这是一个伟大的创举。从 1845 年至 1846 年在《德意志意识形态》中提出唯物史观的最初思想，到 1866 年 7 月基本完成《资本论》第一卷，以及在 1849 年发表的《雇佣劳动与资本》中、在 1857 年 9 月 25 日给恩格斯的信中、在《政治经济学批判（1857—1858 年手稿）》中、在 1859 年 1 月《〈政治经济学批判〉序言》中，马克思曾先后多次强调了军队和战争同经济发展以及同唯物史观之间的密切关系。

同颠倒暴力与经济的关系，否认军事发展同社会经济发展相联系的唯心史观根本相反，马克思恩格斯把战争和军队放到了社会物质生产这一广角镜的镜头之下进行考察，认为战争作为人类活动的"一种经常交往形式"，是依附于一定的社会经济基础和社会发展阶段的，战争的本质归根结底需要到人们的经济关系以及由这种关系引起的阶级斗争中去寻找；军队也总是同一定的社会、国家联系在一起，依赖于一定的物质基础，生产力的发展是完善军队组织体制和改进作战方法的前提。总之，马克思恩格斯强调，一切战争和军队都可以由"这一时期的经济的生活条件以及由这些条件决定的社会关系和政治关系来说明"②。

另一方面，马克思恩格斯并不只是看到经济的决定作用，他们也看到了战争对物质生产、对社会生活其他方面的影响，他们对战争事态发展前景所作的预断，往往是对交战双方经济、政治、社会、军事等各种因素综合对比分析的结果。如马克思在 19 世纪 50 年代克里木战争期间曾精辟指出："战争使民族经受考验——这是战争的补偿的一面。正像木乃伊在接触到空气时立即解体一样，战争正在给已经失去了自己的生命力的社会制度作出最后的判决。"③

根据人民群众是历史的创造者的原理，马克思恩格斯阐释了人民群众和统帅在战争中的应有地位和作用。一方面，他们认为，战争是由穿军衣和不穿军

① 《马克思恩格斯选集》第 2 卷，人民出版社 2012 年版，第 8 页。
② 《马克思恩格斯选集》第 3 卷，人民出版社 2012 年版，第 723 页。
③ 《马克思恩格斯全集》第 11 卷，人民出版社 1962 年版，第 585 页。

衣的广大群众进行的，兵民自然应当成为战争的主人，充分肯定了人民群众在决定战争的进程和结局中、在改进作战方法等方面的重大作用。另一方面，他们对统帅人物的杰出贡献也给予了应有的评价。但是，他们反对把杰出人物的天才创造说成是发展军事学术思想的唯一动力。恩格斯指出，优秀统帅的伟业绝不是由他们个人意志的自由发挥所决定的，而是由人民群众所创造的物质前提、由他们赖以从事实际活动的历史环境和社会阶级状况所决定的。恩格斯强调，军事领域变革的原因不应当到天才统帅的"知识的自由创造"中，而应当到社会生活条件、先进武器的发明以及士兵成分的改变中去寻找。他鲜明指出："天才统帅的影响最多只限于使战斗的方式适合于新的武器和新的战士。"[1]

马克思恩格斯还从唯物史观出发，对战争的消亡作了科学分析。马克思恩格斯通过对原始社会物质生产进程和生活情况的仔细考察，以雄辩的事实揭示了战争的历史起源，论证了战争进入人类社会的物质生产前提，强调战争并不是自古以来就有的东西，而是社会生产发展到一定阶段的产物。随着社会生产力的高度发展，随着私有制和阶级的消灭，战争也会随之消亡。

第二，运用唯物辩证法分析军事上的各种矛盾。马克思恩格斯按唯物辩证法的要求来分析和处理军队内部和战争中经常遇到的重要矛盾。在战略战术上，他们强调，要善于处理主动和被动、集中和分散、进攻和退却、时间和空间等各种关系。他们认为，战争是一种复杂的社会现象，需要正确分析和正确处理各种关系。首先是人和物的关系。既要重视武器装备的作用，又要重视人的作用，两者不可偏废，不应该把两者绝对对立起来。同时，还要充分认识人的精神因素对于战争胜利的重要性。其次是军队内部的各种关系。一是官兵关系。由于资产阶级军队不可能从本阶级内部，而只能从工人农民中招募士兵，从而导致了官兵关系只能是雇佣关系。恩格斯指出，资产阶级军队中官兵关系根本对立，上层军官往往依靠"皮鞭"等各种粗暴的惩罚手段或任意骄纵的办法来统治下层的士兵，其结果只能是破坏纪律，涣散士气并挫伤士兵的荣誉感。而革命的进步的军队则不同，官兵关系是一种新型的平等的关系。美国内战时就出现了这种新型关系的萌芽，士兵"为自己的切身利益而战"，"并不像雇佣兵那样临阵脱逃"[2]。二是各兵种之间的关系。恩格斯认为，正确分析和处

① 《马克思恩格斯选集》第3卷，人民出版社2012年版，第546页。
② 《马克思恩格斯选集》第3卷，人民出版社2012年版，第548页。

理各兵种之间的关系对于提高军队的战斗力十分重要，他从作战需要和各兵种的特点出发，对各兵种之间的关系进行分析，认为步兵是军史上最早出现的兵种，也是决定战斗胜负的兵种，海军的出现仍然需要步兵的协同。骑兵比其他兵种更多地受地形影响，但"骑兵猛追溃敌，在任何时候都是彻底巩固战果的唯一好办法"①，因而具有不可代替的作用。炮兵的威力只是从一定距离进行射击，而"没有进行白刃战的武器"②，因此只有在和其他兵种协同作战中才能发挥作用。恩格斯提出，要发挥各兵种的特点、扬长避短、协同作战。这一思想极其深刻，具有普遍的意义。三是前线部队和后备部队的关系。战争首先要依靠前线部队，但也离不开后备部队的支持：前线的兵员要靠后方补充，武器、粮草、装备主要靠后方供应，部队士气的旺盛和稳定也要靠后方的巩固。同时，后方也要依靠前方来保卫。因此，要正确分析和处理前方和后方之间的辩证关系，既要用前方的胜利来鼓舞和推动后方的建设，又要用后方的巩固和建设来支援前方的战斗。

此外，恩格斯还对作战和训练的关系进行了阐述，指出军队必须要有随时作战的准备，军队只有善于作战，从战争中学习，才能不断进步。同时，他还强调，作战不能仅仅靠勇敢，靠热忱，"如果缺乏训练和组织而仅凭这种热忱，任何人都不能打胜仗"③。所以，军队还必须加强训练，"训练不仅是理论上而且是实践的；训练不仅要靠讲解，而且要靠动作和示范"④。普及军事知识、熟悉武器性能、军事上的发明、执行军事勤务都需要文化，尤其是军队的发展和现代化更是离不开文化，因此，军事训练必须要极大地提高军队的文化水平。

第三，积极汲取前人的一切优秀成果。马克思恩格斯从来都坦言承认，他们的理论不是没有任何历史渊源的"飞来之物"，而是在继承前人基础上的创新。欧洲1848—1849年革命结束以后，马克思又从社会革命的第一线回到了书房，重新开始由于欧洲革命而中断的经济学研究。而恩格斯则主要承担了军事理论研究的主要任务，为此，他首先研究前人已有的研究成果，认真研读了资产阶级理论家马基雅维利、若米尼、克劳塞维茨、卡尔大公等人的著作。对那些凡是经受了实践检验，并得到世人公认的军事理论成果，他们从来都不轻

---

① 《马克思恩格斯全集》第14卷，人民出版社1964年版，第326页。
② 《马克思恩格斯全集》第16卷，人民出版社2007年版，第459页。
③ 《马克思恩格斯全集》第21卷，人民出版社2003年版，第251页。
④ 《马克思恩格斯全集》第17卷，人民出版社1963年版，第162页。

易地作出否定，而是给以相当的尊重，并从中汲取对自己有用的养料。比如，马克思恩格斯的军事著作中，多次引用克劳塞维茨的观点或论说。不仅如此，马克思和恩格斯还真正把前人的成果作为自己前进的"出发地"。例如，他们把拿破仑的作战指导思想作为建立无产阶级军事学术的理论出发地。在他们的许多军事理论论著中，都可以看到拿破仑作战指导思想的痕迹。他们喜欢借用拿破仑创造的一些战例，来阐述一些重要的军事学术思想。可以说，拿破仑的作战指导思想对马克思恩格斯创立无产阶级的军事理论有着深刻的影响。马克思和恩格斯把他们认为当时最先进的军事理论作为自己创造性的军事理论活动的必要前提。正因为如此，他们在军事科学领域中的探索从一开始就站到了前沿的位置，借助前人的先进成果把军事科学研究推向了一个新的境界。

虽然战争和军队在不断发展变化，军事科学也在不断更新和发展。但是，马克思恩格斯分析、处理各种军事问题的世界观和方法论，对于今天进行军事研究仍然具有重要的借鉴意义，是我们进行军事研究需要借助的科学工具。

二、马克思主义的战争观

战争作为一种社会现象长期以来一直受到各国哲学家、社会学家和军事理论家的重视，他们进行反复研究，写下了大量的理论著述。但是，在马克思主义产生之前，各个阶级由于所处的地位、历史原因和阶级偏见，都未能对有关战争的一些根本性问题作出真正符合客观实际的科学说明。马克思和恩格斯运用唯物主义历史观，对战争的起源和本质，战争同经济、政治的关系等问题进行了科学阐释。

第一，关于战争的起源、发展和消亡。针对认为战争的出现同社会物质生产的发展根本没有关系，完全是由人的生物本性所决定的，因而战争对于人类社会来说是永恒的、不可避免的错误认识，马克思恩格斯运用唯物史观，从人类历史的源头，从私有制和国家的起源着手，研究了战争的起源、发展和灭亡问题，深刻揭示了战争的历史性。

在《1844 年经济学哲学手稿》中，马克思就曾表达了关于历史发展中物质生产起决定作用的基本原理，并认为这一原理适用于人类活动的一切方面。在《德意志意识形态》中他们进一步指出："一切历史冲突都根源于生产力和交往形式之间的矛盾。"①在他们看来，战争作为一种历史现象，其起源也应当从生产力和生产关系的矛盾运动中得到说明。马克思恩格斯认为，战争并不是自有人类以来就存在的社会现象，而是起源于原始社会后期出现的经济利益的冲突。人类社会早期，原始人群彼此隔绝，没有什么交往，也谈不上什么利害冲突，因而战争也就无从发生。原始社会后期，当原始人群感到所占据的领地满足不了增加了的人口对物质生产和生活资料的需求时，为扩大各自的领地而相互发生冲突，由此便导致了战争。恩格斯强调，原始社会的战争同阶级社会的战争有着本质的区别，它"可能以部落的消灭而告终，但从没能以它的被奴役而告终"②。也就是说，原始社会的战争是一种不追求统治和奴役的战争，胜利的一方可以将失败的一方驱逐或消灭，但不可能将其置于自己的奴役之下。

当人类社会进入阶级社会以后，在私制基础上发展起来的贫富分化，以及这种分化所刺激起来的对财富的贪欲，推动了原始社会战争向阶级社会战争的蜕变。恩格斯在《家庭、私有制和国家的起源》中指出："邻人的财富刺激了各民族的贪欲，在这些民族那里，获取财富已成为最重要的生活目的之一。他们是野蛮人：掠夺在他们看来比用劳动获取更容易甚至更光荣。"③这时，战争成为致富的手段，战争以及进行战争的组织"成为民族生活的正常功能"④。"以前打仗只是为了对侵犯进行报复，或者是为了扩大已经感到不够的领土；现在打仗，则纯粹是为了掠夺，战争成了经常性的行当。"⑤

马克思恩格斯进一步指出，战争是伴随着私有制和阶级的产生而产生的，是阶级社会解决社会矛盾冲突的最高形式，它也必将随着私有制和阶级的消亡而消亡。早在1845年，恩格斯就提出常备军是现代社会一个沉重的负担，在生产和人力上都造成巨大浪费，但它又是必需的、不得不承受的负担和浪费。到了共产主义社会，常备军和战争就会成为不需要的东西而归于消失。在1870年普法战争期间，马克思在《国际工人协会总委员会关于普法战争的第一篇宣言》中指出，"全世界工人阶级的联合终究会根绝一切战争"⑥，描绘了

① 《马克思恩格斯选集》第 1 卷，人民出版社 2012 年版，第 196 页。
② 《马克思恩格斯选集》第 4 卷，人民出版社 2012 年版，第 175 页。
③ 《马克思恩格斯选集》第 4 卷，人民出版社 2012 年版，第 180—181 页。
④ 《马克思恩格斯选集》第 4 卷，人民出版社 2012 年版，第 180 页。
⑤ 《马克思恩格斯选集》第 4 卷，人民出版社 2012 年版，第 181 页。
⑥ 《马克思恩格斯选集》第 3 卷，人民出版社 2012 年版，第 61 页。

无产阶级革命的全面胜利将导致战争从人类社会消失的前景。在《家庭、私有制和国家的起源》中，恩格斯又进一步指出："国家并不是从来就有的。而且根本不知国家和国家权力为何物的社会。在经济发展到一定阶段而必然使社会分裂为阶级时，国家就由于这种分裂而成为必要了。现在我们正在以迅速的步伐走向这样的生产发展阶段，在这个阶段上，这些阶级的存在不仅不再必要，而且成了生产的真正障碍。阶级不可避免地要消失，正如它们从前不可避免地产生一样。随着阶级的消失，国家也不可避免地要消失。在生产者自由平等的联合体的基础上按新方式来组织生产的社会，将把全部国家机器放到它应该去的地方，即放到古物陈列馆去，同纺车和青铜斧陈列在一起。"[1] 在马克思恩格斯看来，国家是阶级矛盾不可调和的必然产物，是统治阶级压迫被统治阶级的暴力工具，因此，战争与国家之间有着内在的、必然的联系。国家是战争的控制者，也是战争的结果。因而，国家的消亡也就是战争的消亡。恩格斯在19 世纪 90 年代晚年时期，他多次地热烈期盼通过法、美、德三国无产者的努力，通过国际实现巴黎公社和国际联合，来"永远结束政府之间和王朝之间的战争"[2]，"消灭阶级对抗和各民族之间的战争"[3]。马克思和恩格斯确信，战争绝不是永恒的现象，当经济发展到使阶级和国家的存在不再必要时，它必然随着国家的消亡而自动退出历史舞台。虽然这将是一个曲折、复杂的历史过程，但人类终将根绝一切战争，实现永久的和平。

第二，关于战争和经济的辩证关系。在关于战争的本原问题上，同马克思恩格斯同时代的资产阶级军事理论家，割裂战争和经济的辩证关系，对战争的解释陷入了唯意志论和唯心论。他们宣扬貌似是唯物论而实质是唯心论的战争观。如蒲鲁东把战争的原因归结为"贫困"，而贫困的生活方式的确定则是根据造物主的目的选择的。杜林则大肆宣扬暴力论，认为暴力是"历史上基础性的东西"，而经济力量则是"第二等的事实"，从根本上颠倒了战争和经济的关系。以上观点对唯物史观造成了极大的混乱，受到了马克思恩格斯的严厉批判。

马克思恩格斯运用辩证唯物主义和历史唯物主义基本原理，把战争这一社

---

① 《马克思恩格斯选集》第 4 卷，人民出版社 2012 年版，第 190 页。

② 《马克思恩格斯全集》第 22 卷，人民出版社 1965 年版，第 101 页。

③ 《马克思恩格斯全集》第 22 卷，人民出版社 1965 年版，第 519 页。

会现象同社会的物质生产紧密地联系到一起进行考察，第一次深刻揭示了经济是战争的本原，阐明了社会经济运动对战争的根本支配作用，从而使战争的根源和本质获得了更科学的解释，也为区别不同类型战争的性质提供了客观依据。一方面，他们提出，社会经济利益的对立和冲突是导致战争的本原性因素，战争归根结底都是阶级的政治，是实现一定经济利益的手段。马克思早在《1848 年至 1850 年的法兰西阶级斗争》一书中，就曾以大量的事实阐明了经济利益怎样促进法国资产阶级走上对内镇压、对外侵略的战争道路。1850 年，恩格斯在《德国农民战争》中通过对德国历史上的农民战争与 1848 年的革命进行比较，进一步作出了 16 世纪所谓的宗教战争"首先也是为着十分实际的物质的阶级利益而进行的"① 论断。恩格斯在《反杜林论》中，针对杜林完全颠倒经济同暴力的关系而提出的"本原的东西必须从直接的政治暴力中去寻找"② 的观点，进一步强调了经济对暴力的决定作用。他指出："暴力仅仅是手段，相反，经济利益才是目的。目的比用来达到目的的手段要具有大得多的'基础性'，同样，在历史上，关系的经济方面也比政治方面具有大得多的基础性。"③"不是暴力支配经济状况，而是相反，暴力被迫为经济状况服务。"④ 强调战争起因中的经济目的，为人们从战争与经济的本质联系中把握战争发生和发展的必然性提供了依据。

另一方面，马克思恩格斯认为，经济对战争的本原意义，还体现在经济条件和资源是战争的现实物质基础和决定战争胜负的必要前提方面。首先，战争所必需的物质手段，如军队、武器和战术发展，都要有一定的物质基础，要依靠一定的社会经济条件。恩格斯认为，武器的生产以整个社会的生产为基础，武器的状况是由经济的状况来决定的；军队的发展，不论是陆军还是海军，都需要"巨额的金钱"，"没有什么东西比陆军和海军更依赖于经济前提。装备、编成、编制、战术和战略，首先依赖于当时的生产水平和交通状况"⑤。恩格斯强调："以现代军舰为基础的海上政治暴力，表明它自己完全不是'直接的'，而正是借助于经济力量，即冶金术的高度发展、对熟练技术人员和丰富的煤矿

① 《马克思恩格斯文集》第 2 卷，人民出版社 2009 年版，第 235 页。
② 《马克思恩格斯选集》第 3 卷，人民出版社 2012 年版，第 553 页。
③ 《马克思恩格斯选集》第 3 卷，人民出版社 2012 年版，第 539 页。
④ 《马克思恩格斯选集》第 3 卷，人民出版社 2012 年版，第 560 页。
⑤ 《马克思恩格斯选集》第 3 卷，人民出版社 2012 年版，第 546 页。

的支配。"① 可见，"暴力还是由经济状况来决定的，经济状况给暴力提供配备和保持暴力工具的手段"②。

其次，科学技术是构成战争力量和决定战争胜负的最强有力的经济因素。恩格斯在《反杜林论》中指出："军队的全部组织和作战方式以及与之有关的胜负，取决于物质的即经济的条件：取决于人和武器这两种材料，也就是取决于居民的质和量以及技术。"③ 此外，马克思恩格斯还从战争耗费的大量金钱由社会生产提供，对作战方式起变革作用的归根结底是经济条件的发展和变革两个方面，强调了经济对战争的本原意义。

第三，关于战争与政治之间的关系。关于战争与政治关系的认识，是马克思主义战争观的重要内容。马克思和恩格斯在科学阐释政治与经济辩证关系的基础上，揭示了政治对战争的作用。资产阶级军事理论家克劳塞维茨在《战争论》中指出："战争无非是政治通过另一种手段的继续。""战争不仅是一种政治行为，而且是一种真正的政治工具，是政治交往的继续，是政治交往通过另一种手段的实现。"④ 这一观点在军事思想史上具有重要意义，大大推进了关于战争与政治关系的认识。但是，克劳塞维茨只是看到了导致战争的政治动机这一层面，而忽略了对于经济的动机即物质经济利益的考察和说明，没有看到发生战争的基础是经济利益的冲突，因而无法科学揭示战争的本质。

马克思恩格斯比较重视对克劳塞维茨著作的研究和学习，他们虽然没有直接引用过克劳塞维茨的"战争无非是政治通过另一种手段的继续"这一论断，但在原则上赞成克劳塞维茨提出的"战争是政治的继续"这一观点，并将这一观点贯穿到对诸如意大利战争、克里木战争、美国内战等许多重大战争的考察和分析之中，深化了对战争和政治关系问题的认识。首先，他们认为战争是政治的工具，直接为政治服务并受政治支配；而政治总是阶级的政治，是一定阶级的经济利益的集中体现。恩格斯指出："在现代历史中至少已经证明，一切政治斗争都是阶级斗争，而一切争取解放的阶级斗争，尽管它必然地具有政治的形式（因为一切阶级斗争都是政治斗争），归根到底都是围绕着经济解放进行的。因此，至少在这里，国家、政治制度是从属的东西，而市民社会、经济关系的领域是决定

---

① 《马克思恩格斯选集》第 3 卷，人民出版社 2012 年版，第 554 页。
② 《马克思恩格斯选集》第 3 卷，人民出版社 2012 年版，第 546 页。
③ 《马克思恩格斯选集》第 3 卷，人民出版社 2012 年版，第 551 页。
④ ［德］克劳塞维茨：《战争论》，李传训编译，北京出版社 2007 年版，第 11 页。

性的因素。"①在马克思恩格斯看来，任何一种政治动机都有经济利益的原因，任何一种政治行动都以实现一定的经济利益为出发点和落脚点。这是他们观察历史，也是他们考察战争的基本观点和方法。在科学阐明政治与经济辩证关系的基础上，马克思和恩格斯从两个方面揭示了政治对战争的工具性作用。

其一，战争是统治阶级通过暴力手段推行其平时政治的工具。在阶级社会中，战争是直接为政治服务的工具，交战国双方战时所推行的政治、政策，都与其平时的政治、政策紧密相关。马克思和恩格斯对多个战争的分析中都渗透了这一观点。如 1853—1856 年所进行的克里木战争，是一场发生在俄国军队和苏法联军之间的为争夺近东统治权的战争。马克思恩格斯对这场战争进行分析时指出，这些国家"财政的极度困难"，"国家机体也越来越快地趋于土崩瓦解"，"西欧反革命获得进展，西欧革命政党的力量日益增长，俄国本国的形势和它的财政状况恶化"，面对以上国内危机，"现在只有最后一个办法还能带来一线得救的希望，那就是对外战争"。② 以上分析揭示了克里木战争是统治阶级通过暴力手段推行政治的生动体现。再如，他们对 1859 年 4—8 月进行的法国和皮埃蒙特与奥地利之间的战争，即意大利战争进行分析时指出，法国对奥地利进行战争的原因，不过是波拿巴集团"帮他应付在国内威胁着它的两个因素：革命群众'爱国主义的威焰'和'资产阶级'不可遏止的不满情绪"③，从而巩固波拿巴制度，加强其在欧洲政治上的霸主地位的需要。无疑，这场战争对波拿巴来说是平时侵略政治的继续。其二，政治决定战争的全过程。马克思恩格斯认为，政治不仅决定战争的爆发，而且贯穿于战争的始终，并从深层次上左右着战争形势，决定着战争进程。1862 年 8 月 4 日，马克思在评述美国内战的局势时曾指出："目前美国所遭遇的危机，是由双重原因即军事的和政治的原因引起的。""危机的军事原因在某种程度上是和它的政治原因联系着的。"④ 恩格斯在对普法战争进行分析时，针对法军在维尔特会战和福尔巴赫会战的反常行动指出："它的行动与其说是决定于军事上的考虑，不如说是出于政治上的必要。"⑤ 在马克思和恩格斯看来，政治对战争的目的、战略指导等

① 《马克思恩格斯选集》第 4 卷，人民出版社 2012 年版，第 257—258 页。
② 参见《马克思恩格斯全集》第 10 卷，人民出版社 1998 年版，第 269—270 页。
③ 《马克思恩格斯全集》第 13 卷，人民出版社 1962 年版，第 249 页。
④ 《马克思恩格斯全集》第 15 卷，人民出版社 1963 年版，第 556、557 页。
⑤ 《马克思恩格斯全集》第 17 卷，人民出版社 1963 年版，第 33 页。

具有决定性的影响，深刻左右着战争的全局和基本趋势。

其次，马克思恩格斯提出，战争的政治目的决定战争的性质，战争性质是决定战争胜负的政治基础。他们以战争的政治目的是否顺应历史发展的方向和大多数人的利益，作为判断战争性质的客观标准，认为凡是以侵略和掠夺其他民族，以维护阶级压迫和剥削，以反对社会变革为目的的战争都是非正义战争；凡是以反对外族侵略和掠夺，以反对阶级压迫和剥削，以推进社会变革为目的的战争都是正义战争。他们强调，战争性质是决定战争胜负的政治基础。1861—1865 年的美国内战爆发前数月，马克思对南北双方战争的形势进行分析，指出北方在开始时经济和军事力量虽不如南方，但北部所进行的战争是进步的、带有革命性的战争，"正义是在北部一方"，而南部同盟进行战争是为了扩展和永保奴隶制，"确实完全是一个侵略战争"①。因此，南部奴隶主必败，建立先进的社会制度的北部必胜。美国内战的结局，不仅证明了马克思和恩格斯对这场战争结局的预见的正确，而且证明了他们关于战争性质对战争结局有着决定性影响的理论的正确。马克思恩格斯强调，任何一场战争都是一定历史条件下的产物，不能抽象地而是要具体地看待战争的性质，坚持原则性和灵活性辩证统一。在对 1870 年爆发的普法战争进行评述时，他们就鲜明地采取了这一立场。马克思指出，普法战争是"官方的法国和官方的德国彼此进行的同室操戈的斗争"②。法国的路易·波拿巴发动这次战争，对外是为了阻止德国完成统一，对内是为了延长自己的统治和镇压无产阶级解放运动；而普鲁士俾斯麦政府对战争的爆发也负有责任，战争是其长期以来所推行的对外扩张、对内实行专制统治的必然结果。因此，双方的战争目的都不高尚。但是，马克思又认为，由于法国战争妄图阻挠德国的统一，因此是侵略战争，是非正义的。对德国来说，是"争取德国独立、争取法国和全欧洲从第二帝国这个可恶的梦魇的羁绊下解放出来的战争"③，是"防御性战争"④，因而战争具有进步性，是正义的。关于战争性质问题，马克思恩格斯还特别强调，战争的正义性和非正义性不是固定不变的，而是会随着战争政治形势的改变而转变。不能无条件地反对一切战争，应拥护解放的、正义的战争，反对侵略的、非正义的战争。无产

① 《马克思恩格斯全集》第 15 卷，人民出版社 1963 年版，第 363 页。
② 《马克思恩格斯全集》第 17 卷，人民出版社 1963 年版，第 7 页。
③ 《马克思恩格斯选集》第 3 卷，人民出版社 2012 年版，第 70 页。
④ 《马克思恩格斯选集》第 3 卷，人民出版社 2012 年版，第 64 页。

阶级及其政党应当随着战争性质的转变而调整自己对战争的态度，支持一切正义战争，反对一切非正义战争。

第四，关于人民群众在战争中的地位和作用。资产阶级军事理论家大都站在剥削阶级的立场上看待人民群众在战争中的地位和作用，仅把民众看作实现领袖和统帅人物意志的工具。马克思和恩格斯则根本不同。他们以自己所创建的新世界观——历史唯物主义为基础，从人民群众创造历史的高度，充分肯定民众对战争的决定性作用。在他们看来，人民群众对战争的决定性作用，首先表现在人民群众是战争赖以进行的社会物质财富的创造者。战争的物质基础影响甚至决定战争胜负，而满足军队作战所需要的武器装备等物质手段，以及满足军队生存所需要生活必需品等物质基础，都是由从事整个社会生产活动的人民群众共同创造的。恩格斯在《1852年神圣同盟对法战争的可能性与展望》中通过论述拿破仑作战体系的特点，揭示了正是人民群众创造的生产力为新作战体系的形成和发展提供了可能。在《反杜林论》中，恩格斯明确指出："暴力的胜利是以武器的生产为基础的，而武器的生产又是以整个生产为基础的，因而是以'经济力量'，以'经济状况'，以可供暴力支配的物质手段为基础的"[1]，包含了对人民群众作用的充分肯定。在马克思恩格斯看来，没有人民群众进行生产活动，任何战争都是不可能的；没有人民群众去推动整个社会生产的进步，战争形态的演进也同样是不可能的。

其次，人民群众在战争中的重要作用，还体现在人民群众对战争的支持与参与上。马克思恩格斯认为，在争取阶级解放或民族解放的革命战争中，人民群众是主体。他们的变革要求和不满情绪是导致战争爆发的根本原因，他们的意志和力量是推动革命战争前进的根本动力，他们的支持和参与是革命战争取得胜利的根本保障。马克思在分析1854年开始的西班牙资产阶级革命时指出，革命首先是由军队起义拉开序幕，在革命进程中军队也始终扮演重要的角色，但是，军队起义是借助了人民对提前半年征税的普遍不满而引发的。人民群众的作用不仅反映在革命的起因上，而且还体现在革命的进程中和结局上。正是由于"市民自己武装起来了，并及时赶来救助当地力量薄弱的守备部队"[2]，才维护了社会法规和正常秩序。当新政府动摇并开始倒向国王方面时，正是因为

---

[1] 《马克思恩格斯选集》第3卷，人民出版社2012年版，第545页。

[2] 《马克思恩格斯全集》第13卷，人民出版社1998年版，第485页。

工人的罢工和农民争取归还土地的起义，才给资产阶级施以威慑力量，从而维护和发展了革命形势。到了 1856 年，由于军队已经堕落到与人民为敌的地步，因此导致了革命的失败。恩格斯认为，人民战争在落后国家和弱小民族反侵略斗争中具有重大意义和作用，1857 年 5 月，他在《波斯和中国》一文中鲜明表达了这一观点。在马克思恩格斯看来，人民群众的广泛支援是制约战争发展和取得战争胜利的重要因素，只有广泛地发挥全民参战的威力，才能最大可能争取战争的胜利。

当然，马克思和恩格斯也提出，人民群众的作用是受历史条件制约的。这种制约不仅来自统治阶级的压制，而且也来自人民群众的觉悟程度和对自身力量的认识，归根结底来自他们赖以生存的生产条件和生活条件。马克思在《路易·波拿巴的雾月十八日》中指出，当人民群众彼此间只存在地域的联系，还未形成共同关系、形成全国性的联系、形成组织，当他们还不能以自己的名义来保护自己的阶级利益时，他们必然会让别人来代表他们并一定要受他们的代表的主宰。[①] 但是，马克思和恩格斯相信，人民群众终究会随着历史进步不断提高自己的实践水平，不断冲破自身的局限性，日益显示出自己的主动性和创造性，显示出自己的伟大力量。与此相适应，革命也会不断突破原来的水平，达到新的高度。

三、马克思主义的军队学说

为了适应从军事上指导国际共产主义运动的需要，马克思恩格斯高度关注军队问题，对军队的产生和发展、军队的社会本质和职责、无产阶级军队的作用和特点，以及社会主义国家必须建立和保持无产阶级常备军等问题进行了系统研究，从而创立了崭新的、科学的军队学说。

第一，关于军队的产生和发展。马克思关于军队起源及其发展问题的研究，是与他对经济问题研究的深入紧密关联的。1857—1858 年，马克思在研究和探索资本主义生产方式的时候，为了使结论适合于人类社会的各个历史阶段及各个社会形态，他着手研究原始社会所有制，对支持这种所有制的社会条

---

① 参见《马克思恩格斯选集》第 1 卷，人民出版社 2012 年版，第 762—763 页。

件等做了历史考察。在《政治经济学批判（1857—1858 年手稿）》中，他又对原始公社和以公社为基础的所有制及其解体的原因作了较为深刻的阐述。在《资本论》中马克思也对原始社会的许多问题作了论述。基于以上研究，马克思认为，军队作为"国家为进行进攻性或防御性战争而保持的有组织的武装人员的集团"①，它不是人类社会与生俱来的东西，原始社会没有专门的军队组织，军队产生于氏族制度解体和国家形成时期。马克思为了检验他的结论，对原始社会的军队和战争的起源问题进行研究，并大概地勾画出了原始社会军队产生的简单过程。他指出："一个共同体所遭遇的困难，只能是由其他共同体引起的，后者或是先已占领了土地，或是到这个共同体已占领的土地上来骚扰。因此，战争就或是为了占领生存的客观条件，或是为了保护并永久保持这种占领所要求的巨大的共同任务，巨大的共同工作。因此，这种由家庭组成的公社首先是按军事方式组织起来的，是军事组织和军队组织，而这是公社以所有者的资格而存在的条件之一。"② 在马克思看来，共同体之间"遭到的困难"，导致原始性战争的爆发，而进行"战争"，就必需有一种"军事组织"和"军队组织"，这是公社存在的条件之一。马克思认为，尽管原始社会曾发生过规模很大的"战争"，但原始社会所特有的所有制，决定了不可能有，也不需要有脱离生产的专门军队组织。原始社会的武装力量是全体成年男性居民为夺取和保护赖以生存的自然条件而集合在一起的"自动的武装组织"，它既不是氏族公社内部的压迫手段，也不是奴役其他部落的工具。后来，恩格斯在《家庭、私有制和国家的起源》中进一步指出："当部落中每个成年男子都是战士的时候，那脱离了人民的、有可能和人民对抗的公共权力还不存在"③。也就是说，所谓的"公共权力"即国家还不存在，部落中的每个成年男子还都是战士的时候，经常的武装集团即军队就没有存在的必要性。原始社会后期，随着军事首领和氏族贵族奴隶主的权力的不断扩大，在一些氏族和部落中出现了军事首领的私人武装，即"扈从队"。"扈从队"是"一种独立自主地从事战争的私人团体"④，对于小规模征战，他们充当卫队和预备队，对于大规模征战，他们是现成的军官团。这种武装团体是后来军队的雏形，但还不是阶级社会真正意

---

① 《马克思恩格斯全集》第 26 卷，人民出版社 2007 年版，第 226 页。
② 《马克思恩格斯选集》第 2 卷，人民出版社 2012 年版，第 728 页。
③ 《马克思恩格斯选集》第 4 卷，人民出版社 2012 年版，第 119 页。
④ 《马克思恩格斯选集》第 4 卷，人民出版社 2012 年版，第 161 页。

义上的军队。

马克思恩格斯认为，真正的军队是伴随着国家的产生而产生的，是在阶级对立形成的过程中发展起来的，军队的产生和国家的产生是同一个过程。国家是社会阶级矛盾不可调和的产物，面对无法调和的社会矛盾，面对无法摆脱的社会对立面，国家必须运用"公共权力"强迫被统治阶级服从统治阶级的意志，把被统治阶级的行为控制在有利于统治阶级的"秩序"范围之内。很显然，氏族社会那种"居民的自动的武装组织"与国家的实质不相符合，不可能被国家用来实现体现这"特殊利益"的意志。因此，国家必须拥有一支掌握在自己手中、仅仅服从自己意志的武装力量。对于国家来说，最重要的"公共权力"就是军队。正如恩格斯所说："这个特殊的公共权力之所以需要，是因为自从社会分裂为阶级以后，居民的自动的武装组织已经成为不可能了。"[1] 在社会分裂为不可调和的对立阶级之后，阶级之间的矛盾冲突随时可能打碎对立阶级共处的"社会外壳"，再加上相邻国家之间的掠夺战争成为经常的事情，这就决定了国家所拥有的武装力量必须是常设的，以保持国家强力手段的经常性和连续性，保证国家随时可以运用强力手段来实现自己的意志。

马克思恩格斯认为，军队的发展如同人类社会的发展一样，是一个自然历史过程，从根本上支配人类社会发展的生产力和生产关系之间的矛盾运动规律在军队的发展历史中同样起作用，并且体现得更充分、更集中、更典型。1857年9月25日，马克思在给恩格斯的信中，对其《军队》一文进行高度评价时指出："军队的历史比任何东西都更加清楚地表明，我们对生产力和社会关系之间的联系的看法是正确的"[2]。在马克思恩格斯看来，军队不是同社会形态相脱离的孤立存在，而是受到社会生活的各个领域，如政治、经济、文化、道德、宗教等方面的深刻影响。但是，他们也强调，制约和规定军队发展的首要因素还是社会生产力以及在生产力基础上形成的社会经济关系，军队的重大变革植根于新的生产力和新的社会经济关系。其他社会领域对军队的影响，都是以社会生产力和经济关系的发展状况为前提的。这首先体现为军队的发展状况是由社会生产力和经济关系的发展状况决定的。武器装备和士兵是构成军队的两个基本要素，武器装备的技术水平和士兵的成分，都是由社会生产力和经济

---

① 《马克思恩格斯选集》第4卷，人民出版社2012年版，第187页。
② 《马克思恩格斯选集》第4卷，人民出版社2012年版，第428页。

关系的发展状况所决定的。恩格斯曾指出:"装备是基础,而它又直接地取决于生产的阶段。"①从石器时代的石制兵器到大工业时代的枪炮,都是当时生产技术的产物,反映了那个时代生产力发展所达到的水平。士兵的成分同样也取决于生产力的发展状况,以及在生产力基础上所形成的社会经济关系:奴隶社会的士兵是拿着武器的自由民和奴隶;封建社会的士兵是拿着武器的农奴;资本主义社会,士兵则是摆脱了封建枷锁的农民和工人。由于军队的状况归根到底取决于生产力和经济关系的发展状况,这就决定了军队的发展和变革,以及军队的总体素质都必然以生产力的发展和经济关系的变革为基础。

马克思恩格斯不仅看到了社会经济条件对军队发展的制约作用,而且也看到了军队对社会生活特别是社会经济生活的促进作用。马克思在1857年9月给恩格斯的信中指出:"一般说来,军队在经济的发展中起着重要的作用。"②像发放薪金、承认个人拥有动产的权利、建立行会制度、大规模运用机器、以金属作为货币以及在部门内部进行分工等经济现象,最初都是在古代的军队里发展起来的。当然,马克思恩格斯同时强调,从历史发展的全过程看,社会经济条件对军队发展的制约作用更为根本;军队对社会经济发展的促进作用,终究要以经济发展达到一定的水平为前提条件。

第二,关于军队的社会本质和职责。针对一些社会学家和军事理论家把军队说成是超阶级的、不受政治支配的、代表全民利益的国家组织的错误说法,马克思恩格斯科学揭示了军队的社会本质和职能,明确提出"有组织的暴力首先是军队"③,军队是国家对内实行统治、对外实行进攻或防御的工具,不同性质的军队具有不同的社会职能。

恩格斯在《军队》一文中指出,军队是"国家为了进攻或防御而维持的有组织的武装集团"④。这个定义更侧重强调军队的军事职能,即进行战争的职能,而没有突出强调军队的政治职能,这与当时《军队》的写作背景有关。《军队》是恩格斯为《美国新百科全书》撰写的条目,该百科全书由《纽约每日论坛报》一些具有资产阶级民主主义思想的进步编辑和记者组织编纂,他们在向马克思约稿时,提出了"不得阐述党派观点"的条件。但是,从马克思和恩格

---

① 《马克思恩格斯文集》第9卷,人民出版社2009年版,第368页。
② 《马克思恩格斯选集》第4卷,人民出版社2012年版,第428页。
③ 《马克思恩格斯文集》第9卷,人民出版社2009年版,第368页。
④ 《马克思恩格斯全集》第14卷,人民出版社1964年版,第5页。

斯其他著作可以看出，他们认为军队不仅仅是为了打仗而存在，而首先是作为国家实现政治统治的工具而存在的，打仗是为了国家实现其统治的政治目的服务的。也就是说，军队既具有军事方面的职能，又具有政治方面的职能。恩格斯明确指出："一切社会形式为了保存自己都需要暴力，甚至有一部分是通过暴力建立的。这种具有组织形式的暴力叫做国家。"[①] 他又进一步指出，"有组织的暴力首先是军队"[②]。作为国家暴力工具的军队的政治职能包括两个方面：一是对内的职能，即强迫被统治阶级服从掌握着国家政权的统治阶级意志的职能；二是对外的职能，即防御他国侵略或侵略他国的职能。军队的对内和对外两个职能，都是军队作为国家实行阶级统治工具的具体体现。

马克思恩格斯还特别分析了反动军队的社会职能，指出反动军队是对内实行专制统治、对外为统治阶级掠夺战争效命的驯服工具。19 世纪中后期，欧洲各主要资本主义国家为了最大限度地搜敛财富，对内加紧镇压民主运动，对外不断发动侵略战争，资产阶级国家军队的反动本质彻底暴露。关于反动军队的对内职能，马克思明确指出，军队是"最主要的镇压工具"[③]。1860 年，恩格斯在评析意大利那不勒斯王国军队的作用时也指出："征集和组织这支军队仅仅是为了一个特殊的目的——使人民俯首听命。"[④] 由资产阶级豢养的反动军队在摧残革命力量方面极其丧心病狂。1848 年 6 月，恩格斯在谈到法国巴黎无产阶级起义受挫时指出，共和国近卫军非常残酷地镇压工人，他们以镇压工人为共和国市近卫军争得了声名。在马克思恩格斯看来，这些军队成员很多以前都是乞丐、浪人、顽童和小偷，由于薪俸优厚，在短期内就成了每次都替当权者卖命的御用军，因而成为各国统治集团对付革命群众的得力工具。另外，从近代欧洲不少国家王朝和政府更替的历史来看，反动军队还有另外一个非常重要的对内职能，那就是帮助政治野心家发动政变来攫取国家权力。恩格斯在解释路易·拿破仑发迹的原因时指出，拿破仑是靠军队的恩惠和欧洲的容忍成为法国皇帝的。马克思在《1848 年至 1850 年的法兰西阶级斗争》和《路易·波拿巴的雾月十八日》这两部著作中，更加透辟地阐发了军队在路易·拿破仑实现篡权称帝计划中所发挥的重要作用。关于反动军队的对外职能，马克思恩格

① 《马克思恩格斯文集》第 9 卷，人民出版社 2009 年版，第 365 页。
② 《马克思恩格斯文集》第 9 卷，人民出版社 2009 年版，第 368 页。
③ 《马克思恩格斯选集》第 1 卷，人民出版社 2012 年版，第 536 页。
④ 《马克思恩格斯全集》第 15 卷，人民出版社 1963 年版，第 135 页。

斯做了多方面的论述：被广泛用于进行殖民战争，对亚洲、非洲、拉丁美洲的一些国家和地区大规模进行侵略扩张；被用以对付附属国和殖民地的人民，随时准备镇压各附属国和殖民地人民的民族起义；被用于同其他资本主义国家进行掠夺战争。

第三，关于无产阶级军队建设。从 19 世纪 50 年代到 70 年代初的近 20 年时间里，马克思恩格斯认真总结了欧洲 1848—1849 年革命失败的经验教训，对 19 世纪后半叶各国武装力量和军事状况、英国的志愿兵运动和发生的战争进行研究，在总结巴黎公社无产阶级武装组织建设实践经验的基础上，对无产阶级军队建设问题进行了阐述。

其一，提出了无产阶级革命必须建立掌握在无产阶级自己手中的军队的思想。1845 年 2 月 8 日和 15 日，恩格斯参加在爱北斐特组织社会主义和共产主义思想讨论会的工作时的演说中曾设想，在共产主义社会将不会也不需要有常备军。后来，马克思恩格斯从欧洲 1848—1849 年革命失败后工人阶级血的教训中转变了认识。在 1848—1849 年欧洲革命中，工人阶级普遍投身到这场革命运动中，成为推动革命运动蓬勃发展的生力军。但是，掌握了政权的资产阶级却抛开无产阶级同封建旧势力媾和或进行政治交易，进而反过手来镇压工人运动。他们先收缴工人手中的武器，解散工人的武装组织。而无产阶级没有经验和准备，毫无还击能力，用流血牺牲换来的胜利果实完全被资产阶级窃取。最典型的就是法国的资产阶级政府对付巴黎工人的"六月起义"。资产阶级政府调来了正规军，使用战争手段来对付昔日是同盟者的工人阶级，大炮、火箭弹、霰弹都被派上了用场，工人的鲜血洒满巴黎街头。鉴于这一惨痛教训，马克思恩格斯强调，为防止资产阶级夺权后的反击，工人阶级必须武装和组织起来。恩格斯在《7 月 4 日的妥协会议》和其他文章中明确提出，武装人民是保证人民权力的重要条件。1850 年 3 月，马克思恩格斯在《共产主义者同盟中央委员会告同盟书》中，向共产主义者同盟的全体成员郑重提出，"为了坚决而严厉地反对这个从胜利的头一小时起就开始背叛工人的党，工人应该武装起来和组织起来"[1]，明确了建立工人阶级自己的武装组织的任务。他们强调："消除资产阶级民主派对工人的影响，立刻建立起独立和武装的工人组织，造成各种条件，尽量使暂时不可避免的资产阶级民主派的统治感到困难和丧失威

[1]　《马克思恩格斯选集》第 1 卷，人民出版社 2012 年版，第 560 页。

信。这就是无产阶级，因而也就是共产主义者同盟在即将爆发的起义中和起义后应当牢记不忘的主要问题。"①在马克思恩格斯看来，无产阶级革命必须建立一支掌握在自己手中的军队，只有如此，才能掌握革命的主导权，才能在遭到资产阶级出卖、背叛时进行有效的反击，捍卫自己的利益。1871 年巴黎公社短暂的兴衰历史，无情地印证了这一颠扑不破的客观真理。马克思在《法兰西内战》中总结巴黎公社的基本经验时明确提出，在每次革命中，特别是在每一次无产阶级和资产阶级的冲突中，"国家政权的纯粹压迫性质就暴露得更加突出"②，因此，"工人阶级不能简单地掌握现成的国家机器，并运用它来达到自己的目的"③，工人阶级必须建立自己的国家机器，其中包括军队，才能有效地实行自己的阶级统治。光荣的三月十八日工人革命完全掌握了巴黎，凭借的正是工人阶级手里掌握的革命武装。没有无产阶级武装，无产阶级的阶级统治就是空想。马克思在《纪念国际成立七周年》讲话中更加鲜明地指出，在实现建立一个新的阶级统治"从而消灭现存的压迫条件"这一政变之前，"必须先建立无产阶级专政，其首要条件就是无产阶级的大军。工人阶级必须在战场上赢得自身解放的权利"④。无产阶级专政的首要条件是无产阶级有组织的队伍的思想，后来成为马克思主义科学社会主义学说的基本原理之一。

其二，对无产阶级军队的职能和使命做了阐述，提出无产阶级军队必须具有无产阶级性质，必须为保卫无产阶级利益而斗争。马克思认为，巴黎公社失败的重要原因之一，就是未能建立起阶级统治的新形式，即把一切生产资料转交给生产者，以消灭现存的压迫条件。而要实现这种社会变革，必须先实行无产阶级专政；而要实行无产阶级专政，又首先必须有对付剥削阶级进行顽强反抗的有组织的社会力量。马克思指出，保卫无产阶级的权益不仅是无产阶级军队建立的初衷，更是无产阶级军队最根本的社会职能。这种职能在无产阶级夺取政权之后将更加突出。同时，马克思恩格斯指出，无产阶级军队在履行保卫无产阶级专政的职能时，除对付国内阶级敌人的反抗外，还负有抗击外敌入侵的使命，恩格斯将其称作进行自卫战争。但他们同时强调，无产阶级军队绝不能进行侵略战争，也不会为输出革命而发动战争。后来，恩格斯进一步明确了

---

① 《马克思恩格斯选集》第 1 卷，人民出版社 2012 年版，第 560 页。
② 《马克思恩格斯选集》第 3 卷，人民出版社 2012 年版，第 96 页。
③ 《马克思恩格斯选集》第 3 卷，人民出版社 2012 年版，第 95 页。
④ 《马克思恩格斯选集》第 3 卷，人民出版社 2012 年版，第 1006 页。

这一思想，在 1882 年 9 月 2 日给卡尔·考茨基的信中指出："胜利了的无产阶级不能强迫他国人民接受任何替他们造福的办法，否则就会断送自己的胜利。当然，这决不排除各种各样的自卫战争"①。在 1887 年 2 月 13 日《给巴黎国际联谊节组织委员会的信》中又指出："由人民自己组成的军队是根本不能用来对外进行征服的"②。

此外，马克思和恩格斯还就无产阶级必须掌握军队的领导权、必须建立农民自卫军（民军）和正规军（常备军）相结合的武装力量体制等进行了阐述，形成了丰富的无产阶级军队建设思想。

四、马克思主义军事理论创立的意义

马克思主义军事理论是马克思恩格斯运用辩证唯物主义和历史唯物主义的科学世界观和方法论认识军事领域客观规律的科学成果，它的创立是人类军事学术史上划时代的伟大成就，也是马克思主义发展史和无产阶级革命史上划时代的伟大成就，具有重要的理论意义和实践价值。

从理论意义上看，马克思主义军事理论的创立，标志着军事学术研究摆脱了唯意志论和唯心论窠臼，开启了用科学的世界观和方法论来阐述战争、军队和各种军事问题的历程，使军事理论开始走向科学。

军事学术领域是资产阶级长期占领的一块阵地。一些资产阶级军事理论家在某些军事问题和实际战斗中虽然也取得过辉煌的成就，提出过科学的论断。例如，拿破仑对于军事制度和作战方法的改革和在指挥艺术方面的创新；克劳塞维茨对于战争与政治关系的科学论述，对战争中精神因素作用的深刻认识，以及对战争中的成败、攻防、进退、物质因素和精神因素等矛盾现象的辩证阐释，都是军事科学发展史上的重要成就，是对封建社会军事思想的重大突破。但是，从整体和全局看，资产阶级军事领域从根本上并未摆脱唯心主义、英雄史观、宿命论、神秘论、形而上学的统治和影响。在资产阶级军事著作中，大量存在以成败定英雄、上帝主宰和偶然性支配一切的论断，存在把战争的原因

① 《马克思恩格斯选集》第 4 卷，人民出版社 2012 年版，第 548—549 页。
② 《马克思恩格斯全集》第 21 卷，人民出版社 1965 年版，第 394 页。

归结为人的本性，把战争同经济、社会制度、阶级斗争相割裂的论断，存在片面夸大武器在战争中的作用、排斥规律性和人民群众历史作用的论断，存在把军队描述为一种超阶级的、与政治无关的、具有全民性质的组织的论断，等等，充分反映了资产阶级军事思想由于维护阶级利益的需要和方法论的局限，对于战争和军事领域中涉及社会关系和阶级斗争实质等问题，还不能作出科学的解释。而与马克思恩格斯同时代的蒲鲁东、杜林等"理论家"，也在宣扬貌似是唯物论而实质是唯心论的战争观。蒲鲁东在其《战争与和平》一书中把战争的原因归结为"贫困"，认为战争是在历史上人口稀少的"黄金时代"进入人口众多的贫困时代后产生的，而贫困这种生活方式的确定则是根据造物主的目的选择的。对于这种制造混乱的观点和著作，恩格斯指出，"蒲鲁东的书竟是这样缺少唯物主义，以致它不求助于造物主，就表达不出它的战争构想"①。杜林则大肆宣扬暴力论，认为暴力是"历史上基础性的东西"，经济力量则是"第二等的事实"，从根本上颠倒了战争暴力和经济的关系，歪曲了战争的历史和社会发展的历史，对战争的解释陷入了唯意志论和唯心论。这种观点同样对唯物史观制造了极大的混乱。

马克思和恩格斯十分看重作为世界观和方法论的哲学对于各门具体科学的灵魂或导向作用。马克思在为他的《政治经济学批判》一书所写的"序言"中，没有花费笔墨去扼要介绍自己的政治经济学理论，而是高度概括地阐述了自己的唯物史观，并明确指出他用于指导政治经济学研究的基础理论，不是别的，就是他所发现的唯物史观。针对军事学术领域存在的错误观点，尤其是蒲鲁东、杜林等人的挑战，马克思恩格斯创造性地运用辩证唯物主义和历史唯物主义这一科学的世界观和方法论，阐述战争、军队和各种军事问题，揭示军事科学真理，把军事科学研究推进到一个崭新的境界。他们科学地分析了战争的起源和本质、战争与经济、战争与政治、战争与科技、战争与革命等关系，揭示了战争中各种复杂关系和内在矛盾，揭示了战争演变和发展的规律，科学阐释了军队的产生和发展、军队的社会本质和职责等问题，第一次把军事学术研究置于唯物史观的基础之上。马克思和恩格斯几十年来对军事和战争问题进行的研究和探讨，实现了人类历史上对战争和军事问题认识上的根本变革，他们创立的反映战争与军事发展规律的科学的军事理论，为无产阶级军事科学的形

① 《马克思恩格斯选集》第3卷，人民出版社2012年版，第259页。

成、发展奠定了坚实的理论基础，为马克思主义军事理论的不断深化做出了重要贡献。同时，他们对军事理论作出的每一个重要论断和积极贡献，又对唯物史观的普遍性和科学性做出了有力论证。

从实践价值看，马克思军事理论的创立为无产阶级军事斗争提供了理论武器，使无产阶级革命从自发走向自觉，最终取得革命胜利。马克思恩格斯在《共产党宣言》中公开宣布："他们的目的只有用暴力推翻全部现存的社会制度才能达到。"[1]面对全副武装的资产阶级，无产阶级必须武装起来，用自己的军队来推翻旧世界。无产阶级要完成改造旧世界的历史使命，不仅需要武器的武装，而且需要精神的武装，即科学的军事理论作指导。马克思主义军事理论以无产阶级革命需要作为基本前提，以武装无产阶级完成历史使命、解放无产阶级和全人类，进而最终消灭战争、实现永久和平为宗旨，体现了革命性和科学性的高度统一。马克思恩格斯每一时期的军事科学研究的主题和内容，都紧扣无产阶级革命运动实践的需要。19 世纪 40 年代末到 50 年代初期，马克思和恩格斯的军事科学研究主要围绕总结欧洲革命运动中的军事斗争经验而展开。50 年代和 60 年代，无产阶级革命运动由高潮转入低潮，根据无产阶级政党进行理论准备和积聚力量的任务需要，马克思和恩格斯军事科学研究的重点转向系统的基础理论研究，深入研究资本主义时代的战争指导规律和军队建设规律，同时密切关注欧洲军事形势的演变，以及与之密切相关的革命形势的发展。70 年代，面对一些非科学社会主义学说对工人运动产生的不利影响，马克思恩格斯的军事科学研究围绕宣传和普及科学社会主义学说而展开，比较系统地阐述了关于战争的一些基本理论，帮助工人阶级正确认识包括战争在内的各种社会生活现象，科学把握社会发展规律。80 年代和 90 年代，欧洲各主要国家积极扩军备战，一场空前的人类大厮杀已经如箭在弦。制止战争、维护世界和平，成为无产阶级革命运动的重要任务之一。这时，恩格斯把军事科学研究的重点转向了战争与和平问题，着力探索制止战争的途径和方法，指导无产阶级运用各种手段为争取和平而进行斗争。马克思恩格斯创立的军事理论对资产阶级为掠夺、扩张而进行的一切非正义战争进行了无情的批判；对资产阶级军队的雇佣关系和各种矛盾及腐朽制度作了深刻的揭露；而对一切保卫民族利益、捍卫国家主权、反抗侵略的正义战争给予支持和肯定，对革命的进步

---

[1] 《马克思恩格斯选集》第 1 卷，人民出版社 2012 年版，第 435 页。

的军队中出现的新事物的萌芽给以热情的维护和赞扬；对许多战争经验教训进行了深刻总结，等等。正是因为马克思主义军事理论是在满足无产阶级革命运动的实践需求、回答无产阶级革命运动提出的实际问题的过程中形成和发展起来的，所以，它一经问世就为工人阶级和被压迫民族的革命提供了理论指导，推动革命的武装斗争和革命战争以不可阻挡之势迅猛开展起来，而且从小到大，从少到多，从弱到强，从分散到集中，从短暂到持久，从反抗统治者到夺得国家政权，从创建社会主义国家到保卫世界和平，取得了一个又一个的伟大胜利。

当然，马克思恩格斯的军事理论同任何其他科学理论一样，都是在特定的社会条件下产生和发展起来的，有其历史的时代的局限性。这一理论创立于 19 世纪，当时还是资本主义一统天下、无产阶级革命斗争初步兴起的时代。在这种条件下，资本主义的掠夺、扩张和它们所进行的战争，必然会受资本主义生产水平、军事工业和军事科学技术发展的制约，而无产阶级武装斗争也只是局限在武装起义、街垒战等极小的范围之中，军队的编制、战争的形式和方法还刚刚从封建制度的影响下走出不远。马克思恩格斯对军事问题的研究，必然会受到既定条件的影响，他们还不能看到现代化的武器、装备和兵种，也没有看到席卷全球的世界大战，更不可能对和平与发展时代背景下的未来战争作出研究，等等。今天，我们要以科学的态度对待马克思主义军事理论，既坚持它所蕴含的基本原理和方法论，又不否认其中一些具体内容所带有的时代烙印和不可避免的历史局限性。

参考文献

马克思：《共产主义和奥格斯堡〈总汇报〉》，《马克思恩格斯全集》第 1 卷，人民出版社 1995 年版。

马克思：《〈黑格尔法哲学批判〉导言》，《马克思恩格斯文集》第 1 卷，人民出版社 2009 年版。

恩格斯：《国民经济学批判大纲》，《马克思恩格斯全集》第 3 卷，人民出版社 2002 年版。

马克思：《1844 年经济学哲学手稿》，《马克思恩格斯文集》第 1 卷，人民出版社 2009 年版。

马克思、恩格斯：《神圣家族》，《马克思恩格斯文集》第 1 卷，人民出版社 2009 年版。

恩格斯：《恩格斯致马克思》（1845 年 1 月 20 日），《马克思恩格斯全集》第 27 卷，人民出版社 1972 年版。

马克思、恩格斯：《德意志意识形态》，《马克思恩格斯全集》第 3 卷，人民出版社 1960 年版。

马克思：《马克思致卡尔·威廉·列斯凯》（1846 年 8 月 1 日），《马克思恩格斯全集》第 27 卷，人民出版社 1972 年版。

马克思：《马克思致巴维尔·瓦西里也维奇·安年柯夫》（1846 年 12 月 28 日），《马克思恩格斯全集》第 27 卷，人民出版社 1972 年版。

马克思：《哲学的贫困》，《马克思恩格斯全集》第 4 卷，人民出版社 1958 年版。

马克思、恩格斯：《论波兰》，《马克思恩格斯全集》第 4 卷，人民出版社 1958 年版。

恩格斯：《瑞士的内战》，《马克思恩格斯全集》第 4 卷，人民出版社 1958 年版。

恩格斯：《法国的改革运动》，《马克思恩格斯全集》第 4 卷，人民出版社 1958 年版。

恩格斯：《宪章运动》，《马克思恩格斯全集》第 4 卷，人民出版社 1958 年版。

恩格斯：《纪念 1830 年波兰革命》，《马克思恩格斯全集》第 4 卷，人民出版社

1958 年版。

马克思、恩格斯:《共产党宣言》,《马克思恩格斯文集》第 2 卷,人民出版社 2009 年版。

恩格斯:《1847 年的运动》,《马克思恩格斯全集》第 4 卷,人民出版社 1958 年版。

马克思:《危机和反革命》,《马克思恩格斯选集》第 1 卷,人民出版社 2012 年版。

马克思:《1848 年至 1850 年的法兰西阶级斗争》,《马克思恩格斯选集》第 1 卷,人民出版社 2012 年版。

马克思、恩格斯:《"新莱茵报。政治经济评论"出版启事》,《马克思恩格斯全集》第 7 卷,人民出版社 1959 年版。

马克思:《马克思致约瑟夫·魏德迈》(1849 年 12 月 19 日),《马克思恩格斯全集》第 27 卷,人民出版社 1972 年版。

马克思、恩格斯:《国际述评(一)》,《马克思恩格斯全集》第 7 卷,人民出版社 1959 年版。

马克思、恩格斯:《共产主义者同盟中央委员会告同盟书》,《马克思恩格斯选集》第 1 卷,人民出版社 2012 年版。

马克思、恩格斯:《国际述评(二)》,《马克思恩格斯全集》第 7 卷,人民出版社 1959 年版。

恩格斯:《德国农民战争》,《马克思恩格斯文集》第 2 卷,人民出版社 2009 年版。

马克思、恩格斯:《国际述评(三)》,《马克思恩格斯全集》第 7 卷,人民出版社 1959 年版。

马克思:《关于大·李嘉图〈政治经济学和赋税原理〉(摘录、评注、笔记)》,《马克思恩格斯全集》第 44 卷,人民出版社 1982 年版。

马克思:《马克思致恩格斯》(1851 年 1 月 27 日),《马克思恩格斯全集》第 27 卷,人民出版社 1972 年版。

马克思:《马克思致恩格斯》(1851 年 2 月 3 日),《马克思恩格斯全集》第 27 卷,人民出版社 1972 年版。

马克思:《反思》,《马克思恩格斯全集》第 44 卷,人民出版社 1982 年版。

马克思:《马克思致恩格斯》(1851 年 3 月 31 日),《马克思恩格斯全集》第 27 卷,人民出版社 1972 年版。

马克思:《马克思致恩格斯》(1851 年 4 月 2 日),《马克思恩格斯全集》第 27 卷,人民出版社 1972 年版。

恩格斯:《恩格斯致马克思》(1851 年 4 月 3 日),《马克思恩格斯全集》第 27 卷,人民出版社 1972 年版。

马克思:《马克思致约瑟夫·魏德迈》(1851 年 6 月 27 日),《马克思恩格斯全集》

第 27 卷，人民出版社 1972 年版。

恩格斯：《德国的革命和反革命》，《马克思恩格斯选集》第 1 卷，人民出版社 2012 年版。

马克思：《路易·波拿巴的雾月十八日》，《马克思恩格斯选集》第 1 卷，人民出版社 2012 年版。

马克思：《中国革命和欧洲革命》，《马克思恩格斯选集》第 1 卷，人民出版社 2012 年版。

马克思：《英人在华的残暴行动》，《马克思恩格斯选集》第 1 卷，人民出版社 2012 年版。

马克思：《不列颠在印度的统治》，《马克思恩格斯选集》第 1 卷，人民出版社 2012 年版。

马克思：《马克思致恩格斯》（1853 年 6 月 14 日），《马克思恩格斯文集》第 10 卷，人民出版社 2009 年版。

马克思：《战争问题。——议会动态。——印度》，《马克思恩格斯全集》第 12 卷，人民出版社 1998 年版。

马克思：《不列颠在印度统治的未来结果》，《马克思恩格斯选集》第 1 卷，人民出版社 2012 年版。

马克思：《革命的西班牙》，《马克思恩格斯全集》第 13 卷，人民出版社 1998 年版。

马克思：《英中冲突》，《马克思恩格斯全集》第 16 卷，人民出版社 2007 年版。

马克思：《议会关于对华军事行动的辩论》，《马克思恩格斯全集》第 16 卷，人民出版社 2007 年版。

马克思：《俄国的对华贸易》，《马克思恩格斯选集》第 1 卷，人民出版社 2012 年版。

恩格斯：《英人对华的新远征》，《马克思恩格斯全集》第 16 卷，人民出版社 2007 年版。

恩格斯：《波斯和中国》，《马克思恩格斯选集》第 1 卷，人民出版社 2012 年版。

马克思：《印度起义》，《马克思恩格斯全集》第 16 卷，人民出版社 2007 年版。

马克思：《印度问题》，《马克思恩格斯全集》第 16 卷，人民出版社 2007 年版。

恩格斯：《军队》，《马克思恩格斯全集》第 14 卷，人民出版社 1964 年版。

马克思：《英国人在印度的收入》，《马克思恩格斯全集》第 16 卷，人民出版社 2007 年版。

马克思：《政治经济学批判（1857—1858 年手稿)》，《马克思恩格斯文集》第 8 卷，人民出版社 2009 年版。

马克思：《坎宁的公告和印度的土地占有问题》，《马克思恩格斯全集》第 12 卷，人民出版社 1962 年版。

马克思：《鸦片贸易史》，《马克思恩格斯选集》第 1 卷，人民出版社 2012 年版。

马克思：《英中条约》，《马克思恩格斯选集》第 1 卷，人民出版社 2012 年版。

马克思：《新的对华战争》，《马克思恩格斯选集》第 1 卷，人民出版社 2012 年版。

马克思：《中国和英国的条约》，《马克思恩格斯选集》第 1 卷，人民出版社 2012 年版。

恩格斯：《俄国在远东的成功》，《马克思恩格斯选集》第 1 卷，人民出版社 2012 年版。

马克思：《〈政治经济学批判〉序言》，《马克思恩格斯文集》第 2 卷，人民出版社 2009 年版。

马克思：《政治经济学批判。第一分册》，《马克思恩格斯全集》第 31 卷，人民出版社 1998 年版。

马克思：《对华贸易》，《马克思恩格斯选集》第 1 卷，人民出版社 2012 年版。

马克思：《剩余价值理论》，《马克思恩格斯全集》第 26 卷，人民出版社 1974 年版。

马克思：《中国记事》，《马克思恩格斯全集》第 15 卷，人民出版社 1963 年版。

马克思：《国际工人协会成立宣言》，《马克思恩格斯选集》第 3 卷，人民出版社 2012 年版。

马克思：《论蒲鲁东》，《马克思恩格斯选集》第 3 卷，人民出版社 2012 年版。

恩格斯：《普鲁士军事问题和德国工人政党》，《马克思恩格斯全集》第 21 卷，人民出版社 2003 年版。

马克思：《工资、价格和利润》，《马克思恩格斯选集》第 2 卷，人民出版社 2012 年版。马克思：《给临时中央委员会代表的关于若干问题的指示》，《马克思恩格斯全集》第 21 卷，人民出版社 2003 年版。

马克思：《资本论》(第一卷)，《马克思恩格斯文集》第 5 卷，人民出版社 2009 年版。

马克思：《国际工人协会总委员会第四年度报告》，《马克思恩格斯全集》第 21 卷，人民出版社 2003 年版。

马克思：《总委员会关于继承权的报告》，《马克思恩格斯文集》第 3 卷，人民出版社 2009 年版。

恩格斯：《〈德国农民战争〉序言》，《马克思恩格斯选集》第 3 卷，人民出版社 2012 年版。

恩格斯：《战争短评》，《马克思恩格斯全集》第 17 卷，人民出版社 1963 年版。

马克思：《马克思致欧根·奥斯渥特》(1870 年 7 月 26 日)，《马克思恩格斯全集》第 33 卷，人民出版社 1973 年版。

马克思：《马克思致路德维希·库格曼》(1870 年 9 月 14 日)，《马克思恩格斯全集》第 33 卷，人民出版社 1973 年版。

马克思：《法兰西内战》，《马克思恩格斯选集》第 3 卷，人民出版社 2012 年版。

马克思：《致"每日新闻"编辑》，《马克思恩格斯全集》第 17 卷，人民出版社 1963 年版。

恩格斯：《宣言"法兰西内战"和英国报纸》，《马克思恩格斯全集》第 17 卷，人民出版社 1963 年版。

恩格斯：《关于工人阶级的政治行动》，《马克思恩格斯选集》第 3 卷，人民出版 2012 年版。

马克思：《纪念国际成立七周年》，《马克思恩格斯选集》第 3 卷，人民出版社 2012 年版。

马克思：《国际工人协会共同章程》，《马克思恩格斯选集》第 3 卷，人民出版社 2012 年版。

马克思、恩格斯：《在海牙举行的全协会代表大会的决议》，《马克思恩格斯全集》第 18 卷，人民出版社 1964 年版。

恩格斯：《论权威》，《马克思恩格斯选集》第 3 卷，人民出版社 2012 年版。

恩格斯：《自然辩证法》，《马克思恩格斯全集》第 20 卷，人民出版社 1971 年版。

马克思：《巴枯宁〈国家制度和无政府状态〉一书摘要》，《马克思恩格斯选集》第 3 卷，人民出版社 2012 年版。

恩格斯：《恩格斯致奥古斯特·倍倍尔》（1873 年 6 月 20 日），《马克思恩格斯选集》第 4 卷，人民出版社 2012 年版。

恩格斯：《流亡者文献——论俄国的社会问题》，《马克思恩格斯选集》第 3 卷，人民出版社 2012 年版。

恩格斯：《威廉·沃尔弗》，《马克思恩格斯全集》第 25 卷，人民出版社 2001 年版。

恩格斯：《〈反杜林论〉的准备材料》，《马克思恩格斯全集》第 20 卷，人民出版社 1971 年版。

恩格斯：《反杜林论》，《马克思恩格斯选集》第 3 卷，人民出版社 2012 年版。

马克思、恩格斯：《给奥·倍倍尔、威·李卜克内西、威·白拉克等人的通告信》，《马克思恩格斯选集》第 3 卷，人民出版社 2012 年版。

马克思：《给维·伊·查苏利奇的复信》，《马克思恩格斯选集》第 3 卷，人民出版社，2012 年版。

恩格斯：《恩格斯致卡尔·考茨基》（1882 年 9 月 12 日），《马克思恩格斯文集》第 10 卷，人民出版社 2009 年版。

恩格斯：《恩格斯致奥古斯特·倍倍尔》（1883 年 4 月 30 日），《马克思恩格斯全集》第 36 卷，人民出版社 1975 年版。

恩格斯：《马克思和〈新莱茵报〉》，《马克思恩格斯文集》第 4 卷，人民出版社

2009 年版。

恩格斯：《家庭、私有制和国家的起源》，《马克思恩格斯选集》第 4 卷，人民出版社 2012 年版。

恩格斯：《关于共产主义者同盟的历史》，《马克思恩格斯选集》第 4 卷，人民出版社 2012 年版。

恩格斯：《恩格斯致玛格丽特·哈克奈斯》（1888 年 4 月初），《马克思恩格斯选集》第 4 卷，人民出版社 2012 年版。

恩格斯：《〈论俄国的社会问题〉跋》，《马克思恩格斯选集》第 4 卷，人民出版社 2012 年版。

马克思：《资本论》(第 3 卷)，《马克思恩格斯文集》第 7 卷，人民出版社 2009 年版。

恩格斯：《卡·马克思〈1848 年到 1850 年的法兰西阶级斗争〉一书导言》，《马克思恩格斯选集》第 4 卷，人民出版社 2012 年版。

恩格斯：《恩格斯致理查·费舍》(1895 年 4 月 15 日)，《马克思恩格斯文集》第 10 卷，人民出版社 2009 年版。

列宁：《马克思和恩格斯〈神圣家族〉一书摘要》，《列宁全集》第 55 卷，人民出版社 1990 年版。

列宁：《弗里德里希·恩格斯》，《列宁专题文集 论马克思主义》，人民出版社 2009 年版。

《马克思恩格斯〈资本论〉书信集》，人民出版社 1976 年版。

《资本论》第一卷法文第一版，中国社会科学出版社 1983 年版。

《资本论》第一卷德文第一版，经济科学出版社 1987 年版。

[苏] 奥则尔曼：《马克思和恩格斯对 1848 年革命经验的总结》，汤侠声译，上海人民出版社 1957 年版。

[苏] 卢森贝：《十九世纪四十年代马克思恩格斯经济学说发展概论》，方钢等译，三联书店 1958 年版。

[苏] 维戈茨基：《卡尔马克思的一个伟大发现的历史——论〈资本论〉的创作》，马健行、郭继严译，中国人民大学出版社 1979 年版。

[德] 狄慈根：《狄慈根哲学著作选集》，杨东纯译，三联书店 1978 年版。

[德] 卡尔·欧伯曼：《约瑟夫·魏德迈传》，天津师范学院外语系译，人民出版社 1980 年版。

中国人民解放军军事科学院：《马克思恩格斯军事文集》，战士出版社 1981 年版。

[苏] 巴加图利亚、维戈茨基：《马克思的经济学遗产》，马健行译，贵州人民出版社 1981 年版。

[德] 图赫舍雷尔：《马克思经济理论的形成和发展》，马经青译，人民出版社 1981

年版。

[比利时] 欧内斯特·孟德尔：《〈资本论〉新英译本导言》，仇启华、杜章智译，中共中央党校出版社 1981 年版。

[苏] 列昂节夫：《恩格斯在马克思主义政治经济学形成和发展方面的作用》，方钢、志成译，中国人民大学出版社 1982 年版。

苏联科学院世界历史研究所编：《1871 年巴黎公社史》（上、下），重庆出版社 1982 年版。

[美] 菲利普·丰纳编：《马克思逝世之际：1883 年世界对他的评论》，王兴斌译，北京出版社 1983 年版。

张钟朴、冯文光：《法文版〈资本论〉介绍》，中国社会科学出版社 1984 年。

[苏] 列昂节夫：《恩格斯和马克思主义经济学说》，张仲朴等译，贵州人民出版社 1984 年版。

李善明主编：《马克思恩格斯经济学创建纪略》，河北人民出版社 1984 年版。

[德] 瓦尔特·施密特：《威廉·沃尔弗传》，邹福兴等译，人民出版社 1984 年版。

田光、陆立军：《〈资本论〉创作史简编》，浙江人民出版社 1992 年版。

[德] 罗斯多尔斯基：《马克思〈资本论〉的形成》，魏埙等译，山东人民出版社 1992 年版。

[法] 汤姆·洛克曼：《马克思主义之后的马克思》，杨学功、徐素华译，东方出版社 2008 年版。

中国作家协会、中央编译局编：《马克思、恩格斯、列宁、斯大林论文艺》，作家出版社 2010 年版。

[英] 罗杰·普赖斯：《1848 年欧洲革命》，郭侃俊译，北京大学出版社 2014 年版。

Gérard Maarek, M·Evans（transl.），Introduction to Karl Marx's "Das Kapital"，Martin Robertson & Co Ltd, 1979.

David Harvey, A Companion to Marx's Capital, Verso, 2010.

Michael Wayne, Marx's Das Kapital For Beginners, Steerforth Press, 2012.

大 事 记

1848 年

1 月 12 日	意大利西西里岛巴勒莫和那不勒斯群众起义,拉开了欧洲 1848 年革命的序幕。
2 月下旬	法国巴黎爆发"二月革命",建立了资产阶级性质的法兰西第二共和国。
3 月 13 日	奥地利维也纳爆发"三月革命"。
3 月中下旬	"柏林革命"爆发。
3 月 21 日	马克思恩格斯撰写《共产党在德国的要求》。
6 月 1 日	马克思主编的《新莱茵报》创刊号在科隆出版。
6 月 23—26 日	巴黎无产阶级六月起义,遭到残酷镇压。
12 月 9—29 日	马克思以《资产阶级和反革命》为题撰写了一组论文。
12 月 10 日	路易·拿破仑·波拿巴当选法兰西共和国首任总统。

1849 年

4 月 5—11 日	马克思在《新莱茵报》上以连载社论的形式发表《雇佣劳动与资本》。
5 月 19 日	在普鲁士政府的勒令下,《新莱茵报》出版最后一号后停刊。
8 月 24 日	在法国反动政府的迫害下,马克思离开巴黎,赶赴伦敦。

8月26日前后	马克思到达伦敦后，着手筹办《新莱茵报。政治经济评论》，并重新组织共产主义者同盟中央委员会。
8月底至9月	恩格斯在洛桑开始撰写《德国维护帝国宪法的运动》一书。
9月初	马克思加入共产主义者同盟地方组织领导的伦敦德意志工人教育协会。
11月上旬	恩格斯到伦敦与马克思聚首，并参加共产主义者同盟中央委员会，成为德意志工人教育协会的会员。

1850 年

1—2月	以马克思和恩格斯为首的共产主义者同盟中央委员会着手改组共产主义者同盟。
3月6日	《新莱茵报。政治经济评论》第一期在德国汉堡出版。
3月底	马克思和恩格斯写第一篇《中央委员会告共产主义者同盟书》。
6月	马克思得到大英博物馆读书证，开始阅读和摘录经济学材料。
9月底至10月初	马克思打算重新开始早在1844年春进行的批判资产阶级政治经济学的写作工作，经常去大英博物馆图书馆研究约·斯·穆勒、罗·托伦斯等经济学家的著作。
11月底	《新莱茵报。政治经济评论》出版第5、6期合刊（之后停刊）。合刊发表恩格斯的著作《德国农民战争》。

1851 年

4月	恩格斯撰写《1852年神圣同盟对法战争的可能性与展望》一文，第一次对军事学术的发展作了唯物主义的解释。
4月至5月上旬	马克思在大英博物馆重新系统地研究了资产阶级古典政治经济学创体系学者们的著作。
5月中至6月中旬	马克思在大英博物馆进一步研究了雇佣劳动和资本的全面关系。
8月、10月	恩格斯研究了蒲鲁东的《十九世纪革命的总观念》一书，并撰写《对蒲鲁东的〈十九世纪革命的总观念〉一书的批判分析》。

8—11 月	马克思在大英博物馆里研究土地所有制的历史、殖民问题、人口密度问题、信贷问题、银行制度问题以及其他问题；恩格斯继续研究军事学术的历史和理论。
8 月 8 日	马克思接受《纽约每日论坛报》邀请，为该报撰稿。在恩格斯的协助下，马克思为该报撰稿持续十年以上。
8 月 21 日至 1852 年 9 月 24 日	恩格斯撰写《德国的革命和反革命》一组文章。
10—11 月间	马克思在大英博物馆开始研究资本主义以前的各种生产方式。
11 月 24 日、 27 日	马克思和恩格斯在通信中就发表马克思关于政治经济学的著作的结构计划问题交换意见。
约 12 月 19 日至 1852 年 3 月 25 日	马克思撰写《路易·波拿巴的雾月十八日》一书。

1852 年

1 月至 1853 年 3 月	恩格斯研究军事学术史，关注 1843—1849 年革命时期的各次战争。
1 月 6 日	魏德迈组织创办的美国第一个马克思主义刊物——《革命》杂志第一期在纽约出版。
4 月 20 日	恩格斯致信马克思，分析了殖民地市场的开拓对经济危机的影响。
5 月	魏德迈发起建立了美国的马克思主义组织——无产者同盟。
5 月底至 6 月下旬	马克思和恩格斯共同写作《流亡中的大人物》。
7—8 月	马克思恢复在大英博物馆的研究任务，研究通史、国家制度史、文化史以及关于不同时代妇女的地位等方面的著作。
10 月底至 12 月初	马克思撰写《揭露科隆共产党人案件》。
12 月 2 日	路易·拿破仑·波拿巴正式宣布法兰西为帝国。

1853 年

1—3 月	马克思研究货币理论和政治经济学的其他问题，同时还研究文化史和斯拉夫人历史。
3 月	魏德迈创办《改革报》。

3 月下旬至 4 月	马克思继续深入地研究政治经济学，关注货币流通、地产地租、人口理论以及国家在经济生活中的作用等问题。
4 月	恩格斯恢复对军事科学的研究，关注 1848—1849 年的匈牙利革命战争和意大利战争的历史以及革命军队在反对沙皇俄国的战争中采取的策略。
4—5 月	马克思研究亚洲殖民地和附属国的历史和发展前途，并阅读英国议会的蓝皮书和东印度公司的历史。
5 月 31 日前后	马克思撰写《中国革命和欧洲革命》一文。
6 月 10 日	马克思撰写《不列颠在印度的统治》一文。
6 月 24 日	马克思撰写《东印度公司，它的历史与结果》一文。
7 月 22 日	马克思撰写《不列颠在印度统治的未来结果》一文。

1854 年

1—12 月	马克思继续研究政治经济学，系统地收集有关具体经济的统计资料和其他资料；恩格斯加紧研究军事理论、分析具体军事事件。
2 月 13 日	恩格斯撰写《欧洲战争问题》一文。
6—11 月	恩格斯研究 1848—1849 年匈牙利革命战争的历史。
12 月至 1855 年 1 月	马克思重读他前几年写下的政治经济学笔记，作了简单的纲要，并且加上了《货币，信贷，危机》的标题。

1855 年

1 月至 2 月初	马克思继续阅读自己的政治经济学笔记，并按照地租和人口论问题编制这些笔记本的索引。
1 月 8—22 日	马克思给《新奥得报》写一组以《工商业危机》为题的文章。
1 月 29 日左右	恩格斯继续注视克里木军事行动的进展，他应马克思的请求为《纽约每日论坛报》撰写《欧洲战争》一文。
6 月底至 9 月	恩格斯写《欧洲军队》一书。
9 月 14 日左右	恩格斯写《克里木战争的前景》一文，指出要塞和野战军在现代战争中的作用。

1856 年

1 月 11 日左右	恩格斯为《纽约每日论坛报》撰写《亚洲战争》一文，分析了土耳其军队在南高加索失败的原因，并指出了俄国人的巨大成就。
2 月至 1857 年 3 月	马克思在大英博物馆研究 17 世纪末至 18 世纪上半叶的外交文件和抨击性文章，以及有关英俄关系的历史著作。
9 月 26 日	马克思在致恩格斯的一封信中谈到："我不认为，一场大的金融危机的爆发会迟于 1857 年冬天"。
10 月	鉴于经济危机日益临近，马克思重新开始研究政治经济学，重点研究了白银问题。

1857 年

1 月 7 日	马克思给《纽约每日论坛报》编辑部寄去一篇关于英中在广州发生冲突的文章，他在文章中详细地分析了第二次鸦片战争的导火索——"亚罗号"事件。
2 月中旬至 7 月初	马克思继续研究经济方面的文献，特别是图克刚刚问世的《价格和流通状况的历史》第 5、6 卷以及麦克劳德的《银行业务的理论与实践》。
3 月 22 日左右	马克思又为《纽约每日论坛报》写了一篇关于英中在广州发生冲突的文章。
4 月初	恩格斯为《纽约每日论坛报》写了一篇文章，阐释了在中国发生的第一次鸦片战争英国所采取的军事行动的起因和过程，并热情赞扬中国人民反侵略的斗争。
6 月至 1858 年 2 月	在研究政治经济学的同时，马克思在大英博物馆里研究了古代的（埃及和亚述的、古希腊罗马的）军事史。
7 月	马克思撰写一篇经济论文，反驳庸俗经济学家、主张阶级利益和谐的"理论家"巴师夏和凯里，不过论文没有完成。
7 月 17 日至 8 月 14 日	马克思为《纽约每日论坛报》撰写了五篇关于印度起义的文章。

8 月下旬　　　马克思为他计划中的经济学巨著《政治经济学批判》草拟了"导言"（没有写完）。在导言中，马克思阐释了政治经济学的对象和方法，并草拟了政治经济学"五篇计划"。

10 月　　　　马克思写了"货币"章，在其中阐释了自己的科学的劳动价值理论和货币理论。

11 月至 1858 年　马克思写了"资本"章，相当详细地分析了资本主义经济运动过程
6 月　　　　的一系列重要问题，阐释了剩余价值理论的重要原理。

11 月 15 日　　恩格斯把自己对于经济危机发展过程的观察告诉了马克思，并且表示正在加紧研究军事问题。

12 月 8 日　　马克思在致恩格斯的一封信中说，"我现在发狂似地通宵总结我的经济学研究，为的是在洪水期之前至少把一些基本问题搞清楚"。

1858 年

1 月上半月　　马克思在研究利润问题时，重新阅读了黑格尔的《逻辑学》。

2 月 22 日　　马克思在给拉萨尔的信中提到自己的政治经济学著作分为六个分册，并打算分别出版自己的论著。

3 月 11 日　　马克思在给拉萨尔的信中，对"六册计划"作了一些重要的补充说明。

4 月 2 日　　　马克思在给恩格斯的信中说明了他的经济学著作的详细计划，著作将包括六册：(1) 资本；(2) 土地所有制；(3) 雇佣劳动；(4) 国家；(5) 国际贸易；(6) 世界市场。

6 月上半月　　马克思为他在 1857 年 8 月和 1858 年 6 月之间所写的经济学文稿编制索引。

8 月初至 11 月中旬　马克思从事自己的经济学著作第一分册的写作，重新写了"货币"章。

8 月 31 日至　　马克思撰写了两篇关于对华鸦片贸易史和两篇关于《天津条约》的
9 月 28 日　　文章。

1859 年

1 月　　　　　《政治经济学批判。第一分册》脱稿，马克思打算以《政治经济学批判》为题，把它印成单行本。

2 月 28 日至 12 月　马克思写作研究资本诸问题的《政治经济学批判》第二分册。

6月11日	马克思的著作《政治经济学批判。第一分册》在柏林出版，马克思在该书"序言"中明确提出了政治经济学"六册计划"，对唯物史观基本原理作了经典表述。
8月3—15日	恩格斯给马克思的《政治经济学批判。第一分册》一书撰写了书评，即《卡尔·马克思〈政治经济学批判。第一分册〉》。
9月13—30日	马克思以《新的对华战争》为题写了一组文章。

1860 年

1—2月初	马克思继续写作研究资本诸问题的《政治经济学批判》第二分册。
1—2月	恩格斯继续研究军事理论和实践问题，关注各种武器的创造和发展的历史。
2月3日	马克思在给恩格斯的信中第一次使用"资本论"称呼《政治经济学批判》第二分册。
5—11月	马克思研究19世纪的政治史和外交史。

1861 年

6月中旬至1862年11月	马克思和恩格斯研究美国内战发生的原因和战争进程。
8月至1863年7月	马克思继续致力于他所计划的经济学巨著，预定在这部著作中探讨资本主义生产方式的全部问题，并且批判资产阶级的政治经济学；马克思的研究结果和摘录分载在23本笔记中，构成了一部篇幅巨大的手稿，总标题为《政治经济学批判》，即《政治经济学批判（1861—1863年手稿）》。
8—12月	马克思在写作自己的经济学著作过程中，详细地研究了关于货币转化为资本、关于绝对剩余价值的生产等问题，并开始研究相对剩余价值生产的问题。

1862 年

1—2月	马克思着手写作《剩余价值学说史》，同时研究了资本主义再生产的诸问题。

6—8 月	马克思在写作《剩余价值学说史》的过程中，发展了他关于平均利润和生产价格的理论，以及资本主义的级差地租和绝对地租的理论。
6 月 18 日	马克思写信告诉恩格斯他正在扩写《政治经济学批判》第二分册，同时理解了地租现象，揭穿了李嘉图的骗局。
9 月	马克思继续写作《剩余价值学说史》，在批判分析李嘉图的积累理论的过程中发展了自己关于资本主义积累和经济危机的理论。
9 月 9 日	恩格斯在给马克思的信中指出马克思对地租理论和机器损耗的认识太抽象，尤其是关于机器损耗问题。
12 月 28 日	马克思在给库格曼的信中说，他打算把《政治经济学批判》的下一分册作为单独的著作出版，以《资本论》为书名，并用"政治经济学批判"做副标题。

1863 年

1 月	马克思结束了《剩余价值学说史》的主要篇章的写作，他后来打算把这一部分作为《资本论》的第四部分即理论史部分出版。同时他编写《资本论》第一和第三部分的提纲，这两部分成了后来《资本论》第一卷和第三卷的基础。
1 月	沙俄占领区的波兰人民举行了震动全欧洲的大规模武装起义。
3—7 月	马克思长时期在大英博物馆写作，从有关政治经济学史的书籍中作补充摘录，这些摘录积成八本笔记。
7 月 6 日	马克思写信告诉恩格斯，他在魁奈"经济表"基础上提出了社会资本再生产理论，并对社会资本的再生产过程作了说明和图解。
8 月至 1865 年 12 月	马克思决定用更有系统的形式来表述自己经济著作的理论部分，着手以《资本论》为标题撰写新稿。他在工作过程中完成了《1863—1865 年经济学手稿》，这是马克思完成的关于《资本论》理论部分三卷的直接稿本。

1864 年

5 月 9 日	威廉·沃尔弗逝世。
10 月 11 日	"国际工人协会"正式成立，简称"国际"（即"第一国际"）。

10 月 21—27 日　马克思重新起草国际工人协会的纲领性文件——《国际工人协会成立宣言》和《国际工人协会临时章程》。

1865 年

1 月 24 日　马克思撰写《论蒲鲁东（给约·巴·施韦泽的信）》。

1 月底至 2 月 11 日　恩格斯撰写《普鲁士军事问题和德国工人政党》，批判了拉萨尔主义幻想依靠普鲁士政府的力量、依据争得普选权的途径建立"社会主义"的理论主张。

6 月 20 日、27 日　马克思在国际工人协会总委员会会议上作了关于"工资、价格和利润"的报告，以通俗的形式阐述了剩余价值理论的基本观点。

9 月 25—29 日　马克思参加国际工人协会伦敦代表会议。

1866 年

2 月 13 日　马克思致信恩格斯说，目前他已经基本完成了《资本论》庞大的手稿内容，但是内容加工起来非常困难。

2 月 13 日左右　马克思依照恩格斯的建议，决定首先整理发表《资本论》第一卷。

8 月底　马克思为即将举行的日内瓦代表大会起草《临时中央委员会就若干问题给代表的指示》。

10 月 13 日　马克思在给库格曼的信中叙述了《资本论》的总体结构，这部著作打算分四卷：（一）资本的生产过程；（二）资本的流通过程；（三）整个过程的形式；（四）理论史。

1867 年

1 月 22 日　马克思作为国际工人协会的代表，出席伦敦纪念 1863—1864 年波兰起义三周年大会。

4 月 12—16 日　马克思住在汉堡，同迈斯纳商谈关于出版《资本论》第一卷的一些问题。

6 月 3 日　马克思把《资本论》的五个印张校样寄给恩格斯校阅，并请他指出在对"价值形式"的叙述中有哪些地方需要在附录中作通俗说明。

6月16日 恩格斯在给马克思的信中，叙述了自己读完《资本论》第一卷第一批校样后的意见，以及对在第一卷附录中叙述有关"价值形式"问题的想法。

6月17—22日 马克思在写作《资本论》第一卷第一章的附录"价值形式"时辩证地采纳了恩格斯的意见。

6月26日 恩格斯在给马克思的信中谈到剩余价值问题时，表示关于剩余价值的产生，他还有一些意见。

8月23日 恩格斯致信马克思，提出了《资本论》第一卷在总体结构上存在的问题。

9月2—8日 国际工人协会于洛桑召开代表大会，马克思被选入总委员会。

9月14日 马克思的《资本论》第一卷在德国汉堡出版，印数为1000册。

10月至1868年5月 恩格斯为大力宣传和通俗解读马克思的《资本论》第一卷写了多份书评，发表在德国资产阶级民主主义报纸《未来报》、德国自由资产阶级报纸《埃尔伯费尔德日报》、德国自由资产阶级报纸《杜塞尔多夫日报》、资产阶级民主主义报纸《新巴登报》、德国工商界的机关报《符腾堡工商业报》、德国工人的报纸《民主周报》等报刊上。

11月 芬尼党人组织领导爱尔兰人民为争取民族解放的武装起义。

12月16日 马克思在伦敦德意志工人教育协会上作了关于爱尔兰问题的报告。

1868 年

4月 恩格斯写《资本论》德文一版第一卷提纲。

4月底 为撰写《资本论》第三册，马克思研究利润率和剩余价值率之间的关系问题。

9月6—13日 在布鲁塞尔举行的国际工人协会代表大会讨论了马克思写的《国际工人协会总委员会第四年度报告》，大会还通过一项决议案，即倡议各国工人学习马克思的《资本论》。

1869 年

7月6日 在总委员会会议上，马克思就土地所有制问题作了两次发言，他强调向土地集体所有制过渡是经济的必然性。

8 月 3 日	马克思在总委员会会议上宣读他准备的《总委员会关于继承权的报告》。

1870 年

1 月 24 日	马克思在致德·巴普的信中详细说明了巴枯宁派在国际中的分裂活动。
3 月下旬	马克思写完《资本论》第二卷草稿。
7 月 19 日	普法战争爆发。
7 月 26 日	马克思向总委员会宣读了他所写的《国际工人协会总委员会关于普法战争的第一篇宣言》。
7 月 27 日左右至 1871 年 2 月中旬	恩格斯根据与《派尔—麦尔新闻》编辑部的协议，写了 59 篇关于普法战争的文章。
9 月 4 日	法兰西第三共和国成立。
9 月 5—10 日	马克思领导总委员会组织英国工人进行保卫法兰西共和国和争取英国政府承认共和国的运动。
9 月 6—9 日	马克思草拟了国际工人协会总委员会关于普法战争的第二篇宣言。

1871 年

3 月 18 日	巴黎爆发无产阶级革命。
3 月 28 日	在巴黎市政厅广场隆重举行了巴黎公社成立大会，人类历史上第一个无产阶级政权宣告诞生。
4 月 17 日	马克思在给库格曼的信中强调巴黎公社的世界历史意义。
4 月 18 日至 5 月 29 日	马克思起草关于"法兰西内战"的宣言。
5 月 23 日	马克思在总委员会会议上做了关于巴黎公社的发言，马克思强调指出，公社所宣布的原则是永存的，即使公社遭到失败，这些原则也是消灭不了的。
5 月 28 日	巴黎公社最后一道街垒被凡尔赛军队攻破，巴黎公社革命以失败而告终。

6—12 月	马克思和恩格斯大力组织对巴黎公社流亡者的救济和援助。
9 月 25 日	马克思在伦敦的国际工人协会成立七周年纪念会上发表演说，论述了国际的任务和目的、阐明了巴黎公社的阶级实质。
12 月	马克思为《资本论》德文第二版修改第一卷中的第一章。

1872 年

1—3 月	马克思将"价值形式"的附录加入《资本论》第一章的正文部分。
3—8 月	马克思审阅《资本论》第一卷德文第二版的校样，同时准备出版《资本论》第一卷的法文版。在德文第二版中，马克思对第一版全卷的结构作了重大的更改，把书中某些篇名改得更加确切，对价值和各种价值形态作了更加详尽而严密的科学分析，进一步阐明和发挥了其他各章中的许多原理。
3 月 5 日	马克思把他和恩格斯共同起草的通告《所谓国际内部的分裂》提交总委员会，通告揭穿了巴枯宁主义这种同工人运动不相容的小资产阶级宗派主义的实质。
3 月 19 日	《资本论》第一卷德文第二版开始分册付印，印数为 3000 册。
3 月 27 日	《资本论》第一卷俄文第一版在俄国出版，这是该书的第一个外文译本。
4 月底至 5 月	马克思用很大一部分时间来校订《资本论》第一卷的法译文，同时审阅德文第二版的校样。
5 月初	马克思将《资本论》第一卷法译本头两个印张的校样邮寄给巴黎的出版商。
7 月 16 日左右	《资本论》第一卷德文第二版第一分册（共 5 印张）出版。
9 月 1 日	马克思和恩格斯到海牙参加国际的第五次年度代表大会。
9 月 17 日	《资本论》第一卷法文版第一辑（共五分册）出版。
10 月至 1873 年 3 月	恩格斯撰写《论权威》，批判了巴枯宁错误的权威观。
12 月底至 1873 年 1 月初	马克思撰写《政治冷淡主义》，阐述了工人阶级参与政治斗争的意义。

1873 年

4—7 月 　马克思恩格斯撰写《社会主义民主同盟和国际工人协会》，批判了巴枯宁主义者在国际上的秘密活动。

5 月 30 日 　恩格斯写信给马克思，阐述了他的著作——《自然辩证法》的构思。恩格斯着手收集资料并在一年中写出了这部未来著作的许多片断。

6 月初 　《资本论》第一卷德文第二版在德国汉堡出版。

9—10 月 　恩格斯撰写《行动中的巴枯宁主义者》，指出巴枯宁主义分子所奉行的无政府主义原则和策略是毫无根据的。

1874 年

1874 年至
1875 年初 　恩格斯继续写作《自然辩证法》，在这段时期中他写了 50 篇以上的札记和片断。

6—7 月 　马克思和恩格斯写信给李卜克内西、威·布洛斯和赫普纳，警告他们要提防小资产阶级政论家欧根·杜林对德国社会民主工党的影响的危险。

1875 年

1 月 23 日 　马克思和恩格斯在 1863—1864 年波兰起义纪念会上发表演说。

3 月至 1876 年 　恩格斯继续写作 1873 年已经开始的《自然辩证法》一书。

11 月末 　马克思亲自校订的法文版《资本论》第一卷最后一分册出版。在该书的跋中，马克思指出《资本论》法文版和德文原版一样具有独立的科学价值。

1876 年

5 月底至 8 月底 　恩格斯中断了《自然辩证法》的写作，并着手为批判杜林的观点收集材料。为此，他研究了杜林的诸多著作：《哲学教程》、《国民经济学和社会经济学教程》、《国民经济学和社会主义批判史》。

| 6—11 月 | 恩格斯撰写《威廉·沃尔弗》。 |
| 9 月至 1877 年
1 月初 | 恩格斯写作《反杜林论》第一编（"哲学"）。 |

1877 年

| 6—8 月 | 恩格斯写作《反杜林论》第二编（"政治经济学"）。 |
| 8 月至 1878 年
4 月 | 恩格斯写作《反杜林论》第三编（"社会主义"）。 |

1878 年

5 月至 6 月初	恩格斯撰写了《反杜林论》第一版单行本序言的初稿，后来恩格斯把这个初稿当做《自然辩证法》的材料（即《〈反杜林论〉旧序。论辩证法》）。
6 月 11 日	恩格斯撰写了《反杜林论》第一版单行本序言的定稿。
7 月 8 日左右	莱比锡出版了恩格斯的《欧根·杜林先生在科学中实行的变革》（《反杜林论》）的第一个单行本。

索　引

主题索引

040, 044, 045, 046, 051, 054, 055, 056,
059, 063, 064, 092, 094, 099, 106, 111,
112, 171, 175, 182, 186, 187, 225, 236,
237, 245, 256, 265, 267, 272, 274, 280,
281, 283, 285, 290, 292, 310, 311, 312,
313, 314, 315, 316, 317, 318, 319, 320,
321, 322, 323, 324, 325, 326, 327, 328,
329, 330, 331, 332, 333, 334, 337, 338,
339, 341, 342, 344, 345, 346, 347, 348,
349, 350, 352, 353, 354, 355, 356, 357,
358, 361, 362, 364, 366, 367, 369, 376,
383, 385, 387, 388, 389, 390, 391, 392,
395, 397, 398, 399, 400, 401, 402, 403,
404, 405, 406, 407, 408, 409, 410, 411,
412, 413, 414, 415, 416, 417, 418, 425,
433, 435, 459, 462, 464, 467, 468, 469,
470, 471, 472, 475, 477, 484, 485, 489,
496, 498, 499, 500, 504, 506, 510, 512,
516, 517, 518, 519, 520, 521, 522

无产阶级革命　005, 010, 012, 015, 021, 022,
024, 027, 028, 029, 030, 032, 033, 035,
037, 038, 044, 045, 046, 055, 059, 092,
171, 186, 187, 256, 292, 310, 317, 318,
319, 320, 321, 323, 325, 327, 328, 331,
333, 342, 344, 345, 346, 348, 350, 355,
356, 358, 392, 398, 399, 400, 402, 407,
409, 413, 416, 470, 472, 484, 485, 498,
499, 506, 517, 518, 519, 521, 522

无产阶级专政　003, 005, 010, 015, 021, 023,
024, 025, 028, 029, 030, 031, 324, 344,
345, 347, 366, 367, 383, 398, 399, 400,
401, 403, 404, 405, 406, 410, 411, 500,
518

Z

哲学　002, 003, 020, 021, 024, 025, 026, 045,

049, 050, 051, 052, 054, 063, 075, 099,
100, 101, 102, 105, 108, 113, 154, 210,
239, 257, 258, 281, 286, 332, 350, 361,
363, 364, 369, 372, 373, 374, 375, 376,
377, 378, 379, 380, 381, 382, 383, 398,
402, 417, 418, 419, 420, 422, 423, 424,
425, 426, 427, 428, 429, 430, 432, 433,
436, 439, 440, 441, 442, 458, 466, 472,
474, 478, 479, 480, 481, 482, 483, 484,
486, 487, 488, 489, 490, 492, 493, 504,
520

政党　012, 017, 021, 027, 028, 029, 032, 045,
056, 285, 324, 325, 326, 330, 331, 332,
338, 346, 347, 348, 350, 368, 372, 383,
398, 401, 407, 408, 409, 410, 411, 412,
413, 414, 415, 416, 418, 422, 425, 470,
471, 473, 509, 511, 521

政治经济学　002, 003, 004, 014, 027, 048,
049, 051, 052, 053, 054, 055, 058, 059,
060, 061, 063, 065, 066, 068, 075, 082,
084, 085, 088, 092, 097, 098, 099, 101,
102, 103, 112, 113, 114, 115, 117, 118,
119, 120, 122, 123, 124, 125, 141, 147,
148, 149, 189, 190, 192, 193, 195, 196,
198, 200, 201, 202, 204, 209, 210, 213,
215, 216, 219, 233, 234, 235, 236, 237,
239, 240, 241, 242, 257, 259, 261, 262,
271, 272, 273, 274, 275, 278, 279, 280,
281, 282, 283, 284, 285, 286, 287, 288,
289, 290, 291, 292, 293, 295, 296, 299,
306, 307, 308, 324, 342, 354, 362, 364,
367, 370, 375, 385, 407, 411, 417, 419,
423, 424, 425, 432, 441, 442, 443, 444,
449, 466, 472, 482, 486, 493, 495, 499,
501, 513, 520

资本　001, 002, 003, 004, 005, 006, 016, 017,

人名索引

后 记

　　本卷是《马克思主义发展史》十卷本中的第二卷，主要反映的是马克思恩格斯在 19 世纪 40 年代后期至 70 年代中期这段时间的思想发展，以及同时代马克思主义者对马克思主义的发展所做的贡献。本课题组在该卷的研究和写作中，对《伦敦笔记》所阐述的内容、马克思恩格斯关于中国和印度问题的研究，以及恩格斯这一时期对马克思主义经济学创立的贡献等，作出了尽可能的分析和概括，吸收了学术界在马克思主义发展史研究中的相关成果。写作中的不足之处敬请读者批评指正。

　　该书写作分工如下：

　　卷首语、第三章、第五章、后记：张雷声

　　第一章、第十章：李玉峰

　　第二章：董璐璐

　　第四章：韩昌跃

　　第六章：董良杰

　　第七章：张雷声、颜惠箭、张继龙

　　第八章、第九章：韩建新

　　第十一章、第十二章：郝潞霞

　　该卷的参考文献、大事记、索引均由颜惠箭作出整理。

张雷声

2017 年 9 月 29 日

编　后　语

马克思主义是不断发展的开放的理论，始终站在时代前沿，引领时代发展。总结自马克思主义诞生以来的发展史，是全部马克思主义理论研究者的一件大事，更是一件难事。中国人民大学作为我国马克思主义教学与研究高地，始终重视这项工作。从 1996 年《马克思主义史》（四卷本）出版，历经了 27 年的光阴，在新时代的呼唤下，这部《马克思主义发展史》（十卷本）终于呈现在各位读者面前。这是一部由中国人民大学组织编写、以推进马克思主义中国化时代化为主旨的巨著，具有科研启动时间早、参研人数多、设计体量大、理论难度高、持续时间长等显著特点。这部书得到了中央有关部门和领导同志的高度重视，先后入选国家出版基金项目和国家出版"十三五"规划项目，受到来自中共中央党校、中国社会科学院、北京大学、中央民族大学等高校和研究机构同人的鼎力相助，更有中国人民大学党委和人民出版社的全力支持。在一路关注和支持下，人大人践行着人民大学的优良传统和红色基因，以高度的理论使命感为指引，以扎实的马克思主义理论功底为支柱，敢于担当、求真务实、团结协作，以"一马当先"精神完成了这部鸿篇巨著。

以责任担当精神书写理论创新的辉煌篇章。时代是思想之母，实践是理论之源，理论之树常青是源于其始终随着实践的变化而发展。人大人想要承担起"十卷本"的编写重任，也一定能够承担起这项历史重任。自学校诞生之日起，一代代人大人紧扣时代脉搏，根据时代变化和实践发展，不断深化认识，不断总结经验，不断推动理论创新和实践创新的良性互动，用思想之力量发社会之先声。我们在 2014 年作出编写这部书的决定绝不是一个偶然，而是历史的必然。党的十八大召开，标志着中国特色社会主义进入新时代。一年多之后，编写这套丛书作为重大科研课题正式获批立项。这一年多的时间虽然短暂，但新时代的精神已经鲜明彰显。此后，一些新理念新思想新战略不断涌现，其中所蕴含着的一些重大而崭新的理论问题已深刻展现出来，我国的社会生活也在发生着深刻变化。特别是党的十九大明确提出习近平新时代中国特色社会主义思想，实现了马克思主义中国化新的飞跃，更加充分证明开展《马克思主义发展史》（十卷本）的编写工作是一项非常正确的决定。这是中国人民大学及其马克思主义理论学者对时代精神强力召唤的真诚回应，是所肩负的崇高历史责任的自觉担当。

以求真务实精神描绘人大学派的精神底色。习近平总书记曾寄语哲学社会科学工作者，要"自觉以回答中国之问、世界之问、人民之问、时代之问为学术己任"。人大人始终以"立学为民、治学报国"为学术追求，以实事求是、求真务实的精神直面"世界怎么了"、"人类向何处去"的时代之题，创作出了一大批经世济民、历久弥新的学术成果。《马克思主义发展史》（十卷本）便是这样一部回应时代需要和现实国情的学术巨著。一方面，习近平新时代中国特色社会主义思想是马克思主义中国化时代化的原创性成果，是马克思主义发展史上又一里程碑式的重大发展。为了推进理论的体系化、学理化，本书在编写过程中坚持"两个结合"，坚守好马克思主义魂脉和中华优秀传统文化根脉，新设专章，从学科角度重点研究阐释我们党提出的新理念新论断中的原理性理论成果，把握相互的内在联系，不断深化对党的理论创新的规律性认识。另一方面，将马克思主义发展史与党的百年历史、党的二十大接轨，充分彰显马克思主义在当代中国的理论进展和思想伟力，系统阐释马克思主义中国化理论在哲学、政治经济学和科学社会主义等相关学科的最新成果，呈现马克思主义理论在中华大地上的勃勃生机。

以团结协作精神汇聚著书立言的磅礴力量。时光荏苒，一瞬九载春秋，这个过程虽然"道阻且长"，但人大人"行则将至"。我们常说，讲团结就是讲政治，服从集体、凝心聚力；讲协作就是讲效率，术业专攻、高效落实。自课题立项之日起，时任中国人民大学党委书记、本书编委会主任靳诺教授就高度关注并全力支持本书的编写工作；年逾八旬的庄福龄教授首倡编写十卷本《马克思主义发展史》，亲自主持本书的筹划和编写大纲的制定，病榻上仍心系本书编写直至逝世；杨瑞森教授临危受命"挑起大梁"，特别是在第十卷的编撰中，亲自召集一批知名专家发挥专长、打磨书稿；更有一大批中青年马克思主义理论学者参与到本书的编写工作之中。中国人民大学党委作为团结协作的"领头羊",统筹各方面工作,不忘著书立说的初心使命;各位总主编、各卷主编及作者服从安排、相互协作,尽心竭力、数易其稿,才使如此鸿篇巨著得以优质、高效地产出。正是一代代人大人讲团结、重协作,汇聚成了人才荟萃、名家云集的中国人民大学马克思主义理论教学与研究高地,凝结成了《马克思主义发展史》(十卷本)这部心血之作。特别需要提到的是,人民出版社高度重视、全力支持本书出版工作,毕于慧编审全程参与本书的编写、出版等工作,为这套十卷本的高效优质出版提供了重要保证。

本书的编写工作即将告一段落,我们力求将马克思主义发展至今的历程、观点、人物、事件等完整地呈现于此书。这部书立足中国特色社会主义新时代,整合近年来最新的马克思恩格斯著作手稿、马克思主义理论最新研究观点,以整体性的视野详述马克思主义 170 余年来形成、发展和在新的实践中不断深化的历史过程。这既是几代人大人的心血之作,也期待能够成为马克思主义发展史研究的扛鼎之作。新征程上,人大人将以坚持党的领导为根本统领,以传承红色基因为文化血脉,以扎根中国大地为发展根基,以加快建设中国特色、世界一流的社会主义大学为目标使命,继续发扬"一马当先"精神,充分发挥中国人民大学马克思主义理论研究底蕴深厚的优势,始终担当起人大马理学派应有的历史使命,踔厉奋发,笃行不怠,为不断推动当代中国马克思主义和二十一世纪马克思主义发展作出应有的贡献!

本书编委会

2023 年 10 月

项目统筹：毕于慧
责任编辑：余　雪　杜文丽
封面设计：石笑梦
版式设计：周方亚
责任校对：马　婕

图书在版编目（CIP）数据

马克思主义发展史 . 第二卷，马克思主义体系的形成及发展：1848—1875 ／
　张雷声 主编 . — 北京：人民出版社，2018.5（2025.7 重印）

ISBN 978 - 7 - 01 - 019282 - 6

I. ①马…　 II. ①张…　 III. ①马克思主义 - 历史 -1848-1875　 IV. ① A81

中国版本图书馆 CIP 数据核字（2018）第 079249 号

马克思主义发展史（第二卷）
MAKESI ZHUYI FAZHANSHI（DI'ERJUAN）
——马克思主义体系的形成及发展（1848—1875）

张雷声　主编

人民出版社 出版发行
（100706　北京市东城区隆福寺街 99 号）

北京中科印刷有限公司印刷　新华书店经销

2018 年 5 月第 1 版　2025 年 7 月北京第 5 次印刷
开本：710 毫米 ×1000 毫米 1/16　印张：37
字数：611 千字

ISBN 978 - 7 - 01 - 019282 - 6　定价：168.00 元

邮购地址 100706　北京市东城区隆福寺街 99 号
人民东方图书销售中心　电话（010）65250042　65289539